CE QUE JE N'AI PAS APPRIS À L'ÉCOLE MAIS QUE J'AURAIS BIEN AIMÉ

JAMIE McINTYRE

CE QUE JE N'AI PAS APPRIS À L'ÉCOLE MAIS QUE J'AURAIS BIEN AIMÉ

Et pourquoi la plupart des systèmes éducatifs sont un échec lamentable

Traduit de l'anglais (australien) et adapté pour le public francophone

par Dominique Arbell et Florent Huet

DIVERGENT EDITIONS

Titre original : What I Didn't Learn At School But Wish I Had

Première publication : 2002

Révision et ajouts : août 2009

Troisième édition révisée : mai 2010

Quatrième édition révisée : janvier 2012

Publié par 21st Century Publishing
Level 9, 222 Kings Way
South Melbourne VIC 3205
Australia

Tél. : 1800 999 270
Tél. : +61 07 5474 4222
Tél. : New Zealand (09) 358 7334
Fax : (03) 8456 5973
Email : customerservice@21stca.com.au
Web : www.21stcenturyeducation.com.au
www.21stcenturypublishing.com.au

Première publication française : août 2015

Publié par Divergent Editions
5 ter rue de Verdun
54800 JEANDELIZE
France
Web : www.divergent-editions.com
Email : contact@divergent-editions.com

ISBN 979-10-91662-24-6

La National Library of Australia a catalogué ce livre sous les références suivantes :

McIntyre, Jamie

What I didn't learn at school but wish I had

ISBN 978-1-921458-42-2

Imprimé et relié en Australie par Griffin Press

Pour des prix de gros ou de nouvelles commandes, écrire à viv@21stca.com.au

Distributeur australien :

Gary Allen Pty Ltd
9 Cooper Street, Smithfield NSW 2164
Tél. : (02) 9725 2933
Fax : (02) 9609 6155
Adresse postale : PO Box 6440, Wetherill Park BC NSW 1851

Distributeur français :

Divergent Editions
5 ter rue de Verdun
54800 JEANDELIZE
Web : www.divergent-editions.com
Email : contact@divergent-editions.com

POUR ALLER ENCORE PLUS LOIN DANS VOTRE EDUCATION FINANCIERE, RENDEZ-VOUS SUR

WWW.DIVERGENT-EDITIONS.COM/EF

JAMIE McINTYRE

Co-fondateur du « Centre d'Education pour le 21ème Siècle »

Jamie McIntyre est le fondateur du groupe de compagnies 21stCentury et Président Directeur Général du 21stCentury Education Center *(« Centre d'Education pour le 21ème Siècle », ndt)* en Australie. Il est aussi l'auteur du bestseller « What I Didn't Learn At School But Wish I Had » *(traduction en français : « Ce que je n'ai pas appris à l'école mais que j'aurais bien aimé », ndt)*. C'est un entrepreneur brillant, un investisseur, un coach, un conférencier et un éducateur de réputation mondiale.

Au cours de ses jeunes années, en quête d'une éducation pour la « vie réelle » qui lui aurait révélé les bonnes stratégies pour réussir au 21ème siècle, Jamie a parcouru le monde et suivi les enseignements des meilleurs éducateurs de cette planète. Il a investi plus de $100'000 sur une durée de trois ans pour avoir accès aux personnalités qui ont le mieux réussi dans différents aspects de leurs vies, pour suivre des cours et séminaires. Il a recueilli les conseils de ses maîtres privés et conduit des recherches dans des centaines de livres.

Au cours de cette quête immense, Jamie a complètement transformé le cours de sa vie, en trois à cinq ans. Alors qu'il avait à peine plus de vingt ans et une dette de $150'000, il se prit en mains et devint millionnaire – un millionnaire autodidacte. Il fonda diverses compagnies, améliora sa santé et ses relations et se mit à mener la vie de ses rêves.

Jamie parvint à apprendre et à suivre l'exemple de multimillionnaires, entrepreneurs, investisseurs et coaches de tout premier plan comme Anthony Robbins ; d'économistes renommés dans le monde entier, comme le conseiller présidentiel Paul Zane Pilzer ; des leaders comme le général Norman Schwartzkopf ou Desert Storm *(« Tempête sur le Désert », ndt)* ; le gourou du marketing Jay Abrahams et certains des plus grands entrepreneurs du monde comme Sir Richard Branson *(du groupe Virgin, ndt)*.

Après avoir produit des résultats remarquables dans divers aspects de sa vie, Jamie décida de remplir la promesse qu'il avait faite à l'un de ses mentors personnels : transmettre ce qu'il avait appris. C'est ainsi que le 21st Century Education Center *(ci-après le « Centre d'Education pour le 21ème Siècle », ndt)* vit le jour en Australie.

Philanthrope actif, Jamie a dépensé des millions de dollars pour diffuser partout dans le monde l'enseignement qu'il offre au « Centre d'Education pour le 21ème Siècle ». Il a aussi fondé le « Centre de Charité du 21ème Siècle » qui fait des dons à des œuvres de charité comme la Croix-Rouge australienne, World Vision, le réseau australien de lutte contre le cancer du sein, la fondation « Make A

Wish », la fondation pour enfants « Starlight » en Australie, Canteen et Basket Brigade, pour ne mentionner que quelques-uns de ses bénéficiaires.

Jamie vit sur la Côte d'Or en Australie où il mène la vie de ses rêves et se consacre de manière passionnée à son projet de rendre l'éducation pour le 21ème siècle accessible à chacun, dans le monde entier.

En autorisant la publication de son livre en français, Jamie McIntyre rend accessible au monde francophone les fondements d'une éducation pour la vie réelle au 21ème siècle et donne à chacun les clés de l'enrichissement.

AVERTISSEMENT IMPORTANT

Toutes les informations contenues dans ce livre sont fondées sur les expériences personnelles de son auteur, Jamie McIntyre, en sa qualité d'entrepreneur, consultant, conseiller et coach en investissements et sur celles d'autres personnes qu'il a prises pour modèles. Le lecteur devra probablement les modifier, les adapter à son caractère, environnement et situation financière propre, effectuer des recherches supplémentaires à leur propos.

Ces informations sont fournies à titre d'illustrations et ne doivent pas être considérées comme des conseils, suggestions, incitations, recommandations, etc., en vue d'investissements spécifiques. Ce sont des exemples.

Les lois relatives aux investissements, à la fiscalité, aux bénéfices et à la gestion financière varient constamment et de pays en pays. Elles sont souvent fonction de changement de politiques gouvernementales et ne sont pas toujours fondées, comme dans ce livre, sur le droit anglo-saxon. Chacun est censé connaître la loi dans son propre pays.

Bien que tous les efforts aient été accomplis pour s'assurer de l'exactitude du contenu de ce livre au moment de sa publication et de sa diffusion, ni l'auteur, ni les présentateurs, ni les éditeurs en toutes langues, ni les promoteurs, ni les traducteurs de ce livre ne porteront et n'auront à assumer la moindre responsabilité ou relation avec une action engagée par toute personne, organisation ou autre éventuelle entité sur la base d'informations contenues dans ce livre, de sa traduction ou de son adaptation.

Sans poser de limites à la portée générale de ce qui précède, j'insiste sur le fait qu'aucune personne, organisation ou entité de quelque nature que ce soit ne devrait investir de l'argent ou entreprendre toute autre action en se référant aux informations et au matériel contenus dans ce livre ou y relatif, ou à quelque support matériel en relation avec ce livre, mais devrait en revanche chercher et trouver indépendamment (ou avec l'aide d'un expert ou autre) les solutions appropriées de nature à la satisfaire et adaptées à sa situation.

Tout effort a été accompli pour que ce livre soit sans erreur ni omission. Cependant, ni l'éditeur, ni l'auteur, ni le traducteur, ni l'adaptateur, ni tout autre intervenant dans l'élaboration de cet ouvrage et dans sa diffusion, ni leurs employés, agents ou collaborateurs ne pourront être tenus pour responsables de quel que dommage que ce soit subi par une personne ou entité qui agirait, ou s'abstiendrait d'agir, en raison du contenu de ce livre et du matériel qui y est présenté ou associé, ou qui subirait tout autre dommage de quelle que nature que ce soit dû à une action négligente, un manquement au devoir ou une défaillance de la part de l'auteur, de l'éditeur, du traducteur ou de leurs éventuels employés ou agents et autres intervenants.

AVANT-PROPOS

Je suis persuadé que, si vous êtes vraiment décidé à améliorer votre vie et à réussir brillamment au 21ème siècle - et non simplement curieux de lire cet ouvrage - le contenu de ce livre sera un véritable cadeau de ma part, parce que je suis déterminé à vous aider à réaliser vos rêves. Vous pourrez, grâce aux informations que je vais partager avec vous, rejoindre les milliers de personnes qui les utilisent déjà pour s'enrichir de manière significative. Je vais vous faire découvrir ce que j'ai appris avant vous et qui m'a placé sur le chemin de la réussite, ce qui me fait éprouver une immense gratitude.

Voici ce que vous allez progressivement découvrir au cours de votre lecture :

- Comment vous doter d'une mentalité de millionnaire qui conduit à la réussite
- Les raisons pour lesquelles beaucoup de gens échouent
- L'histoire et la nature de l'argent, des systèmes qui le contrôlent, et pourquoi vous devez en être conscients pour comprendre la crise globale qui nous affecte et qui peut encore se reproduire ou empirer
- En quoi consiste une éducation moderne, adaptée à la vie réelle au 21ème siècle ; éducation qui, contrairement à celle transmise à l'école ou à l'université, m'a permis de réussir brillamment financièrement
- Des méthodes devant vous permettre de modifier les paramètres de votre subconscient pour le « reprogrammer » afin qu'il vous dirige vers le succès financier
- Des stratégies devant vous aider à réaliser des gains instantanés, même si vous n'avez que très peu pour commencer à investir
- Des stratégies d'investissements immobiliers qui devraient vous permettre de bien gagner et de ne pas payer d'impôts
- Les 4 qualités fondamentales que vous devez posséder ou acquérir pour atteindre le succès au 21ème siècle, et comment d'autres que vous les ont mises en œuvre pour gagner plusieurs centaines de milliers de dollars par an
- Les 5 aspects fondamentaux d'une éducation adaptée au 21ème siècle – et qui devraient être introduits dans l'enseignement scolaire
- Comment des investisseurs dotés d'une intelligence financière parviennent à gagner l'équivalent de leur revenu – voire le remplacer – en 90 à 180 jours en louant leurs titres boursiers
- 8 façons de trouver rapidement l'argent nécessaire pour investir, même quand on en n'a pas les moyens

- Comment se doter facilement d'une mentalité de millionnaire et se forger un moral gagnant

En bref : ce que l'on aurait dû vous enseigner à l'école mais que l'on ne vous a pas appris.

Dans cette édition révisée, j'ai ajouté un chapitre sur la manière de réaliser $500 à $1'000 par nuit en faisant du e-trading de contrats futures, un chapitre sur les options immobilières au cours duquel je montre comment un de mes amis les a utilisées pour gagner des millions ; un chapitre, rédigé avec l'aide de mon expert-comptable, sur certaines façons de réduire vos impôts et de protéger vos avoirs. *(Un chapitre décrivant un mois de la vie quotidienne de l'auteur n'a pas été repris dans l'édition française en raison de son caractère très différent de ce que serait une vie de rêve dans le monde francophone. Ndt)*

Depuis 2002, le monde a connu de profondes transformations. Surtout avec la crise globale du crédit et le crash boursier de fin 2007, dont les effets se sont fait sentir durant les années suivantes et pourraient continuer et se reproduire. Mais ils n'ont pas affecté ma vie de rêve.

Ces bouleversements ont complètement changé les règles des investissements. La bonne vieille stratégie boursière consistant à acheter et à conserver des titres, que les gestionnaires de fortune appliquèrent pendant des décennies, s'est avérée désastreuse pour la plupart des investisseurs qui avaient confié leurs fonds à des conseillers financiers en vue de leur retraite et qui leur payaient de monstrueuses commissions de gestion, pour finir par perdre tout ou partie.

Toutefois, les stratégies que j'enseigne sont encore efficaces, malgré la crise et malgré la volatilité du marché.

Si l'on m'avait dit, il y a dix-huit ans, qu'un jour, pas si lointain, ma vie serait aussi géniale que celle que je mène depuis ma trentaine, je ne l'aurais jamais cru. Quand on pense à d'où je suis parti !

Je ne veux pas vous impressionner. Tout ce que je désire en partageant mon expérience et mes connaissances avec vous et en vous donnant un aperçu de mon style de vie, c'est stimuler vos rêves et vous aider à les transformer en réalité. Mes rêves à moi sont devenus réalité, et je suis convaincu que tout le monde peut réaliser tout ou partie de ses rêves, beaucoup plus que l'on ne le pense en général. Nos rêves sont le plus souvent accessibles.

Je n'en reviens pas de mener une vie aussi confortable, de pouvoir m'asseoir sur la terrasse de ma superbe maison, me plonger dans mon jacuzzi, contempler ma piscine, en bas, et la cascade en face de mon salon, dans ma luxueuse demeure au bord de la mer. Je voulais vivre ainsi. [...]

Dire que je peux passer des vacances d'hiver avec mes plus proches amis, dans notre résidence d'hiver dans les montagnes qui surplombent le Queenstone, en Nouvelle Zélande – une région magnifique. Dire que je n'ai plus besoin de travailler, à moins que je choisisse de le faire, et cela depuis ma trentaine...

Je pense à ma vie avec une immense gratitude et je peux difficilement croire – par exemple – que je possède une ferme simplement pour le plaisir de me retrouver en pleine nature, seul, et que je peux m'y rendre facilement grâce à mon petit aéroport personnel et mon avion privé. Quel privilège pour moi !

Dire – je n'y crois toujours pas – que j'ai un très bel appartement à Sydney avec une vue sur le port – qui est selon moi un des plus beaux du monde – et que j'y reçois mes amis et les emmène visiter la ville. Dire que je peux passer du temps dans un chalet qui m'appartient, dans une des stations de ski les plus prisées au monde : Whistler, au Canada. Dire que je peux me rendre à mon gré à Monte Carlo, Portofino, Venise, Prague, en Afrique, à Majorque, au Canada, au Manchou Pichou au Pérou, dans les îles Cook, pour n'évoquer que quelques-uns des lieux magiques de notre belle planète aux yeux de l'Australien que je suis.

Mais, plus important que tous ces avantages matériels, je suis entouré d'amis qui partagent mon bonheur d'être libre de faire ce que je veux, quand je le veux et avec qui je veux, aussi souvent que je le désire. J'ai le temps de profiter de ma famille et de l'emmener passer des vacances dépaysantes.

Je suis encore émerveillé de pouvoir aider nos jeunes, en Australie et en Nouvelle Zélande, à transformer leur vie en leur octroyant des bourses afin de leur donner une éducation conforme au 21ème siècle, une éducation à la vie réelle, qui ne fait malheureusement pas encore partie des programmes scolaires.

Dire que je vis la vie que je voulais vivre et que je sers mon Créateur en exerçant une influence positive sur la vie d'autres gens.

Il se passe rarement une semaine sans que je reçoive une carte, un cadeau ou un email de la part d'une ou de plusieurs personnes qui me remercient d'avoir fait la différence dans leurs vies ou les vies de leurs fils et filles. Parfois, d'anciens étudiants de mes séminaires, désormais sur la route du succès, me rencontrent au restaurant et me font le récit de toutes les bonnes choses qui leur sont arrivées depuis leurs études avec moi. C'est si gratifiant.

Oui, je suis rempli de gratitude, profondément humble et heureux de pouvoir partager avec vous les connaissances qui m'ont permis de transformer ma vie pendant les années mentionnées dans ce livre. Tout s'est amélioré : ma santé, mes relations, mes satisfactions émotionnelles et, bien sûr et plus spécialement, mes finances.

J'ai commencé l'aventure de la réussite alors que j'étais endetté jusqu'au cou, sans travail, sans revenu, sans argent dans mon portefeuille, et que je dépendais de l'hospitalité de l'un de mes amis. Parti de si bas, d'une faillite complète, j'ai réussi, de façon indépendante et en autodidacte, à gagner une immense fortune en un peu moins de cinq ans.

En lisant ce livre, vous commencez une démarche : celle de vous donner les moyens de vous doter d'une éducation conforme aux conditions du 21ème siècle, une éducation adaptée à la vie réelle. Je suis fier de vous.

Si seulement j'avais reçu cette éducation à l'école, ma vie aurait été bien plus facile, ainsi que celle de beaucoup d'autres sans aucun doute. Mon rêve est de rendre cette éducation disponible en Australie et en Nouvelle Zélande, et de l'étendre au-delà de ces frontières.

Avant les crises, ou pendant, le monde est plein d'incertitudes ; il faut se forger une mentalité bigrement solide pour considérer ces moments difficiles comme des défis lancés et stimulants, dans un monde plein d'occasions à saisir.

Je remercie tout particulièrement mon équipe du « Centre d'Education pour le 21ème Siècle » qui fait tout son possible pour diffuser notre éducation et pour offrir le soutien requis à celles et ceux qui mettent en œuvre les stratégies que nous leur enseignons afin de transformer leurs vies.

Jamie McIntyre

Note de l'éditeur français :

Dans certains passages, lorsque les exemples donnés par l'auteur étaient de nature générale, de portée universelle et non spécifique, nous avons choisi d'inventer une monnaie fictive appelée « sou », symbole « S », plutôt que de parler en euro ou en dollar. Vous pouvez remplacer, dans votre esprit et dans vos calculs, cette monnaie fictive par votre monnaie locale.

Bonne lecture et bon apprentissage !

SOMMAIRE

1. LA CLÉ POUR DEVENIR RICHE

Beaucoup des gens que je coache pensent encore à ce jour que gagner beaucoup d'argent est la clé pour devenir riche.

(S'il vous plaît, notez bien que c'est un mythe majeur sur la richesse.)

Jamie McIntyre

Comment et quand peut-on mesurer le succès de l'éducation ?

Comment et quand peut-on mesurer le succès de l'éducation : à l'obtention du diplôme ou de la retraite ?

Selon J. Urcivoli Sr., ancien vice-président de Merrill Lynch, sur 100 personnes à 65 ans :

- 25 sont mortes
- 20 ont des revenus annuels inférieurs à $10'000 (en dessous du niveau de pauvreté)
- 51 ont des revenus annuels compris entre $10'000 et $35'000 ($18'000 étant le revenu médian)
- 4 ont des revenus annuels supérieurs à $35'000
- 1 sur 100 seulement est millionnaire
- Aujourd'hui, la plupart des gens âgés de 50 ans ont seulement $2'300 de côté pour leur retraite.

Seulement 5 % de la population dispose de $10'000 à 65 ans.

Lorsque la sécurité sociale a été lancée en Australie, il y avait 16 personnes au service de chaque bénéficiaire. Aujourd'hui, le rapport est de 3:1. Au cours des 12 prochaines années, il devrait être de 1: 1.

Source: The Millionnaire Next Door

Ce livre est conçu pour vous donner un système d'éducation adapté au 21ème siècle, bien au-delà de ce qui est prévu au 21ème siècle dans les écoles et les universités.

Ce que j'attends de ce livre (posez-vous la question, c'est un exercice):

À la fin de la lecture de ce livre, je m'attends à avoir obtenu les résultats suivants :

____

____

Pour atteindre ces résultats, je suis prêt à m'engager à faire ce qui suit pour m'assurer que j'atteindrai les résultats souhaités :

____

____

____

____

____

____

____

____

____

____

Quand j'étais petit, je me demandais souvent : « Jamie, que voudrais-tu faire quand tu seras grand ? » D'autres auraient répondu qu'ils voulaient devenir médecins, infirmières ou avocats, ou peut-être astronautes, officiers de police, acteurs, actrices, etc. C'est différent pour chacun.

Comme je ne savais pas vraiment ce que je voulais devenir, je répondais : « Quand je serai grand, je voudrais être riche. » Je ne sais pas comment cette idée m'est venue à l'esprit. Etait-ce parce que j'avais trop regardé « Dallas », une fameuse série télévisée américaine ? En effet, la vie d'un de ses personnages principaux, J.R. Ewing, me semblait agréable : J.R ne semblait pas beaucoup travailler, roulait dans des voitures chères et vivait dans de beaux ranchs. Peut-être avais-je trop joué au Monopoly avec mes frères. Ou peut-être que l'idée d'être riche était simplement nichée dans un coin reculé de mon cerveau et que j'établissais une relation entre le fait d'être riche et celui d'être au-dessus de la moyenne.

J'ai grandi dans une petite ville de campagne, dans une ferme de 2'000 acres (environ 9 km^2) que ma famille possède encore aujourd'hui. C'était à Glenn Innes, au nord de la Nouvelle Galles du Sud. Il y faisait assez froid en hiver mais relativement chaud en été, et la nature y était généralement belle, verdoyante.

En grandissant avec une ferme pour contexte, j'ai été, dès mon jeune âge, conditionné par deux idées :

- Premièrement : la vie était faite de dur labeur, était un difficile combat. Pour réussir et gagner de l'argent avec la ferme, il fallait vraiment travailler dur. C'est ce que mon père a fait, et avant lui mon grand-père quand il était encore en vie.

- Deuxièmement : pour réussir dans la vie, il fallait aller à l'école et étudier assidûment pour atteindre un niveau vraiment bon : grâce à cette performance, on aurait un travail solide, bien sécurisé.

Enfin, et toujours selon la même philosophie, on pouvait considérer comme acquis qu'après avoir travaillé dur pendant 40, 50 ou 60 ans de sa vie, on pourrait prendre sa retraite et mener une « vie agréable ».

Franchement, je me demande souvent si au 21ème siècle cette formule fonctionne encore. Est-ce que quelqu'un a déjà vérifié cela ?

Pendant mon parcours scolaire, j'ai été moyen. Je n'étais ni premier ni dernier. Je préférais le sport à l'étude parce que je flirtais avec le désir de devenir joueur professionnel dans un club de rugby. Mais malheureusement pour moi, quand mon professeur m'énuméra ses recommandations de carrière, la profession de joueur de rugby ne figurait pas dans la liste. Mon professeur me dit : « Jamie, si tu veux bien gagner ta vie à l'âge adulte, tu devras aller à l'université ou devenir expert-comptable. » Aujourd'hui, certains experts-comptables trouveraient ce conseil plutôt comique. Mais moi, je ne savais pas quelles réalités se cachaient derrière ces recommandations. Je me suis donc tenu aux règles du jeu de mon professeur et j'ai suivi la voie prescrite, comme le font beaucoup d'autres jeunes gens.

Je commençai à me préparer à une carrière sans savoir si c'était ce que j'avais vraiment envie de faire tout le reste de ma vie. J'ai découvert bien vite que la comptabilité n'était pas ma passion et je finis par être déçu de ce que j'avais appris dans les établissements scolaires.

Je me souviens qu'après avoir dépensé mes sous difficilement épargnés pour payer mon université, j'ai demandé à ma mère, frustré : « Pourquoi n'y a-t-il pas d'université qui m'enseignerait comment réussir dans la vie ? »

J'éprouvais le sentiment que bien des choses que j'avais apprises à l'école et que j'étudiais à l'université ne m'aideraient jamais à réaliser mes rêves dans la vie et que, pour réussir brillamment au 21ème siècle, il allait falloir que je me débrouille seul. Le système éducatif dans lequel j'étais engagé me ferait échouer, moi et beaucoup d'autres. Alors je suis devenu anxieux et j'ai cherché un enseignement susceptible de me servir pour vivre.

Remarquons, et c'est intéressant, que presque tous les millionnaires que j'ai rencontrés depuis et qui ont eu l'occasion d'étudier ont abandonné leurs grandes écoles ou universités et emploient aujourd'hui des gens qui ont un plus haut niveau académique que le leur.

A l'époque de mes études, j'avais un sentiment d'échec parce que je ne pouvais pas me contenter de ce qui m'était enseigné à l'université. J'avais peur de ce qui m'arriverait si je n'obtenais pas de diplôme, et c'était une pression, une idée imposée que ce serait un échec. C'était cette insécurité qui me retenait – j'imagine, comme beaucoup d'autres – dans ce parcours académique.

Plus tard, les mentors et modèles qui avaient réussi et me guidèrent ne me dirent jamais : « Jamie, il te faut un diplôme universitaire, sinon tu ne t'en sortiras pas dans la vie. » Mais je ne le savais pas encore. C'est plus tard que je l'ai découvert.

En fait, beaucoup d'entre eux déclarèrent qu'un titre universitaire pouvait être un obstacle majeur et que ce qui est enseigné dans notre système d'éducation traditionnel ne sert pour ainsi dire à rien, raison pour laquelle tant de gens échouent misérablement dans la vie.

Mais ces propos étaient à l'exact opposé de ce que j'avais été conditionné à croire avec conviction jusqu'à lors.

Si vous êtes à l'université, je ne vais pas vous suggérer d'abandonner. On y apprend beaucoup de choses valables. Mais l'éducation universitaire échoue en n'enseignant pas ce qui me semble indispensable pour réussir brillamment sa vie au 21ème siècle. A mon avis, les gens ont besoin de plus que l'enseignement universitaire pour réaliser leurs rêves au 21ème siècle.

A une certaine époque, une personne forte aisée me fit part d'une statistique que je trouvais intéressante : « Saviez-vous, me dit-elle, que plus de 70% des personnes qui deviennent riches dans ce pays y parviennent en possédant leur propre business ? »

A cette époque, j'ignorais tout sur la manière de gagner de l'argent et les autres choses de ce genre. Je me suis dit : « Bon, je ne suis pas encore riche et je veux le devenir un jour. Le secret doit donc être de posséder son propre business. J'ai simplement besoin, pour devenir riche, d'avoir ma propre affaire. J'ai travaillé pour quelqu'un d'autre, c'est pourquoi je ne suis pas riche. J'ai besoin d'un business bien à moi et cela va me rapporter des millions. » Du moins est-ce ce que je croyais…

Faire appel à une banque me parut la solution logique. N'est-ce pas pour cela que les banques existent ? Pour donner de l'argent à des gens qui en ont désespérément besoin ? Oui, mais j'ai réalisé ultérieurement que le seul moyen de recevoir de l'argent d'une banque est de lui prouver que vous n'en avez pas besoin. Les banques vous donnent l'illusion de vous donner de l'argent sans rien vous demander en vous octroyant des cartes de crédits pré-approuvées et des découverts autorisés, etc.

Malheureusement pour moi, je ne répondais pas aux critères de la banque à l'époque et on refusa de me donner de l'argent. Mais je ne voulais pas abandonner mon rêve de devenir riche en possédant ma propre affaire, donc je devins créatif et je tombais sur quelque chose qui me semblait utile et que l'on appelait « carte de crédit ».

Avez-vous déjà découvert ce qu'on peut faire avec des cartes de crédit ? J'ai pu développer de multiples relations avec les cartes de crédit ! En utilisant les cartes de crédit, j'ai acquis environ $16'000 en cash pour lancer ma première affaire, même si je n'avais pas la moindre idée du genre d'affaire dans laquelle je devrais me lancer. J'étais convaincu que posséder mon business me rapporterait gros facilement.

J'ai donc fait une recherche soi-disant « en profondeur ». Un de mes amis avait un téléphone portable et j'ai constaté que de plus en plus de gens en utilisaient un. J'en ai tiré la conclusion que, d'ici l'an 2000, la plupart des gens voudraient un téléphone de ce genre et que l'industrie des télécommunications serait celle de l'avenir.

Comme vous pouvez le constater, il m'a fallu un temps fou pour me trouver un nouveau business : 30 secondes de recherche ! Et à ma surprise, cinq mois après le démarrage de mon affaire, alors que j'étais sans véritable expérience mais que j'avais un rêve en moi et du courage, je me mis à gagner plus d'argent par mois que ce que gagnais quand je travaillais pour quelqu'un d'autre. Ce qui me conduisit à penser que les affaires étaient choses simples, que le succès était une bagatelle. Avec mon affaire, je brassais de grosses sommes d'argent, donc je me dis : « Voilà, c'est un autre secret ! Pour devenir riche il faut simplement gagner une tonne d'argent ! »

Ces premiers succès écoulés, au fur et à mesure que mon revenu augmentait, les dépenses et les coûts le suivirent et le dépassèrent. Je fis une nouvelle découverte et expérience : comment s'endetter rapidement. Je dépensais plus que ce que je gagnais et je devins un expert en création de dettes. Amaigri, déprimé, je perdis mon enthousiasme. Personne ne m'avait jamais enseigné comment gérer mon argent, ce qui causa des ravages majeurs dans ma vie.

Je ne sais pas si on vous a enseigné à l'école comment gérer ce qu'on appelle l'argent ? A l'école, mes professeurs ne pouvaient que m'enseigner ce qu'ils savaient et non ce que personne ne leur avait jamais appris. Donc, comme un tas d'autres gens, j'ai dû réfléchir ardûment à la façon de gérer mon argent.

Beaucoup des gens que je coache pensent encore à ce jour que gagner beaucoup d'argent est la clé pour devenir riche. S'il vous plaît, notez bien que c'est un mythe majeur sur la richesse.

Au bout de quelques temps, je me mis à associer l'argent à la souffrance plus qu'au plaisir. Je perdis le contrôle sur mon tourbillon de dettes et je me dis que si je pouvais gagner juste un tout petit peu plus, tout s'arrangerait.

Inconsciemment, je commençais à associer l'argent au stress de ne pas en avoir assez et de ne pas savoir comment le gérer. Je vivais alors selon les bons principes de l'éthique du travail tels que mes parents les avaient instillés en moi : travailler vraiment dur, y consacrer de longues heures et lutter pour payer mes factures.

J'en arrivai au point où je me dis : « Cela ne m'intéresse pas de gagner de l'argent. L'argent n'est pas important. Il doit y avoir quelque chose de mieux dans la vie que de se limiter à travailler pour gagner de l'argent. »

En regardant autour de moi, j'ai découvert que les activités quotidiennes de la plupart des gens étaient les mêmes que les miennes. Ils étaient tous aussi centrés que moi sur l'objectif d'aller travailler pour gagner de l'argent. « Est-ce pour cela que la vie a été faite ? Est-ce ainsi que je vais devoir vivre mes quarante prochaines années ? » me demandais-je.

Je décidai que je ne voulais plus avoir une entreprise à moi, que je voulais m'en débarrasser et retrouver ma vie. Au début, j'avais choisi de miser sur le domaine des télécommunications pour me créer une vie mais, tout bien réfléchi, j'ai fait le contraire : j'ai consacré ma vie à mon affaire. Des années plus tard, j'ai découvert que beaucoup d'autres pouvaient se dire la même chose. J'ai aussi appris que l'on doit être très prudent quant à ce que l'on demande.

A cette époque, je me fichais de savoir comment reprendre ma vie. Je voulais juste sortir des affaires. Et quelques mois plus tard, j'y parvins. En fait, j'aurais pu déclarer faillite. Quand j'y repense rétrospectivement, je pense que j'aurais dû souhaiter quitter les affaires en en tirant le meilleur prix afin de pouvoir jouir d'un minimum de confort financier jusqu'au moment où je prendrais une décision quant à ce que je voudrais vraiment faire. Mais ce n'était pas possible. Car j'ai oublié de vous le dire : j'avais perdu toute mon entreprise.

Résultat : j'avais repris possession de mon temps mais je n'avais pas d'argent et ce n'est pas vraiment ce après quoi je courrais.

Des prestataires de services avec lesquels j'avais travaillé me devaient plusieurs centaines de milliers de dollars. En fait, comme je leur avais trop fait confiance, je devins victime de leur jeu déloyal : beaucoup d'entre eux tardèrent à payer les commissions qu'ils devaient aux entreprises plus petites que la leur comme la mienne, qui connectaient les téléphones portables de leurs clients à leurs compagnies. Comme ils ne payaient pas à temps, ils poussaient ces petits entrepreneurs vers la faillite. Quand ces derniers sombraient, non seulement ils n'avaient plus à payer les commissions en retard, mais en plus ils conservaient les clients que ces petits entrepreneurs avaient trouvé pour eux – au prix de durs efforts.

Ils évitèrent aussi de payer les commissions sur le temps de connexion, soit mon pourcentage sur les appels des clients sur leurs portables – de l'argent censé rentrer pendant que l'on dort quand on a une compagnie de télécommunication qui réussit. (Ce genre de gain était une des raisons initiales qui m'avaient fait penser que le domaine des télécommunications serait un très bon choix.)

En fait, un des prestataires de services avec lequel je traitais, une entreprise de bonne réputation en Australie, déconnecta intentionnellement pendant quelques heures tous les téléphones mobiles de ses clients. Il appela directement mes clients, leur disant que mon entreprise n'avait pas payé ses factures de téléphone, que j'allais bientôt faire faillite et que, donc, ils avaient tout avantage à passer un contrat directement avec lui. Ce prestataire avait bien évidemment omis de mentionner que j'allais faire faillite parce qu'il ne me payait pas les commissions qu'il me devait...

Pour la majorité des australiens et des américains, le meilleur moyen d'essayer de mener la belle vie est de prendre leur temps. Nous disposons tous de 24 heures par jour et nous essayons de vendre ce temps en échange de quelque argent. Certaines personnes sont vraiment calées dans ce domaine. Elles ont en général une meilleure éducation que d'autres et peuvent vendre leur temps à un prix plus élevé. Le but de ce jeu est de vendre son temps le plus cher possible par heure ou par semaine. Le défi provient du fait que nous avons aussi bien besoin de temps que d'argent pour mener la belle vie et que nous sacrifions souvent notre temps pour de l'argent.

Bien sûr il y a aussi l'autre vision des choses selon laquelle les gens considèrent que l'argent est moins important pour eux que le temps et qui sacrifient de l'argent pour du temps. J'étais en vacances à Byron Bay, un merveilleux endroit de la côte est en Australie, quand j'ai été témoin de beaucoup d'exemples comme celui-là : des gens qui avaient beaucoup de temps à disposition mais pas beaucoup d'argent.

Le défi consiste donc à trouver le moyen de disposer de temps *et* d'argent. C'était quelque chose que je pensais idéal, mais je n'avais pas la moindre idée de comment y arriver et je pense que je n'étais pas le seul. Cela peut sembler très simple, mais pour la plupart des gens une telle équation est difficile à résoudre.

Donc je n'avais pas la belle vie et j'avais $150'000 de dettes personnelles, ce qui me semblait, à l'époque, être beaucoup d'argent. En plus, j'avais les dettes de mon entreprise et pas de revenu, pas de travail, rien.

Heureusement, un de mes amis, qui avait travaillé pour moi en son temps, m'offrit l'hospitalité parce que je n'aurais pas pu payer un loyer. J'étais complètement à sec, je n'avais même pas $20 en poche. J'étais placé devant deux choix : soit me retirer dans la ferme de ma famille, la queue entre les jambes, et devenir fermier comme mon père et mon grand-père l'avaient été auparavant ; soit rester à Sydney et essayer de trouver comment sortir de ma situation pénible et bien compliquée.

Je m'étais promis qu'un jour je serai riche, j'avais acheté une entreprise de télécommunication et j'avais fini la tête dans le mur. Je suis passé dans les bureaux à Sidney et j'ai licencié les employés qui, méchamment, avaient détruit mon affaire pour augmenter leurs profits.

Il y en a qui disent que le succès est une douce vengeance. Mais j'ai dû faire fi de la blessure et de la rage que j'ai ressentie au début afin de devenir activement un millionnaire.

Ce fut un tournant majeur pour moi, parce que pour la première fois je fis sévèrement le point sur moi et je me demandai ce que je voulais vraiment faire du reste de ma vie. De cette manière, en fin de compte, je parviendrais à réaliser ce que serait mon objectif.

Je partagerai plus loin dans ce livre le travail que j'ai accompli sur moi dans ce but. Mais ce fut alors que je compris que je devais aller à la recherche de mentors et de modèles pour m'aider à atteindre mon objectif. Non pas des mentors traditionnels qui enseignent des théories comme beaucoup le font à l'école et à l'université, mais des professeurs de vie, des gens qui avaient réellement l'expérience de la vie que je voulais mener. J'ai compris que mon éducation, dans le passé, avait été fondée principalement sur de la théorie. Je ne veux pas me montrer critique envers ces systèmes d'enseignement, mais il faut bien reconnaître que celui des écoles et des universités se fonde le plus souvent sur des théories plutôt que sur l'expérience des réalités courantes, et j'ai pris conscience que je devais produire des résultats en rapport avec la vraie vie, qui feraient la différence dans ma propre vie.

J'ai aussi réalisé que si je voulais vivre mes rêves, il fallait que je change. Peut-être que vous ou l'une de vos connaissances a lu un livre sur le développement personnel ou assisté à un séminaire ? Le concept est que si vous grandissez en accord avec votre être authentique, vous aurez de meilleures chances de réaliser vos rêves.

J'ai donc commencé avec cela. Mais j'ai aussi compris que je devais développer certains aspects de mon éducation, et je me suis mis à chercher des mentors dans ces domaines particuliers – des gens qui avaient atteint des résultats hors normes dans leurs vies. Je me suis dit que je pourrais peut-être apprendre de telles personnes et que quelqu'un répondant à ces critères s'y connaitrait mieux que moi en argent et en succès.

Beaucoup de gens me demandent où j'ai déniché mes modèles et mentors, ce à quoi je réponds souvent avec une pointe d'humour : « Eh bien, si vous avez un peu de chance, votre voisin multimillionnaire sonnera un jour à votre porte et vous dira : « J'ai entendu dire que vous vouliez devenir riche ? Me voilà ! Je suis votre voisin multimillionnaire et je viens vous coacher ! ». Plaisanterie mise à part, il pourrait s'avérer nécessaire que vous fassiez comme moi, que vous sortiez et fassiez tout ce qui est en votre pouvoir pour établir des relations avec des gens qui ont atteint des objectifs similaires à ceux que vous voudriez atteindre dans votre vie. Ou bien – ce serait plus facile – vous pouvez lire les livres qu'ils ont écrits.

J'ai découvert mon premier mentor millionnaire en travaillant gratuitement, au début, dans une de ses compagnies. J'étais davantage concentré sur le fait de travailler pour apprendre que sur celui de travailler pour gagner. Il n'y avait pas de poste disponible dans ses compagnies, mais je n'ai pas lâché le morceau : travailler pour lui et lui servir d'apprenti.

J'ai proposé à un de ses directeurs de travailler un nombre donné de semaines gratuitement, à condition que je fasse mes preuves et que j'atteigne un niveau assez bon pour qu'il me propose un travail. C'est un genre d'approche intelligent et efficace, un puissant moyen de se vendre, pratiquement sans risque. C'est ainsi que non seulement j'ai décroché un job mais aussi un mentor millionnaire sans lequel je n'aurais jamais appris à devenir millionnaire par mes propres moyens avant mes trente ans.

Mes riches mentors, celui-là et d'autres, me firent part de connaissances qui s'avérèrent de grande valeur et que je vais vous transmettre dans ce livre. Mais ce ne fut pas seulement cela qui fit la différence.

L'ère de l'information permet d'accéder aux connaissances nécessaires par des séminaires, des livres, des DVD, internet et d'autres supports.

J'étais habitué à considérer que le savoir était un pouvoir, jusqu'au moment où j'ai appris que j'avais à agir selon ce savoir et que si je ne le faisais pas, rien ne se produirait.

J'avais désormais de riches mentors (mes « mentors millionnaires » comme je les appelle) qui étaient patients et désireux de m'aider, non seulement à comprendre mais aussi à mettre en œuvre des compétences et des stratégies.

Une fois que j'avais appris comment appliquer ces connaissances à ma situation, ma vie commença à s'améliorer relativement rapidement. Je me mis à apprendre comment gagner de l'argent sans argent, et c'était fantastique parce que je n'avais pas un sou et que j'espérais que cela marcherait. J'ai aussi appris comment éliminer rapidement des dettes et ce fut très important parce que j'en avais beaucoup à régler. Si je m'étais contenté de faire comme la plupart des gens endettés, je serais probablement encore en train de les payer. Cependant, je suivis la stratégie que me recommanda mon mentor millionnaire, à savoir que l'une des manières de réussir financièrement dans la vie était tout simplement de repérer ce que font la plupart des gens et de faire *exactement l'opposé*. J'appelle ce principe « la loi des opposés ». En d'autres termes, j'observe attentivement ce que la plupart des gens font dans une situation donnée, puis, généralement, je fais exactement l'opposé. Et le plus souvent je me rends compte que je vais dans la bonne direction, même si je n'ai aucune idée de ce que je fais.

Ceci explique aussi pourquoi beaucoup de gens ne réussissent jamais – une de leurs excuses étant qu'ils ne savent pas quoi faire. Cependant, les gens qui réussissent ne s'y prennent pas autrement. Ils démarrent et sont convaincus que, par la suite, ils apprendront ce qu'il faudra en cours de route. C'est une démarche.

Les stratégies que je me mis à comprendre et appliquer commencèrent à bien fonctionner pour moi et, après un certain temps, je gagnais un revenu et étais en mesure de l'augmenter. En fait, mon revenu fit un énorme bon en avant : il devint 15 fois plus élevé en 12 mois. Vous rendez-vous compte ? Imaginez que votre revenu devienne 15 fois plus élevé qu'actuellement et qu'il se multiplie dans la même proportion d'ici l'année suivante. Donc, si vous gagnez 50'000 S par an, multiplié par 15 cela donne 750'000 S. Seriez-vous satisfait si c'était le cas ? En fait, la plupart des gens seraient ravis si leur revenu augmentait ne serait-ce que de 10%. Pour faire augmenter mon revenu de manière aussi drastique, j'ai dû apprendre des stratégies qui m'ont permis de le faire et dont je vous ferai part plus loin de manière détaillée.

Mon mentor millionnaire me demanda de combien de sources de revenu la plupart des australiens disposent. Je pensais : ...mmm probablement une ou deux s'ils ont un second travail ou une affaire supplémentaire à temps partiel. Il me confia alors qu'il avait – lui – des douzaines de sources de revenus en tous genre et que la plupart lui rapportaient de l'argent pendant qu'il dormait. Franchement, j'ai adoré cette idée de gagner de l'argent tout en me reposant et j'ai donc décidé d'essayer de faire de même. Et ainsi, j'ai appris comment élaborer plusieurs types de revenus de différentes sources tout en restant concentré sur l'essentiel.

Les stratégies que mon mentor millionnaire partagea avec moi étaient si simples que tout le monde pouvait les appliquer – même le jeune fils de fermier que j'étais – dont on disait qu'il était un rêveur, qu'il faisait trop confiance et qu'il était souvent trop optimiste.

J'ai aussi compris que le succès financier ne consiste pas seulement à gagner de l'argent, mais à la manière dont on l'utilise. J'ai dû apprendre à conserver mes gains, à gérer les flux et à transformer mon argent en encore plus d'argent. En d'autres termes, j'ai appris comment le faire fructifier, idéalement pendant que je dormais, afin de pouvoir libérer mon temps et mener la belle vie, en accord avec mon rêve essentiel : la liberté de faire ce que je voulais, quand je voulais, où et avec qui je voulais, me semblait fantastique même si difficile à croire. Aujourd'hui, j'ai la belle vie, celle dont j'ai toujours rêvé. J'ai appris que cela fait une immense différence, et j'ai transformé ma vie de dur labeur et de lutte en une vie qui ne demande vraiment pas beaucoup d'efforts. Aujourd'hui, je suis encore tout surpris à la pensée que mes rêves sont devenus réalité. J'ai le sentiment de rêver quand je mène ma vie de rêve.

Mon mentor millionnaire me confia qu'il avait des douzaines de sources de revenus en tous genres et que la plupart lui rapportaient de l'argent pendant qu'il dormait. J'ai aimé cette idée de gagner de l'argent en dormant et j'ai donc pensé que j'essayerai aussi. J'ai appris comment élaborer plusieurs types de revenus de différentes sources tout en restant concentré sur l'essentiel.

Si quelqu'un m'avait dit à ma majorité que je vivrai bientôt la belle vie, j'aurais répondu : « Oui, bon, impossible. » Mais j'ai découvert que des choses incroyables peuvent arriver aux gens qui sont désireux d'ouvrir leur esprit et de s'engager.

Ce que j'aime et estime le plus ce sont les grandes amitiés que j'ai développées, les personnes extraordinaires que j'ai rencontrées. Mais le plus important consiste à vivre selon mon objectif en servant mon Créateur et en contribuant à l'amélioration de la vie de beaucoup de gens, en y ajoutant de la valeur. J'ai décidé de mesurer mon succès par la différence que je fais dans ce monde et par le nombre de personnes que je parviens à aider plutôt qu'en utilisant un système d'évaluation matériel.

Maintenant j'ai la chance de beaucoup voyager et j'ai constaté que seul un petit pourcentage d'australiens souhaite apprendre tout comme je l'ai fait, en gardant l'esprit ouvert. Ce n'est pas étonnant que si peu d'entre eux aient réalisé leurs rêves...

A mes débuts, je n'étais pas ouvert d'esprit. C'était en grande partie ce qui m'empêchait d'avancer. Quand je suis devenu aussi perméable qu'une éponge, ouvert à toute idée qui pourrait améliorer ma vie d'une manière ou d'une autre, ma vie changea complètement. De ce fait, je vous respecte si vous avez lu jusqu'ici. Vous êtes sans doute disposé(e) à apprendre, et je vous admire d'avoir pris ce livre et consacré un peu de temps à le lire malgré votre agenda chargé.

Outre l'ouverture d'esprit, je vous recommande de vous imprégner du concept du don. Je ne sais pas si vous pouvez vous identifier à ce qui suit, mais je suis habitué aujourd'hui à gagner plus d'argent qu'il ne m'en faut alors qu'autrefois je ne parvenais même pas à m'en sortir. Mon mentor millionnaire, un multimillionnaire australien, me fit la remarque suivante : « Jamie, ne penses-tu pas que tu es un peu égoïste de vouloir gagner de l'argent pour prendre soin de toi-même et c'est tout ? » Ce gentleman gagnait quarante fois plus que ce dont il avait besoin ! Je lui répondis alors : « N'est-ce pas vous qui êtes égoïste ? Vous êtes riche ! Vous êtes donc un égoïste. » Il répondit qu'il y avait une manière différente de voir les choses et qu'il gagnait délibérément trente ou quarante fois plus qu'il n'en avait besoin, non pas, souligna-t-il, pour l'argent en tant que tel, mais parce que cela le mettait en position d'aider autrui. Selon son point de vue, c'est celui qui gagne de l'argent juste pour lui-même qui est égoïste parce qu'il n'a pas le temps, l'argent et l'énergie pour aider d'autres personnes, étant lui-même dépassé par ses propres problèmes financiers. Impossible dans de telles conditions de prendre les besoins des autres en considération.

Pour la première fois, en changeant mon objectif – alors centré sur moi-même – en un objectif altruiste, je pouvais bâtir une fortune avec un nouvel état d'esprit. Désormais, au lieu de me sentir coupable de gagner de l'argent, je devenais obligé et moralement responsable de faire fortune pour aider d'autres personnes.

Cette nouvelle manière de voir les choses fit une grande différence pour moi, parce que malheureusement beaucoup de gens ressentent qu'ils ne peuvent concilier la spiritualité et la richesse. Mais moi j'ai réalisé que je pouvais m'engager à aider les autres et faire fortune en même temps. Et maintenant je vais avoir le bonheur de partager beaucoup de stratégies de création de richesse avec vous tout au long de ce livre. Ce que je vous demande en échange c'est que, si votre revenu augmente en conséquence, vous envisagiez de faire don d'un pourcentage de cette augmentation à des œuvres de charité. Si vous n'avez pas d'œuvre de charité favorite, vous trouverez bien quelqu'un, parmi vos amis, qui se chargera bien volontiers de ce rôle. J'en suis persuadé. (Je plaisante...)

Maintenant je travaille toujours pour créer de la richesse. Non pas parce que je dois survivre puisque j'ai bien plus d'argent qu'il ne m'en faut pour vivre le genre de vie que j'ai rêvé d'avoir. Je travaille parce que j'en ai envie et que je suis motivé pour aider mon prochain. L'argent est pour moi un moyen de servir autrui.

Imaginez ce que vous pourriez faire dans votre vie, non seulement pour vous et votre famille mais pour autrui, si vous pouviez maîtriser cette chose mystérieuse que l'on appelle « argent ». Je lie le plaisir à aider d'autres gens, ce qui me motive pour travailler. Désormais, par générosité, je mets de la passion dans mon travail.

Maîtriser l'argent était un de mes buts et je l'ai atteint à un degré qui produit de meilleurs résultats que ceux auxquels je me serais attendu.

Il y a beaucoup de gens dans ce pays qui sont financièrement aisés, riches. Du moins est-ce ce que vous penseriez d'eux. Ils ont beaucoup d'argent mais ils vivent avec la peur de le perdre. Vous connaissez sans doute des gens comme cela.

J'ai appris à développer ce que j'appelle un « état d'esprit idéal » : Si je devais perdre l'argent que j'ai été capable d'engendrer depuis ma jeunesse et si je vous disais que cela ne me ferait rien, je vous mentirais. Je serais exaspéré pendant un jour ou deux. Mais j'ai la certitude que je pourrais le refaire plus vite et plus facilement qu'auparavant, sans avoir à travailler dur. Pour moi, c'est une véritable liberté.

Qui ne voudrait pas disposer de cette liberté ? C'est encore plus appréciable que de devenir riche, parce que c'est quelque chose qu'on ne peut pas nous enlever. Pas besoin de s'angoisser à craindre ce qui pourrait arriver à notre argent, parce que notre avenir est assuré. Et je pense que c'est ce que la plupart d'entre nous souhaitent. Dans ce livre, je vais indiquer les principales voies à suivre pour atteindre un tel objectif.

La peur est ce qui retient la plupart des gens. Donc, personnellement, j'aime encourager les séminaires du « Centre d'Education pour le 21ème Siècle », cette organisation australienne multimillionnaire qui enseigne les compétences et stratégies pour une éducation adaptée au 21ème siècle. Des stratégies qui comprennent les méthodes nécessaires pour surmonter ces fameuses peurs qui bloquent tant de gens. Pour ces personnes, le « Centre d'Education pour le 21ème Siècle » offre des séminaires de soutien de manière suivie. Chaque fois que j'assiste à ces cours, je suis fasciné par les histoires de succès phénoménal que nous racontent certains de nos diplômés. Ce sont des gens qui ont connu toutes sortes de manières de vivre et qui ont appliqué avec succès nos stratégies. Si je les partage avec vous ici, c'est pour que vous compreniez bien que mon propos n'est pas de vous enseigner de la théorie. Je vous parle de stratégies pour la vie réelle, de stratégies que j'ai expérimentées moi-même, que j'ai copiées en prenant pour modèles certaines des personnes qui ont le mieux réussi sur cette planète.

Un de nos récents diplômés, un homme d'âge moyen, n'allait financièrement nulle part. Il avait un poste de cadre qui le payait très bien dans une multinationale, mais il n'avait aucune idée de comment gérer son revenu, à tel point qu'il était au bord de la faillite. En vérité il était incapable de faire la différence entre un actif et un passif. Après avoir appliqué nos stratégies de réduction de dettes et de gestion des revenus, il put éliminer 50% de sa dette, et, pour la première fois de sa vie, économiser. Ces deux simples stratégies à elles seules eurent un impact fondamental sur sa vie : elles le libérèrent de son stress.

Il y a aussi l'histoire de ces deux jeunes gens qui ont réussi à gagner $1'600 sans avoir à travailler dur, tout simplement en appliquant les stratégies décrites dans ce livre. Pour gagner l'équivalent de manière classique, ils auraient dû normalement travailler 230 heures (environ 6 semaines de travail à 8 heures par jour) comme employés dans un « fast food » ou toute autre entreprise du genre. Vous pouvez donc imaginer combien leur avenir leur a soudain semblé excitant.

D'autres étudiants ont gagné de $5'000 à $10'000 par mois en 90 jours en mettant en œuvre certaines de ces stratégies. Ils ont pu quitter leurs jobs respectifs.

Une autre personne a trouvé un investissement dans une propriété résidentielle avec un rabais de $15'000 et un financement à 100%. Elle a aussi renégocié le prêt de son conjoint et dégagé $200'000 de capital à utiliser pour une stratégie immobilière que vous allez apprendre plus loin dans ce livre.

Quelqu'un d'autre a engendré suffisamment de revenus grâce à ses investissements pour emmener sa famille rendre visite à son fils en Suisse, ce qu'il devait faire depuis longtemps. Ce voyage en Europe lui fut rendu possible par ses investissements.

Quel bonheur de pouvoir vous faire part de toutes ces expériences !

Depuis qu'elle applique les stratégies auxquelles je fais allusion, une autre personne a réussi à augmenter son revenu actif au maximum. Elle a donné à tous ses clients des garanties pour son service de programmation d'ordinateur, doublé ses commissions, et ses clients continuent à revenir.

Au « Centre d'Education pour le 21ème Siècle », on enseigne aux gens à démarrer dans une optique stratégique, comme le fit le fondateur d'IBM bien avant d'ouvrir les portes de son affaire. Je mentionne le « Centre d'Education pour le 21ème Siècle » parce que les stratégies décrites dans ce livre ont été utilisées avec succès par des milliers d'australiens ordinaires qui peuvent témoigner de leurs résultats. Vous allez avoir accès à nombre de ces stratégies, ce qui vous évitera de devoir payer des milliers de dollars pour assister aux séminaires qui les enseignent.

Au « Centre d'Education pour le 21ème Siècle », les étudiants apprennent comment concevoir leurs vies jusque dans le moindre détail, les démarches pratiques à entreprendre pour passer du rêve à la réalité.

Un des orateurs invités à un récent séminaire avancé, un des principaux « marqueteurs directs » d'Australie, était bien placé pour être conscient de l'effet que peut avoir sur la réalisation de son rêve une conception préalable de sa vie future. Quand il émigra depuis la République tchèque, il n'avait pas d'argent, ne parlait qu'un anglais sommaire et lui et son épouse vivaient dans un appartement sans meubles. Plusieurs années plus tard, après s'être battu financièrement, il établit une représentation visuelle de ce que serait un jour sa vie « idéale », et il l'écrivit au moins deux fois par jour. En six mois, il avait complètement transformé sa vie, et le projet de vie qu'il avait dessiné pour lui-même commença à prendre réellement forme, y compris le succès financier et plein de temps à passer avec sa famille grandissante dans la nouvelle maison dont il avait rêvé. La représentation visuelle qu'il s'était fait de sa vie idéale lui permit de garder le cap vers cet objectif et de se concentrer sur ce qui était vraiment important.

Cependant, je n'essaye pas de vous dire que cette représentation fut suffisante et qu'il ne dut rien faire d'autre. Il est évident que pour atteindre de tels résultats en un si court laps de temps, il faut passer radicalement à l'action.

En utilisant les stratégies de représentation préalable de ce que sera votre vie future, combinées avec celle que l'on appelle « Résultat But Action » *(en anglais « RPS », ndt)* que je vous montrerai plus loin, combinée à son tour avec les meilleures stratégies financières que je connaisse, vous pourrez vous aussi améliorer votre vie en fonction de la manière idéale dont vous vous la représentez bien plus vite que vous ne l'espérez.

Vous remarquerez que l'agencement de ce livre est un peu différent de celui de tous les autres livres que vous avez lus auparavant. Vous devriez l'utiliser comme un livre de travail, un guide de référence pour y revenir après avoir fini de le lire. Pour en tirer le meilleur parti possible, vous devrez vous investir. Quand vous verrez les exercices proposés, faites-les. Je vous les suggère parce qu'ils sont relatifs à votre niveau d'engagement personnel et permettront de voir comment vous appliquez les stratégies.

Il n'y a pas si longtemps, je descendais la rue dans la Côte d'Or en Australie quand un client du « Centre d'Education pour le 21ème Siècle » me raconta tout excité qu'après avoir suivi mon séminaire, un an auparavant, il alla de l'avant et gagna $87'000 en un seul mois.

Un autre client, âgé de 78 ans, de Perth, en Australie, me dit qu'il avait gagné $3'500 une semaine après avoir pris part à mon séminaire, et qu'il gagne régulièrement $40'000 à $50'000 par mois en utilisant juste une des stratégies que je lui ai enseigné. Il me confia que désormais sa femme était heureuse. J'ai interviewé cet homme. Vous pouvez regarder sa vidéo *(en anglais, ndt)* en suivant ce lien :

http://www.youtube.com/watch?v=2eGsEROSccQ&feature=player_embedded

Il se passe difficilement plusieurs jours dans ma vie sans que je reçoive des remerciements pour les améliorations que mon travail a apportées à leurs vies. Telle est l'importance d'avoir une éducation adaptée au 21ème siècle. Et je suis si heureux d'être en mesure de tenir la promesse que j'ai faite à mon premier mentor millionnaire, qui m'a dit qu'après avoir appliqué ce qu'il m'enseignerait, je devrai partager avec d'autres gens tout ce que j'avais appris.

Donc, si vous souhaitez apprendre comment gagner de l'argent pendant votre sommeil, comment réduire une dette, comment créer la vie dont vous rêvez idéalement, si cela fait partie de vos objectifs et que vous vous sentez engagé à les atteindre, vous êtes sans nul doute prêt à démarrer.

Après s'être battu financièrement, il établit une représentation visuelle de ce que serait un jour sa vie « idéale », et il l'écrivit au moins deux fois par jour. En six mois, il avait complètement transformé sa vie, et le projet de vie qu'il avait dessiné pour lui-même commença à prendre réellement forme, y compris le succès financier.

Mais avant d'apprendre ces stratégies enthousiasmantes pour réussir brillamment au 21ème siècle, il va falloir découvrir pourquoi – bien que nous habitions dans une des nations les plus riches au monde – si peu de gens parviennent à atteindre le niveau de richesse que la plupart d'entre nous désirent avoir. En fait, au moment où j'écris ce livre, presque 96% de la population n'atteint jamais l'indépendance financière, selon le Bureau Australien des Statistiques.

La proportion est comparable dans la plupart des sociétés occidentales, y compris les Etats-Unis *(et la France, ndt)*. Pour découvrir comment faire partie des 4% qui réussissent brillamment, vous devrez apprendre pourquoi la plupart des gens échouent.

« Au 21ème siècle, travailler dur et gagner de l'argent n'ont aucun rapport. »

Jamie McIntyre

2. POURQUOI LA PLUPART DES GENS ÉCHOUENT

Je vis dans un des pays les plus riches du monde, alors pourquoi ne suis-je pas riche ?

Après avoir pris la décision de rester à Sydney et de contourner la crise économique, j'ai commencé à me poser certaines questions de fond. La première fut : « Pourquoi la plupart des gens ne s'en sortent-ils pas ? » Après tout, la Banque Mondiale estimait que l'Australie était une des nations les plus riches de la planète. Pourtant, le niveau de vie de bien des australiens baisse rapidement, bien que nos politiciens essayent de nous convaincre qu'il en est autrement.

Pourquoi le nombre d'australiens qui se partagent les richesses qui restent est-il si restreint ? Qu'est-ce qui nous empêche de partager ne serait-ce qu'une fraction de la richesse nationale, et que pouvons-nous faire dans ce sens ?

J'étais aussi très curieux de savoir comment certaines personnes commencent avec rien et deviennent millionnaires ; des gens qui ont parfois à peine 20 ans. Il n'y a pas d'âge pour le succès financier. Et pourquoi, en comparaison, d'autres personnes considérées comme bien plus intelligentes qu'eux et qui ont souvent un plus haut niveau d'éducation échouent, luttent et travaillent durement ? Quelle est la différence entre les deux ? Est-ce que les gens qui font fortune ont simplement de la chance ? Peut-être qu'ils achètent davantage de billets de loterie ? Est-ce qu'ils se marient pour l'argent ? Est-ce qu'ils héritent ? Ou y a-t-il autre chose ?

Penchons-nous sur la « formule de réussite » que la plupart des gens ont adoptée :

Environ 96% de la population va à l'école, reçoit une bonne éducation et travaille ensuite péniblement et longtemps, jusqu'à la retraite. Il est intéressant de noter que les gens qui appliquent cette formule sont en général ceux qui décèdent vers 65 ans ou arrivent à la retraite épuisés ou ont besoin d'une famille pour prendre soin d'eux. A un moment de ma vie, j'ai aussi été brisé « à mort » pourrait-on dire, et je me suis alors dit que la mort aurait été meilleure que mon sort du moment. Aujourd'hui, je suis bien content de ne pas avoir choisi cette solution, alors que certains le font…

4% de la population devient ce que l'on appelle « financièrement indépendante » (FI), ce qui signifie qu'à l'âge de 65 ans elle peut cesser de travailler et continuer à mener une vie confortable. Cela ne veut pas dire que ces gens sont riches, mais que leurs revenus sont suffisants pour qu'ils se prennent en charge, soit environ $42'000 par an.

1% de la population sera ce que l'on appelle « riche » à l'âge de 65 ans.

Le Bureau Australien des Statistiques classe parmi les riches ceux qui ont un revenu net excédant 1 million de dollars. Un million de dollars était considéré comme beaucoup d'argent il y a des années. Mais selon les critères actuels, ce n'est plus un montant si élevé. A l'avenir, la plupart des gens deviendront millionnaires simplement en payant leur maison sur 20 ou 30 ans.

Il y a environ 200 000 millionnaires en Australie et plus de 3 millions en Amérique du Nord. Mais même là, est-ce que ces personnes mènent vraiment la belle vie, qui consiste, rappelons-le, à avoir du temps *et* de l'argent à disposition ?

Beaucoup de gens deviennent millionnaires mais manquent encore de temps et d'argent. En d'autres termes, ils doivent continuer à travailler. Ils deviennent ce que l'on appelle riches en biens et pauvres en liquidités. Vous connaissez probablement des personnes comme cela. Devenir riche en biens et pauvre en liquidité n'est pas vraiment une bonne idée. Avoir de l'argent bloqué quelque part, qui ne peut pas être utilisé, n'est pas le but. Il y a beaucoup de gens qui meurent ainsi sans avoir mené la belle vie. Malheureusement, le pourcentage de gens qui mènent actuellement la belle vie semble vraiment très restreint.

Exercice n°1

Complétez avec les mots manquants :

En Australie, à l'âge de 65 ans...

96% de la population d__________

3% devient f__________ i__________

1% devient m__________

Entrons dans le détail : imaginons que vous aviez 100 camarades de classe. Sur 100 de ces camarades, malgré leurs bonnes intentions, 71 d'entre eux vont être épuisés vers 65 ans et, malheureusement, 25 d'entre eux vont décéder. Maintenant, me direz-vous, on ne peut pas mettre la faute sur l'argent pour cela ! Ou bien si ? Ne parle-t-on pas d'une maladie appelée le « cancer du portefeuille » ? Savez-vous ce que c'est ? C'est le stress financier. Et le plus souvent il ne provient pas du fait qu'on a trop d'argent mais de celui qu'on n'en a pas assez.

Maintenant, permettez-moi de vous poser une question : quand vous avez fini l'école, est-ce que votre professeur a demandé et déclaré : « Qui se porte volontaire pour aller dans le monde, trouver un travail qu'il n'aime pas vraiment et travailler dur pendant 45 ans ? Vous allez travailler du lundi au vendredi (et certains d'entre vous même le samedi) pour payer vos factures et vous ne ferez jamais les choses que vous voulez réellement parce que vous n'aurez pas assez de temps ou pas assez d'argent. Puis, à l'âge de 65 ans, vous allez prendre votre retraite, épuisés, et, au bout de 2 ans et demi, vous allez probablement mourir. » Quel est le pourcentage d'étudiants qui, selon vous, se serait porté volontaire pour la perspective d'un tel avenir ? Peut-être un ou deux, assis au fond de la classe, qui n'auraient pas prêté attention à la question. En revanche, combien d'étudiants se seraient portés volontaires pour apprendre comment s'organiser financièrement de façon à ce que, à partir de l'âge de 25 à 30 ans, ils n'aient plus jamais besoin de travailler un seul jour de leur vie à moins qu'ils le décident ? Au lieu de travailler, ils pourraient passer du temps avec leur famille et leurs amis, voyager partout où ils voudraient, faire une carrière en laquelle ils croiraient et vivre la vie de leurs rêves. Combien ? Je parie sur presque 100% de vos camarades – déduction faite des deux qui sont assis au fond de la classe et qui n'ont pas prêté attention à la proposition.

Donc, vers 65 ans, 25 de vos camarades de classe sont morts. Qu'en est-il de ceux qui ont pris leur retraite brisés, épuisés ? Comment en sont-ils arrivés là ? 20 d'entre eux vont avoir un revenu inférieur à $15'000 par an à l'âge de leur retraite. C'est, en Australie, en-dessous du seuil de pauvreté. 51 d'entre eux auront un revenu annuel compris entre $10'000 et $35'000 (avec une moyenne d'environ $18'000 - ce qui n'est pas terrible non plus. Seulement quatre d'entre eux auront un revenu annuel supérieur à $35'000, et *un seul* pourra être classé dans la catégorie des millionnaires.

Ces données démontrent clairement que la « formule de réussite » mentionnée plus haut ne fonctionne pas pour la majorité des gens. Il est évident, comme on le voit, qu'il est peu probable qu'elle conduise au succès. Et on pourrait être amené à se dire : « Pourquoi essayer ? Les gens qui réussissent ont probablement beaucoup, beaucoup de chance. »

Ce serait sans doute une bonne idée de demander ce qu'en pense mon mentor millionnaire, qui m'avait dit : « Jamie, si tu veux réussir, tu dois observer ce que la plupart des australiens font et faire exactement le contraire. » Je suis convaincu que tout le monde peut agir selon cette philosophie, et cela assez simplement.

Vous connaissez certainement l'expression « la marque du succès ». Eh bien j'ai découvert par expérience « la marque de l'échec ».

Généralement, quand les choses ne marchent pas, on tend à s'interroger intérieurement. Quand je ne savais pas comment m'en sortir, j'ai dû – pour la toute première fois, faire preuve d'une totale honnêteté envers moi-même. J'ai dû découvrir ce qui me retenait.

Le déni

J'avais coutume de prétendre que l'argent ne m'intéressait pas, que l'argent n'était pas tout, jusqu'à ce que mon mentor millionnaire me dise que j'étais en état de déni. Je ne compris pas ce qu'il entendait par là. « Jamie, me dit-il, penses-tu que si tu prétends que l'argent ne t'intéresse pas cela t'aidera à réussir financièrement ? » J'ai pensé : « Peut-être que non. » Puis il a ajouté : « Tu sais, la plupart des gens seraient d'accord avec toi. Il y a des choses plus importantes que l'argent. Un tas de gens disent que l'argent ne les intéresse pas. Mais que font ces mêmes gens ? Ils travaillent pour gagner de l'argent, parce qu'ils sont comme toi Jamie : tu travailles et vas travailler toute ta vie pour en gagner. Et tu me répètes sans arrêt que l'argent ne t'intéresse pas ? Ne s'agit-il pas d'un cas classique de déni ? N'es-tu pas d'accord ? » Pour la première fois, je fus réellement honnête avec moi-même : il avait raison. Mon mentor millionnaire me dit alors : « Si tu veux devenir riche, tu ne dois pas gagner de l'argent juste pour toi-même. Tu dois apprendre à maîtriser l'argent. Si tu peux apprendre à le maîtriser et qu'il travaille pour toi au lieu que tu travailles pour lui, l'argent ne sera plus un problème pour toi. Ta famille, ta santé, ta carrière et tes relations seront au sommet de tes priorités, et c'est cela qui sera le plus important. »

Ces propos me parurent logiques. J'en tirai la leçon et je cessai de nier que je n'étais pas intéressé par l'argent. J'admis au contraire que j'étais très intéressé par l'argent parce que j'aimais ma famille, que j'aimais avoir du temps et que je voulais pouvoir contrôler ma vie. J'ai décidé sur-le-champ que j'étais prêt à faire l'effort de maîtriser l'argent, parce que si je ne le faisais pas je n'aurais jamais la liberté que je voulais.

C'est ainsi que je compris que de subtils changement de mentalité peuvent nous influencer grandement et ce fut pour moi un tournant fondamental.

Blâmes et excuses

A part le déni, deux autres attitudes importantes que vous devez adopter pour faire partie des 96% de gens qui échouent financièrement sont :

- la capacité à blâmer les autres pour vos problèmes ;

- vous trouver des excuses.

Autrefois, c'était mon cas. J'étais très doué pour culpabiliser les autres quan les choses ne marchaient pas pour moi. Je n'ai pas seulement blâmé des gens mai aussi des circonstances. J'ai blâmé les compagnies qui ne m'ont pas payé, blâm mes partenaires en affaires qui m'utilisèrent pour tirer profit de moi et blâmé me parents parce qu'ils n'étaient pas riches. J'aurais blâmé le chien si j'en avais e un ! En fait, quand je blâmais les autres, je me destituais de mon propre pouvoir. S vous voulez encore blâmer quelque chose alors blâmez les excuses.

En effet, je me trouvais des tas d'excuses du genre « Je ne suis pas intéressé pa l'argent. », « Il faut de l'argent pour gagner de l'argent. », « Ah si je n'avais pa toutes ces dettes ! », « Si au moins j'avais trouvé le travail adéquat ! », « Si j'avai choisi la bonne carrière ! », « Si quelqu'un m'avait aidé ! », etc., alors j'aurai réussi. Toutes ces excuses me desservaient. Parce que selon le dicton : « On peu trouver des excuses dans sa vie, ou on peut gagner de l'argent, mais on ne peu faire les deux en même temps. »

Une de mes excuses favorites était : « Si je pouvais ne serait-ce que récupére l'argent que l'on me doit, je pourrais remettre mon affaire en route. » Quand mo mentor millionnaire entendit ceci, il rétorqua : « Jamie, tu peux rester accroché ton passé et consacrer ton énergie à essayer de récupérer tout l'argent que l'on doit - qui s'appelle du « vieil argent ». La plupart pleurent sur le lait versé perdent ainsi une énergie précieuse. Si tu veux devenir riche, tu dois consacrer to énergie à ton avenir, au « nouvel argent ». » Puis il me fit cadeau d'une autre perle de sagesse. Il me dit : « Je te garantis que si tu mobilises ton énergie et que tu la consacres à ton avenir tu deviendras un millionnaire parti de rien bien avant d'avoir récupéré tout l'argent qui t'est encore dû. »

A l'époque je ne réalisais pas qu'en lâchant prise, en avançant et en oubliant ce passé, je créais de l'espace pour beaucoup de nouvel argent qui allait arriver dans ma vie. Dans une situation comparable, beaucoup d'autres personnes seraient restées bloquées par leur rancœur, exaspérées par ce qui leur était arrivé.

Je ne suis pas le seul à m'être fait rouler financièrement sous une forme ou une autre. Probablement que la moitié de la population l'a été. Et pour ceux qui ne l'ont pas été, que pensez-vous qu'il va probablement arriver durant les prochaines 10, 20 ou 30 années ? La vraie question est : comment gérer ce genre de problème ? Devons-nous nous laisser arrêter par ce genre de chose ? Certains disent : « J'ai investi en bourse une fois et j'ai beaucoup perdu, donc je n'investirai plus jamais. » Ils devraient plutôt y regarder de plus près, voir comment ils pourraient s'y prendre autrement afin de faire mieux la prochaine fois. Je connais quelqu'un qui a acheté une propriété et perdu beaucoup d'argent et qui, par conséquent, n'a jamais réinvesti dans l'immobilier. Et il y a des gens qui ne touchent à rien et ne font rien. Ils pensent que c'est une stratégie pour se protéger. Mais est-ce que cela fonctionne vraiment ?

Ces comportements et mentalités que je viens de passer en revue sont ceux de 96% des gens, ceux du pourcentage de la population qui finit par échouer. Donc, quelles sont les bonnes attitudes à adopter pour se placer dans la catégorie des 4% de gens qui deviennent financièrement indépendants ?

Responsabilité et action

J'ai blâmé. J'ai trouvé des excuses. Mais après avoir appliqué la « loi des opposés », j'ai découvert que si je visais la réussite financière je devais prendre la responsabilité de mes actes et erreurs. Après quoi je pouvais reprendre le pouvoir sur moi et assumer la responsabilité de mes actions. C'est quelque chose de profond. Responsabilité et action vont de pair. Pourquoi s'étonner que rien ne change dans sa vie si on n'entreprend rien ?

Au début j'ai appris à entreprendre en pensant que toute action me conduirait au succès. Malheureusement, mes actions ne furent pas toujours cohérentes et intelligentes.

J'ai aussi réalisé qu'être motivé juste pendant quelques semaines à chaque fois ne servait à rien. Tout comme je l'avais fait pour la cohérence de mes actions, je me suis mis à me poser des questions sur la qualité de chacune de mes actions. J'appelle cela « l'action intelligente ». Par exemple, à l'époque où j'étais fortement endetté et que je dormais chez mon ami, je ne savais pas quoi faire pour sortir de ma situation. Je me demandais ce que la plupart des gens feraient dans le même cas. La réponse était : devenir négatifs et trouver un job mal payé pour le reste de leurs vies.

Trouver un job, travailler dur et ne pas réfléchir plus loin est parfois la solution qui semble la plus facile, et la plupart des gens choisissent le chemin le plus facile. Mais ce n'était pas la solution la plus facile, malgré les apparences, parce que, rien que pour rembourser ma dette, j'aurais dû travailler pendant 20 à 30 ans.

Donc, en utilisant la « loi des opposés », j'ai compris que la sagesse ne consistait pas à chercher un travail mais plutôt à investir dans mon éducation pour la vie réelle. C'était l'action intelligente à entreprendre, mais de toute évidence ce n'était pas un choix aisé parce que je n'avais pas d'argent à l'époque. Je ferai part plus loin et en détails des obstacles majeurs que j'ai rencontrés sur ce chemin, la manière dont je les ai surmontés et la détermination que cela a exigé de moi.

Gratitude

Outre la prise de responsabilité de mes actes, j'ai dû développer en moi la gratitude. A l'époque à laquelle je me réveillais chez mon ami, où je flippais sur la façon dont j'allais me tirer de mes problèmes financiers, mon mentor millionnaire me dit : « Jamie, si tu veux réussir, voici ce que je te recommande : chaque matin, quand tu te lèves, trouve cinq raisons d'être reconnaissant pour elles dans ta vie. » Il ajouta : « Tu devrais t'entraîner à te concentrer sur ce pour quoi tu peux être reconnaissant, parce que sans gratitude tu n'auras jamais de vraie richesse. Tu peux devenir millionnaire et perdre ta gratitude. Mais alors, seras-tu vraiment riche ? Bien sûr que non. Pour recevoir plus de richesse, tu vas devoir accepter celle dont tu bénéficies déjà. » Mais à l'époque, c'était sur mes obstacles que j'étais fixé. Et, dans la vie, on reçoit en retour ce sur quoi on se fixe. C'est logique. Toutefois et une fois de plus, j'ai appliqué la « loi des opposés » et, lentement, j'ai commencé à me concentrer sur ce que j'avais plutôt que sur ce que je n'avais pas. Et par voie de conséquence, ma vie me sembla meilleure.

Au début j'ai vraiment dû faire des efforts pour trouver des raisons de ressentir de la gratitude. Chaque matin, au réveil, je me demandais : « De quoi suis-je reconnaissant ? » Au début, je me disais : « De rien ! » J'étais ingrat et fâché. Puis je me suis dit : « Eh ! Une minute ! Je suis vivant ! Si, au réveil, je respire, il y a plus de chances que je devienne millionnaire que si je ne respire pas ! » Et je me dis : « Je vis en Australie ! N'est-ce pas un endroit fantastique pour vivre et réussir ? »

L'Australie est un endroit fabuleux pour mener la belle vie. Après les attaques du 11 septembre 2001 aux Etats-Unis, l'Australie et la Nouvelle Zélande ont été considérés comme deux des pays les plus sûrs du monde. Leurs ambassades étaient remplies de citoyens américains et britanniques candidats à l'immigration, pour vivre ici, avec des milliers de migrants.

En Australie, au moment où j'écris ce livre, nous avons une vie incroyablement aisée. Pensez-vous que qui que ce soit de sain d'esprit en Australie voudrait échanger sa place pour celle de quelqu'un au Bengladesh ou en Ethiopie ? Nous avons déjà, dans notre pays, une quantité incroyable de richesse, et j'ai dû commencer à l'admettre. En fait, nous avons déjà tout ce qu'il faut pour réussir. Et ça c'est une bonne raison d'être reconnaissant !

Conclusion : quand je cumulais DENI + BLAMES + EXCUSES, je rassemblais en moi toutes les attitudes caractéristiques de la mentalité des 96% des gens voués à l'échec. J'étais en train de devenir une de ces personnes qui décèdent à la retraite ou qui y arrivent épuisées, dans une situation financière désastreuse. En revanche, quand j'ai décidé de combiner les qualités de RESPONSABILITE, ACTION et GRATITUDE, j'ai commencé à développer l'état d'esprit des 4% qui réussissent et à m'orienter tout droit vers l'indépendance financière.

Exercice n°2

Complétez avec les mots manquants :

96%...

D__________

B__________

E__________

Mon mentor millionnaire me fit remarquer que ce qui m'empêchait de devenir riche était ma façon de penser. Il me dit que pour pouvoir vivre mes rêves je devrai maîtriser deux éléments : la MENTALITÉ + les STRATÉGIES. Les deux sont importants, mais la plupart des gens ne veulent apprendre que les stratégies et négligent la mentalité.

MENTALITÉ et STRATÉGIE

Imaginez un instant que quelqu'un vous propose soit de vous donner un million de sous en argent comptant, soit de vous enseigner à développer et à vous doter d'une mentalité de millionnaire. Qu'auraient préféré la plupart des australiens et des américains ? Le million de dollars cash ou faire l'effort de développer la mentalité nécessaire pour connaître le succès dans leur vie ? Je crois que la plupart choisiraient le cash, parce quand j'étais tout jeune et en début de parcours, c'est ce que j'aurais choisi. J'étais dans les affaires uniquement pour gagner de l'argent.

Je n'ai rien contre gagner de l'argent et faire un profit, mais c'est l'intention et l'énergie qui font réellement la différence. Je n'avais pas d'objectif plus élevé que simplement celui de gagner de l'argent, ce qui est, pourtant, une nécessité pour atteindre le succès financier.

La plupart des gens vont travailler pour de l'argent et c'est tout. C'est ce qu'on leur a appris durant leur scolarité. Et s'ils ne sont pas devenus assez riches pour vivre leurs rêves en travaillant dur pour de l'argent, ils essayent d'autres alternatives, comme parier, se marier pour la dot ou attendre que leurs parents meurent pour hériter d'une fortune. C'est la stratégie que malheureusement certains appliquent en Australie comme probablement ailleurs.

Savez-vous que l'on peut suivre des séminaires qui enseignent comment faire un riche mariage ? Sérieusement ! Il y en a à New York, et 90% des participants sont des femmes, pour une raison que j'ignore.

Une autre tactique des plus communes pour tenter de devenir riche consiste à acheter un billet de loterie. Si vous investissez dans la loterie tous les mois, vous pouvez vivre d'espoir (mais malheureusement mourir dans le désespoir). Et c'est ainsi que la plupart des gens comptent devenir riches. Mais imaginez : quelqu'un a la chance de gagner à la loterie. Que deviendra-t-il trois à sept ans plus tard ? Sa situation financière se sera-t-elle améliorée ou aura-t-elle empiré ? Selon les statistiques, sa situation sera pire qu'avant. En effet, les recherches démontrent que si un australien moyen gagne un million de dollars à la loterie, sa situation sera pire qu'avant dans les 3 à 7 ans après. Incroyable n'est-ce pas ?

Avec quoi obtient-on les meilleurs résultats ? L'argent facile ou la mentalité ? Si vous pouvez comprendre le concept simple que sous-entend cette question, vous pouvez faire l'inverse de ce que font la plupart des gens.

Donc, ce que j'ai dû faire a été de détourner mon regard de l'argent facile, parce que je rétorquais à mon mentor millionnaire : « Cela semble raisonnable. Oui, oui, oui, je sais. Mais montrez-moi l'argent. Allons au cœur du sujet : les stratégies, parce que je dois payer mon loyer la semaine prochaine. » C'était ce que je pensais. Je voulais aller droit aux stratégies de gain parce que je pensais qu'elles étaient le cœur du sujet. Et voici ce que fut la réponse de mon mentor : « Jamie, mais c'est ça le cœur du sujet : la mentalité ! Si tu ne développes pas la mentalité nécessaire à ton objectif, si tu ne me convaincs pas que tu veux y travailler, je ne vais pas perdre mon temps à partager des stratégies avec toi. » En effet, « si tu ne le fais pas, les stratégies ne t'aideront pas, parce que tu auras trop peur ou trop de doutes, ou que tu vas penser que cela semble trop beau pour être vrai parce que c'est simple. Et le succès, penseras-tu, ne peut pas être aussi simple, alors qu'il est en vérité incroyablement simple. » Et en effet, je croyais que le succès ne pouvait être atteint que par le dur labeur et la lutte. C'était ce qui me semblait logique. En d'autres termes, c'était par ce chemin que je pensais que l'on pouvait atteindre le succès et la peur de passer à l'action dans un autre esprit me paralysait. Mon mentor millionnaire me dit : « La mentalité représente 80% du succès. Les stratégies 20%. Par conséquent, si tu négliges la mentalité, cela va te retenir loin du succès financier. »

3ème exercice

Complétez avec les mots manquants :

4%...

R__________

A__________

G__________

Je me dis bien souvent que si j'ai atteint un immense succès financier en moins de cinq ans alors que bien des gens autour de moi bénéficiaient des mêmes occasions que les miennes, c'est parce que je me suis forgé la mentalité adéquate. Mon monde a changé principalement parce que *j'ai* changé. Plus vite nous changeons, plus vite nous créons ce que nous voulons, et c'est très enthousiasmant.

Donc, comment changer votre mentalité concernant l'argent, tout de suite ? Soyez entreprenant, responsable de vos actions et empli de gratitude. Vous serez alors sur le bon chemin pour vous.

Avec la mentalité adéquate, même si vous ne connaissez pas les stratégies, vous allez réussir, vous allez trouver un moyen. Si vous connaissez les stratégies mais que votre mentalité n'est pas prête, vous ne réussirez pas parce qu'il vous sera pour ainsi dire impossible de mettre en œuvre ces stratégies.

Quand il s'agit de créer de la richesse, la mentalité est primordiale parce qu'elle est intérieure et qu'on peut la contrôler, on a un pouvoir sur elle.

Il existe aussi des facteurs extérieurs sur lesquels nous n'avons souvent pas de pouvoir et qui affectent nos finances et pourraient nous empêcher de réaliser nos rêves. Cependant, grâce à la mentalité adéquate, quand on identifie ces facteurs extérieurs et la manière dont ils nous affectent, nous pouvons trouver le moyen de les mettre à notre service plutôt que de les subir.

Nous devons comprendre d'où vient l'argent et qui le contrôle.

Un des mythes les plus communs sur le succès financier est que travailler dur est la clé du succès. Il faut que je fasse le point là-dessus avec vous afin de m'assurer que vous ne tomberez pas dans le piège de croire en ce mythe comme je l'ai fait.

Mon mentor millionnaire disait : « Travailler dur et gagner de l'argent n'a rien à voir du tout, mais alors aucun rapport, je le répète, avec gagner de l'argent au 21ème siècle. »

Je vais clarifier cela en prenant le cas de mon père comme premier exemple. Il démarra à partir de rien, et aujourd'hui il possède plus d'un million de dollars. Il est convaincu que le dur labeur est la clé du succès et il est persuadé que c'est grâce à cela qu'il est devenu millionnaire. Mais j'ai expliqué à mon père que ce n'est pas son dur labeur qui lui a garanti de devenir millionnaire ou qui a joué un rôle majeur dans ce résultat. Si mon père est millionnaire c'est parce que sa ferme vaut plus d'un million de dollars. Mais quand il l'a achetée, il l'a obtenue pour moins de $50'000. Malgré le fait qu'il ait travaillé dur pour cette ferme pendant des décennies, ce n'est pas ce qui l'a rendu riche. Le revenu de sa ferme a même baissé et il n'aurait jamais épargné un million de dollars avec le gain de son travail, même en trois vies. Il fit sa fortune parce qu'il acheta un bien immobilier, sa ferme et son terrain, à bas prix et que ceux-ci gagnèrent en valeur au fil du temps. En fait, sa fortune se développa pendant son sommeil, pour ainsi dire sans effort. Maintenant, c'est vrai, au début, travailler dur et éthiquement, ça l'a aidé. Mais le plus rentable pour mon père fut d'investir son argent et de laisser son argent travailler pour lui et non de se limiter à travailler dur pour lui-même. Ce n'est pas en travaillant dur pendant des décennies mais en laissant son capital – la valeur de sa ferme – augmenter au fil du temps, jour et nuit, sans qu'il ait à lever le petit doigt, qu'il gagna le plus d'argent.

Prenons maintenant le cas de ma mère comme second exemple pour démontrer comment passer d'un dur travail à un travail intelligent.

Ma mère avait toujours voulu posséder un café dans Glenn Innes, où j'ai grandi. Elle acheta ce café, mais il m'a fallu plusieurs années pour apprendre que lorsqu'elle fit l'acquisition de ce café, on lui offrit aussi d'acheter le bâtiment dans lequel il se trouvait. Or elle ne saisit pas l'occasion, parce que mes parents avaient déjà dû emprunter presque $100'000 pour l'achat du café et ne voulaient pas emprunter $100'000 supplémentaires pour acheter aussi le bâtiment.

Ma mère travailla dur pendant de nombreuses années, renonçant même souvent à jouir de son salaire – une autre grande erreur selon mon mentor millionnaire. « Tu dois toujours te payer en premier si tu veux devenir riche » me dit-il. Souvent, elle se tua au travail rien que pour payer les mensualités pour son café, travaillant dur avec peu de rendement. Cela vous rappelle quelque chose ? C'est cela la clé : si elle avait emprunté $100'000 supplémentaires pour le bâtiment, elle aurait pu :

1. Percevoir un loyer élevé pour son affaire. Si son business fonctionnait suffisamment pour payer les mensualités, cela aurait suffi au remboursement de l'emprunt de $100'000 pour le bâtiment.

2. La valeur du bâtiment aurait augmenté, procurant à ma mère plus d'argent sans travailler, en plus du fait que si elle avait augmenté le loyer pour son café, cela aurait donné encore plus de valeur au bâtiment.

3. Elle aurait pu vendre son café et conserver le bâtiment. Pour rendre la vente de son café plus facile, elle aurait pu offrir un prêt et le nouveau propriétaire l'aurait remboursée. Tout ce dont elle avait besoin était que le propriétaire du business paye son loyer, créant ainsi pour ma mère de l'argent pendant qu'elle

dormait. Elle n'aurait pas eu besoin de travailler dur. En fait, travailler trop dur empêcha ma mère de penser à comment devenir riche en travaillant intelligemment plutôt qu'avec acharnement. Si le nouveau propriétaire du business n'avait pas réussi et ne tenait pas ses engagements, ma mère aurait simplement pu revendre son café à quelqu'un d'autre, parce qu'elle n'aurait pas été responsable de l'échec de son propriétaire. C'est lui qui l'aurait été, ou tout autre propriétaire suivant. Ma mère n'aurait pu que les aider à réussir. En cas d'échec, elle aurait toujours pu revendre, encore une fois, et être payée, encore une fois. Dans le business, la clé est de s'assurer que le nouveau propriétaire remplit ses engagements de payer ce qu'il doit et, idéalement, qu'il remplit ses obligations financières envers le vendeur. [...]

4. [...] Si elle avait voulu malgré tout continuer à travailler, elle aurait pu conseiller le nouveau propriétaire ou travailler pour lui à temps partiel et gagner ainsi un revenu supplémentaire en travaillant avec plaisir parce qu'elle n'aurait pas dû trimer pendant de longues heures. Elle aurait travaillé par choix et non par obligation.

5. Quelle dette aurait représenté le plus grand risque ? Celle de $100'000 pour le bâtiment ou celle de $100'000 pour le business ? Bien entendu, celle pour le business, parce que le business peut perdre rapidement de sa valeur, tandis que celle du bâtiment devrait augmenter ou tout au moins rester stable.

J'espère que les exemples que je viens de vous donner démontrent pourquoi travailler trop dur peut souvent engendrer un désavantage et qu'une telle formule n'est pas la clé de la création de richesse, tandis que travailler avec intelligence l'est.

4ème exercice

Complétez avec les mots manquants :

80%____________

20%____________

3. LE MONDE DE L'ARGENT

Mon mentor millionnaire était convaincu que seuls peu de gens, à peu près 500 à 1000 familles, possèdent le monde. Ces familles possèdent aussi les gouvernements, les sociétés, les systèmes bancaires et toutes les institutions financières.

Au cours de ce chapitre, vous allez apprendre notamment ce qui suit :

→ Pourquoi, si vous avez été conditionné au dur labeur, vous allez attirer le dur labeur

→ Comment modifier ce conditionnement et vous rendre réceptif à la richesse

→Pourquoi la façon dont vous vous percevez vous-même peut déterminer votre revenu

→Le prix de votre temps et de vos services

→Comment vous sentir éthiquement et spirituellement à l'aise en étant riche

→Pourquoi, si vous voulez devenir riche, vous devriez éviter d'acheter des produits bon marché, au rabais, mais acheter seulement des produits de qualité

→Pourquoi beaucoup d'entre nous ont reçu pendant leur enfance un message culpabilisant par rapport à la richesse

→Pourquoi, si vous êtes négatif, vous allez repousser l'argent

Ce chapitre se fonde principalement sur les écrits de Stuart Wilde, un gentleman britannique dont j'ai découvert l'œuvre à l'époque à laquelle j'essayais de sortir de ma situation financière difficile.

J'ai beaucoup appris de ce penseur sur la façon de maîtriser l'argent. J'ai retenu de lui certains concepts, notamment ésotériques, qui ont amélioré ma capacité à attirer l'argent dans ma vie.

Wilde est convaincu qu'il n'est pas nécessaire de devenir millionnaire ou de devenir immensément riche mais qu'il est important de disposer d'assez d'argent pour s'offrir, ainsi qu'à ceux que l'on aime, sur le plan physique, les expériences dont on a besoin.

Tout comme mon mentor millionnaire, Wilde s'oppose au concept de dur labeur, de lutte pour l'argent vécue comme une épreuve de force. Selon lui, on attire l'argent avec les énergies dont il faut se doter et qu'il faut développer, avec une force de vie dont le rayonnement exerce un pouvoir d'attraction.

S'adressant à ses lecteurs, Stuart Wilde écrit avec beaucoup d'humour que quand vous parviendrez à exercer ce pouvoir, « les gens seront attirés par vous, les gens vont se montrer, ils vont franchir les murs, passer par dessous les portes, descendre du plafond… Ils seront *là*, les gens. Et quand ils vont se montrer, tout ce que vous aurez à faire sera de leur présenter une facture. Il va donc falloir que vous soyez organisé, avoir un produit ou un service ou quelque chose à offrir pour leur présenter une facture, à tous ces gens qui vont surgir dans votre vie… »

On reconnaît bien là l'humour britannique. Cela dit, le principe qui gouverne son approche est absolument logique et proche de ce que mon mentor millionnaire m'a enseigné. En effet, si vous augmentez votre énergie et votre rayonnement et que vous êtes par conséquent submergé par l'apparition de tous ceux que vous allez attirer, que ferez-vous si vous n'avez rien à monnayer ? Comment allez-vous gagner de l'argent ? Vous n'aurez pas l'abondance financière escomptée...

En examinant l'univers, Wilde note que le monde n'a pas été conçu pour que les gens soient riches ; pas sur le plan physique. En effet, fait-il remarquer, si on divisait et répartissait toute la richesse du monde entre les habitants de la Terre, tout le monde serait millionnaire. Mais la richesse est régie par un système qui est conçu pour que seules peu de personnes soient vraiment riches. Il faut donc sortir de ce système et, pour ce faire, développer et employer les énergies qui permettent de le transcender.

Son approche ressemble à celle de mon mentor millionnaire : « Imaginez que vous trouvez un travail qui vous permet de gagner 2 millions en une semaine. Vous allez vous dire : « Bon, vendredi, je prends ma retraite ! » Mais, toujours selon Wilde, le système n'est pas conçu ainsi. La manière dont il est organisé fait que, si vous travaillez vraiment, vraiment dur, cela va vous rapporter tout juste assez d'argent pour vous maintenir au-dessus de ce qu'il appelle le « seuil de révolution », à savoir quand vous êtes presque à bout, presque prêt à ruer dans le système pour vous en sortir, mais que vous avez les poches juste assez remplies pour ne rien démolir.

Mon mentor millionnaire était convaincu que seuls peu de gens, à peu près 500 à 1'000 familles, possèdent le monde. Ces familles possèdent aussi les gouvernements, les sociétés, les systèmes bancaires et toutes les institutions financières.

Je ne pouvais le comprendre ou le croire au début, mais maintenant j'admets que c'est possible. Comme vous allez le découvrir plus loin, il y a tant de preuves pour démontrer la vérité de cette affirmation...

Si vous avez une petite entreprise, vous négociez avec un schéma énergétique, un système fait de contrôles et de restrictions. En effet, ces familles décident de tout, y compris de l'argent dont dispose l'homme de la rue. Leur contrôle assure que l'homme moyen ne deviendra pas trop indépendant et ne pourra pas se mettre à se libérer de leur emprise. Si vos clients sont soumis à cette emprise et gagnent juste assez pour survivre et que vos gains dépendent de leur énergie, vous ne gagnerez que peu parce qu'ils n'auront pas assez d'argent pour acheter votre produit. C'est la démonstration que tout le monde est affecté par le système. En effet, le monde n'est pas conçu pour le commun des mortels. Il est fait pour soutenir les institutions, les philosophies et les gouvernements. Vous, les gens ordinaires, vous payez toujours la facture. Vous devez payer pour tout. S'il y a une erreur, vous devrez payer pour elle. S'il y a un désastre, une catastrophe, c'est vous qui payerez. Wilde me remit cela en mémoire.

Comment modifier votre conditionnement psychologique vis-à-vis de la richesse

Le seul moyen est de vous reprogrammer pour développer en vous un pouvoir de volonté supérieur à celui des forces qui essayent de vous contrôler.

Comme me le dit mon mentor millionnaire : « Nos sociétés ne nous enseignent pas le pouvoir. Nous sommes souvent conditionnés à croire que nous sommes faibles et que nous devrions nous sentir coupables. Nous sommes censés apporter notre soutien à tout, en envoyant de l'argent à tout le monde. Et si nous réussissons et le faisons trop bien, nous sommes perçus comme des démons, des avares et des corrompus. » Ce qui est faux. L'univers est abondant. Il donnera tout et même plus.

Wilde l'explique avec de belles métaphores. Selon lui, il suffit de regarder la nature. Par exemple, un cerisier ou un abricotier. Ces arbres fruitiers procurent plus de cerises et d'abricots que vous ne pouvez en manger. Quand on les contemple, cette merveilleuse abondance se révèle à nous tout naturellement. Maintenant, imaginons que quelqu'un crée un abricotier : il va poser deux faux petits abricots au sommet de l'arbre, inaccessibles et un peu abîmés. Il va falloir obtenir la permission de grimper sur l'arbre pour atteindre ces abricots. Mais quand vous y arriverez, en vous cramponnant, vous découvrirez que les abricots ont été piqués par un autre. Quand vous aurez finalement atteint le sommet de l'arbre, vous en redescendrez avec tout au plus un ou deux noyaux et un petit peu de pulpe autour. C'est ainsi que le système est conçu.

Cette métaphore de Wilde, joliment élaborée, m'a aidé à voir le monde de l'argent sous une lumière totalement nouvelle pour moi. Elle a élargi mon champ de vision sur la façon dont le système de l'argent fonctionne. Je pouvais m'identifier à cette histoire d'abricotier parce que j'en avais fait l'expérience lorsque mon affaire a fait faillite. Moi aussi je me suis battu, je me suis cramponné pour grimper et arriver en haut pour y décrocher un peu d'argent. Mais j'ai découvert que j'avais été arnaqué. Alors, tout comme Wilde, je pense désormais que faire de l'argent devrait être une activité fluide et simple, une mouvance dans un système qui permet à la richesse de venir à soi tout naturellement.

Quand vous vous battez agressivement pour vous efforcer de gagner de l'argent, c'est comme si vous agissiez au détriment de quelqu'un d'autre. En revanche, si vous choisissez l'approche légère et fluide, vous permettez à d'autres gens dans l'univers de partager votre énergie et de s'enrichir de votre richesse. Vous pouvez engendrer de l'argent sans limite. Il y a des millions d'occasions de le faire, sans effort, et votre richesse ne privera personne, parce que nous ne vivons pas dans un monde limité. Il y a toujours un moyen d'augmenter les richesses.

Pourquoi beaucoup d'enfants grandissent en se sentant culpabilisés de vouloir devenir riches

Mais alors, peut-on se demander, pourquoi tant d'enfants sont-ils éduqués à se sentir coupables quand ils désirent devenir riches ? Selon Stuart Wilde, le message éducatif que nos enfants reçoivent bien souvent les décourage de vouloir devenir riches parce qu'il les conditionne à penser que c'est une erreur d'aspirer à devenir riche.

Le langage est plein de dictons et proverbes qui illustrent ce fait. Par exemple, « Heureux les doux car ils possèderont la terre en héritage », ou « L'un a du superflu, l'autre manque du nécessaire. »

Ce sont des idées fausses. L'univers est neutre. Il n'a pas de rapport avec la quantité d'argent que vous avez ou n'avez pas. Si vous réussissez bien financièrement, votre fortune va aider d'autres personnes parce que vous allez aider la communauté en dépensant de l'argent et en donnant du travail. En fait, en devenant financièrement puissant, vous aidez le monde. Mais ce n'est pas le message que reçoivent les enfants bien souvent.

Imaginez un bébé couché, né de parents qui pensent que travailler dur est honorable, et qui perçoit passivement ce qui se passe autour de lui. Il enregistre les croyances et comportements de ses parents et ne peut pas utiliser sa volonté à réagir. En d'autres termes, il n'a pas de contrôle sur les informations qui lui sont transmises. Donc, si papa et maman se battent pour payer leurs factures, cela marque son subconscient. Si maman collectionne des coupons de réductions et autres offres à prix réduits dans sa cuisine, le bébé est influencé et ressentira que, sans ces coupons et ces offres, il n'y aura pas assez à manger.

Attention, Wilde ne dit pas qu'on devrait gaspiller ! Il montre que, depuis notre tendre enfance, nous enregistrons les concepts véhiculés par notre environnement. Et quand ces messages font obstacle à la fluidité de l'argent, c'est souvent parce que les parents ont connu une crise économique – par exemple – ou un manque d'argent et de nourriture, etc. De tels parents ne peuvent donc pas transmettre un message sur la fluidité de l'argent.

Nous vivons dans une société des plus capitalistes et qui évolue à toute vitesse. Et tandis que des millions, des milliards de dollars circulent au même moment, nous sommes encore fixés sur ces croyances ridicules qui ont été instillées en nous pendant des années. On adopte des modes de pensée comme « il n'y a pas de petites économies » ou « les branches trop chargées se rompent ». Ce ne sont que des exemples…

On hérite souvent de telles mentalités et, quand on commence nos vies de jeunes adultes et qu'on entre dans le monde du travail, celui du dur labeur, on projette ces pensées et sentiments dans l'univers. Et ce que nous recevons en retour c'est exactement ce en quoi nous croyons. Si nous avons été conditionnés à croire que nous devons travailler durement et nous battre, cela nous donnera en retour un dur travail et une vie de combat pour l'argent.

Selon la pensée de Wilde, ce que nous devons faire c'est nous libérer de ces schémas énergétiques, ce qui suppose que nous devons les contrer. La bonne attitude consiste à s'efforcer de contrôler l'argent que l'on gagne et à maîtriser cet argent. Maîtriser l'argent, pour lui, ce n'est pas forcément devenir très riche mais garder le contrôle sur lui, dépenser moins que ce que l'on gagne et gagner suffisamment pour s'offrir toutes les expériences que l'on pourrait désirer dans le monde physique.

Pourquoi vous pouvez concilier richesse et spiritualité

La spiritualité et la richesse sont parfaitement compatibles d'après Wilde, et cela bien qu'on nous enseigne souvent le contraire. Les gens hautement spirituels ont beaucoup d'énergie, donc ils attirent beaucoup d'argent.

Wilde écrit que, dans l'ancien temps, vers 500 ans avant l'ère chrétienne, on pouvait se retirer sur une montagne, s'asseoir sous un Banian et contempler la lumière divine. Mais voilà, vous n'êtes pas né à cette époque. Vous vous trouvez ici et maintenant, dans le monde des affaires, du commerce, des voyages et vous provoquez des événements. C'est une société totalement différente. Vous pouvez la transcender en allant vous asseoir au sommet d'une montagne, mais une fois que vous avez le pouvoir intérieur, vous devez revenir dans le monde physique et faire quelque chose de votre pouvoir.

Selon Wilde, on peut en conclure par exemple que les philosophies qui prônent la pauvreté comme étant belle et sainte sont nées à une époque durant laquelle il n'y avait rien à faire...

Pourquoi on repousse l'argent quand on est négatif

Comme nous l'avons vu, le système n'est pas conçu pour se préoccuper du commun des mortels, à savoir de vous. Il faut donc des gens qui soient capables de le contrer.

Les sentiments sont comme des ondes que l'on émet ; ils peuvent changer d'instant en instant. En substance, si vous êtes négatif, vous allez transmettre du négatif et engendrer des schémas énergétiques désastreux. Ils pourront se manifester au début par de petits événements comme une voiture qui ne démarre pas ou des poignées de porte de salle de bain qui tombent. Et, progressivement, le schéma énergétique négatif abîme ce qui vous entoure, et les choses empirent, jusqu'à ce que tout ce qui fait votre vie se détruise ; sauf si vous éjectez et projetez en-dehors de vous, de toutes vos forces, les mauvais sentiments qui se trouvent en vous. Alors vous parviendrez à bien vous habiller et à enfiler une belle paire de chaussures. Selon Wilde...

Pourquoi il vaut mieux acheter des produits de qualité plutôt que des produits bon marché

En conséquence de tout ce que j'apprenais, j'ai su acheter le meilleur que je pouvais m'offrir, quitte à acheter moins.

Wilde nous fait part d'une belle histoire qui illustre cette attitude : « Si vous choisissez les produits bon marché, ils véhiculeront toujours cette énergie. » Les objets ont leur énergie propre. Il nous raconte l'histoire de sa femme qui avait acheté un aspirateur chez un marchand de matériel usagé. Elle était très fière d'elle-même parce qu'elle l'avait payé £15 ! Donc elle faisait rouler cet aspirateur et le traitait comme un objet d'une valeur de £15. En fait, son mari avait l'impression qu'elle avait été escroquée pour £15. Elle le brancha, et le petit sac accroché au manche pendouillait. On aurait pu s'attendre à le voir se gonfler d'air tout fier de lui-même. Elle commença à passer l'aspirateur dans la chambre et l'aspirateur faisait un bruit décent mais n'aspirait pas la poussière et les bouts de papiers sur le tapis : il sautait par-dessus ; ce n'est pas bien efficace ! Et puis la roue de ce stupide machin se détacha et, selon un trajet de demi-cercle autour du tapis, arriva de l'autre côté de la pièce. Un peu de poussière s'y colla, ce qui était normal. En voyant cela, Wilde se dit : « Ah, c'est ainsi que cet objet fonctionne ! Il projette des petites roues qui ramassent des minuscules grains de poussière ! »

La morale de cette histoire c'est que, si vous achetez quelque chose de bon marché, vous allez recevoir la même chose en retour, la même énergie.

Et si la quantité d'argent que vous gagnez dépendait de l'image que vous avez de vous-même ?

Voilà encore un grand concept que j'ai appris de Wilde : la quantité d'argent que l'on produit est directement en rapport avec l'image que l'on a de soi.

Depuis notre naissance, nous avons dû nous montrer compétitifs pour être aimés, recevoir de l'attention, nous faire accepter par les autres. Par analogie avec ce qui se passe dans la transaction commerciale, nous avons tendance à demander peu pour nos produits et services et ne rien demander du tout tant que nous ne sommes pas parvenus à nous faire accepter par les autres. Mais si vous vous fichez d'être accepté par les autres et vous ne vous préoccupez que de votre vie, ce que les autres pensent de vous devient leur problème. Vous pouvez donc commencer à facturer le prix que vous voulez pour vos services. Si vous vendez vos produits et services avec énergie et amour, vous vendez un idéal plus élevé, et il n'y a pas de limite au prix que vous pouvez demander.

Du temps de mon premier business, je craignais de faire payer à mes clients un prix trop élevé pour ce que j'offrais. Mais je me suis souvenu de ce que j'avais lu dans l'œuvre de Wilde, à savoir que, bien souvent, on fait un immense travail mais quand le client arrive et demande combien il nous doit, on a tendance répondre : « Rien du tout ! Tout le plaisir est pour moi ! » Et à ne pas lui parler d'argent. Mais en votre for intérieur et dans votre réalité subjective, vous vous dites : « Si je fais cela pour absolument rien, peut-être qu'on va m'aimer ? »

Une autre façon de répondre au même client serait de lui offrir un rabais : « Normalement c'est 100 S. Mais ne me donnez que 20 S ; ce sera suffisant. » Si vous répondez ainsi, vous donnez à votre client l'impression de ne pas être sûr de vous. Dites-vous bien que, quand vous vendez un service ou accomplissez un acte commercial, vous aimez votre client en fait. Par exemple, si vous êtes coiffeur, vous lui épargnez le temps et l'effort qu'il aurait mis à se coiffer lui-même ; vous l'avez aidé à se sentir mieux et avez probablement écouté ses problèmes. Quand vous offrez des biens et services à des gens, c'est une façon de les aimer. Donc, si vous les aimez, y a-t-il un problème à ce qu'ils vous aiment en retour en vous payant ?

Vous faites-vous suffisamment payer ?

Combien devriez-vous vous faire payer pour votre service ? Selon Wilde : « Si vous avez eu à y mettre de l'énergie et de l'ardeur et que vous avez fourni le service, il n'y a pas de limite théorique au prix que vous pouvez le facturer, si ce n'est la limite du raisonnable. Je n'approuve pas que l'on prenne avantage et que l'on facture trop, mais je n'apprécie pas non plus que l'on facture trop peu. Tant de gens ne se font pas assez payer, que ce soit pour leur travail ou pour leurs produits. Cela vient de la perception qu'ils ont d'eux-mêmes, du genre « Oh, je ne vaux vraiment pas autant ! Donc je ne devrais pas facturer tel ou tel prix, parce que, dans le cas contraire, mes clients ne m'aimeront pas. » Mais en fait vous pouvez considérer les transactions dans lesquelles vous êtes impliqués comme des transmissions d'énergie. Ainsi, vous ne vous laisseriez pas gagner par l'émotion au moment d'établir la facture.

Plus grande est la qualité de votre service ou de votre produit, plus vous pouvez vous faire payer. En fin de compte, vous pouvez vous faire payer le prix que vous voulez. Le but est de vous impliquer, avec votre énergie, dans votre transaction commerciale.

Personnellement, j'ai été dans des magasins et des hôtels où l'énergie était à plat. Il y régnait l'indifférence. Je ne ressentais pas d'empressement à me servir. Je n'avais donc pas envie de dépenser de l'argent dans un tel endroit. Mais quand j'ai été accueilli par une personne enthousiaste et heureuse qui a mis tout son cœur et toute son âme dans son service ou son produit, alors, oui, je pouvais dépenser ; je ressentais son énergie, et cela m'inspirait.

Wilde l'écrivait : « Quand vous allez dans le monde, vous trouvez des restaurants médiocres, des hôtels médiocres, des compagnies d'aviation médiocres… tout est médiocre. Quand vous passez la porte et que le personnel est totalement indifférent, que vous ne l'ennuyez même pas, qu'il n'est pas organisé et pas intéressé par ce que vous voulez, vous éprouvez le sentiment de ne pas être un client, de ne pas compter en fait. Résultat, vous n'achetez pas ou achetez un minimum. N'est-ce pas ? »

Tout ce qu'on vous demande c'est d'accomplir un service. Quand vous ignorez votre ego et que vous vous mettez à la place de vos clients, vous imaginez facilement ce qu'ils attendent de vous, ce qu'ils désirent. Ils voudront presque toujours se sentir à l'aise et que vous les serviez rapidement. Ils voudront que votre produit ou votre service soit bon, qu'il fonctionne. Ils souhaiteront en avoir pour leur argent et se voir proposer plusieurs moyens de paiement pour ce que vous leur offrez.

Mais revenons aux systèmes qui nous contrôlent et dont mon mentor millionnaire parle souvent…

Si vous voulez maîtriser l'argent, vous allez devoir en comprendre l'origine et l'histoire, comment ces systèmes opèrent. Si vous ne comprenez pas, vous allez tout simplement continuer à jouer leur jeu, en suivant leurs règles.

Autrefois, je n'avais pas la moindre idée de quels systèmes il parlait. Il me dit aussi que ces systèmes n'avaient pas été conçus pour qu'une personne moyenne devienne incroyablement riche. En d'autres termes, si nous suivons la masse et faisons ce pour quoi le système nous a conditionnés, nous allons arriver soit à un désastre financier, soit morts ou à moitié morts à l'âge de 65 ans. Je ne dis pas que ces systèmes ont été conçus ainsi délibérément, mais quelle importance puisque le résultat est le même ?

Comment changer les choses ? Tout d'abord, il faut observer comment les systèmes fonctionnent et pourquoi la plupart des gens ne vont pas s'en sortir. Ensuite, il conviendra de chercher un moyen de s'y prendre différemment et, comme vous allez voir, cela peut devenir très simple.

Jusqu'à maintenant, vous avez appris selon un certain schéma que le seul moyen de gagner de l'argent est de travailler. Mais il y a un autre aspect de l'argent sur lequel on ne nous a pour ainsi dire rien enseigné, parce que ce n'est pas dans l'intérêt des systèmes et des organisations qui contrôlent l'argent de vous dire la vérité à son sujet.

La vérité c'est que l'argent correspond à une idée simple. Je dis souvent aux gens que les vaches, les chevaux et les moutons dans nos fermes ne savent rien de l'argent, qu'il ne signifie rien pour eux. L'argent n'a de signification que pour les humains. La valeur de l'argent n'est qu'une idée que vous et moi avons acceptée. En d'autres termes, que vous me croyiez ou non, l'argent c'est du vent, de l'illusion.

Pour illustrer mon propos, dans le prochain chapitre, je vais vous parler de l'histoire de l'argent, de son origine et des systèmes qui le contrôlent. Vous allez alors découvrir comment, tous les jours, on transforme du vent en argent liquide, en cash.

Croyez-vous à la pénurie ou à l'abondance ? Si vous avez étudié l'économie à l'école ou à l'université, vous avez appris sur ce qui s'appelle le « modèle de pénurie » ou de « pauvreté ».

Quand j'ai étudié l'économie à l'université, on m'a dit que l'économie était l'étude des ressources limitées. Mais il y a deux manières de regarder le monde : la plupart des gens le regarde à travers le « modèle de la pénurie » ; c'est pourquoi ils manquent des choses dans leurs vies ; l'autre manière de le regarder c'est selon le modèle de l'abondance, comme dans l'histoire de l'abricotier que vous avez pu lire au cours de ce chapitre.

En réalité le monde est abondant. Si on suit une fois de plus la « loi des opposés » et que l'on réalise que la plupart des gens abordent la vie à travers le « modèle de la pénurie », on comprend immédiatement que la bonne attitude consiste à adopter le « modèle de l'abondance ».

Je contemple l'abondance dans le monde et c'est probablement la raison pour laquelle, dans ma vie, je jouis de tant d'abondance. N'est-ce pas intéressant ? Mais il n'en a pas toujours été ainsi. J'étais habitué à penser que, pour devenir riche, il fallait priver les autres, que les riches l'emportaient sur les pauvres, qui étaient les perdants du jeu. Je me suis dit : « Je ne suis pas ainsi, je veux aider les autres gens mais bien réussir en même temps. Si je deviens riche, je veux me sentir bien, je ne veux porter préjudice à personne. » Alors mon mentor millionnaire me dit : **« Jamie, le secret du succès au 21ème siècle n'a rien à voir avec le dur labeur et tout à voir avec l'aide apportée aux autres afin qu'ils deviennent riches. C'est une des clés de la création de la richesse. »**

Il me dit aussi que, si toute la richesse de la planète était répartie avec équité, tout le monde aurait près de 3 millions de dollars américains immédiatement, y compris les gens dans les pays du tiers monde.

Je sais que c'est difficile à croire.

Est-ce que cela vous plairait d'avoir 3 millions de dollars pour démarrer ? Qui n'en serait pas heureux ? Je dis souvent aux gens : « Si vous n'avez pas immédiatement 3 millions de dollars américains, c'est que, à la base, on vous roule. » Si 3 millions de dollars américains ne vous suffisent pas, alors rassurez-vous parce que, en quelques heures, plusieurs milliards de dollars sont créés de toute pièce, comme par magie. En fait, en une semaine, dans le monde, on crée mille milliards de dollars américains. Donc, si vous n'avez pas encore vos 3 millions de dollars américains, essayons de comprendre pourquoi, comment vous avez peut-être été roulé, et comment vous pouvez récupérer un peu de votre argent.

La plupart des gens ne savent rien de la théorie de l'abondance et sont convaincus que si, sur Terre, il y a des gens qui meurent de faim, c'est parce qu'il n'y a pas assez de nourriture pour tous. En réalité, il y a bien assez de denrées pour chacun sur cette terre, et même beaucoup plus. Donc, si le problème ne vient pas de la quantité de nourriture disponible, d'où vient-il ? De la répartition de la nourriture, juste comme celle de l'argent ?

Si vous n'avez pas assez, ce n'est pas parce qu'il n'y a pas assez pour que tout le monde soit suffisamment comblé sur cette terre. C'est la distribution de l'argent qui provoque cette situation.

Trois grands systèmes jouent leur rôle dans le contrôle et la distribution de l'argent. Ce sont :

1. Le système gouvernemental

2. Le système bancaire

3. Le système éducatif

Ils nous conditionnent pour ce qui est relatif à l'argent, et cela souvent à notre détriment.

Quand vous vous penchez sur ces systèmes, vous constatez des problèmes qui leur sont inhérents.

Premièrement, puisqu'environ 96% des gens arrivent à 65 ans morts ou à moitié morts, cela prouve que ces systèmes sont franchement inefficaces pour les aider à réussir financièrement.

Deuxièmement, ces systèmes ont été créés à une époque qui n'existe plus. Le monde change si rapidement qu'ils ne peuvent pas s'adapter.

Troisièmement – il y a des quantités de preuves pour l'affirmer, et je vous lance le défi de vous faire votre propre opinion sur ce plan –, beaucoup de ces systèmes ne furent pas créés en premier lieu pour que vous et moi devenions incroyablement riches.

Donc, si ces systèmes ne peuvent pas ou ne nous aideront pas à devenir riches, nous devons nous créer notre propre programme pour devenir riches par nos propres moyens, parce que personne ne le fera pour nous.

Si nous continuons à accepter que les systèmes nous contrôlent, nous allons finir nos vies actives morts ou à moitié morts et en proie à un désastre financier – c'est le cas de la majorité des gens.

Nous pourrions examiner ces systèmes de près et réagir en disant : « Ce n'est pas juste ! Pourquoi est-ce qu'on ne les change pas ? » Penchons-nous sur ces systèmes et voyons si nous sommes en mesure de les améliorer…

Concernant le système gouvernemental, chacun peut estimer que « assez c'est assez » et voter pour un différent parti politique. Mais est-ce que cela n'a jamais changé quelque chose ?

Concernant les banques, si vous voulez que la vôtre vous écoute, vous pouvez toujours en changer, juste à titre de protestation. Mais quoi que vous fassiez, cela ne fera probablement pas une grande différence ; surtout si vous êtes à bout et que vous dormez chez un ami qui vous offre l'hospitalité comme cela m'est arrivé. Il n'y a pas grand-chose à faire pour changer les systèmes bancaires actuellement. Peut-être qu'un jour, si suffisamment de gens bien intentionnés s'enrichissent, ces choses vont changer automatiquement. Il existe quelques grands livres qui relatent l'histoire de la monnaie et celle de ces institutions financières si décevantes que sont la FED, le FMI et la Banque Mondiale. Ces ouvrages montrent très bien comment ces systèmes ont été établis ; surtout les banques et leur immense contrôle sur le monde. C'est un sujet très controversé, et il y a déjà des tentatives pour empêcher le grand public d'en trouver des preuves factuelles.

Par fidélité à l'objectif de ce livre, nous allons devoir examiner des secteurs sur lesquels nous pouvons exercer une influence immédiate. Il est impératif que nous commencions à regagner du pouvoir.

Le troisième système est celui de l'éducation. Tant que vous êtes à l'école, il est difficile de le changer. Mais vous pouvez le changer après avoir terminé votre scolarité. Si vous n'avez pas déjà lu un livre appelé : *Père riche, père pauvre : ce que les parents riches enseignent à leurs enfants à propos de l'argent afin qu'il soit à leur service*, je vous recommande vivement de vous le procurer. Je suis sûr que la plupart des lecteurs y verraient un très bon début sur le sujet de l'argent. Kiyosaki y affirme que l'école est conçue pour enseigner le concept « travailler pour gagner. » En d'autres termes, on nous éduque pour que nous ayons un travail plus tard. Mais à l'école, personne ne nous enseigne que nous pouvons faire travailler notre argent pour nous. N'est-ce pas intéressant ? En d'autres termes, on nous enseigne seulement un côté de l'équation et pas l'autre. Le concept de base, à savoir celui consistant à faire travailler notre argent, devrait être enseigné à l'âge de 10 ans à l'école primaire. Ce serait une leçon d'environ une heure. Cela ferait une grande différence dans la vie de nos écoliers.

Toujours selon Kiyosaki, il faut aussi comprendre que notre système éducatif a planté des graines d'échec, de frustration et de désastre financier dans nos sociétés. Malheureusement, on en voit la preuve tous les jours.

Avant *Père riche, père pauvre*, Kiyosaki écrivit un autre bestseller dont le titre est *If You Want to Be Rich & Happy, Don't Go to School : Ensuring Lifetime Security for Yourself and Your Children* (non traduit en français ; *Si vous voulez être riche et heureux, n'allez pas à l'école : assurez votre sécurité et celle de vos enfants pour votre vie entière*, ndt). Même si ce titre suggère le contraire, Kiyosaki n'est pas contre l'éducation. En fait, étant fils d'enseignant et enseignant lui-même, il est très en faveur de l'éducation. Cela dit, en écrivant ce livre, il encourage littéralement les lecteurs à se poser des questions sur le système d'éducation et pose la question suivante : si le système d'éducation est si phénoménal, pourquoi est-ce que la majorité des gens finissent par échouer lamentablement financièrement ? C'est une question honnête et qui s'impose. Vous n'êtes pas d'accord ? Kiyosaki montre aussi que notre système éducatif est dépassé. Il a été créé il y a 200 ans, au 19ème siècle. Quel défi ! En effet, si la plupart des gens reçoivent une éducation dépassée, comment vont-ils réussir brillamment au 21ème siècle ?

Dans ce chapitre, nous avons vu comment l'argent est tout simplement une forme d'énergie comme une autre. Nous avons aussi appris quels sont les plus grands systèmes qui contrôlent la masse monétaire. Maintenant, nous devons découvrir comment quelques familles élitaires contrôlent la masse monétaire du monde et comment cela vous affecte.

4. L’ARGENT N’EST QU’UNE SIMPLE IDÉE

La route du succès est faite d’action massive et déterminée.

Anthony Robbins

Les réserves fractionnaires

Nous avons parlé des principaux systèmes qui contrôlent l'argent. Mais d'où vient l'argent en tout premier lieu ?

Comme nous l'avons vu auparavant et selon un de mes mentors, la plus grande partie de la masse monétaire mondiale est contrôlée par 500 à 1'000 familles. Quand j'ai entendu cela pour la première fois, je me suis dit : « Est-ce vraiment vrai ? Vraiment ? Je veux dire : comment est-ce possible ? » Mais quand j'ai fait mes propres recherches sur l'histoire de l'argent et la manière dont il est contrôlé, j'ai compris : il est en effet possible qu'une petite minorité de gens contrôle la richesse du monde entier, pour ainsi dire.

Il me semble très important que nous parvenions à nous y connaître en matière d'argent, que nous en sachions plus sur ce sujet que ce que nous avons appris dans nos écoles, universités et médias locaux.

Beaucoup de gens pensent que ce sont les gouvernements qui impriment la monnaie, ce qui est vrai ; les gouvernements en émettent une partie. Cependant, la plupart d'entre nous auraient tendance à penser que si les gouvernements existent, c'est pour cela, pour créer de la richesse. Pourtant, quand on regarde les choses de près, on découvre que les gouvernements n'engendrent qu'une infime fraction de l'ensemble de la monnaie. En réalité, vous en serez sans doute surpris, c'est le système bancaire qui crée environ 99% de la masse monétaire mondiale ; pas les gouvernements, qui n'en produisent qu'une petite partie. En quoi cela vous affecte-t-il ? En ceci que le petit nombre de familles qui régissent la masse monétaire mondiale peut déterminer ce que nous payons pour ainsi dire pour tout par un système qui est qualifié de « réserves fractionnaires ».

En voici un bref historique :

Il a débuté en Angleterre médiévale, en 1024, par l'activité des changeurs.

Les changeurs étaient en général des orfèvres. Ils mirent en sécurité dans leurs coffres l'or des gens qui le souhaitaient, constituant ainsi une réserve. Quand ils recevaient de l'or en dépôt, ils remettaient aux propriétaires des attestations de dépôt d'or – documents papier qui furent les prédécesseurs des billets de banque. Cette sorte d'or sur papier devint populaire parce qu'il était plus facile et plus sûr à transporter physiquement que l'or lui-même. Nul besoin désormais, pour les clients, de revenir régulièrement chez leur orfèvre pour y retirer de l'or solide afin d'effectuer des achats.

Pour simplifier les choses, les orfèvres remirent des reçus au porteur, qui étaient facilement transférables, sans besoin de signer pour les endosser. Ainsi, et progressivement, le lien entre ce type d'attestation et un dépôt d'or lui donnant une garantie se brisa.

Avec le temps, beaucoup d'orfèvres s'aperçurent que leurs clients ne revenaient pas chercher leur or. C'est alors qu'ils commencèrent à accorder des prêts sur une partie de l'or en dépôt chez eux et gardèrent pour eux les intérêts de ces prêts. Ils émirent une quantité de certificats de dépôts d'or supérieure à la quantité d'or qu'ils avaient en réserve. Ils découvrirent qu'ils pouvaient prêter ces billets en surplus et exiger des emprunteurs le paiement d'intérêts. Ce fut la naissance des prêts de réserve fractionnaire ou, en d'autres termes, des prêts de plus d'argent que le montant des réserves en dépôt. En réalité, ce fut le début d'une escroquerie élaborée qui continue encore de nos jours. Si vous et moi commettions de tels actes, nous serions mis en prison pour fraude.

Admettez-vous maintenant que c'est vraiment dans l'intérêt de la banque que vous y déposiez votre argent ? Souvenez-vous : à l'école, non seulement nous fûmes conditionnés à travailler dur, mais aussi à ouvrir des comptes dans des banques et à y déposer régulièrement de l'argent. Je n'ai rien contre ce genre d'épargne, mais ce qui est intéressant c'est que, dès mon jeune âge, on m'a mis dans la tête que l'endroit le plus sûr pour mettre mon argent était la banque. Il convient de chercher à savoir si c'est le meilleur endroit…

Le système bancaire moderne de réserves fractionnaires fonctionne tout comme au temps des orfèvres. Par exemple, si vous déposez 1'000 S à la banque, celle-ci sera légalement en droit de prêter bien plus que vos 1'000 S. Le niveau d'endettement bancaire ainsi autorisé dépendra du type de banque dans laquelle vous mettrez votre argent, de son rapport entre les réserves effectives et l'argent prêté, à savoir son ratio de réserve.

A partir de 1984, les banques de commerce eurent la possibilité de prêter 18,3 fois plus d'argent que ce qu'elles avaient en dépôt. Et les banques d'épargne, ainsi que les sociétés de crédit immobilier, jusqu'à 32,8 fois plus. Ainsi, pour chaque 1'000 S en compte dans de telles banques, celles-ci peuvent prêter par exemple 32'800 S. Cet exemple permet de comprendre comment les banques font de l'argent et en augmentent la quantité.

Toutes les banques n'agissent pas de la sorte. Le plus souvent ce sont les grandes banques centrales. Certaines banques se contentent d'acheter de l'argent à d'autres banques à un taux d'intérêt donné et le revendent à un taux d'intérêt plus élevé. Si la banque prête 32'800 S sur la base de vos 1'000 S à un taux de 10 %, elle gagnera 3'280 S par an. Ces taux d'intérêts peuvent varier de 5 à 10 % et tout montant intermédiaire pour un prêt hypothécaire, et atteindre jusqu'à 16 % pour une carte de crédit. L'intérêt que vous allez toucher en retour sera peut-être de 3 à 6 %. Disons, par exemple, soyons généreux, que vous avez gagné 60 S sur vos 1'000 S, soit 6 % ; vous allez payer au gouvernement l'impôt sur les intérêts et n'aurez gagné que 45 S. La banque, quant à elle, n'aura rien risqué et aura gagné 3'220 S. Cet exemple illustre le fait qu'habituellement c'est la banque qui gagne le plus d'argent et non le client. Ne voudriez-vous pas être une banque ?

Qui décide du ratio entre le montant des réserves et celui des prêts accordés par la banque, à savoir du niveau de responsabilité bancaire envers sa clientèle ? Généralement, ce sont des lois et des règles établies – jusqu'à un certain point – par le gouvernement.

La plupart des gens considèrent comme acquis que c'est le gouvernement, représentant du peuple, qui a le devoir d'établir ces lois et règles et d'agir afin de servir l'intérêt public. Cependant, quand il s'agit de réserve fractionnaire, il y a une énorme quantité d'argent en jeu, et les institutions supérieures de contrôle – c'est-à-dire les plus hautes instances bancaires – peuvent exercer une grande influence sur les personnalités politiques, voire sur des gouvernements entiers, pour obtenir que les régulations leur conviennent.

Qu'arriverait-il si les banques n'avaient qu'une très petite réserve, et que tout le monde veuille retirer son argent ? Dans un tel cas, les banques disparaitraient avant d'avoir pu payer ne serait-ce que 3 % environ à leurs clients. En effet, l'argent des détenteurs de comptes n'existerait plus physiquement parce qu'il aura été prêté et prêté maintes fois. Les banques n'ont que très peu voire pas de réserves. En réalité, elles vous donnent de la fausse monnaie parce que tout le monde l'accepte, et elles peuvent continuer à la fabriquer sans avoir à la gagner comme nous le faisons.

Incroyable mais vrai, via le système des réserves fractionnaires, les banques peuvent créer de l'argent contrefait et s'enfuir avec ! Mais si vous et moi faisions la même chose, nous irions en prison. Faut-il s'étonner du fait que les banques possèdent les plus grands immeubles dans toutes les villes ?

Comment se fait-il qu'une petite partie de la population mondiale détienne le contrôle sur la masse monétaire, et en quoi cela vous concerne-t-il ?

Il y a deux acteurs principaux dans le jeu de l'argent. Le premier est ce que l'on appelle une institution centrale de contrôle des banques. Ces institutions appartiennent à une minorité de familles et individus et sont contrôlées par eux. Le second est la Réserve Fédérale des Etats-Unis – la FED. Avec un nom comme « Réserve Fédérale des Etats-Unis », vous pourriez penser que la FED est un organisme gouvernemental dont l'objectif est l'intérêt bien compris des citoyens. Si vous demandez à l'australien ou à l'américain moyen si la Réserve Fédérale des Etats-Unis est un organisme gouvernemental, que pensez-vous qu'il vous répondra ? Il vous répondra oui dans la plupart des cas. C'est intéressant... Pourtant, si vous consultez les pages jaunes, devinez dans quelle catégorie se trouve la FED ? Pas dans la section des organismes gouvernementaux, mais dans celle des commerces ; la section bleue où toutes les institutions commerciales sont enregistrées ! Pourquoi ? Parce que la FED est une organisation privée.

La Réserve Fédérale des Etats-Unis est une organisation privée à but lucratif. Elle n'est pas conçue en premier lieu pour répondre aux besoins du gouvernement américain ou servir l'intérêt public. Le nom « Réserve Fédérale des Etats-Unis » a été délibérément choisi pour berner les gens et les laisser croire qu'il s'agissait d'une organisation gouvernementale.

Pour adopter une loi aux Etats-Unis, le Congrès présente un *Bill*, qui est un projet de loi. Ce dernier doit être discuté et adopté au Congrès et au Sénat. Il devient alors un *Act* qui doit être avalisé par le Sénat puis signé par le Président des Etats-Unis pour devenir une loi. L'*Act* relatif à la naissance de la Réserve Fédérale, le « US Federal Act », a été adopté selon un processus apparemment pas très orthodoxe. D'après mes informations, il fut établi lors d'une séance du Comité de la Conférence du Congrès qui fut préparée avec soin. Elle fut agencée pour le lundi 22 décembre 1913 entre 1h30 et 4h du matin, heure à laquelle la plupart des membres dormaient. Pendant cette séance, 20 à 40 versions venant du Congrès et du Sénat et contenant des différences substantielles furent supposées être présentées, exposées, soumises à délibération, débattues, amenées aux compromis nécessaires et votées. Tout cela miraculeusement à raison de 4 à 9 minutes par thème à ces heures tardives. D'après mes sources, à 4h30 du matin, le procès-verbal de la séance fut remis à l'impression. Le Sénateur Bristow, du Kansas, leader républicain, relate dans le *Congressional Record*, le journal officiel du Congrès américain, que le Comité de la conférence s'était réuni sans les prévenir, que les républicains n'avaient pas participé à cette séance et que l'occasion de lire et de signer la version adoptée par le Comité de la Conférence ne leur avait pas été transmise, ni pour lecture ni pour signature. Le rapport de la Conférence est lu, normalement, devant le parterre du Sénat. Les républicains ne le virent même pas. Quelques sénateurs dans la salle du Sénat déclarèrent qu'ils n'avaient pas eu connaissance du contenu de ce projet de loi.

Le 23 décembre à 6h02, le « Federal Reserve Act de 1913 » (alors que de nombreux représentants des Chambres avaient déjà quitté la Capitale pour les fêtes de Noël), c'est-à-dire le projet de loi sur la Réserve Fédérale, qui était passé à toute vitesse du Congrès au Sénat, fut signé par le Président Woodrow Wilson, ce qui lui donna force de loi.

Cette loi sur la Réserve Fédérale transférait le contrôle de la planche à billets et de la masse monétaire du Congrès des Etats-Unis d'Amérique à une élite de banquiers privés. En effet, auparavant, le billet vert était sous contrôle gouvernemental. Il serait trop long de revenir ici sur l'histoire de l'évolution du dollar, mais il n'est pas étonnant qu'une loi conférant un monopole aussi important à quelques banquiers ait été adoptée somme toute selon un processus aussi peu orthodoxe et qui constitue un parfait exemple de la façon dont les gouvernements peuvent n'être que des marionnettes manipulées par des instances qui leur sont supérieures.

Vous pouvez vous demander d'où les gouvernements tiennent leur argent s'ils ne créent que 1 % de la masse monétaire ? La réponse est souvent le Fonds

Monétaire International (FMI), largement contrôlé par la Réserve Fédérale des Etats-Unis, qui est la facette de beaucoup d'institutions de contrôle.

La Réserve Fédérale annonce souvent à travers son porte-parole qu'elle a pris certaines décisions qui vont changer les taux d'intérêts. Et, comme vous l'aurez compris, les taux d'intérêts américains ont un effet direct sur l'Australie et le monde entier. Les décisions prises par la FED peuvent affecter jusqu'au montant des intérêts que nous payons pour nos cartes de crédits, nos hypothèques, et pour ainsi dire tout, parce que les taux d'intérêts influencent l'économie toute entière, comme nous l'avons vu.

Le Fonds Monétaire International ne rechigne pas à prêter le plus d'argent possible aux gouvernements, spécialement aux pays du Tiers Monde. Pourquoi ? Si vous étiez une institution de contrôle et si votre objectif était de faire beaucoup de profit, penseriez-vous que les gouvernements seraient de bonnes organisations à qui prêter de l'argent ? Oui ? Ou non ? La plupart des gouvernements le seraient.

Les gouvernements ont un choix, y compris les gouvernements américain et australien : ils peuvent soit imprimer leur propre monnaie et la garantir par leurs propres réserves, évitant ainsi de créer une dette et de payer des intérêts outremer, soit emprunter des fonds. Si les gouvernements veulent emprunter, le FMI sera plus que ravi de prêter, parce qu'il sera sûr d'être remboursé – par les impôts que les citoyens du pays concerné paieront, il le sait bien. Donc, s'il prête à un gouvernement, le FMI est à peu près sûr de recevoir son argent en retour. De plus, si la levée d'impôts devait ne pas suffire, le pays concerné pourrait – contraint en dernier ressort – vendre ses biens pour régler sa dette. Bien sûr, cela n'arriverait pas en Australie ou aux Etats-Unis, n'est-ce pas ? Ou peut-être que si...

Si nous nous penchons sur ce que le gouvernement australien a fait au cours des années écoulées, on constate qu'il en arrive à vendre un de ses derniers biens significatifs : Telstra *(grande entreprise de télécommunications australienne, ndt).* La promesse du gouvernement comme programme pour sa réélection avait été de vendre Telstra, en échange de quoi il effacerait la dette publique. Au premier abord cela semblait intelligent, non ? En éliminant la dette de cette façon, il libérait l'argent du remboursement pour acheter ses électeurs et assurer sa future réélection.

Je suis persuadé que si vous êtes en âge de voter, vous savez qu'en période d'élections les gouvernements trouvent ce qui correspond aux vœux de la population et lui offrent de les exaucer afin de favoriser les votes en sa faveur. En fait, les gouvernements ont tendance à promettre aux électeurs tout ce qu'il faut pour gagner les élections. Ils prennent donc souvent, comme on le voit, des décisions à court terme. Mais les plaisirs à court terme conduisent souvent à des souffrances à long terme. En effet, si nous vendons tous nos biens pour effacer nos dettes, ce qui est pratiquement déjà le cas en Australie, et que l'attitude concernant la gestion de la dette ne change pas, tout le pays plonge dans un problème financier.

Malheureusement, les gouvernements ont pris l'habitude de créer de plus en plus de dettes. Je vais revenir en arrière pour que vous compreniez bien le problème dans toute sa portée…

Si vous avez une affaire qui marche bien sans que vous ayez besoin de rester au bureau et que vous avez une facture sur votre carte de crédit qui ne cesse d'augmenter, faudra-t-il vendre votre affaire et perdre votre revenu afin de régler votre dette ? A court terme cela paraît bien parce que vous éliminez votre dette. Mais vous ne chassez pas votre mauvaise habitude de créer des dettes et, par conséquent, vous ne faites que repousser un problème récurrent : les factures de vos cartes de crédit. Seulement, après avoir vendu votre affaire, vous n'aurez rien à vendre pour régler vos dettes futures. Par conséquent, vous allez devoir travailler dur pour un tiers pour gagner de quoi les payer. Si vous êtes un gouvernement, vous allez simplement envoyer la facture à autrui en augmentant ses impôts. Et devinez qui est cet autrui ? Généralement la classe moyenne, l'australien de tous les jours qui se situe dans la catégorie sociale qui paye le plus d'impôts. C'est pareil dans de nombreux pays.

L'Australie a été classée parmi les pays les plus imposés au monde. Quand les impôts augmentent, les gens ont moins d'argent et leur niveau de vie baisse.

Faire fonctionner un pays c'est un peu comme faire tourner un business. Et puisqu'il en est ainsi, il est forcément nécessaire que les hommes politiques sachent conduire une affaire avec succès ; il faut qu'ils aient le sens des affaires pour bien diriger un pays. Malheureusement, beaucoup de nos politiciens n'ont pas de réelle expérience dans les affaires.

Examinons la situation qu'engendre cette ignorance. Nous prenons l'Australie comme exemple parce que nous sommes concernés quand nous choisissons d'y vivre. Qu'arrive-t-il si le gouvernement emprunte beaucoup d'argent ? Tout d'abord, le pays s'appauvrit parce que les dettes s'accroissent : le gouvernement augmente les impôts pour les rembourser et, par conséquent, abaisse la richesse et donc le niveau de vie des ménages. Il en arrive même à vendre des biens nationaux comme la compagnie Telstra. Ceci a pour effet d'encourager les investissements des compagnies étrangères en Australie et, en fin de compte, aboutit à un niveau trop élevé de biens appartenant à des étrangers.

Il n'y a pas bien longtemps, je faisais du ski à Whistler, au Canada. Quand je vais dans de nouveaux pays, j'aime lire les journaux locaux pour étudier les économies de ces pays, parce que ce sujet me fascine. Au Canada, le gouvernement contrôle la majorité des journaux et les étrangers ne peuvent en posséder que 25%. En est-il de même en Australie ou aux Etats-Unis ?

Les journaux australiens sont pour la plupart contrôlés par des étrangers. Même si, techniquement, ils appartiennent à des australiens. Au Canada, c'est intéressant, le niveau des biens en mains étrangères a augmenté de 22 % à 27 % environ, ce qui commence à rendre les citoyens nerveux. Ils se mettent à penser qu'il y a trop de propriétés étrangères. Ils sont du genre à dire : « On se fiche de l'argent mais on ne veut pas vendre tout notre pays. »

Au Japon, aux Etats-Unis et en Grande-Bretagne, les niveaux de propriétés étrangères sont inférieurs à 11 %.

Cela m'a étonné que, dans ces pays, on manifeste une inquiétude à propos des biens en mains étrangères. Dans ce cas, posons la question à nos politiques : où en sommes-nous en Australie ? Quel est le pourcentage de propriété étrangère ? Autrefois, ces informations étaient régulièrement rendues publiques. Mais, bizarrement, pour une raison ou une autre, elles ont été cachées depuis les 4 à 5 dernières années. Cela voudrait-il dire que le gouvernement est un peu soucieux de la réaction de l'australien moyen s'il découvre dans quelles proportions les biens de son pays ont été vendus ?

De nombreux experts avancent que la propriété étrangère atteint maintenant une proportion de 70 à 90 % et que, dans un avenir relativement proche, l'Australie appartiendra à des étrangers. Non pas qu'il y ait quelque chose de mal à être contrôlés par des investisseurs étrangers, mais devrait-on s'inquiéter si le niveau en était trop élevé ? Bien des pays se posent une question semblable.

A court terme, les investissements étrangers contribuent à élever notre niveau de vie, parce qu'une entrée d'argent vient alimenter notre économie. Ils créent du travail : les nationaux travaillent pour les compagnies que ces étrangers possèdent et ramènent un salaire à la maison. Mais où vont les profits ? Restent-ils en Australie ou reviennent-ils aux compagnies qui ont investi ici ? Evidemment, si des compagnies étrangères investissent chez nous, elles espèrent en retirer un profit, et il n'y a rien de mal à cela. Mais la plupart de ces profits vont bien souvent offshore, et dans certains cas après le paiement d'un minimum d'impôts.

En conséquence et à l'avenir, le niveau de vie en Australie pourrait commencer à diminuer. Au moment où j'écris ces lignes, nous sommes classés au 30ème rang des nations les plus prospères au monde alors que nous avons été au 1er rang. Il y a des pays qui furent autrefois classés comme étant du tiers monde et qui ont maintenant un meilleur niveau de richesse par tête d'habitant qu'en Australie, comme Singapour.

Je suis fasciné par le fait qu'un petit pays comme Singapour, qui n'a même pas de ressources naturelles, puisse acquérir de grandes compagnies australiennes et dépasser l'Australie, aussi bien comme investisseur que comme épargnant.

Un autre pays, qui était aussi prospère que l'Australie, a chuté au 33ème rang des nations les plus riches et a rejoint les pays du Tiers Monde : c'est l'Argentine. Vous en avez certainement entendu parler.

Je ne veux pas dire que nous en sommes aussi là, mais nous ne devons pas nous sentir trop confiants et penser que vivre en Australie nous protègera de sérieux problèmes financiers à l'avenir. La chance peut fuir ce « pays chanceux ». A moins, bien sûr, que nous ne décidions tous de faire quelque chose à ce sujet. J'espère que ce livre va y contribuer, au moins en partie.

En quoi êtes-vous concerné ? Je suis persuadé que si les gens, en Australie et en Nouvelle Zélande ou ailleurs, avaient reçu une éducation en relation avec les défis exposés plus haut, ils seraient enclins à aider à surmonter ces problèmes et à assurer un avenir à notre pays ou au leur. Le point de départ pour ce faire se situe dans nos ménages et concerne notre propre santé financière. Nous devons être attentifs à nos attitudes dans la vie. Est-ce que nous créons trop de mauvaises dettes et, si oui, est-ce que nous vendons tout pour les rembourser ? Et ensuite répétons-nous ce procédé ?

En Australie, on a tendance à penser que tout va bien et que nous n'avons pas encore ressenti pleinement les effets du déclin de notre niveau de vie. Mais quand il n'y aura plus rien à vendre, il n'y aura plus de position de repli.

L'Australie a la grande chance d'avoir de grandes quantités de ressources naturelles, et la croissance de la demande chinoise *(gros client de l'Australie pour les matières premières, ndt)* permet de prévoir que l'Australie pourrait connaître un boom d'ici 2050. Cependant, en Australie, nos gouvernements se sont habitués à dépenser nos nouvelles richesses au fur et à mesure que nous les créons, comportement budgétaire qu'il va falloir changer si nous voulons préserver la générosité de notre bonne fortune, celle d'être comblés en ressources naturelles. Il va nous falloir mettre de côté notre richesse dans un fonds souverain.

La richesse d'une nation est déterminée par celle des individus qui la composent.

Le gouvernement australien a déjà vendu la plupart des biens qui restaient comme Telstra. Cela peut expliquer pourquoi le gouvernement a introduit une nouvelle taxe : la taxe sur les biens et services (TBS) *(en anglais « GST. » Ndt)*

Si le gouvernement sait qu'il ne lui reste plus rien à vendre, le seul moyen de générer un revenu est de taxer la population.

Le GST est un impôt qui atteint les australiens. Mais cette taxe porte-t-elle aussi sur le reste de la richesse dans le pays, comme les propriétés étrangères ? Ça c'est une autre question.

Faire fonctionner l'Australie comme un business en 2009-2010 a coûté 338, milliards de dollars par an.

L'Australie est une entreprise très profitable. Et quand on nous dit qu'en Australie l'économie se porte très bien, c'est magnifique. Mais il est bien dommage que nous n'en détenions qu'une partie et que nous ne puissions pas partager entre nous tous ses bénéfices.

Nous, les australiens, ne possédons qu'approximativement 9 % de l'entreprise Australie. Mais si nous ne détenons que 9 %, ne serait-ce pas juste que nous n'assumions pas plus d'impôts que les 9 % de la recette fiscale et que le reste de la facture soit payé par les étrangers qui possèdent pour ainsi dire les 91 % restant ? Qu'en pensez-vous ? Je veux dire, si les investisseurs étrangers réalisent la plus grande part de profits, ne serait-il pas tout simplement juste qu'ils payent aussi la plus grande part des impôts ? En fait, c'est le contraire. Les ménages australiens payent la majeure partie des impôts. Les compagnies appartenant principalement à des organisations étrangères ont payé moins de 9 % du total des 262 milliards de dollars de revenu fiscal en 2006-2007.

J'espère que ce qui précède vous aide à comprendre pourquoi les australiens payent autant d'impôts. Quelqu'un doit payer la facture. Et comme on sait où vous trouver – comme on dit –, c'est à vous qu'on envoie la facture.

Mais ne soyons pas négatifs. La bonne nouvelle c'est que vous pouvez vous enrichir malgré le système fiscal actuel, la dette publique et les défis économiques du pays. Ce qui se fait à Canberra – notre capitale - n'a pas d'importance. Vous pouvez quand même obtenir les résultats que vous souhaitez. Ce qui compte c'est d'en être conscient et de ne pas vous laisser désemparer par les effets des systèmes. En effet, en les comprenant, vous pouvez prendre en mains votre propre budget, voire changer les systèmes pour les rendre plus justes pour autrui à l'avenir.

Il existe bien des solutions que j'ai trouvées pour résoudre certains des problèmes budgétaires mondiaux. On pourrait commencer par élever les réserves bancaires d'au moins 50 %. Cela réduirait la spirale de la dette de bien des pays et pourrait être réalisé progressivement, à raison par exemple de 1 % tous les mois pendant 50 mois. Ces réserves monétaires pourraient être utilisées pour effacer la dette du tiers monde, après quoi les dettes publiques individuelles des pays pourraient être éliminées.

Si on ne met pas en œuvre ce type de solution pour freiner l'augmentation des niveaux d'endettement, les institutions supérieures de contrôle vont continuer à se comporter comme elles le font, ce qui va créer une telle pauvreté que cela pourrait conduire à une crise économique majeure (J'ai écrit cela en 2002. Dire que, comme par ironie, en 2012, c'est en train de devenir une possibilité bien réelle.)

Plus les nations s'appauvrissent, moins elles ont de quoi dépenser pour des produits et services. Les pays concernés vont devenir si nécessiteux qu'ils ne pourront plus acheter de produits pour soutenir leur population et, en fin de compte, tout le monde y perdra. C'est déjà arrivé plusieurs fois dans notre histoire.

Une seconde solution serait de réformer complètement le système afin de retirer des mains des banquiers privés le pouvoir sur le monde monétaire. Il s'agirait par exemple de remettre la Réserve Fédérale des Etats-Unis et le Fonds Monétaire International entre les mains de la nation, à savoir des gouvernements élus par les citoyens de la nation. (Si cela avait été fait quand j'ai écrit ce livre pour la première fois, le monde n'aurait pas connu la Crise mondiale du crédit auquel il a dû faire face en 2009 et dont on a découvert qu'elle a été engendrée par les pratiques excessives de prêts par les banques américaines qui n'avaient pas les réserves correspondantes, et par l'échec de l'organisme de contrôle de la FED sur le système monétaire.)

La réforme que je propose pourrait signifier la suppression complète du Fonds Monétaire International, de la Banque Mondiale et de l'Organisation Mondiale du Commerce, ou au moins des restructurations majeures de ces entités les obligeant à se montrer transparentes et à rendre des comptes aux citoyens de la nation. Je ne serais ni la première ni la dernière personne à suggérer de tels changements.

Les banques centrales pourraient encore continuer à fonctionner parce qu'elles engendrent une concurrence qui empêche les gouvernements d'exercer un contrôle total sur la monnaie. Cependant, elles devraient être contrôlées et rendues responsables de leurs activités devant les citoyens des nations. Après tout, c'est de notre richesse et de notre argent qu'elles se servent.

Ces solutions potentielles nous ramènent à celles, personnelles, sur lesquelles nous avons un pouvoir que nous pouvons exercer. Nous avons le pouvoir de changer notre propre situation.

Après avoir examiné des solutions pour le monde dans son ensemble, sur l'implantation desquelles nous pourrions ou ne pourrions pas avoir une influence directe immédiate, j'ai fait mon propre examen de conscience et me suis demandé si, moi, je me suis déjà montré coupable de mauvaises dettes, à l'image du comportement de notre gouvernement. J'ai réalisé que, oui, dans le passé, j'ai été coupable de telles dettes.

Ce que nous devons faire tout d'abord c'est nous pencher sur les domaines qui sont sous notre contrôle. Si nous nous enfonçons dans de nombreuses mauvaises dettes, alors nous contribuons à la dette de la nation. Nous contribuons au déclin de la richesse de notre pays. En revanche, si nous nous enrichissons et que nous gérons notre dette, alors notre pays s'enrichit aussi. C'est pourquoi je dis souvent aux gens : « Si vous n'avez pas assez de raisons de vous enrichir pour vous-mêmes, sachez simplement que votre pays entier dépend de votre décision dans ce domaine. » En d'autres termes, si vous échouez sur le plan financier et que votre fortune diminue, c'est principalement vous qui en souffrez, mais pas seulement

C'est aussi la situation de tous. Nous sommes tous liés : s'il y a des gens dans notre pays ou dans le monde qui souffrent, cela laisse prévoir que nous allons tous souffrir à un degré ou un autre. Les frappes terroristes aux Etats-Unis l'ont démontré de façon majeure.

Un autre secteur d'activité sur lequel les institutions supérieures de contrôle usent de leur influence est celui des médias.

Il y a quelques années, aux Etats-Unis, les trois quarts de la majorité des détenteurs de parts d'ABC, CBS, NBC et CNN, soit de grands medias américains, étaient des banques.

Le pouvoir d'influencer les médias avait pourtant déjà été dénoncé, semble-t-il, au début du siècle dernier, selon le *Congressional Record* américain de 1917.

Ce journal rapporte que, en mars 1915, les intérêts de JP Morgan étaient l'acier, la construction navale et la poudre. Leurs organes subsidiaires rassemblèrent douze hommes haut placés dans le monde des journaux et les chargèrent de sélectionner les journaux les plus influents des Etats-Unis. Ils découvrirent qu'il n'était pas nécessaire d'acheter le contrôle de plus de 15 de ces très grands journaux. Un accord fut passé ; la politique de ces journaux fut achetée par paiements mensuels ; un rédacteur fut fourni à chaque journal pour superviser comme il le fallait les informations et leur présentation sur les sujets suivants : les états de préparation à la guerre, les affaires militaires, les politiques financières et les autres sujets nationaux et internationaux considérés comme vitaux pour les intérêts des acquéreurs.

Un autre exemple intéressant sur le contrôle des médias nous vient de John Swinton, l'ancien rédacteur en chef du New York Times, « le doyen de sa profession ». On lui a demandé de porter un toast devant ses confrères du New York Press Club. Il fit la déclaration suivante : « Il n'y a pas de presse indépendante en Amérique, à l'exception de celle des petites villes et régions. Pas un d'entre vous n'oserait exprimer son opinion avec sincérité, sachant par avance qu'elle ne serait pas publiée. Je suis payé 150 dollars par semaine pour éviter d'exprimer mon opinion avec sincérité dans le journal pour lequel j'écris. Vous aussi, vous êtes payés des salaires similaires pour rendre des services comparables. Si j'autorisais la publication d'une opinion sincère dans une seule édition de mon journal, je serais démis de mes fonctions – à la « Othello » – en moins de 24 heures. Celui qui serait assez stupide pour publier son avis en toute sincérité se retrouverait rapidement à la rue à la recherche d'un autre travail. La tâche du journaliste du New York Times consiste à mentir, à déformer, à diffamer, à ramper aux pieds de Mammon et à vendre son pays et sa race pour gagner son pain quotidien, ou, ce qui revient au même, son salaire. Nous sommes les outils et les vassaux des riches qui sont derrière les scènes. Nous sommes des marionnettes. Ces hommes manient les ficelles et nous dansons. Notre temps, nos talents, nos vies, nos capacités, tout est leur propriété. Nous sommes des prostituées intellectuelles. »

Je vous encourage à faire des recherches personnelles sur ce sujet s'il vous intéresse et à fonder les résultats sur des sources fiables. Cela contribuera à changer votre perception du monde et vous aidera à comprendre pourquoi certaines choses arrivent en ce moment dans le monde.

Vous pouvez constater combien il est difficile de transmettre des informations exactes dans notre société. Un des véhicules de l'information encore relativement libre de la diffuser est internet.

Internet est une des sources d'informations qui échappe encore plus ou moins au contrôle des tout grands systèmes. Cependant, au moment où j'écris ces lignes, le gouvernement essaye de trouver des moyens de l'exercer. Malgré tout, internet a déjà permis des changements majeurs au 21ème siècle, et je pense que cela va continuer. En fait, vers fin 2011, j'ai gagné un procès phare contre Google, que les medias, bien des professeurs académiques et hommes de loi considèrent comme un cas de jurisprudence pour rendre internet plus juste et plus exact, pour le bénéfice de la liberté d'expression.

Je vous ai donné un bref aperçu sur le système monétaire mondial pour vous aider à avoir une vision plus globale sur comment vous adapter à la structure du monde. Je pourrais écrire un livre entier sur ce sujet (je suis déjà engagé dans ce processus), mais pour l'objectif du présent ouvrage, je voulais vous donner une idée des façons selon lesquelles la monnaie fonctionne de manière globale.

Maintenant, vous savez d'où vient la monnaie et comment les systèmes la fabriquent sur la base de rien, comme par magie. Pour exploiter ce produit de la magie pour vous-même et réussir financièrement au 21ème siècle, vous allez devoir acquérir certaines compétences et apprendre des stratégies adaptées au 21ème siècle. Pour y parvenir, vous devez comprendre exactement en quoi consiste l'éducation au 21ème siècle et comment vous pouvez vous en doter. [...]

5. LES CAUSES DE LA CRISE MONDIALE DU CRÉDIT *(DE 2008 ET SUIVANTES)*

Et pourquoi le système financier mondial et les banques américaines sont sur le point de s'effondrer – et ce qu'il faut faire à ce sujet.

Comment les banquiers internationaux ont pris le contrôle de l'Amérique.

J'ai écrit une partie de ces lignes en 1998, soit environ 10 ans avant la crise globale du crédit et des prêts hypothécaires risqués qui en marquèrent le début, et je pense qu'elles étaient en quelque sorte visionnaires.

La Réserve Fédérale Américaine

A une certaine époque, demander à quelqu'un pour qui il avait travaillé était considéré comme un peu insultant. Cela sous-entendait qu'il était incompétent, incapable de s'assurer un revenu de manière autonome. Il fut un temps où être propriétaire était l'assurance d'une bonne situation financière et la plupart des gens possédaient leur logement. Mais maintenant, être propriétaire (fortune nette) n'est plus aussi courant qu'auparavant (avant la Grande Dépression de 1929). A présent, il est fréquent d'avoir des dettes et de dépendre totalement d'un revenu ou d'un salaire qui est subordonné au bon vouloir d'autrui.

Comme l'exercice de la liberté inclut souvent d'utiliser des objets matériels comme des livres, de la nourriture, des vêtements, des abris, des armes, des moyens de transport, etc., pour le choix et la possession desquels il faut un peu d'argent, nous sommes bien obligés d'admettre que la condition générale des américains est celle d'une dépendance accrue et d'une liberté limitée.

Depuis le début du 20ème siècle, la dette n'a cessé de s'accroître tandis que la liberté des individus, elle, a connu un déclin majeur, ainsi que celle des états, qui ne sont plus libres de gérer leurs propres affaires à leur guise. Il est donc essentiel, pour retrouver nos libertés, de restaurer les conditions d'une richesse modeste et répandue, comme ce fut souvent le cas autrefois.

Pourquoi sommes-nous fonction des dettes que l'on fait au-dessus de nos têtes ? Pourquoi les politiques ne peuvent-ils placer ces dettes sous leur contrôle ? Pourquoi tant de gens (souvent les deux parents) doivent-ils travailler pour un faible revenu, en être épuisés et devoir, par-dessus le marché, se débrouiller avec encore moins ?

Quel est l'avenir de l'Amérique et du mode de vie de ses citoyens ? Sommes-nous conduits vers un krach économique qui atteindra des proportions jamais égalées ?

Larry Bates fut le président d'une banque pendant 11 ans. Membre de la Chambre des représentants du Tennessee, il occupa le fauteuil du Comité sur la Banque et le Commerce (Committee on Banking and Commerce). Il fut aussi professeur d'économie et auteur d'un bestseller sur le nouveau désordre économique, *The New Economic Disorder*. Il affirmait que les Etats-Unis étaient à la veille d'un krach sans précédent de par sa proportion et que plus de gens que jamais perdraient plus d'argent que jamais, tandis qu'un petit groupe amasserait, simultanément, des fortunes immenses.

Durant les périodes de grandes crises économiques, la richesse n'est pas détruite, elle est simplement transférée.

L'ancien candidat à la Présidence des Etats-Unis Charles Collins est un avocat et un banquier qui a possédé et dirigé des banques. A son avis, nous ne nous libérerons jamais des dettes parce que la Réserve Fédérale – la Fed – contrôle notre argent.

D'après Collins, la Fed perpétue la dette. En effet, la Réserve fédérale nous pousse à lui emprunter de l'argent avec des intérêts afin de payer les intérêts déjà accumulés. Donc nous ne pouvons pas sortir de la dette de la manière dont nous le faisons actuellement.

L'économiste Henry Pasquet est enseignant en économie. Il estime aussi que la fin est proche pour l'économie américaine et qu'on ne peut pas continuer ainsi.

En 1989, la dette américaine s'élevait à mille milliards de dollars. 15 ans plus tard, elle était de cinq mille milliards de dollars, soit cinq fois plus. Il ne faut pas être un génie pour réaliser que cela ne peut pas continuer indéfiniment.

Le problème c'est que les Etats- Unis ont un des pires systèmes monétaires jamais imaginés, à savoir une banque centrale qui opère de manière indépendante du gouvernement et qui, avec d'autres banques privées, crée tout notre argent avec un montant parallèle de dettes portant des intérêts. C'est pourquoi nous ne pouvons jamais émerger de ces dettes. C'est aussi pourquoi il est certain que la plupart des citoyens américains vont connaître une crise profonde, soit causée soudainement par une crise économique sévère, soit causée graduellement par une inflation continue et implacable.

La Fed crée la dette pour enrichir ses actionnaires privés – comme ce fut le cas avant la Grande Dépression de 1929.

Quand je relis ces lignes de 1998, je me dis que rétrospectivement elles étaient très pertinentes si l'on considère la crise immobilière puis financière qui, dès le début des années 2000, a frappé la population des Etats-Unis et, par répercussion celle du monde entier.

La Crise globale du Crédit a commencé aux Etats-Unis et, comme vous allez le voir, a une fois de plus profité aux banquiers privés.

En 1971, comme vous pourrez le lire dans de nombreux livres d'économie, la parité entre l'or et la monnaie fut abolie. Ce fut la fin de ce qui s'appelait l'étalon or. Cet accord fut passé à Bretton Woods. Le billet vert – le dollar – devint alors la monnaie de référence. Une monnaie émise pour sa plus grande partie – comme nous l'avons vu – par des banquiers privés, la maison Rothschild et les autres grandes familles alliées et qui contrôlent les banques les plus influentes. Le dollar était la monnaie de référence pour le monde entier et les gouvernements du monde entier avaient emprunté des dollars. La livre sterling, en Europe, joua aussi un rô important, et la Banque d'Angleterre était également contrôlée par les familles que j'ai partiellement mentionnées. Bref, tout reposait sur le dollar, mais ce dernier était sans valeur et fluctuait constamment.

Au cours de l'histoire récente s'est aussi créé ce qu'on appelle Wall Street. Qu'est-ce que Wall Street ? C'est le quartier de New York où on retrouve non seulement la Fed mais de nombreuses autres institutions qui sont entrées dans le système, à savoir de grandes maisons d'assurances, des courtiers, etc. C'est une rue de Manhattan qui constitue le cœur du quartier des affaires à New York. On désigne par le nom Wall Street, souvent, les affaires qui s'y traitent. On entendra souvent que telle ou telle décision a été prise par Wall Street. La pratique du crédit, avec son effet multiplicateur, battit son plein.

Au début des années 2000, la Fed, suivie forcément par les autres banques alliées, fixa des taux d'intérêts bas, ce qui poussa les ménages américains à contracter des emprunts hypothécaires pour s'acheter des logements. Les courtiers et les agences immobilières proposèrent des emprunts à cœur joie. Il y eut donc, en Californie par exemple, un grand boom immobilier. Les crédits étaient accordés sans se soucier de savoir si les emprunteurs pourraient payer leurs mensualités. En réalité, beaucoup d'emprunteurs n'étaient pas solvables sur le long terme et vivaient comme dans un rêve, encouragés par les courtiers qui proposaient de tous côtés des prêts au logement à bas taux. On appelait ces prêts les « subprimes », et la propagande organisée par ceux qui s'en enrichissaient prétendait qu'ils étaient de nature à aider de nombreux américains. Des foyers de retraités qui n'avaient pas d'espoir de voir leurs revenus augmenter, des gens de quartiers pauvres qui connaissaient souvent le chômage, etc., empruntaient et achetaient leur logement. Evidemment, le remboursement, comme pour tout prêt hypothécaire, devait se faire par mensualités.

La Fed était alors dirigée par Alan Greenspan, et le plus grand courtier, le plus en vogue, était Angelo Mozilo. Il fit une ascension fulgurante et se prétendit l'ami des pauvres en leur prêtant de l'argent pour acheter leurs maisons. Les acheteurs étaient convaincus que la valeur de ces propriétés allait gagner en valeur, mais les vendeurs, eux, savaient que ce serait le contraire. Ce fut un abus de confiance.

Mozilo était le propriétaire de la compagnie Countrywide financial, qui était cotée en bourse. Il était conscient de vendre un produit toxique. Ses prêts ne restaient pas dans ses comptes mais étaient combinés à d'autres prêts pour être revendus à Wall Street où ils étaient transformés en produits financiers complexes qui donnaient lieu à de multiples transactions sur lesquelles les banques prenaient des frais.

Un peu partout, des crédits étaient accordés sans limite. Mais beaucoup d'acheteurs ne purent faire face à leurs obligations de remboursement et, tandis que la Fed, les grandes banques, les grandes assurances et notamment leurs dirigeants privés s'enrichissaient, les acheteurs, eux, tentaient de vendre leurs biens immobiliers. Et il y en avait tant à vendre que ces maisons pouvaient s'acheter pour une bouchée de pain. Ceux qui les avaient acquises se retrouvèrent perdants.

Comme les prêts immobiliers n'étaient pas remboursés, les banques d'investissement se retrouvèrent sans liquidité. Et, par conséquent, toutes les autres banques qui dépendaient d'elles, par effet domino, se trouvèrent dans la même situation.

Les produits financiers nés de ces opérations immobilières frauduleuses furent appelés – entre spéculateurs – des titres toxiques. (*En français on parla de « titrisation », ndt*)

Les grandes banques furent sur le point de s'écrouler, la valeur de leurs actions baissa de manière dramatique et les actionnaires en furent appauvris.

Une petite histoire américaine publiée par un site francophone illustre bien, de manière simplifiée, ce qui se produisit :

« Toute ressemblance avec des personnages existants ou ayant existés ne saurait être que fortuite... mais n'aurait rien de surprenant. Ce 16 mai 2002, Monsieur et Madame Bird se rendent dans leur agence bancaire de Lewisville au Texas afin de contracter un crédit immobilier. L'accès à la propriété, un rêve quasi inaccessible pour ce couple aux trois enfants dont les revenus ne sont que très modestes. Pourtant, les conditions de taux historiquement bas depuis 2001 ont fait naître en eux beaucoup d'espoir.

C'est Monsieur Wolf qui les reçoit, jeune conseillé bancaire qui, à en croire les propos de ses supérieurs, est promis à une grande carrière. Poignée de main ferme et formules de politesse échangées, le rendez-vous peut enfin débuter. Et il durera plus d'une heure. Après d'âpres négociations, Wolf consent finalement à octroyer aux époux Bird un crédit sur trente ans avec des modalités à priori avantageuses : taux d'intérêt proche de 0 % pendant les deux premières années, puis variable, et constitution d'une hypothèque. Le jeune banquier mise alors clairement sur la poursuite de la hausse des prix de l'immobilier pour se couvrir d'un éventuel défaut de l'emprunteur. Néanmoins, les arbres ne montent pas jusqu'au ciel, et la suite de l'histoire est malheureusement bien connue de tous. En 2004, en effet pour faire face aux pressions inflationnistes, le président de la Federal Reserve (Fed) Alan Greenspan, procéda à une série de remontées de taux. L'endettement du couple Bird devint alors rapidement insupportable en raison d'un contrat à taux variable. Dans le même temps, Wolf assista avec stupeur au retournement du marché immobilier et compris que sa carrière ne serait pas aussi brillante que prévu.

Prise isolément, cette histoire, aussi triste soit-elle pour nos protagonistes, n présente aucun intérêt macroéconomique. En revanche, quand il existe un multitude de messieurs Wolf et de familles Bird au sein d'une économie, le conséquences sont nettement plus graves. Tels sont les prémisses d'une crise dont l'ampleur sera dans un premier temps national puis s'étendra au-delà des frontières et des océans. » (http://lecercle.lesechos.fr/economie-societe/international/ameriques/221180022/chute-lehman-brothers-cinq-ans-deja)

De crise immobilière, la crise devint financière et se transforma en une crise mondiale.

En théorie et selon certaines lois américaines, il n'était pas possible aux établissements de crédits de prêter à outrance encore plus qu'ils ne l'avaient déjà fait, du moins ouvertement. Mais certains de ces établissements réussirent, par des manœuvres financières compliquées, à tromper leur monde et à émettre des titres, des créances à haut rendement, et à les déverser sur les marchés internationaux. (*En français : la « titrisation », ndt.*) Ces titres ne répondirent pas aux espérances qu'ils engendraient et une crise des marchés boursiers s'ensuivit en 2007. La situation allait encore empirer en 2008.

« Deux faillites y furent en effet prononcées ; si la première fut virtuelle (Merrill Lynch put compter sur le soutien de Bank of America), la deuxième fut bien réelle et constitua un véritable séisme financier. La chute de Lehmann Brothers, banque d'investissement vieille de plus de 150 ans, surprit l'ensemble des investisseurs internationaux et marqua la fin du « trop gros pour couler ». La méfiance entre établissements bancaires atteignit alors son paroxysme et le marché interbancaire connut un arrêt total. Entreprises et ménages n'eurent ainsi plus accès au crédit bancaire et de nombreuses économies industrialisées entrèrent en récession au premier trimestre 2009. » (Source : http://lecercle.lesechos.fr/economie-societe/international/ameriques/221180022/chute-lehman-brothers-cinq-ans-deja)

Non qu'auparavant il n'y ait pas eu de tentatives de sauver la situation. Non seulement les Etats-Unis le tentèrent, les banques privées entre elles, mais aussi des banques et institutions européennes.

Comme je l'ai expliqué dans les chapitres précédents, c'est une affaire de banquiers privés, américaine en premier chef. Les Etats-Unis avaient besoin chaque année de plus de 400 milliards de dollars pour financer leurs guerres (des deux côtés du front en général, avec la garantie d'être remboursés par le vainqueur pour lui-même et pour les dettes du vaincu) et leur empire financier mondial. La nouvelle se répandit selon laquelle le dollar n'était pas couvert. En anglais, on parle de « flat money. » Des pays exportateurs de matières premières refusèrent d'être payés en dollars. Ce fut par exemple le cas de la Russie. L'abandon du dollar profita à l'euro, et les banques américaines durent contrecarrer cette méfiance.

« Ils provoquèrent, au plus fort de ce mouvement, une crise de l'euro, c'est-à-dire qu'ils firent annoncer par leurs banques et les agences de notation qui leur appartiennent une crise de l'euro en dégradant des pays endettés de la zone euro (Grèce, Irlande, Portugal). Ils détournèrent ainsi l'attention de la crise du dollar, la crise de l'euro se trouva au centre des problèmes financiers, et le scénario de crise se déplaça des Etats-Unis vers l'Europe » selon le site www.internationalnews.fr.

Pourtant, la dette de la Grèce était ancienne, bien antérieure à l'entrée de ce pays dans la zone euro. A l'époque, la banque américaine Goldman-Sachs avait apparemment établi des bilans falsifiés et confirmé frauduleusement la solidité financière du pays, toujours selon la même source. Le cas de la Grèce répandit le sentiment que l'euro n'était pas solide.

Ce ne sont que des exemples de la mondialisation de la « crise du dollar » qui fut transformée en une crise mondiale du crédit.

En 2010, la Fed créa des dollars à partir de rien pour compenser le manque de dollars dû à l'incapacité du monde à payer ses dettes. La Banque centrale européenne a aidé en ceci qu'elle a racheté des centaines de milliards de dollars – une monnaie qui ne valait rien – pour éviter l'écroulement du dollar... avec des euros qui eux valaient quelque chose.

Ce n'est qu'un exemple. Si vous faites une recherche sur Internet, vous découvrirez que le monde a connu de multiples crises financières, les unes après les autres, comportant toutes un point commun : l'absence de réserves suffisantes, soit le système des réserves fractionnaires, et la manipulation des taux d'intérêts, qui influence la quantité d'argent prêtée et donc mise sur le marché quand les intérêts sont bas, et la restriction d'argent quand les intérêts sont hauts.

Selon certains, grâce à la crise de l'euro, « les Etats-Unis peuvent gagner du temps et détourner l'attention de la crise du dollar. L'effondrement du billet vert ferait imploser non seulement leur empire financier mondial mais également leur puissance militaire mondiale (200 bases) et leur puissance économique. Ils subiraient (et cela arrivera) un effondrement identique à celui de l'empire soviétique, mais ils n'y croient pas encore et ne songent pour le moment qu'à gagner du temps. C'est pourquoi ils attisent une crise de l'euro chaque fois que la crise du dollar s'aggrave. »

Les victimes du jeu – dans la zone Euro comme aux Etats-Unis et dans tous les pays victimes de ce jeu de vilains, sont les citoyens, qui sont accablés d'impôts et dont les retraites sont menacées... et bien d'autres inconvénients encore. « Le fait qu'ils n'aient pas remarqué à quel point on mettait en jeu leur avenir est dû à une manœuvre intelligente de la presse manipulée par la haute finance américaine. »

Tout cela fut engendré par les méthodes frauduleuses de quelques familles, dont la famille Rothschild et les familles amies et alliées (le XIème siècle fut souvent désigné comme le « siècle de Rothschild »), qui depuis la guerre de Waterloo prirent le contrôle des grands marchés financiers, notamment en Grande Bretagne, et au fil de l'histoire manipulèrent les taux d'intérêts et la vie financière.

Dans un livre bien connu de la fin du XIXème siècle, Le Capital, Carl Marx, qui était philosophe, historien et qui promouvait des idées révolutionnaires, fut probablement un des penseurs socialistes les plus influents de son époque.

Bien qu'il fût ignoré de son temps, ses idées sociales, économiques et politiques furent assez rapidement acceptées par le monde socialiste après sa mort en 1883.

Les idées originales de Marx ont souvent été modifiées et leur sens adapté à une grande variété de circonstances politiques. En 1867, il eut une extraordinaire vision de ce que serait l'avenir :

« Les détenteurs du capital vont encourager les classes ouvrières à acheter de plus en plus de biens chers, des maisons et des technologies, les poussant à contracter de plus en plus de dettes chères, jusqu'à ne plus pouvoir les assumer. Les dettes impayées vont conduire à la banqueroute de banques qui devront être nationalisées, et l'Etat devra prendre un chemin qui conduira peut-être au communisme. »

« Plus grande est votre capacité à gérer l'incertitude, plus grande est votre capacité à vous enrichir ou atteindre le succès dans tout domaine »

Jamie McIntyre

6. QU'EST-CE QU'UNE ÉDUCATION POUR LE 21ÈME SIÈCLE ?

Le bon sens me dit que, pour réussir au 21ème siècle, il faut une éducation adaptée au monde actuel ; c'est ce que j'appelle une éducation pour le 21ème siècle.

L'objet de ce chapitre est de mettre en exergue les 5 composants fondamentaux de l'éducation du 21ème siècle, ce qui inclut notamment l'intelligence financière.

Maintenant que vous comprenez comment l'argent est fabriqué comme par magie par les systèmes et comment font quotidiennement les familles qui contrôlent la monnaie, vous êtes sur le tremplin de l'éducation du 21ème siècle.

C'est quand j'ai commencé à comprendre cela moi aussi que je me suis mis à penser que si je voulais réussir je devrai acquérir une éducation conforme aux réalités du 21ème siècle.

L'enseignement des établissements d'étude classiques fournit une éducation du 20ème siècle conçue au 19ème siècle. Pour réussir au 21ème siècle, il faut une éducation qui colle au monde d'aujourd'hui : celle du 21ème siècle. De toute évidence, ceux qui bénéficieront d'une telle éducation auront plus de chance de réussir que ceux qui en auront manqué.

Je me mis à chercher des solutions et des voies différentes de celles que je connaissais afin de reprendre le contrôle de mes finances et de ma vie.

Beaucoup de gens veulent changer le monde mais ne peuvent jamais changer quoi que ce soit de l'extérieur tant qu'ils ne changent pas au fond d'eux-mêmes. En revanche, si nous changeons en profondeur, notre monde change aussi, automatiquement.

Quand je considérai pour la première fois l'idée d'acquérir une éducation du 21ème siècle, j'eu quelques questions à résoudre ou auxquelles répondre. La première fut de me demander en quoi consistait vraiment une éducation du 21ème siècle ? Et la seconde fut « Comment en recevoir une ? »

Si vous avez un peu d'humour, vous pouvez toujours téléphoner à votre établissement scolaire local et leur dire : « En ce moment je suis en train de lire un livre qui explique que pour réussir au 21ème siècle il faut recevoir un enseignement en relation avec le 21ème siècle. Quand à lieu le prochain cours sur ce sujet ? Je voudrais m'y inscrire de toute urgence ! » On vous répondra alors probablement : « Pardon ? De quoi parlez-vous ? Nous sommes encore au 19ème siècle ici. Ne nous stressez pas. Prenez un numéro d'attente et votre place dans la file. »

Bref, comment faire pour se former de manière adaptée aux réalités du 21ème siècle ?

Pour ce faire, je vous le dis honnêtement, j'ai bien investi $100 000 pendant 18 ans, ce qui fut fort coûteux. Mais le rendement de cet investissement a été phénoménal. Cela dit, je ne cherche pas à vous suggérer d'investir $100 000 pour acquérir l'éducation dont je parle.

Avec l'avènement de l'âge de l'information, de nos jours, il est beaucoup plus aisé de le faire que quand j'ai commencé. J'avoue que je me suis fait du souci lorsque j'ai emprunté $25 000 pour commencer à entreprendre mon éducation du 21ème siècle alors que je n'avais même pas assez d'argent pour payer le prochain loyer. Mais j'étais concentré sur mon objectif : me doter d'une mentalité de millionnaire et me former à la vie de notre temps – la vie réelle. Si vous commencez par cela, le reste va se mettre en place.

Dans ce chapitre, je vais vous donner un aperçu des composants de ce que j'appelle une éducation adaptée au 21ème siècle. Les chapitres suivants vont en couvrir tous les aspects en détail.

Il y a cinq éléments majeurs dans une éducation pour le 21ème siècle :

1. L'intelligence émotionnelle

2. L'intelligence financière

3. Les quatre qualités clés :

I) Une pensée créative

II) Le sens de la négociation

III) Le sens de la communication

IV) La connaissance du marketing

4. Une approche RBA à savoir Résultat, But, Action

5. Concevoir sa vie

Qu'est-ce que l'intelligence émotionnelle ?

Comment définir l'intelligence émotionnelle ? Plutôt que de réagir à la vie comme le font la plupart des gens, l'intelligence émotionnelle est la capacité à apporter une réponse consciente à une situation plutôt que de réagir sous l'influence de nos émotions du moment. Cependant, j'ai découvert que beaucoup de gens n'offrent pas cette réponse consciente à la vie mais réagissent inconsciemment à elle, poussés par leurs schémas émotifs habituels. En d'autres termes, quoi qu'il arrive dans leurs vies, ils vont réagir, et malheureusement on ne contrôle pas tout ce qui nous arrive.

Vous avez peut-être entendu dire auparavant que le mot **« émotion » vient du latin « motio » qui signifie « mouvement »**. Un de mes maîtres, Anthony Robbins, m'expliqua que toute émotion que l'on ressent se manifeste par une attitude gestuelle physiologique très spécifique. Ce que j'entends par « physiologique » c'est votre posture, votre façon de respirer, les expressions de votre visage, vos mouvements. Le problème c'est que beaucoup de gens limitent leurs attitudes à une dizaine de schémas physiologiques et que, par conséquent, ils n'éprouvent pas plus de disons dix émotions différentes par semaine.

En effet, ces schémas physiologiques, ou en d'autres termes ces attitudes physiques, deviennent après quelques temps une habitude et finissent par engendrer l'état émotionnel dans lequel nous vivons.

Malheureusement, la plupart des 10 états que nous vivons sont négatifs et ne vont pas nous être utiles sur le chemin du succès. Par exemple le doute, la peur, l'incertitude, le souci, la colère, la déception, l'anxiété et le stress. Donc, si nous devenons émotionnellement intelligents, nous accroissons nos chances d'atteindre le succès dans les choses que nous désirons le plus.

Plutôt que de réagir inconsciemment, nous devons, une fois de plus, faire le contraire (loi des opposés) : nous devons prendre une décision consciente sur la manière dont nous allons réagir à une situation donnée.

Passer des réactions inconscientes à des réactions conscientes est l'essence de l'intelligence émotionnelle. Par exemple, avec-vous connu une relation amoureuse forte suivie d'une rupture ? Et quand cette relation a pris fin, vous êtes-vous senti détruit(e), voire dévasté(e) pendant un temps plus ou moins long ? La plupart des gens font ce genre d'expérience à un moment ou un autre de leur vie. Cela peut avoir un effet dévastateur. Je le sais parce que cela m'est arrivé et qu'alors j'ai perdu toute motivation. Cette relation qui m'était si précieuse ne fonctionna pas et cela m'affecta beaucoup. C'était fini. Mon cœur fut brisé en mille morceaux. Dans cet état d'esprit, je ne faisais que réagir à ce qui m'arrivait. Mais en portant un regard rétrospectif – 5 ou 10 ans plus tard – sur ce qui est alors arrivé, je me dis que cette terrible crise était en fait la meilleure chose qui aurait pu m'arriver. Si mon amie d'alors ne m'avait pas définitivement quittée, dévasté comme je l'étais, je n'aurais pas attiré de meilleures relations. Maintenant, je suis ravi que cette relation soit terminée, même si à cette époque j'ai pensé que ma vie était pour ainsi dire finie et que je ne pouvais pas imaginer pouvoir surmonter la perte.

Cette expérience vaut pour les relations, le travail, les affaires et même les crises financières. La question est : « **Que nous est-il arrivé pour changer notre vision de ce même événement ?** » Au début nous avons réagi. Nous avons pu être dévasté(es) sur le moment. Il y a des gens à qui c'est arrivé et qui sont restés dans cet état pendant un mois, un an voire pendant toute leur vie et ne s'en sont jamais remis. D'autres au contraire, après un certain laps de temps, regardent les choses différemment, avec d'autres lunettes. C'est cela l'intelligence émotionnelle, et il ne faut pas forcément un temps fou pour considérer une expérience avec recul, la voir sous un autre angle et choisir une réponse émotionnelle différente. L'intelligence émotionnelle raccourcit le temps de réaction.

Quand une crise nous arrive – une crise dont nous nous serions volontiers passés sur le moment – cela peut nous anéantir. Mais comme tout est question de la manière dont on réagit, alors, à quel moment devons-nous décider de la considérer sous un angle différent ?

Ce n'est pas ce qui arrive dans nos vies mais la façon dont nous réagissons à ce qui arrive et le sens que nous associons à tel ou tel événement qui compte et détermine la suite.

Il y a des gens qui disent que la raison pour laquelle ils n'ont pas de succès provient de telle ou telle situation, de tel ou tel événement qui s'est produit au cours de leur vie, alors que d'autres, qui auraient fait une expérience comparable, y auraient trouvé la raison pour laquelle ils ont réussi. C'est une question de point de vue : sur la base d'expériences similaires, on peut obtenir des résultats complètement différents.

Prenons pour exemple l'attentat aérien contre les tours du World Trade Center à New York ; le fameux attentat du 11 septembre 2001 qui a profondément choqué les gens pour ainsi dire dans le monde entier. Moi, comme la plupart des gens, j'ai d'abord été en état de choc. Puis j'ai nié : « Ce n'est pas possible ! C'est sans doute un film catastrophe, ou un canular... » Mais c'était vrai. Dans ce genre de cas, nous pouvons nous laisser envahir par la peur, ressentir des doutes, des incertitudes sur l'avenir du monde, nous laisser paralyser – ce qui est normal pour tout être humain – si nous ne restons pas attentifs à nos réactions. Après le premier choc, nous interprétons ce qui est arrivé, nous lui accordons une signification propre. Ainsi, certains pensent que c'est le signe que le monde touche à sa fin et sont paralysés par la terreur, refusent d'aller travailler, ne veulent plus prendre l'avion ; ils veulent juste rester chez eux et s'enfermer dans leur coquille. Ils sont ainsi destitués de leur vie, de leur pouvoir sur leur vie... à moins qu'ils ne réagissent avec intelligence émotionnelle, moins égoïstement. Parce que si l'on est émotionnellement intelligent, après le premier choc, le déni et la peur, on peut se dire : que pouvons-nous faire pour aider immédiatement les gens directement affectés par cet événement affreux ? Pouvons-nous faire un don de sang ? Envoyer des dons ? Prier ?

Ce qui compte c'est d'être émotionnellement intelligent ; c'est la signification que nous accordons à l'événement, ce que nous en faisons. Est-ce que nous lui donnons une signification selon laquelle la vie, telle que nous l'avons connue, est finie ? Que le monde nous réserve le malheur et que nous ne pourrons plus jamais vivre notre vie comme nous en avions l'habitude ? Ou est-ce que nous donnons à cet événement un sens différent, comme par exemple en nous posant les questions : « Qu'est-ce qui est arrivé ? » « Pourquoi est-ce arrivé ? » « Que pouvons-nous faire, quelle peut être notre contribution ? »

A mon avis, le fait que la plupart des gens se sentent démunis face à un événement de ce genre est un grand danger. Au contraire, il faut se demander : « Que pouvons-nous faire ? » Nous pouvons donner du sang pour commencer, puis élargir notre vision des événements et trouver la clé, celle de la signification qu'on leur accorde.

Il est très important de ne pas manquer l'étape de la mise en perspective et de la remise en contexte, parce que les medias la suppriment totalement. Bien sûr, ce 11 septembre 2001, 3 000 personnes furent assassinées, ce qui fut épouvantable. Mais si l'on place cet événement dans le contexte mondial, on réalise que bien plus que 3 000 personnes meurent quotidiennement en raison de tragiques circonstances, y compris d'attentats. Mais nous n'en sommes pas conscients sur le moment parce que toute notre attention est focalisée sur le sort des victimes de l'attentat du 11 septembre, et nous n'éprouvons pas l'immense peine que les autres situations pourraient aussi engendrer en nous, le sort des personnes qui meurent de faim et/ou sont victimes de toutes sortes de cruautés inimaginables en divers points du globe. Nous sommes sensibles à ce sur quoi nous nous focalisons.

Le fait de nous concentrer sur un événement particulier peut aussi distordre ce qui est arrivé voire l'amplifier. Il est indispensable de le mettre en perspective et de se poser la question : « Que puis-je faire, moi, comme individu, dans telle situation ou par rapport à elle ? Vais-je rester désemparé tout le reste de ma vie ou vais-je m'engager à devenir une personne meilleure, à jouir de ma vie autant que possible et aider à faire la différence dans ce monde pour que de telles horreurs ne puissent plus se reproduire ? »

Je pense que l'un des effets marquants de cette tragédie fut que, dans tous les coins du monde, les gens ont été peinés et que la plupart se sont unis dans un besoin commun d'éliminer le terrorisme. Mais nous pouvons élargir nos questions : y a-t-il des gens qui souffrent dans le monde que peut-être nous n'avons pas remarqué ou auxquels nous n'avons pas suffisamment prêté attention ou que nous n'avons pas suffisamment tenté d'assister ? Il y a des gens qui meurent de faim et qui souffrent sous des régimes dictatoriaux.

Au bout du compte, quand des gens souffrent sur cette planète, cela signifie que nous allons tous souffrir à un degré ou à un autre, sauf si nous essayons de changer les choses d'une façon ou d'une autre, aussi difficile que cela puisse paraître.

De mon côté, plutôt que de rester désemparé, j'ai décidé de m'engager plus avant, et je me suis demandé ce que je pouvais faire pour améliorer le monde monétaire international.

Quand j'ai pris conscience de la pauvreté et des difficultés financières et économiques qui sont causées par notre système monétaire actuel, qui joue un grand rôle dans tout cela, j'ai décidé de faire ce qui serait en mon pouvoir pour utiliser mon influence afin de pousser à des changements positifs.

Que puis-je donner de plus aux œuvres charitables ? Que puis-je faire pour atteindre et contacter des gens et leur dire combien je me soucie d'eux, tant que je suis en vie et que j'en ai la possibilité ? Et puis quel bonheur que la liberté et toutes les autres choses merveilleuses dont je bénéficie dans ma vie ! C'est ce que nous pouvons nous dire.

Vivrons-nous désormais dans la peur, ne prendrons-nous plus jamais l'avion ? Beaucoup de gens m'ont dit que j'étais fou de prendre encore l'avion. J'étais en Afrique au moment des événements du 11 septembre et, peu de temps après, je me retrouvai à Londres, où les gens étaient affolés à l'idée que Londres pourrait aussi devenir un objectif.

Le mieux que nous puissions faire est de continuer à vivre normalement, de prendre l'avion comme avant, de ne pas annuler nos projets (cela ne ferait qu'empirer les choses). Si nous acceptons de subir la peur, ce ne sera que pire. Nous devons faire face. C'est un des meilleurs moyens de gérer les événements.

Et vous, où étiez-vous et comment avez-vous réagi ? Avez-vous placé les événements en perspective ? Avez-vous utilisé votre intelligence émotionnelle ? En d'autres termes, cet événement vous a-t-il incité à vous améliorer par exemple, à aider de manière positive ?

Si beaucoup de gens mettent en pratique leur intelligence émotionnelle, alors collectivement nous irons tous mieux.

Pendant que j'y suis, je vais partager avec vous une histoire émouvante et porteuse de leçons qui m'a été racontée par Anthony Robbins (Tony comme je l'appelle), un des meilleurs coaches du monde pour atteindre le succès. Il est aussi conseiller présidentiel.

Quand il entendit parler de l'attentat contre le World Trade Center, il était environ 4 heures de l'après-midi à Hawaï, où il conduisait un de ses séminaires sur la Maîtrise de la vie. (J'y ai aussi pris part il y a longtemps, et pendant des années comme participant et comme coach, et je ne puis que recommander ce séminaire.) C'était le second jour de ce séminaire qui devait durer 9 jours. Ce jour-là est consacré à l'intelligence émotionnelle, et c'est d'ailleurs là que pour la première fois je me suis familiarisé avec ce concept.

Il posa la question suivante à ses auditeurs, qu'il considéra plus tard comme prophétique : « Si vous saviez que vous n'avez que peu de jours ou de semaines restant à vivre, voudriez-vous vivre autrement et comment ? »

Dans une telle situation, on fait le tri, on choisit ce qui est le plus important, à qui on va téléphoner, ce que l'on va apprécier. Vous, que feriez-vous de différent dans votre vie ? Quelles seraient vos priorités ? Comment donneriez-vous de la valeur à vos derniers jours, autrement ?

Il parla de cela toute la nuit et, dans l'assistance, une femme se leva. Elle déclara que les propos de Tony lui avaient fait réaliser quelque chose : peu de temps avant de se rendre au séminaire, son ami, avec qui elle était depuis longtemps, lui avait demandé de l'épouser. Mais ayant perdu son mari quelques années auparavant dans des circonstances tragiques, elle ne se sentait pas prête, elle ressentait que son ami faisait pression sur elle et elle refusa. Elle voulait aller au séminaire *Maîtrise de la vie* et mit un point final à la discussion et à la relation. Ils se séparèrent sur ce désaccord et c'était déjà souvent arrivé après une forte dispute. Mais durant cette fameuse nuit, en écoutant Tony, elle réalisa que ce dont il parlait avait pour elle une immense pertinence. Elle prit la décision d'accepter d'épouser son ami, qu'elle aimait bien fort. Donc, après le séminaire, elle lui téléphona. Bien sûr, il y avait le décalage horaire entre Hawaii et New York où il vivait, et elle tomba sur sa boîte vocale. Elle y laissa un message disant qu'après avoir repensé à sa proposition, elle tenait à lui dire combien elle l'aimait et tenait à lui et qu'elle serait très heureuse de l'épouser, qu'elle ne pouvait plus attendre de rentrer. Le lendemain matin, les deux avions s'écrasèrent sur les tours du World Trade Center. Mais elle, naturellement, ne l'apprit que le jour suivant. Environ 500 participants au séminaire étaient de New York et beaucoup d'entre eux avaient des collègues, de la famille et des amis qui travaillaient dans les tours qui furent touchés par le désastre. La femme en question raconta son histoire le jour d'après, dévastée par ce qui était arrivé. Le matin précédent, son ami était allé au World Trade Center pour y travailler. Il écouta son répondeur et entendit le message de son amie. Il en fut très heureux et téléphona en retour mais son amie n'était pas disponible en raison du décalage horaire. Elle reçut cependant son message enregistré. Il exprimait combien il était triste parce qu'ils ne se reverraient sans doute jamais. Il lui raconta que la tour venait d'être atteinte par un avion et était en feu. D'après lui, dans la tour, ils n'allaient pas s'en sortir. Mais il voulait juste lui dire qu'il avait reçu son message, qui avait pour lui une immense importance : il était infiniment heureux qu'elle l'aime et ait accepté de l'épouser. Il affirma que c'était le plus beau jour de sa vie et qu'il allait mourir heureux, sachant qu'elle avait dit « oui » à sa demande en mariage.

Ce fut une histoire tragique. Mais elle nous amène à vraiment réaliser que la vie que nous considérons comme acquise ne l'est pas, et que nous pouvons n'avoir devant nous que quelques heures, jours, semaines ou années pour l'apprécier.

Je vais vous donner un autre exemple à ce sujet en m'inspirant de la crise financière que j'ai subie.

Certaines personnes, qui ont connu une faillite, qui se sont trouvées criblées de dettes, se sont jetées par la fenêtre et se sont suicidées parce qu'elles avaient trop de difficulté à rester en vie et à faire face à la réalité. Moi, je me suis trouvé dans une situation semblable, en faillite et avec une dette qui me semblait insurmontable. J'avais à choisir entre deux options : être brisé ou être mort, et à un certain moment, la mort me sembla attirante, ou au moins beaucoup plus facile que l'autre option – celle de regarder les choses différemment et d'utiliser ma crise financière comme une raison supplémentaire de réussir.

Pour franchir ce cap, je dus devenir beaucoup plus intelligent émotionnellement, et avec l'aide de mon mentor millionnaire, je commençais à regarder ma situation sous un autre angle que celui d'un homme brisé. Aussi difficile que ce fut à cette époque, j'ai dû me demander ce qu'il y avait de bon dans ma situation.

Rétrospectivement, aujourd'hui, je suis si heureux de l'avoir vécue, parce que sans cette crise je ne serais pas arrivé où je me trouve actuellement.

Bien souvent, ce que nous ressentons comme négatif est porteur de bonnes choses. En fait, tout événement est porteur de mieux. N'avez-vous jamais remarqué cela dans votre vie ?

La bonne attitude consiste à contrôler nos réactions au moment où arrive l'événement qui nous touche. On n'a pas de pouvoir général sur ce qui arrive autour de nous mais nous pouvons gérer ce qui se passe en nous.

Nous cherchons tous à créer une sorte de certitude dans nos vies. Nous le pouvons en décidant de la façon dont nous réagissons aux événements, en leur conférant la signification que nous souhaitons, qu'ils soient bons ou mauvais. Ce que nous en faisons est une question de choix.

Rappelons ici l'histoire extrême de Viktor Frankl qui survécut à la Shoah. Au camp, il réalisa que même s'il ne pouvait pas contrôler les conditions dan lesquelles il se trouvait, les tortures qu'il subissait comme rester debout à moitié n dehors par un froid glacial ou frappé pour ainsi dire à mort, il y avait une chose su laquelle il avait un pouvoir : le contrôle de ses réactions intérieures en relatio avec la douleur dans le camp. Alors que d'autres espéraient mourir parce qu'ils n pouvaient pas supporter cette douleur, lui, mobilisant toutes ses ressources, l considéra différemment. Pour lui, préserver sa liberté intérieure primait sur toute les cruautés qu'il subissait. Parce que malgré l'enfermement, cette liberté, elle, n pourrait jamais lui être enlevée. Une telle attitude exigea de lui un grand courage e un grand contrôle sur lui-même, mais il survécut, mieux que d'autres.

La plupart d'entre nous, espérons-le, ne vivront pas une situation aussi atroce Ce qui ne veut pas dire que nous ne connaitrons pas des situations de crise. Et dan ce cas, qu'allons-nous faire ? Vivre dans la peur que quelque chose de mauvai nous arrive encore, ou trouver en nous un sentiment de certitude que tout est pou le mieux ?

Nous ne voulons pas d'une mentalité de peureux. Nous ne voulons pas nou dire par exemple : « Je ne veux pas mettre mes efforts dans une relation, de peu qu'elle prenne fin », ou « Je ne veux pas m'enrichir, de peur de perdre », o « Pourquoi essayer puisqu'il y aura la fin du monde ? » Nous voulons vivre ave une certitude – ou une conviction – intérieure, et peu importe ce qui arrivera.

Aujourd'hui je vis avec la certitude que quoi que l'on me donne ou que l'on me prenne, intérieurement j'ai tout ce qu'il faut pour réussir. Ce sens intérieur de certitude ne peut pas m'être enlevé, sauf si je le permets. C'est selon moi l'expression à son plus haut niveau de l'intelligence émotionnelle. Il s'agit d'apporter – au lieu de nous laisser aller à réagir – une réponse gérée aux événements de la vie, en nous posant des questions pour y accorder une signification, celle que nous aurons choisie, après nous être demandés : « Qu'y a-t-il de bon dans cette situation ? »

Dans tout ce qui arrive, même les pires épreuves, nous pouvons trouver quelque chose de positif, de bon. Je n'insisterai jamais assez sur l'importance de la maîtrise et de la mise en œuvre de l'intelligence émotionnelle.

Pour acquérir une mentalité de millionnaire, il y a beaucoup à comprendre, et c'est pourquoi j'y consacre tant de chapitres. Votre intelligence émotionnelle toute nouvelle va grandement vous aider à mettre en pratique les stratégies financières, tout en vous permettant de maîtriser les différents aspects de votre vie.

Qu'est-ce que l'intelligence financière ?

L'intelligence financière est un des sujets dont traite Robert Kiyosaki, auteur notamment de *Père Riche, Père Pauvre*. Sans cette intelligence, nous suivons le chemin que la plupart des gens prennent et dont nous avons vu qu'il conduit au désastre financier la plupart du temps. Si nous voulons devenir financièrement intelligents, nous devons savoir très exactement en quoi cela consiste et comment y parvenir.

Pour vous enrichir sérieusement au 21ème siècle, vous allez devoir mettre votre argent au travail et non seulement travailler pour gagner de l'argent. C'est une part très importante de votre éducation.

Si l'intelligence financière était enseignée dans les écoles, qui aurait fréquenté le cours ? Si votre professeur avait annoncé : « Au lieu de la leçon d'algèbre habituelle, nous aurons une leçon sur la manière dont on peut faire travailler notre argent pour nous. Ainsi, quand vous quitterez l'école, si vous ne souhaitez pas travailler pour quelqu'un d'autre, vous ne le devrez pas. » Je suis persuadé que la plupart des élèves seraient allés au cours et, moi, je l'aurais écouté avec beaucoup d'attention.

Voici un exemple qui illustre la profondeur de l'intelligence financière dans la population australienne. Si nous donnions à chaque australien $10 000 maintenant, qu'arriverait-il avec cet argent d'ici 12 mois ? Les statistiques montrent que 80 % des australiens auraient dépensé cet argent et n'auraient plus rien au bout d'un an parce que c'est ce que la plupart d'entre nous ont appris à faire. 16 % des gens auraient fait fructifier leurs $10 000 en $10 500. Où pensez-vous qu'ils les auraient placés pour recevoir un bénéfice aussi élevé ? Droit à la banque bien sûr ! Ces 80

% + 16 % de la population australienne, soit les 96%, ne peut évidemment pas être considéré comme étant doté d'une intelligence financière. Moins de 3 % de la population aurait doublé ses $10 000 et en aurait donc 20 000 après 12 mois. Si vous pouvez en faire autant, vous pouvez être considéré comme financièrement intelligent. Et même, si vous y parvenez, vous pourrez probablement vous offrir tous les rêves que vous avez sur cette planète et qui dépassent un bénéfice de 100 %. Le 1 % restant de la population pourrait réaliser, avec ces $10 000, $1 000 000 en 12 mois.

Seul un petit pourcentage de ceux qui lisent ce livre va développer la mentalité nécessaire pour pouvoir un jour transformer $10 000 en $1 000 000 ou plus. Cependant, cela arrive de plus en plus fréquemment grâce à Internet, qui permet à certains de devenir des « web millionnaires ». C'est excitant. Cela dit, un tel objectif n'est pas réaliste pour la plupart de gens. Tout du moins à court et moyen terme.

Exercice n°5

Remplissez avec les chiffres manquants :

Combien rapporte l'intelligence financière en 12 mois ?

$10'000 deviennent __________ pour 80 % de la population

$10'000 deviennent __________ pour 16 % de la population

$10'000 deviennent __________ pour 3 % de la population

$10'000 deviennent __________ pour 1 % de la population

Pour devenir financièrement intelligent, nous devons apprendre un vocabulaire de base qui nous permettra de faire travailler notre argent au lieu de travailler pour notre argent.

A l'école, nous apprenons ce qu'est l'argent de poche et ce que sont les dépenses. A cette époque je dépensais pour mes fournitures scolaires ou la cantine. Les dépenses étaient l'argent qui sortait de ma poche. **Les dépenses sont de l'argent qui sort de votre poche.**

Il y a aussi des avoirs que l'on appelle des actifs et des passifs. Si nous demandons un prêt à la banque, via une carte de crédit, pour acheter une maison ou pour acheter une voiture, etc., la banque va considérer ces biens comme des actifs. Vous pouvez donner en garantie une voiture, une maison, des meubles, de vêtements, votre collection de CD, votre chaîne hifi et même votre télévision.

Mais si vous le permettez, posons-nous deux questions. On nous harcèle ic avec les banques, mais est-ce que les banques font des profits record en Australie Oui. Est-ce que l'Australien moyen fait des profits record dans ce pays ? Non. E d'autres termes, est-ce une bonne idée de penser comme les banques nous amènent à le faire en ce qui concerne les actifs et les passifs si nous voulons réussir financièrement ? Je dirais que non, mais vous devez vous forger votre propre opinion.

Il n'y a rien de juste ou de faux ici. Souvenez-vous, c'est ce que vous choisissez de croire qui est important. J'étais habitué à dire, révolté : « Ce n'est pas juste ! » Et mon mentor millionnaire avait coutume de répondre : « **Veux-tu avoir raison ou veux-tu devenir riche ? Fais-toi une opinion.** » Je suis heureux d'avoir oublié de penser à ce qui est juste ou faux quand j'ai décidé de devenir riche.

Ce que je vais vous proposer c'est une redéfinition des mots actifs et passifs tels que les banques nous ont appris à les considérer. Cela devrait vous aider à réussir financièrement.

Un actif, selon moi, c'est quelque chose qui me rapporte activement de l'argent pendant que je dors et sans que j'aie besoin de travailler. Cette définition vous convient-elle ? Si ce n'est pas le cas, vous pouvez adopter la définition de Robert Kiyosaki : un actif, c'est « **quelque chose qui va mettre de l'argent dans votre poche sans que vous deviez travailler pour cela** ».

Ce que je voulais au fond c'était le « life style », la « belle vie », le résultat final. Et, pour cela, il faut de l'argent disponible. Je ne voulais pas être riche en actifs (selon la définition de la banque) et pauvre en liquidités. J'aurais pu créer $10 000 000 en actifs, mais sans argent liquide je n'aurais pas la belle vie. Je pouvais aussi gagner $500 000 en liquide – pendant que je dormais – et bénéficier d'une meilleure qualité de vie que quelqu'un qui possèderait $10 000 000 voire même $100 000 000 en « actifs » mais qui n'aurait pas de liquide. Je vais y revenir et développer...

Je pense qu'au 21ème siècle, l'argent disponible est important pour pouvoir mener la belle vie.

Qu'arriverait-il si vous arrêtiez de travailler immédiatement ? Avez-vous quelque chose qui va continuer à vous rapporter de l'argent ? Si oui, vous pouvez mettre cela dans votre colonne d'actifs, selon ma définition et celle de Kiyosaki. **Un passif c'est exactement l'opposé. Un passif va vous pousser à la dépense.** Cette classification peut sembler sévère, mais si vous en comprenez l'esprit, vous allez vous prédisposer à la belle vie, en grand !

Ainsi, le grand rêve des australiens c'est de posséder leur maison. Quel est le système qui vend ce rêve ? Le système bancaire bien sûr ! Sans raison particulière n'est-ce pas ? Ou peut-être que si...

Nous allons examiner plus loin certaines stratégies qui vont faire que les banques vont beaucoup nous aimer parce que nous allons les aider à se faire des tonnes d'argent. Mais vous aussi vous vous trouverez du côté des vainqueurs, parce que ces stratégies vont aussi beaucoup vous rapporter en argent disponible. Ce sera une relation gagnant/gagnant – tout le monde y gagne –, et je pense que ce genre de relation est la façon dont le monde fonctionne le mieux. Il y a des gens qui pensent que le modèle gagnant/perdant est une meilleure façon de gagner, mais je ne vois pas comment cela peut fonctionner sur le long terme.

Je pense que vous avez compris ce qui précède. Revenons maintenant sur la notion d'actifs et de passifs.

La banque n'a pas tout à fait la même définition que celle que je vous ai proposée ci-dessus. En effet, si vous possédez votre logement, si vous y vivez et si vous l'acquittez, la banque l'appellera un actif. Mais selon notre définition, est-ce un actif ou un passif ? Malheureusement je l'appellerai un passif. En effet, un logement – dans ces conditions – ne nous rapporte aucun argent pendant notre sommeil. En fait il entraîne des dépenses. Il faut donc le classer dans la colonne des passifs.

Disons maintenant que vous travaillez très dur, vous finissez de payer votre logement et vous y vivez : est-ce un actif ou un passif selon notre nouvelle définition ? Malheureusement c'est encore un passif parce qu'il ne vous rapporte aucun argent liquide. Je sais que c'est une définition peu commune du mot « actif ». Vous n'êtes pas obligé de l'utiliser, mais il faut le voir en face, une maison coûte cher si elle ne fait qu'être là.

C'est un exemple type qui aide à expliquer pourquoi la plupart des gens, même ceux qui s'en sortent bien, deviennent riches en actifs (les actifs classiques – selon la définition de la banque) et pauvres en argent disponible – en liquidités.

Penchons-nous maintenant sur une autre notion : celle de la dette. Après m'être trouvé moi-même endetté, je me suis juré de ne jamais plus m'endetter. Mais quand mon mentor millionnaire m'entendit dire cela, il dit : « Jamie, je peux te comprendre, mais si tu veux réussir financièrement, tu dois savoir que toutes les dettes ne sont pas mauvaises. » Au début je ne voulais pas écouter de tels propos et je répondis : « Tu ne me convaincras pas de m'endetter. » Mais il insista : « Bon, mais dis-moi, veux-tu faire de l'argent pendant ton sommeil ? » Mais oui, c'est ce que je voulais ! Alors il m'expliqua que je devais réfléchir et prendre en compte ce qu'on appelle les « bonnes dettes ».

Il y a deux façons d'envisager les dettes. Il y a, comme tout le monde le sait, de mauvaises dettes. Cela inclut des achats qui se déprécient et n'apportent pas de bénéfice fiscal. La mauvaise dette classique, qui affecte la plupart des gens, est celle que l'on contracte en vue d'acheter une voiture par exemple. En effet, dès sa sortie de la concession, une voiture perd 20 % de sa valeur. Mais il y a des dettes pour des objets ou autres qui prennent de la valeur au lieu d'en perdre et qui offrent idéalement aussi des bénéfices fiscaux. Donc nous devons nous sentir plus à l'aise avec la notion de dette. Dire que l'on ne s'endettera plus jamais est un concept qui relève du 19ème siècle. Il est fondamental, pour s'enrichir, de considérer la dette sous un angle différent. Il y a certaines dettes qui vous rapportent de façon à ce qu'elles remboursent votre achat sans que vous ayez besoin de travailler, pendant votre sommeil. Et il y a même mieux ! Imaginez une dette que vous ne devez jamais, jamais rembourser. Ne serait-ce pas une bonne dette ? Nous allons regarder ce type de dette dans les chapitres ultérieurs...

Depuis cette conversation avec mon mentor millionnaire, j'ai augmenté le montant de mes dettes à plus de 10 millions de dollars relativement récemment alors que j'avais été effondré et très inquiet lorsque j'avais $150'000 de dettes. Mon but est de pouvoir augmenter encore ma dette de plusieurs millions et de continuer à l'accroître.

Je pense que 50 % des gens qui lisent ce livre vont pouvoir prendre avantage des stratégies que je vais partager avec vous dans les chapitres qui suivront. J'estime aussi qu'en 90 à 180 jours, s'ils les appliquent avec succès, ils gagneront plus d'argent durant leur sommeil qu'en travaillant. Je fonde ces estimations sur les dizaines de milliers de participants à mes séminaires qui représentent un profil type en Australie, Amérique et Nouvelle Zélande, principalement le groupe né du baby-boom et âgé de 45 à 55 ans. Les autres 50% de lecteurs sont aussi capable de mettre en œuvre ces stratégies, mais cela peut juste prendre un peu plus de temps.

J'ai des étudiants de l'éducation du 21ème siècle qui ont remplacé leur revenu d'un jour à l'autre en suivant juste l'une de ces stratégies, après avoir pris part à quelques-uns de nos séminaires intensifs. Pour moi, ces histoires sont réelles. Mais pour la plupart des gens, elles sont comme irréelles en raison du conditionnement de la société. Cependant, si nous adoptons une mentalité et une compréhension différentes par rapport à l'argent, alors devenir riche devient possible. Si nous restons fidèles à l'état d'esprit avec lequel la plupart d'entre nous ont été éduqués, à savoir qu'il faut travailler dur pour devenir financièrement riche et libre, c'est presque impossible.

Beaucoup de gens riches et aisés mais qui ont travaillé dur pensent qu'ils doivent leur fortune à leur travail. Mais en réalité leur argent leur est arrivé comme par magie. Ainsi, des fermiers comme mon père par exemple sont fortunés et sont persuadés qu'ils le sont parce qu'ils ont travaillé dur, mais ils le sont devenus de par l'augmentation de la valeur de leur propriété – comme par magie – pendant leur sommeil, et cela n'a rien à voir avec le fait qu'ils aient travaillé dur ou non.

A ceux d'entre vous qui ne l'ont pas lu, je recommande vivement le livre de Robert Kiyosaki. Il fut un excellent maître concernant l'argent. J'appris notamment de lui comment gérer le flux de liquidités.

Il divise la population en trois classes : pauvre, moyenne, et riche.

Les pauvres

Les pauvres apprennent à chercher du travail. S'ils ont de la chance ils vont en trouver et cela va leur apporter un revenu. Mais ils vont le dépenser au fur et à mesure, parce qu'au tout début de leur vie c'est le message qu'ils ont reçu, et à la fin de la semaine ou du mois il ne leur reste rien. C'est ainsi que j'avais aussi coutume de vivre autrefois, de salaire en salaire, me situant ainsi dans la catégorie des pauvres comme beaucoup d'autres australiens.

La classe moyenne

La classe moyenne gagne généralement un revenu plus élevé et est le plus souvent composée d'académiques. Ils ou elles ont étudié à l'Université en pensant que cela leur permettrait d'avoir une meilleure situation et donc un meilleur revenu. Mais plus le revenu est élevé, plus on dépense, notamment pour les impôts ; plus ces gens gagnent, plus ils sont taxés par leur gouvernement.

Savez-vous que les communistes ont créé un impôt sur le revenu ? C'est intéressant de voir que des pays prétendument libres en sont encore là. La suppression de l'impôt sur le revenu résoudrait pourtant bien des problèmes financiers dans toutes sortes de modèles de sociétés.

La classe moyenne a aussi tendance à beaucoup dépenser pour son standing, (l'abonnement au club de golf, les meilleurs restaurants, etc.). Et la population de la classe moyenne se fie généralement à la conception des banques sur les actifs et les passifs. Ils acceptent par exemple ce que les banques leur disent quant à leur propriété immobilière : que leur maison est un actif ; ce n'est pas vraiment un mensonge parce que la maison est un actif, mais pour qui en réalité ? Pour les banques, et non pour la classe moyenne, ce que la banque oublie de dire. C'est la banque qui encaisse les revenus des hypothèques tous les mois, sans travail particulier, et elle possède la propriété concernée en garantie. Vu sous cet angle, une propriété est un bon actif… pour la banque.

Enfin, la classe moyenne dépense beaucoup pour acheter des choses qui sont en général des passifs. Ils vident leurs portefeuilles, sont souvent à court de liquidités. Au fil du temps, ils achètent une plus grande maison dans un meilleur quartier et cela leur coûte encore plus cher. Parallèlement, ils cherchent à rester de bon ton, bon chic bon genre, quitte à dépenser plus aux dépens de bons investissements. **Ils souhaitent souvent projeter une image de gens aisés, parce que l'image est plus rapide à acquérir que la richesse elle-même.** Une fois pris à ce jeu social, ils achètent une belle voiture, souvent à crédit, ce qui vide encore plus leur portefeuille.

De nos jours, tout le monde a des cartes de crédits, mais M. et Mme Classe Moyenne sont des clients VIP de la banque parce que c'est avec eux que les banques font le plus d'argent. Ils reçoivent des cartes de crédit pré-approuvées. Et comme ils ont promis à leurs enfants de les emmener en vacances à Hawaii, à Disneyland, à Saint-Tropez ou à Gstaad (ou dans toutes autres stations d'hiver ou d'été à la mode), quand la Visa Gold arrive, ils réservent leur séjour familial avec cette carte de crédit, reportant ainsi le paiement sur leur prochain salaire.

Ainsi, la classe moyenne se retrouve souvent à court de liquidités en fin de mois. Et dans tous les cas, la plupart des gens pensent que la solution à ce problème consiste à gagner plus.

Je connais des gens qui gagnent $1 000 000 par an et qui pensent ainsi. Et comme la vérité peut blesser, ils n'aiment pas que je le leur fasse remarquer. En fait ils dépensent plus qu'ils ne peuvent se le permettre et se retrouvent donc dans la classe moyenne telle que définie plus haut.

Si nous voulons devenir riches nous devons bien évidemment changer cela.

Ce que les riches font différemment

Au début, les riches feront n'importe quel travail. Mais au lieu d'être obsédés par le salaire et les normes sociales, ils vont faire tout le nécessaire pour démarrer. Ils vont choisir des actifs réels qui leur permettront de faire de l'argent pendant leur sommeil et leur rempliront les poches.

Le premier moyen de créer des actifs est d'épargner de l'argent. Si je peux vivre mes rêves aujourd'hui c'est parce que je suis devenu un des meilleurs épargnants de mon pays. Nul besoin d'être doué pour devenir un des meilleurs épargnants d'Australie.

L'Australie n'est pas un pays de bons épargnants. Jusqu'à environ 2008, lors de la crise du crédit, nous avions les taux d'intérêts sur l'épargne les plus bas du monde moderne. Depuis 2008, les australiens ont épargné des montants records et remboursé bien des dettes, ce qui est une bonne chose sur le long terme mais a des effets négatifs sur le commerce de détail et sur l'économie à court terme.

Nous devons apprendre à utiliser notre épargne, qui est un actif, en un moyen de faire de l'argent pendant notre sommeil. Il va falloir la rendre rentable en liquidités afin que nous puissions l'inscrire dans la colonne d'actifs dans notre comptabilité ; nos poches se rempliront toute seules et il ne sera plus nécessaire de travailler.

La plupart des gens doivent concentrer davantage leur attention sur leur colonne d'actifs. Il y a trois domaines qui permettent de devenir riche : l'entreprise, l'immobilier et la bourse. Je les appelle les « Trois Piliers de la Richesse » et je ne les lâche pas. Je m'y accroche de façon assidue pour m'enrichir encore plus.

Un autre domaine que les riches comprennent c'est la fiscalité. Le riche gagne puis dépense son argent et ensuite paye ses impôts ou ce qu'il en reste. Il gère son budget de la même manière qu'il dirigerait une compagnie. Les compagnies payent leurs impôts sur ce qui leur reste après les dépenses et jouissent ainsi d'un taux plus bas que celui de la classe moyenne. Les pauvres et la classe moyenne sont imposés sur leur revenu, parfois à la source, et ce n'est qu'après avoir payé leurs impôts qu'avec ce qu'il reste ils peuvent commencer à tenter de s'enrichir.

Je suis australien et je pense qu'il faut payer des impôts dans ce pays. Je ne m'y oppose pas. Je n'ai pas d'intérêt à cacher mon argent dans des comptes offshore. Je pense que tout australien ou néo-zélandais devrait payer un montant honnête d'impôts. Le mot que j'utilise ici est « honnête ». Qu'est-ce qu'un montant honnête ? Je pense que la somme d'impôts que les australiens doivent payer, principalement la classe moyenne, n'est pas raisonnable, spécialement si vous êtes au courant des alternatives de taxation existantes (autres que les taxes sur les ventes, TVA ou GST) dont il semble qu'elles ne fassent pas l'objet d'un débat public dans notre pays et qui abaisseraient massivement vos taux d'imposition en taxant chaque dollar de l'économie, à savoir que toutes les multinationales devraient payer leur montant honnête d'impôts, ou une participation.

Dans les prochains chapitres, nous découvrirons quelques stratégies de minimisation des impôts. Nous découvrirons également quelques stratégies immobilières et bien d'autres choses, de la façon dont la plupart des gens agissent traditionnellement et comment on peut appliquer cela en utilisant encore une fois la « loi des opposés ».

4 qualités essentielles

Dans tous les cas, voici les quatre qualités clés qu'il nous faut tous posséder :

1. La pensée créative

J'ai consacré beaucoup d'attention, durant mon apprentissage de l'enrichissement, à la capacité qu'ont les gens de penser de façon originale. Cela peut sembler évident, mais vous seriez surpris du peu de personnes qui réfléchissent de manière créative. Au 21ème siècle, la capacité à penser a une importance énorme, mais nous devons apprendre comment penser avec créativité. Ce que j'entends par « pensée créative » c'est la pensée qui permet de trouver des solutions aux défis qui se présentent. Malheureusement, la plupart des gens ont appris à ne pas réfléchir et à confier à quelqu'un d'autre le soin de le faire pour eux, comme par exemple leur patron ou leur épouse/époux.

2. La négociation

Savoir négocier est une qualité essentielle. Quand nous voulons quelque chose il faut savoir le négocier. Nous savions le faire quand nous étions enfants ! Nous étions de très bons négociateurs, n'est-ce pas ? Mais en grandissant, quand nous commençons à être rejetés, nous nous mettons à prendre un « non » pour une réponse définitive. Si vous voulez réussir, ne prenez jamais un « non » pour une réponse définitive.

3. La communication

La troisième qualité fondamentale est la capacité à communiquer efficacement, ce que l'on ne nous enseigne pas à l'école. Ce n'est pas suffisant de savoir que quelque chose est bénéfique. Si vous ne pouvez faire comprendre à autrui en quoi il va retirer un bénéfice de telle ou telle chose ou action, vous ne communiquez pas efficacement, et par conséquent vous n'atteindrez pas les résultats désirés.

4. Le marketing

La quatrième qualité qu'il faut avoir est celle de faire du marketing, en particulier du marketing ciblé. En d'autres termes, comment transformez-vous une idée ou un concept en message professionnel pour le marché ?

Toutes ces qualités peuvent être acquises rapidement ; ce sont des qualités d'ordre général. Au 21ème siècle, les gens qui possèdent des qualités d'ordre général vont bien réussir tandis que les spécialistes vont souffrir.

Par exemple, à une certaine époque, 100 000 personnes étaient employées dans le secteur spécialisé des disques de vinyle aux Etats-Unis ; quand le CD fut lancé sur le marché, en une nuit cette industrie fut pratiquement anéantie. Mais si ces même personnes avaient développé les quatre qualités clés d'ordre général et avaient bénéficié d'une éducation que je qualifie de « généraliste », elles auraient pu s'orienter vers d'autres industries, avec leurs compétences en communication, en négociation et en marketing, et grâce à une pensée créative qui leur aurait fait trouver des solutions aux défis soudains qui se présentaient à elles. Cependant, parce que ces gens s'étaient spécialisés dans leur domaine, les connaissances qu'ils avaient acquises en la matière n'avaient que peu de valeur. Ce problème leur causa beaucoup d'incertitudes et d'anxiété financières. Maintenant, me direz-vous, c'était un cas particulier. Mais réfléchissez bien : quelle est la probabilité de stabilité des industries au 21ème siècle ? Bien des compagnies se créent et disparaissent, et plus nous avançons dans l'ère des technologies de l'information, plus les changements sont fréquents…

Donc, comme vous pouvez le constater, les quatre qualités clé sont indispensables de nos jours et elles sont agréables à apprendre.

RBA – Résultat, But et Action

Le quatrième domaine que nous allons aborder est celui du RBA, qui signifie tout simplement « Résultat, But et Action ». Viser un résultat pour un but et entreprendre l'action correspondante.

La plupart des gens se demandent comment passer de leurs rêves à la réalité. Le processus de planification RBA offre une sorte de réponse en nous apprenant à visualiser, à nous organiser, non seulement au niveau des actes mais aussi de la pensée, surtout quand on est noyé dans un océan d'activités.

Il y a trois étapes à franchir.

La première consiste, pour toute personne qui veut réussir, à se poser la question : « Qu'est-ce que j'attends de cette situation ? Quel est le résultat que je veux atteindre ? » Le mot Résultat est le R de RBA. Vous ne vous demandez pas : « Que devrais-je faire » mais « Quel est le résultat que je suis décidé à atteindre ? » Tant que vous ne serez pas absolument au clair sur ce que vous voulez, très spécifiquement, toutes les listes de choses à faire et tous vos plans de toutes sortes seront généraux et inefficaces.

La seconde étape consiste à définir votre but – le B de RBA. Si vous définissez le but, les choses vont se mettre en place pour sa réalisation ainsi que celle du résultat. Il y a une différence majeure entre avoir un rêve et réaliser un objectif valable, un but. Il y a beaucoup de moyens d'obtenir un résultat mais vous devez savoir pourquoi vous voulez l'atteindre, quel est votre but, afin que si vous échouez dans une première approche vous trouviez le moyen de continuer d'une autre manière. Finalement, une fois que vous savez exactement le résultat que vous voulez atteindre, pourquoi vous devez l'atteindre et ce qu'il va vous apporter émotionnellement, physiquement et psychologiquement, alors vous serez dans l'état d'esprit qui vous permettra de créer un plan d'action.

Commencez par vous demander ce que vous devez faire pour atteindre ce résultat spécifique. C'est l'Action de RBA. La séquence dans laquelle vous déterminez ces trois éléments est la différence entre succès et échec. Par exemple, vous pouvez connaître tous les chiffres du numéro de téléphone d'une personne, tant qu'ils ne sont pas dans le bon ordre, ces chiffres seront inutiles. De même, se souvenir de tous les chiffres d'une combinaison de coffre-fort ne va pas l'ouvrir si ces derniers ne sont pas dans l'ordre.

Si vous voulez réussir, commencez toujours avec la finalité dans votre esprit.

Les gens qui réussissent sont totalement clairs sur le résultat final de ce qu'ils veulent atteindre. Ils ont atteint le Pouvoir du Pourquoi. Ils ont un désir brûlant de réaliser leur résultat, et c'est lié à un objectif clair et précis.

Créer ce plan d'action est simple quand ces deux éléments sont mis ensemble le Résultat final et le But, la finalité et l'objectif.

Quand vous avez établi un projet qui vise un résultat, qui est orienté vers un but et qui est conduit par une action, que ce soit sur le plan quotidien, hebdomadaire mensuel ou annuel, et que vous restez décidé à le mener à bien, vous pouvez être certain que votre projet est sur le chemin de sa réalisation.

J'utilise le RBA pour que ma vie soit telle que je la désire et telle que je la vis aujourd'hui (sauf accident).

Quand je dormais sur le matelas de l'ami qui m'avait offert l'hospitalité du temps de ma ruine, je rêvais de ce que je voulais. Je voulais faire un bénéfice de $1 000 000 par an. Je voulais voyager, voir la Tour de Pise et différents autres endroits dans le monde. Je voulais aller aux Caraïbes, à Hawaii et aux Etats-Unis. Bref, je voulais faire tout ce que j'aimais, quand j'en avais envie. Je me représentais aussi le genre de maison dans laquelle je voulais vivre et le genre de gens que je voulais y recevoir.

Quelle image vous faites-vous de votre entourage à l'avenir ? Voulez-vous être entouré de gens de bonne humeur, aimables, qui vous respectent, ou vous retrouver avec des gens qui, d'une manière ou d'une autre, ne vous font pas de bien, vous empêchent d'avancer ? C'est très important d'y penser.

Comment voulez-vous vivre votre quotidien idéalement ? Voulez-vous faire quelque chose que vous aimez, que vous désirez au point de ne parfois plus pouvoir attendre, ou bien voulez-vous arriver en fin de semaine en vous disant « Ouf, c'est vendredi... » ?

La plupart des gens sont au bord de l'attaque le lundi matin entre 8h30 et 9h30. Et 86 % des gens ont un travail qui ne les satisfait pas. Il est donc impératif de se représenter nos vies et d'en concevoir le projet pour être sûrs de choisir une voie que nous aimons.

Dans ce chapitre, j'ai couvert les composants d'une éducation pour le 21ème siècle. Une fois que vous aurez appris à appliquer ces composants essentiels, votre vie va connaître un changement dramatique. Il y aura un décalage entre l'application de ces principes et la réalisation de vos rêves dans votre vie. Cependant, si vous persévérez, les bénéfices seront incroyables. Donc, si vous voulez commencer à travailler sur votre mentalité et découvrir la suite, passez aux chapitres suivants. Nous y observerons Bill et Mary, notre couple de citoyens lambda, et nous verrons si nous pouvons les aider à transformer 10 000 S en 30 000 S juste en claquant les doigts. Nous allons aussi les aider à gagner de l'argent pendant leur sommeil – environ 4 000 S par mois de revenu passif.

7. CHANGER LES PARADIGMES – SIR KEN ROBINSON
(ET L'ÉDUCATION DANS L'ÉCONOMIE GLOBALE)

Expert en créativité, le Dr Sir Ken Robinson demande : comment fait-on pour changer le contenu de l'enseignement et comment le rend-on durable ?

Sir Ken Robinson est un expert internationalement reconnu en matière de développement de l'éducation, de la créativité et de l'innovation. Il est aussi un des orateurs les plus influents au monde et, partout où il est écouté ou lu, il exerce une profonde influence. Il s'est notamment exprimé pour la prestigieuse organisation TED (Techonology, Entertainment and Design), dont le but est de diffuser les idées nouvelles. Dans ce cadre, il a notamment donné ses célèbres conférences de 2006 et 2010, qui existent en vidéo et dont on estime que 200 millions de personnes dans plus de 150 pays les ont vues et écoutées.

Sir Ken Robinson travaille avec des gouvernements en Europe, en Asie et aux Etats-Unis, avec des agences internationales, avec les 500 compagnies de FORTUNE et d'autres entités culturelles parmi les plus importantes du monde. En 1998, il dirige une commission sur la créativité, l'éducation et l'économie pour le gouvernement britannique. Un document, « All Our Futures : Creativity, Culture and Education (« *Tous nos avenirs : Créativité, Culture et Education.* », *ndt*), appelé aussi le Rapport Robinson, issu de cette conférence, fut publié et acclamé en 1999.

Sir Ken Robinson joua un rôle central dans la mise en place d'une stratégie de développement créatif et économique dans le cadre du processus de paix en Irlande du Nord, travaillant avec les ministres dans les domaines de la formation, de la culture et de l'économie d'entreprise. La publication qui suivit et qui promouvait des changements, « Unlocking Creativity », *(« Débloquer la Créativité », ndt)* fut acceptée par les politiciens de toutes les parties et par les personnalités les plus influentes du monde des affaires, de l'éducation et de la culture en Province. *(L'Irlande est traditionnellement divisée en quatre provinces dont celle de l'Irlande du Nord, ndt.)* Il fut l'un des quatre conseillers internationaux du gouvernement de Singapour – pour la stratégie de ce pays visant à devenir le ferment de la créativité en Asie du Sud-Est.

Pendant douze ans, il fut professeur d'éducation à l'Université de Warwick en Grande Bretagne et est maintenant professeur émérite. Il a reçu des diplômes d'honneur d'établissements prestigieux tels que l'Ecole de Design de Rhodes Island, le Ring Ling College of Arts and Design en Floride, l'Université libre et la Central School of Speech and Drama, de l'Université de la Ville de Birmingham et de Liverpool Institute for Performing Arts.

Il fut le lauréat du Prix Athéna de l'Ecole de Design de Rhodes Island pour ses contributions aux arts et à l'éducation ; il fut décoré de la Médaille Peabody pour ses contributions aux arts et à la culture aux Etats-Unis ; il reçut le prix LEGO pour son œuvre internationale en matière d'éducation et la Médaille Benjamin Franklin pour sa contribution aux relations culturelles entre la Grande-Bretagne et les Etats-Unis.

En 2005, il fut choisi comme l'une des « Principales Voix » du Time, de Fortune et de CNN. En 2003, il fut anobli par la Reine Elizabeth II pour les services rendus au domaine des arts. Il s'adresse à des publics du monde entier sur les défis de la créativité en relation avec l'entreprise et l'éducation dans le nouveau cadre de l'économie globale.

Son livre, « The Element : How Finding Your Passion Changes Everything (Penguin/Viking 2009) » (traduit en français en 2013, « L'Elément : quand trouver sa voie peut tout changer ») (*qui a été hautement salué dans le monde francophone, ndt*), est un best-seller du New York Times et a été traduit dans plus d'une vingtaine de langues. Son classique sur la créativité et l'innovation, « Out of Our Minds : Learning to be Creative (Capstone/Wiley) » (« *Au-delà de nos mentalités : apprendre à devenir créatif », ndt*) a fêté son dixième anniversaire par une réédition.

Sir Robinson est né à Liverpool, en Grande Bretagne, dans une famille de 7 enfants. Il est marié à Lady Therese Robinson et le couple a donné naissance à deux enfants, James et Kate. Au moment où j'écris ces lignes, ils vivent maintenant à Los Angeles en Californie. (*Sir Ken Robinson dispose d'un blog en français que tout francophone pourra consulter utilement http://www.kenrobinson.fr, ndt*)

Pourquoi les gens ne donnent-ils pas le meilleur d'eux-mêmes ?

Sir Ken Robinson affirme que c'est parce que nous avons été éduqués à être de bons travailleurs plutôt qu'à devenir des penseurs créatifs. Les étudiants qui sont sans cesse agités, tant mentalement que physiquement, ne sont pas stimulés ni encouragés pour leur énergie et leur curiosité mais, au contraire, ils sont stigmatisés, et cela avec de terribles conséquences.

Robinson déclare que nous éduquons les gens à l'écart de leur créativité propre message qui rencontre une profonde résonnance.

(Voir notamment les conférences en vidéo données dans le cadre de l'institution TED, http://www.ted.com/talks/ken_robinson_changing_education_paradigms. Cette vidéo illustrée a été sous-titrée en français ici : http://dotsub.com/view/58707cf2-f861-46dd-95c3-62020b4ec8c8 Celles-ci sont en partie reprises et complétées dans le texte qui va suivre.)

Changer les paradigmes

« Tous les pays du monde s'attellent à la réforme de l'éducation publique. Il a deux raisons à cela.

La première est économique : comment éduquer nos enfants de façon à leur permettre de s'intégrer dans le monde économique du 21ème siècle ? Comment parvenir puisque nous ne pouvons pas anticiper ce que sera l'économie à la fin de la semaine prochaine ?

La seconde est culturelle : comment faire pour enseigner à nos enfants une identité culturelle afin que l'on puisse leur transmettre les gènes de nos communautés tout en les préparant à prendre place au processus de globalisation ? En somme, comment trouver la solution à la quadrature de ce cercle ?

Le problème c'est qu'ils voudraient les projeter dans l'avenir en faisant ce qu'ils ont fait dans le passé. Et de cette façon ils mettent en marge des millions d'enfants qui ne comprennent pas pourquoi ils doivent aller à l'école.

Quand nous allions à l'école, on nous enseignait que si on étudiait sagement et beaucoup, que si on avait de bonnes notes et que si on obtenait un diplôme universitaire, on aurait un bon travail plus tard. C'est ce qui nous retenait dans le milieu scolaire. Mais nos enfants ne le croient pas et ils ont raison.

Ils s'en sortiront mieux avec un diplôme que sans, mais ce n'est plus une garantie, en particulier si le chemin pour y arriver est de les contraindre à marginaliser ce qui leur semble important pour eux-mêmes.

On dit que nous devons élever le niveau de l'éducation comme si c'était une découverte. Mais bien sûr qu'on le devrait ! Pourquoi l'abaisser ? Le problème c'est que le système d'éducation a été conçu et structuré pour une autre époque. Il a été conçu et inspiré par la culture intellectuelle du siècle des Lumières et la conjoncture de la révolution industrielle.

Avant le milieu du 19ème siècle, il n'y avait pas de système d'éducation publique, mais on pouvait, si on en avait les moyens, bénéficier de l'enseignement des Jésuites. L'éducation publique, payée par les impôts, obligatoire pour tous et « gratuite », fut une idée révolutionnaire.

Beaucoup s'y opposèrent en avançant qu'il n'était pas possible pour beaucoup de jeunes et d'enfants venant de la classe ouvrière de bénéficier de l'éducation publique. Ils faisaient l'objet d'un préjugé selon lequel ils étaient incapables d'apprendre à lire et à écrire et, par conséquent, disait-on, pourquoi perdre du temps pour eux ?

Cette idée entra dans la série des hypothèses sur les capacités intellectuelles des classes sociales et naquit d'une nécessité économique. Mais en l'analysant, on constate qu'elle est devenue une sorte de modèle intellectuel supposé éclairer notre esprit. L'intelligence réelle, selon ceux qui ont un raisonnement déductif, réside à l'origine dans la connaissance des grands classiques, ce que nous avons appris à considérer comme la compétence académique.

Il est profondément ancré dans le patrimoine génétique de l'enseignement public qu'il y a deux catégories de gens – les académiques et les non-académiques, les gens intelligents et ceux qui ne le sont pas. La conséquence de ce paradigme est que beaucoup de gens brillants pensent qu'ils ne le sont pas parce qu'ils ont été évalués dans le cadre de cette vue particulière de l'esprit. »

Deux piliers jumeaux, économique et intellectuel

« Nous avons un modèle fondé sur deux piliers jumeaux : celui de l'économie et celui de l'intellect. A mon avis, ce modèle a causé un chaos dans la vie de la plupart des gens. Il a été excellent pour certains : bien des gens en ont tiré parti, mais ce ne fut pas le cas de la majorité d'autres personnes qui furent victimes de ce que j'appelle « l'épidémie contemporaine » (…), le syndrome de l'hyperactivité et des troubles de la concentration (TDAH) – terme peu adéquat – qui, aux Etats-Unis, frappe davantage la population des Etats de la Côte Est que celle des autres états. (…) »

« Je ne veux pas dire que ce syndrome n'existe pas », commente Robinson, « je sais qu'un grand nombre de pédiatres et de psychologues considèrent que l'hyperactivité existe, mais personnellement je crois que c'est encore un sujet à débattre. »

« Ce que je sais pour sûr c'est que le syndrome de l'hyperactivité n'est pas une épidémie. Nos enfants sont placés sous traitement médicamenteux par routine, tout comme autrefois on était habitué à leur enlever les amygdales, sur le même fondement saugrenu et pour la même raison : une mode médicale. »

Nos enfants vivent la période la plus intense et la plus stimulante de l'histoire de notre planète. Ils sont submergés par l'information et leur attention est captée par les ordinateurs, les gadgets, les réseaux sociaux, les smartphones, les supports publicitaires et par des centaines de chaînes de télévision, et pourtant, quand ils sont distraits, on les pénalise. Mais en fait, le plus souvent, ils sont distraits à l'école parce qu'ils s'y ennuient. Ce n'est pas une coïncidence me semble-t-il si les cas d'hyperactivité ont augmenté parallèlement avec les examens standardisés. On donne à ces jeunes de la Ritaline et d'autres médicaments équivalents et dangereux afin de s'assurer qu'ils resteront calmes et concentrés.

Les Arts en particulier sont victimes de cette mentalité, mais c'est aussi vra[illegible] pour les sciences et les mathématiques. Les Arts concernent en particulier le[illegible] expériences esthétiques. Une expérience esthétique est une expérience duran[illegible] laquelle vos sens sont stimulés au maximum, quand vous vibrez d'excitation pa[illegible] rapport à votre relation à l'art et à la beauté, bref, quand vous vivez pleinement.

Une expérience anti-esthétique se caractérise par l'abolition des sensations e[illegible] par le détachement. Beaucoup des médicaments donnés aux jeunes ont un effe[illegible] anti-esthétique. Nous faisons en sorte que nos enfants suivent le cursus scolaire e[illegible] endormant leurs sensations esthétiques. Nous devrions faire exactement l[illegible] contraire. Plutôt que de les endormir, nous devrions les éveiller de façon à ce qu'i[illegible] puissent découvrir ce qu'il y a au fond d'eux-mêmes.

Je crois que nous sommes dans une situation selon laquelle l'éducation a été conçue pour les intérêts de l'ère industrielle, à l'image des industries. Ainsi, les écoles sont encore très souvent organisées comme des usines, avec des sonneries et des sujets spécialisés. On éduque encore nos enfants par classes et par groupes d'âges. Pourquoi agissons-nous ainsi ? Pourquoi estimons-nous que le point commun le plus important entre ces enfants est l'âge qu'ils ont ? Je connais des enfants qui sont bien plus performants dans certaines disciplines que d'autres enfants du même âge et dans des disciplines différentes, ou à des moments différents de la journée, ou meilleurs en petits groupes ou en grands groupes. Parfois ils veulent simplement faire les choses par eux-mêmes.

Si vous êtes intéressés par le modèle de l'apprentissage, vous ne commencez pas par cette mentalité de ligne de production. Elle est essentiellement fondée sur la conformité et le devient encore plus quand on considère les examens et les curriculums standardisés. Je crois qu'au lieu de rechercher la standardisation, on doit aller dans la direction opposée. C'est ce que j'appelle le changement de paradigme.

La pensée divergente

(*Voir notamment cette vidéo en anglais : http://comment.rsablogs.org.uk/videos/)*

Il existe une récente étude sur la pensée divergente. La pensée divergente n'est pas la même chose que la créativité. Je définis la créativité comme la capacité à concevoir des idées originales et de valeur. La pensée divergente n'est pas un synonyme de créativité. C'est une capacité essentielle pour la mise en œuvre de la créativité. Il s'agit de savoir apporter de multiples réponses à des questions et les interpréter de nombreuses façons.

Comme le dit Edward De Bono, c'est la capacité à penser latéralement – pas seulement de manière linéaire ou selon des voies convergentes –, à voir des réponses multiples et non une seule. Par exemple, combien d'usages différents peut-on attribuer à un trombone à papier ? La plupart des gens vont trouver environ 10 à 15 usages tandis que les gens qui sont bons dans ce genre d'exercice vont en proposer 200. Ils y parviennent en se demandant : « Est-ce que le trombone peut mesurer 60 mètres de haut et être fait en mousse ? Est-ce qu'il doit être exactement tel que nous le connaissons ? »

Dans un livre intitulé « Break Point and Beyond » *(« Le point de rupture et au-delà », ndt)*, on fait état d'un test qui fut pratiqué sur 1'500 enfants dans des écoles primaires concernant leur capacité à la pensée divergente. S'ils atteignaient un score donné, ils étaient considérés comme des génies. A votre avis, combien d'entre eux ont atteint le score permettant de les considérer comme des génies? Etonnamment, 98 %. On a testé à nouveau les mêmes enfants à un intervalle de cinq ans – la première fois à 8-10 ans puis à l'âge de 13-15 ans –, et beaucoup de lecteurs ne s'étonneront pas si on a découvert que les résultats ont baissé au fur et à mesure que les enfants avaient grandi. Alors qu'on pourrait penser que les enfants partent de bas puis s'améliorent avec le temps.

Cela montre deux choses : que nous avons tous cette capacité et que cette capacité se perd pour la plus grande part d'entre nous. Ce qui est arrivé à ces enfants c'est qu'ils ont grandi et sont devenus « éduqués ». A l'école, on leur a dit qu'il y avait une seule réponse, le plus souvent celle inscrite dans les livres. Mais surtout, qu'ils ne copient pas sur leur voisin ! Parce que ça c'est « tricher ». Alors qu'en-dehors de l'école et dans le monde des affaires et du travail, cela s'appelle s'entraider, coopérer. Ce n'est pas parce que les professeurs l'ont voulu ainsi mais parce que ça s'est trouvé ainsi, parce que c'est inscrit dans le code génétique de l'éducation.

Nous devons voir les capacités humaines de façon différente. Il faut dépasser ces vieilles conceptions de ce qui est académique, ce qui ne l'est pas, ce qui relève de l'abstrait, du théorique, de l'orientation professionnelle, pour voir ces notions pour ce qu'elles sont : des mythes. Ensuite, nous devons reconnaître que les plus grands progrès éducatifs se manifestent en groupes, que la collaboration en est le facteur essentiel. Si nous atomisons les gens, si nous les séparons et les jugeons individuellement, nous provoquons une sorte de rupture entre eux et l'environnement naturel de leur apprentissage. Enfin, et c'est crucial concernant notre culture, il faut avoir conscience des habitudes de nos institutions et de la place qu'elles y occupent.

Changement de modèle

Un changement de modèle est un passage d'une façon de penser à une autre. C'est une révolution, une transformation, une sorte de métamorphose. Ce n'est pas quelque chose qui arrive tout simplement. C'est provoqué par des agents de changement. En voici un exemple qui nous ramène à l'époque des cueilleurs qui cueillaient des feuilles pour se nourrir. Puis il y eut les facteurs de la découverte de l'agriculture, du développement de la roue et de l'architecture, de l'utilisation de la monnaie, de la presse à imprimer, ce qui permit la révolution scientifique.

Ces paradigmes furent introduits par Copernic, Galilée, Newton, Darwin et Einstein. Chacun progressivement diminuèrent notre identité et la renforcèrent en même temps. Nous ne nous percevons plus comme étant le centre de l'univers physique, et il semble qu'il n'y ait pas de centre.

Un paradigme ouvre une voie à un autre. Quelque chose est ôté et quelque chose de neuf apparaît. Les deux sont des éléments vitaux du paysage humain, déterminent comment nous sommes identifiés, affectent profondément comment nous percevons qui nous sommes et la compréhension de notre légitimité.

L'historien des sciences Thomas Kuhn définit les paradigmes scientifiques comme des réalisations scientifiques universellement reconnues qui, pendant une certaine période, fournissent un modèle et des solutions pour une communauté de chercheurs, à savoir :

➔ Ce qu'il faut observer et scruter

➔ Le genre de questions qu'il faut se poser et la recherche de réponses en relation avec le sujet

➔ Comment ces questions doivent être structurées

➔ Comment les résultats d'une recherche scientifique doivent être interprétés

➔ Alternativement, le dictionnaire anglais d'Oxford définit le paradigme comme « une forme de modèle, un exemple ».

Ainsi, un composant additionnel de la définition du paradigme par Kuhn est :

➔ Comment faire une expérience et quel équipement est disponible pour faire cette expérience ?

La paralysie du paradigme

Peut-être que le plus grand obstacle au changement de paradigme, dans certains cas, c'est la paralysie du paradigme : l'incapacité ou le refus de regarder au-delà des modèles de pensée existants. C'est similaire à ce que les psychologues appellent le « biais de confirmation » (*à savoir la tendance que les personnes ont à privilégier les informations qui confirment leurs idées préconçues, ndt*).

Parmi des exemples de cette paralysie, relevons le rejet de la théorie de Galilée qui prônait l'héliocentrisme de l'univers, ou la découverte de la photographie électrostatique, de la xérographie et de la montre à quartz.

« La simplicité est la sophistication suprême »

Leonard de Vinci

8. COMMENT ÉLEVER RAPIDEMENT SON NIVEAU D'ÉNERGIE !

La plupart des gens veulent de l'énergie sans en être conscients.

Les gens pensent qu'ils veulent de l'argent, mais qu'est-ce que l'argent ? Qu'est-ce que l'amour ? Qu'est-ce qu'avoir une vie excitante ? Ce ne sont que différentes formes d'énergie.

Attirer l'argent et le succès dans votre vie

Au chapitre 3, j'ai brièvement mentionné que, pour réussir, il faudra que vous éleviez le niveau de votre énergie afin d'avoir plus de force et de pouvoir. Mais comment y parvenir ? Je vais examiner cela avec vous, parce que c'est une étape clé pour atteindre un statut de millionnaire rapidement.

Imaginons un graphique où à peine plus de 0 % – au bas de l'échelle – représente les gens qui, tels des morts vivants, n'ont pour ainsi dire pas d'énergie.

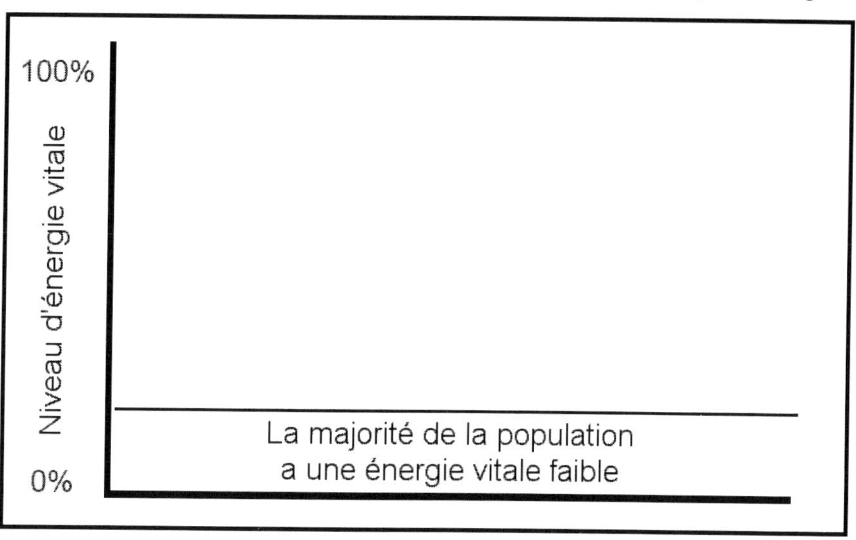

En haut de l'échelle, on voit que certains ont 100 % d'énergie : il s'agit d'énergie très positive.

Si vous vous mouvez sur cette échelle du bas vers le haut, vous aurez une vie plus épanouie, parce que cette énergie va vibrer et que vous évoluerez vers un niveau plus élevé. Votre vie spirituelle sera mieux synchronisée quand votre pensée sera reliée à vos émotions et quand vous pourrez la manifester rapidement.

Un de mes objectifs a toujours été d'avoir une relation épanouissante, pleine d'amour. Mon mentor millionnaire m'a dit : « As-tu remarqué que si tu veux une relation de ce genre, avoir une faible dose d'énergie pourrait rendre cet objectif très difficile à atteindre ? C'est parce que tu ne pourras pas irradier d'énergie meilleure que celle qui est en toi. C'est cette énergie que tu projettes. En d'autres termes – me dit mon mentor millionnaire –, les personnes qui vont apparaître dans ta vie n'auront pas une meilleure énergie que la tienne et votre relation va devenir une bagarre pour de l'énergie. »

Pour m'aider à comprendre, il me suggéra un livre de James Redfield, *The Celestine Prophecy (en français,* La Prophétie des Andes*)*, un roman qui comprend 9 prophéties, paru en 1993 et qui a été vendu à une vingtaine de millions d'exemplaires. Il parle notamment des coïncidences des événements de notre vie, nous incite à les percevoir afin de générer des actions justes et synchronisées qui nous permettent de développer nos énergies notamment avec notre entourage, voire à ses dépens. Il parle d'un concept qu'il appelle en anglais le « Control Drama », à savoir les manipulations affectives que nous mettons en œuvre dans nos relations avec autrui afin d'attirer leur énergie à nous.

Si vous avez grandi avec des frères et des sœurs, comme moi, vous pourrez sans doute admettre que lorsque nous sommes encore tout petits, nous avons – dans la plupart des cas – le sentiment d'être au centre de l'attention. Si nous pleurons, nous attirons l'attention, nous recevons de l'amour et, cet amour, c'est de l'énergie. Au fur et à mesure que nous grandissons, nous commençons à entrer en compétition avec nos frères et sœurs pour recevoir cette énergie, parce qu'eux aussi se battent pour la recevoir de nos parents, pour attirer leur attention. C'est dans ce contexte compétitif qu'intervient l'arme du « Control Drama », de la manipulation affective.

Mon mentor millionnaire disait : « La plupart des gens veulent de l'énergie sans même le savoir. Ils pensent qu'ils veulent de l'argent, mais qu'est-ce que l'argent ? Qu'est-ce que l'amour ? Qu'est-ce qu'avoir une vie excitante ? Ce sont toutes simplement différentes formes d'énergie. »

Tout le monde veut de l'énergie. Quand vous comprenez cela, vous voyez le monde différemment. Nous pratiquons la manipulation affective pour recevoir cette énergie, même si nous devons le faire en vidant autrui de la sienne.

Laissez-moi vous expliquer :

Il y a beaucoup de différentes formes de manipulations affectives. Certains jouent les victimes. Leur moyen d'attirer votre énergie à eux consiste à vous parler de leurs souffrances et de leurs tragédies et de faire valoir auprès de vous combien leur vie est dure pour eux, de vous forcer à entrer en matière. Ils veulent que vous vous penchiez sur ce qu'ils endurent et que vous ayez pitié d'eux. Vous connaissez certainement des gens comme cela. Moi en tous cas, j'en ai connu. D'autres optent pour la confrontation. Ils peuvent se comporter par exemple comme des « intimidateurs » ou des « interrogateurs ». Vous connaissez peut-être des gens qui sont ainsi, intimidants et interrogateurs, qui aiment provoquer une confrontation. Ils sont souvent durs, abrupts. Ils rabaissent les autres et s'emparent littéralement de leur énergie. Il est possible que dans leur jeune âge ils aient appris à entrer en compétition avec leurs frères et sœurs et d'autres gens autour d'eux afin d'attirer l'attention. D'autres encore sont « réservés ». Ils paraissent calmes et timides. Souvent, ils ne participent pas vraiment à ce qui se passe afin de sembler différents des autres. Ainsi, en se montrant différents, ils attirent l'attention et donc l'énergie qu'ils désirent infiniment.

Quand mon millionnaire me parla de ces manipulations affectives sur la base des « Prophéties des Andes », je réfléchis à moi-même et me posais la question suivante : si nous nous comportons selon ces schémas durant notre enfance, est-ce que nous perpétuons ces bagarres pour de l'énergie durant notre vie d'adultes ? Malheureusement la réponse est oui. Les gens viennent parfois à moi et me racontent ce qu'ils endurent, du genre « pauvre de moi ». Ce n'est pas que je suis insensible, mais la dernière chose que je veux est de leur offrir ma sympathie parce que leur schéma affectif a pour but de me prendre de l'énergie pour l'attirer à eux. Ils pensent que c'est ce dont ils ont besoin, même si en fait ce n'est pas vraiment le cas.

C'est pourquoi j'ai réalisé combien c'est merveilleux d'avoir un coach ou un mentor, parce que cela fait une grande différence. Cela a été le cas pour moi. Je pourrais raconter à mes amis mes histoires de malchance et ils auraient de la sympathie pour moi parce que la misère aime la compagnie comme on dit. Ils entreraient dans le discours de ma situation négative, ils s'y immisceraient et finiraient par me dire qu'ils savaient d'avance que mon entreprise échouerait parce que ce fait irait dans le sens de leur préjugé du genre : « A quoi bon essayer puisqu'on échoue de toutes façons ? » Plus tard, j'ai compris que peut-être ces gens étaient réconfortés par mes revers, parce que ça les rassurait que je ne fasse pas mieux qu'eux.

Souvent, les gens peu sûrs d'eux ressentent un malaise si quelqu'un qui réussit leur explique ce qu'ils pourraient faire s'ils étaient plus décidés à s'épanouir dans leur vie. Ceci explique souvent ces syndromes de ressentiment que l'on appelle en Australie le *tall poppy syndrome* (*syndrome du grand coquelicot, ndt*) et qui pousse certaines personnes à enfoncer quelqu'un dont la réussite les dépasse afin de le ramener à leur niveau.

Le mentor ou le coach restera détaché de ma situation. Il va la considérer avec objectivité et regarder où résident les améliorations de ma vie, aujourd'hui et maintenant. Je fais donc de même : si quelqu'un vient à moi pour me parler de ses problèmes financiers, la dernière chose que je fais c'est être désolé pour lui.

Il y a des gens qui pensent que je suis trop indifférent ; c'est parce que je me protège : je suis sensible aux problèmes des autres mais je ne veux pas tomber dans le piège de leurs manipulations affectives et, par conséquent, je ne leur apporterai pas mon soutien dans la situation qui les amène à se plaindre ; **ce que je leur donnerai c'est mon appui pour les aider à changer et à développer leur potentiel, à devenir ce qu'ils sont capables de devenir en tirant le meilleur parti d'eux-mêmes**.

Avez-vous déjà eu une dispute avec quelqu'un ? Question bête ! Je sais que tout le monde s'est disputé au moins une fois dans sa vie. Mais qu'est-ce qu'une dispute en fait ? C'est une bagarre pour de l'énergie. Ce sont deux personnes qui utilisent la manipulation affective pour entrer en compétition pour obtenir de l'énergie. Dans la plupart des cas, l'intimidateur ou l'interrogateur sort vainqueur de ce genre de combat : il va s'approprier l'énergie aux dépens du tonus de son adversaire – si celui-ci accepte de se laisser énerver. Le vaincu cède au pouvoir de l'intimidateur ou de l'interrogateur.

J'ai fini par comprendre que si nous parvenons à élever notre force énergétique, nous allons expulser de notre vie les mauvaises énergies qui nous entourent.

Trop souvent, autour de nous, il y a des énergies qui nous tirent vers le bas. C'est pourquoi il faut réagir en élaborant nos propres énergies, des énergies stimulantes, positives.

Ce qui se passe autour de nous agit sur nous. Par exemple, après avoir participé à un séminaire intéressant, j'ai absorbé les énergies combinées du groupe et cela m'a stimulé de manière naturelle. Mais après être parti et avoir retrouvé ma routine quotidienne, ce haut niveau d'énergie s'est dissipé.

En fait, **j'ai dû apprendre à gérer mon énergie et à faire en sorte de la maintenir constamment au top, à la faire vibrer au niveau le plus élevé**. Quand j'y suis parvenu, j'ai pu utiliser mon énergie pour aider les autres à élever le niveau de la leur. Tout comme mon mentor millionnaire me l'avait expliqué, on s'enrichit en élevant son niveau d'énergie, et ensuite on utilise un peu de ce capital d'énergie pour stimuler autrui. Après avoir compris cela, j'en fis un principe dans ma vie envers toute personne que je rencontrais.

Aujourd'hui, quand je rencontre quelqu'un qui m'est totalement étranger, je m'efforce de stimuler son énergie, souvent par des moyens très simples comme un sourire, une marque d'amitié, de la chaleur humaine.

A titre d'exercice, vous pouvez essayer d'aller marcher dans la rue pour tester la manière dont votre énergie affecte les gens qui vous environnent. Lorsque vous marchez, **décidez dans votre esprit que vous allez aimer tel ou tel passant ou passante que vous ne connaissez pas du tout. Essayez de lui transmettre de l'amour. Qui sait, pour cette personne, c'est peut-être un jour difficile. Projetez votre intention énergétique positive sur cette personne et tentez de faire le constat de son impact.** La personne (ou plusieurs personnes) ne saura même pas d'où cela viendra mais soudain elle se sentira mieux. Les êtres humains que nous sommes ont des potentiels vraiment étonnants.

Mais vous vous dites peut-être : « Cela aussi c'est une manière de manipuler les gens, non ? » Peut-être. Cependant, je pense qu'il est préférable de projeter de l'amour que de projeter des énergies négatives.

Nous manipulons les gens tous les jours, souvent même inconsciemment. Donc, s'il en est ainsi, ne vaut-il pas mieux les manipuler de manière positive en leur envoyant de l'amour et en les acceptant que de projeter contre eux nos jugements et nos colères ?

Si nous vibrons constamment d'énergie, nous influençons autrui. Prenons l'exemple des transports publics, des trains, des bus : bien souvent, l'énergie y est lourde. C'est pourquoi je n'aime pas les utiliser pour me déplacer, parce que je dois alors lutter pour maintenir mon énergie à niveau et ne pas me laisser contaminer par celle – trop souvent pénible – des usagers réguliers.

En me lisant, vous vous dites peut-être : « Oh ! Que de bla bla ! Mais qu'il nous parle plutôt d'argent ! » C'est ce que j'ai aussi dit à mon mentor millionnaire. Mais j'ai eu tort, parce que **quand on comprend vraiment comment augmenter notre niveau d'énergie et comment aider les autres à élever le leur, cela améliore tout ce qui est essentiel : notre santé, nos relations, notre carrière, nos finances et tous les aspects de notre vie**. Après tout, que voulons-nous : être riches et malheureux ou riches et heureux ?

Je peux vous assurer que gagner un million de sous est plus facile que d'être tout le temps heureux et épanoui dans la vie. Et si votre énergie est basse, vous aurez des problèmes de santé, vous allez tomber malade.

« Maladie » est un autre mot pour « disharmonie »

Quand les gens sont malades, leurs énergies sont en disharmonie. Elles circulent mal, en proie à des blocages, des blessures ou autres.

L'énergie d'un nouveau-né, par exemple, est très pure et émane autour de lui. Mais au fur et à mesure qu'il grandit, des événements négatifs affectent cette énergie : des déceptions, de l'énervement, de la colère, que sais-je encore. Quand cela arrive, cela provoque chez l'enfant des fuites d'énergie.

De manière plus générale, lorsque le champ d'énergie est troué, l'énergie fuit et disparaît progressivement.

Au fil de l'évolution de sa vie, l'enfant va se trouver face à des situations qui pourront le blesser voire le traumatiser : il pourra tomber amoureux et peut-être que sa relation ne fonctionnera pas et lui brisera le cœur. Un tel événement, comme tout autre fait négatif, entraîne une baisse d'énergie et provoque d'autres événements négatifs comme un effet dominos.

Moi j'ai eu de la chance : j'ai appris comment éviter ces trous et ces fuites. Nous pouvons nous soigner nous-mêmes. Trouver des solutions à nos problèmes émotionnels passés nous permet de guérir nos blessures. Cette démarche nous est inspirée par l'intelligence émotionnelle.

D'après mes observations, ce qui contrarie et freine bien des gens c'est leur passé. Il faut prendre conscience que nous sommes simplement des êtres humains, que nous avons fait toutes sortes d'expériences, dont certaines difficiles, et qu'il faut l'accepter. A partir de là, nous pouvons commencer à faire le point et guérir de nos blessures ; notre énergie va s'élever et nous allons continuer à évoluer ainsi. Mais il est important pour ce processus de guérison d'accepter de pardonner à nous-mêmes nos erreurs, d'apprendre à nous aimer, nous accepter, être conscients du fait que nous avons de la valeur.

Si nous ne guérissons pas nos blessures, que deviendront-elles ? Malheureusement elles pourront tourner en maladies comme le cancer.

De nos jours, en s'appuyant sur des preuves crédibles, beaucoup de médecins sont convaincus que le cancer peut être le résultat de problèmes émotionnels non résolus.

Il faut faire la paix avec son passé, et trop de gens n'essayent pas et finissent par en payer le prix, ce qui est vraiment très triste.

Force est d'admettre que très peu de gens meurent de vieillesse. Trop de gens meurent « trop tôt » comme on dit, ou « à la suite d'une grave maladie ». C'est un prix cher à payer, à tous les niveaux.

Certaines des personnes avec qui je travaille ont la fascinante capacité d'aider les autres à résoudre les problèmes que je viens d'évoquer ; des gens qui souffraient d'un cancer et qui étaient en relation avec eux ont résolu leur problème émotionnel et, peu de temps après, ils ont guéri. Cela vous fait penser à des miracles ? Non, c'est simplement une loi de la nature relative à l'harmonie des champs d'énergies, domaine qu'il faut comprendre.

Certains des participants à mes séminaires souffraient de maladies chroniques. Une femme, en particulier, avait de sévères douleurs dorsales et ne pouvait pas rester assise ou debout longtemps. Pendant le séminaire, elle traversa un processus qui lui permit de résoudre certains problèmes de son passé et de s'en libérer. Peu après, elle marchait bien. Et la semaine suivante elle ne pouvait croire à cette transformation. « Je ne sais pas ce que vous avez fait Jamie, mais je ne me suis pas sentie ainsi depuis 20 ans ! » me dit-elle. Je répondis : « Mais je n'ai rien fait. C'est vous qui avez fait ! » C'était la vérité : nous avons tous l'étonnante faculté de faire battre nos cœurs chaque seconde sans y penser, alors pourquoi n'aurions-nous pas aussi celle de l'auto-guérison ? Ces capacités sont en nous.

Si on commence à puiser dans l'intelligence infinie, l'intelligence universelle, on apprend comment accomplir tout cela. **Si nous procédons en respectant les étapes nécessaires, gagner un million de sous est une simple formalité.**

Je me suis aussi intéressé au Reiki et à d'autres techniques de guérison par les énergies ; techniques qui permettent de rehausser mon énergie dès qu'elle baisse un peu. Elles représentent aussi une grande aide dans la conduite de mes affaires parce qu'elles développent mes perceptions et mon état d'éveil.

Maintenant je vais vous dire comment gérer l'énergie et comment j'ai réussi, grâce à cette méthode, à extérioriser et à me représenter les choses que je désirais le plus.

La première chose à faire et que nous pouvons accomplir sans attendre pour augmenter notre énergie est de faire le point sur ce qui pompe notre énergie en établissant une liste.

Voici des exemples me concernant :

Je travaillais à Sydney il y a environ 18 ans, et l'intérieur du bureau était gris. Les murs étaient gris, les bureaux étaient gris, il y avait des lampes fluorescentes et l'air était conditionné. Bref, l'environnement n'était pas très stimulant.

A cette époque, j'étais passionnément engagé dans le développement de ma carrière, je m'enrichissais de l'enseignement de mes mentors.

Pour pallier au problème de cet environnement déprimant, je partais en vacances au moins une fois tous les deux mois, pour m'en éloigner. Quand je revenais, j'étais bourré d'énergie. J'allais dans une ville côtière et je revenais en pleine forme, au top et motivé. Mais au retour, après avoir passé trois ou quatre heures au bureau, je ressentais que j'avais de nouveau besoin de vacances. J'étais complètement vidé. Cela a pris environ un an avant que je comprenne que si je voulais me sentir bien de manière constante, il fallait que je fasse un travail valorisant et que je sois valorisé sur une base quotidienne et pas seulement de temps en temps.

J'ai réalisé que quand je m'asseyais devant mon bureau, avachi, entouré de murs gris, d'air conditionné, de lampes fluorescentes et d'ordinateurs, et que j'essayais d'être créatif, cela ne fonctionnait tout simplement pas pour moi. Il est évident que cet environnement me vidait de mon énergie et que je devais faire quelque chose pour y remédier. Alors le matin, au lieu d'aller directement au bureau, j'allai marcher une heure ou deux le long de la plage. Rien ne me fait plus de bien que de marcher le long de l'eau et d'écouter le bruit des vagues qui s'écrasent. Marcher pieds nus dans le sable en respirant l'air vivifiant de l'océan, c'est comme inspirer directement de l'énergie et la sentir se diffuser en soi. Je m'asseyais sur les rochers au bord de l'océan et, de là, je découvris que je pouvais plonger dans ma créativité. Les idées venaient à moi spontanément. Je n'avais rien à faire, c'était comme si l'univers s'ouvrait et m'emplissait de sa sagesse ; il me dictait ce qu'il fallait que je fasse, jour après jour, pour réaliser mes désirs. Je pouvais penser avec une clarté totale et tout prenait son sens. C'était une expérience très forte et, wow, ma vie se mit à changer. Je me demande pourquoi je n'ai pas fait cela plus souvent par le passé.

J'ai décidé de me créer le genre de vie qui me permettrait d'être constamment énergisé.

Je compris que c'était aussi simple d'identifier ce qui me vidait de mon énergie, comme m'asseoir dans un bureau, et d'éliminer ces situations tout en incorporant dans ma vie ce qui me remplissait d'énergie, comme marcher le long de la plage.

Je vivais alors à l'ouest de Sidney, près de Campbelltown. Je n'ai rien contre ces quartiers de Sidney, mais si vous connaissez le coin, vous m'accorderez que c'est un environnement où l'énergie et l'état d'esprit ne sont pas toujours de nature à vous encourager à vous enrichir. Je dirais même que dans certains quartiers on glisse davantage vers l'appauvrissement, et c'est encore ainsi. J'ai donc déménagé dans un quartier de Sydney appelé Balmoral, près de Mosman, qui surplombe un des ports les plus beaux qui soient et un magnifique bord de mer. Si vous connaissez cet endroit, vous admettrez qu'il prédispose à l'enrichissement. En allant vivre près de Mosman, je fus immédiatement entouré par plus d'abondance. Ce simple déménagement m'aida immensément à travailler sur mon état d'esprit afin d'accepter l'abondance dans ma vie.

Travailler son état d'esprit peut avoir un impact immense dans notre vie. C'est ce qui m'est arrivé. En fait, mon revenu s'est multiplié par 15 en une période d'un peu plus de 12 mois. Je ne sais pas si j'aurais atteint des résultats aussi fantastiques si je n'avais pas changé de quartier.

Est-ce que je vous suggère pour autant de changer de quartier la semaine prochaine ? Peut-être que non. Mais vous devez faire le point et identifier ce qui affecte votre énergie. Dans mon cas, si je ne l'avais pas fait et si je n'avais pas pris des mesures concrètes pour remédier à mes problèmes d'énergie, je serais probablement encore assis derrière un bureau, insatisfait de ma vie, et je n'aurais pas atteint les résultats que j'escomptais.

Lors de ce processus, **le premier pas consiste à observer et identifier ce qui vous apporte de l'énergie et ce qui vous en prend**. Voici ci-dessous une liste de quelques exemples, à titre de modèle, pour que vous fassiez votre propre liste :

Ce qui vide mon énergie

Disputes	Relations peu intéressantes
Mauvais régimes	Stress
Drogues/Alcool	Environnement négatif
Emotions négatives	Manque d'espace /encombrement
Faible état physiologique	Mauvaise santé
Manque ou excès de sommeil	Mode de vie déséquilibré
Regarder la télévision	Manque d'argent
Relations stériles	Gens négatifs
Travail ennuyeux	Interprétation négative des événements
Manque d'exercice	Normes peu élevées

Ce qui élève mon niveau d'énergie

Avoir de l'argent	Mentors, gens stimulants
Sourire	Relations aimantes
Succès	Nature
Surmonter les obstacles, relever des défis	Sexe
Apprendre, connaissances	Méditation, yoga
Vision positive	Animaux de compagnie
Couleurs claires	Avoir du plaisir, rire
Contributions	Oxygène
Musique	Exercice, fitness
Vacances	Etre reconnu, importance

Qu'est-ce qui vide mon énergie ?	**Qu'est-ce qui augmente mon énergie ?**
______________________	______________________
______________________	______________________
______________________	______________________
______________________	______________________
______________________	______________________
______________________	______________________
______________________	______________________

Après avoir établi votre liste et fait le point comme je le suggère, vous pourrez prendre quelques initiatives pour changer votre vie. C'est ce que j'appelle concevoir sa vie, à la base, et il est bon de le faire parce que, c'est bien connu, les plus petits changements peuvent apporter une grande amélioration.

Mon mentor millionnaire me demandait régulièrement : « Jusqu'à quel point êtes-vous déterminé à changer votre vie ? » Je vous pose à mon tour la question : « Êtes-vous suffisamment désireux et décidé à changer la donne pour faire l'exercice que je vous propose, là, maintenant, pour recréer votre vie ? »

En faisant cet exercice, vous remarquerez que ce ne sont pas seulement des *choses* qui nous pompent mais aussi des *gens*. Alors, quand on se met à changer, les relations que nous établissons se transforment aussi.

Beaucoup, parmi vos amis de vieille date, ceux d'il y a au moins une dizaine d'années, auront sans doute évolué et changé pour devenir ce qu'ils sont aujourd'hui. Et dans votre cercle d'amis, il y a certainement beaucoup de personnes qui font partie du groupe des 96 %. Cependant, quand vous évoluerez, vous allez attirer ceux qui font partie des 4 % qui réussissent.

En faisant ce qu'il faut pour accroître votre énergie, vous verrez que durant les 10 prochaines années, les gens qui figureront parmi vos amis seront différents de ceux que vous connaissez actuellement. En effet, en élevant votre niveau énergétique, vous aller vous détacher du lot et attirer des leaders dans votre vie.

Les leaders, ce sont des gens qui croient en leurs passions et les vivent. Des gens qui créent des affaires qui marchent, qui contribuent positivement au bien de la société, qui font la différence autour d'eux.

En vous associant à des leaders, vous allez aussi devenir un leader et vous allez vous mettre à aider d'autres gens à devenir eux aussi des leaders. Et grâce à ce processus, notamment, vous allez vous créer une vie épanouissante qui sera une contribution.

Maintenant, vous savez en partie de quelles façons j'ai pu élever mon niveau d'énergie pour attirer l'abondance à laquelle j'ai droit. Cela dit, avec l'arrivée de cette abondance nouvelle, j'ai rencontré un problème que beaucoup de gens ont, en raison du conditionnement mental – pour les questions financières –, hérité de leur passé. Ce problème c'est l'auto-sabotage. Il va falloir éviter cet écueil à tout prix et reprogrammer votre inconscient afin que vous puissiez prendre le chemin de la création de richesse, comme je l'ai moi-même fait.

9. DÉVELOPPER UNE MENTALITÉ DE MILLIONAIRE EN RÉ-ORIENTANT VOTRE SUBCONSCIENT VERS LA CRÉATION DE RICHESSE

Des recherches universitaires conduites en Australie ont établi que beaucoup de gens de nos jours associent davantage la souffrance que le plaisir à l'argent.

La première chose que vous devrez faire pour réorienter votre subconscient vers la création de richesse sera de répondre à quelques questions simples sur l'anxiété financière. Je ne parle pas nécessairement de l'anxiété que l'on ressent quand on est en faillite ou que l'on doit se battre pour gagner sa vie ; on peut être fortuné, jouir d'une situation aisée et éprouver quand même une anxiété financière.

Il n'y a pas de réponse juste ou fausse aux questions ci-dessous. Tout ce qu'il faut faire c'est répondre tel que vous êtes, selon votre situation.

1. **Quand avez-vous éprouvé pour la dernière fois de l'anxiété financière ?**
2. **Est-ce qu'actuellement vous ressentez une anxiété financière dans votre vie ?**
3. **Est-ce qu'avoir plus d'argent libère de l'anxiété financière ?**
4. **A quel moment vous êtes-vous senti sans anxiété financière ?**

Il y a des gens qui ont toujours ressenti de l'anxiété ou de la pression financière, sauf quand ils étaient encore à l'école, disposaient d'un peu d'argent de poche et n'avaient que de simples décisions à prendre : le dépenser pour des sucreries ou le mettre dans leur tirelire. D'autres personnes n'ont peut-être jamais ressenti de sérénité par rapport aux finances.

A part le bonheur, que pensez-vous que les gens veulent réellement dans leur vie ? J'imagine que si vous lisez ce livre c'est que vous souhaitez vous construire un avenir financier sur lequel vous pourrez compter. Vous voulez éprouver des certitudes quant à la gestion de l'argent, avoir beaucoup d'argent et ne jamais avoir à vous soucier de ne pas en avoir assez. C'est ce que tout le monde souhaite : la « sécurité financière ». C'est valable pour tout le monde, j'en suis convaincu. On veut s'assurer qu'on ne souffrira pas à l'avenir, qu'on sera financièrement libre, qu'on pourra faire ce qu'on voudra, quand on voudra, avec qui on voudra et aussi souvent qu'on le voudra.

En ce qui me concerne, j'ai commencé ma quête de sécurité financière parce que j'avais trop souffert d'incertitudes sur ce plan et éprouvé trop de difficultés. Je ne voulais plus jamais avoir à en passer par là. C'est pour éviter cette souffrance – et non tant pour la recherche du plaisir au début – que j'ai pris le chemin de la réussite financière, que j'y ai été conduit.

Le facteur de la souffrance est très souvent à l'origine des actions des gens. C'est probablement à cause d'elle – ou grâce à elle – que vous prenez la décision initiale d'améliorer votre vie, de changer votre avenir financier, et non la simple recherche du plaisir.

D'après des recherches universitaires menées en Australie, les gens associent l'argent davantage à la souffrance qu'au plaisir. Ce fut absolument le cas pour moi, ce qui représenta un véritable défi. Pourtant, logiquement et consciemment, on pourrait se dire que l'argent c'est du plaisir. Et quand on pense à l'argent, on éprouve des émotions heureuses. Mais inconsciemment, le plus souvent, on associe l'argent à des émotions négatives.

Anthony Robbins, un de mes mentors, comme je l'ai déjà mentionné, estime que les êtres humains prennent leurs décisions sous l'influence de deux facteurs initiaux. Le premier est d'éviter la souffrance. C'est tellement vrai ! Repensez aux innombrables décisions que vous avez prises dans le passé juste pour éviter de souffrir. On apprend cela depuis l'enfance. On sait par exemple qu'il ne faut pas mettre les mains dans le four parce que ça les brûles et que la brûlure fait mal. Le second facteur qui nous pousse vers nos décisions est la recherche du plaisir.

Vous me direz : « Jamie, c'est tellement simpliste ! » Mais laissez-moi vous guider. Repensez à vos décisions dans la vie. Ce que dit Tony est tellement vrai et important. Par exemple, pourquoi les femmes se maquillent-elles ? Il y en a qui disent que c'est par plaisir et qu'elles adorent ça. D'autres avouent au contraire qu'elles ne se maquillent pas par plaisir, que c'est pénible, qu'elles détestent devoir se maquiller tous les matins ; mais elles le font pour ne pas avoir à souffrir des éventuelles critiques de ceux qui les verraient sans fard. (« Ne vous offensez pas Mesdames ! »)

La plupart d'entre nous font davantage pour éviter la souffrance que pour éprouver du plaisir, et c'est très important d'en être conscients. Parce que si, au contraire, nous associons le plaisir à l'argent et si nous nous en réjouissons, quand nous faisons quelque chose pour en gagner, nous allons de l'avant. Mais si, en même temps et inconsciemment, nous continuons à associer l'argent à la souffrance, alors dès que nous sommes sur la voie de la réussite surgit un pénible obstacle : l'auto-sabotage.

C'est exactement ce qui m'est arrivé. Je faisais deux pas en avant, et ensuite, pour je ne sais quel prétexte, je devenais plus réservé, je ne faisais pas les choses correctement et je finissais par faire trois pas en arrière. Je ne savais pas comment m'y prendre.

Beaucoup des gens qui deviennent millionnaires vivent la même chose et il leur faut souvent s'y reprendre à plusieurs fois avant de trouver comment procéder. Autrement dit, ils vont gagner, puis perdre, puis réussir de manière stable et cohérente.

Après avoir compris ce trait de la psychologie humaine et que, inconsciemment, je liais des émotions négatives à l'argent, que mon subconscient n'était pas programmé pour le succès, je pus y remédier.

Logiquement, comme nous le savons, nous devrions épargner 10 % de notre revenu. Cependant, nous avons tendance à fonder nos décisions sur nos émotions plutôt que sur la logique. Si nous ne comprenons pas comment nous fonctionnons et si nous n'entreprenons pas ce qu'il faut pour agir en notre faveur, nous aurons beaucoup de difficulté à réussir.

Souvent, nous savons ce que nous devons faire mais nous ne le faisons pas. Il faut changer cela et il est à espérer qu'une question vous titille inconsciemment : « Si je n'apprends pas dès maintenant à maîtriser mes finances, quel en sera le prix pour moi à l'avenir ? »

L'exercice qui suit – intitulé « La signification de l'argent » – peut vous aider à reprogrammer votre propre esprit pour le conditionner au succès financier.

Après vous être posé les quatre questions mentionnées plus haut, il convient, pour reprogrammer votre subconscient, de faire avec sérieux l'exercice « La signification de l'argent » que je vais vous proposer. Cet exercice va vous permettre de découvrir avec exactitude les préjugés et sentiments qui ont pu vous retenir dans la réalisation d'objectifs liés à la création d'argent. Il vous prendra environ 20 à 30 minutes et vous devrez le faire avec un(e) partenaire. Le but que nous allons atteindre est la reprogrammation de votre subconscient.

Moi aussi j'ai dû rebrancher mon subconscient pour le lier au plaisir de faire de l'argent. L'enjeu de l'exercice est que si nous parvenons à cette nouvelle structure de notre subconscient, nous sommes placés littéralement en autopilote vers le succès financier. Si on ne change pas (ce fut aussi vrai pour moi), alors quelles que soient les opportunités d'investissements qui se présentent, on sabote son propres succès. Evidemment, seulement si vous êtes mal programmé. Mais comment le savoir ? L'exercice « La signification de l'argent » va vous permettre de le découvrir.

Si vous êtes comme la plupart des gens, vous êtes probablement conditionné de manière négative parce que c'est ainsi que nos sociétés nous façonnent.

Bref, l'exercice est important. Ne le sautez pas. Ne le ratez pas. Faites-le. C'est un procédé simple pour faire en sorte que votre système nerveux fonctionne bien et que la richesse va équivaloir pour chacun de nous à plus de plaisir. Il va vous conduire au-delà de votre esprit conscient pour accéder aux archives de votre subconscient, dans le dossier des émotions associées à l'argent.

Au début, vous répondrez aux questions posées dans l'exercice avec votre esprit conscient uniquement, qui va plus que volontiers vous dicter des réponses conscientes. Puis vous allez épuiser le stock de vos réponses conscientes et commencer à faire remonter les archives secrètes de votre subconscient. Cela va s'exprimer par de légers changements dans votre physiologie. Vos yeux vont s'abaisser, ce qui sera un signe que vous êtes mieux connecté avec vos émotions profondes. Puis votre cerveau va se mettre à fouiller les anciennes archives de votre subconscient, et de vieux souvenirs vont remonter à votre conscience. Par exemple, peut-être que lors de votre tendre enfance vos parents se sont disputés pour des questions d'argent et que cela vous a stressé. Autre exemple, peut-être que pour subvenir aux besoins de la famille, votre père devait souvent s'absenter, ce qui vous peinait. Si ce fut le cas, cela a engendré en vous des émotions négatives par rapport à l'argent. Arrivé à l'âge adulte, vous pouvez gérer de tels souvenirs voire leur trouver de bonnes raisons avec votre esprit conscient. Mais inconsciemment vous pourriez encore souffrir de telle ou telle peine ou frustration associée à l'argent.

Quand vous allez faire l'exercice, vous allez être abasourdi de ce que vous allez mettre en lumière. Même plus tard, après avoir terminé l'exercice, peut-être une semaine après, votre cerveau va continuer à vous remettre en mémoire des événements en relation avec l'argent. C'est alors que vous allez commencer à comprendre ce qui se passe réellement dans votre subconscient, et voir les choses différemment va vous pousser à avancer. Ce sera immensément bénéfique parce que vous serez alors en automatique vers le succès financier.

Préambule à l'exercice « La signification de l'argent » :

Installez-vous avec votre partenaire avec une feuille de papier et un stylo. Demandez à votre partenaire de vous poser les 3 questions que vous trouverez ci-dessous. Demandez-lui de noter vos réponses et de continuer à vous poser les questions et à écrire jusqu'à ce que vous n'ayez plus de réponse, que votre réserve de réponses – automatiques – soit épuisée pour chaque question.

Poussez plus loin, au-delà de ces réponses. Le but est de découvrir vos souvenirs les plus enfouis par rapport à l'argent, l'impact émotionnel de l'argent dans votre vie.

Faites-vous poser la première question au moins 20 fois, jusqu'à ce que les réponses soient complètement épuisées, puis passez à la seconde question, 20 fois et ensuite la troisième question, toujours selon le même principe. Voici ces questions :

1. Qu'est-ce que l'argent ?

____

____

____

____

____

2. Qu'est-ce que ne pas avoir d'argent ?

____

____

____

____

____

3. Qu'est-ce que l'argent véritablement ?

Vous trouverez ci-dessous quelques exemples de réponses données par d'autres personnes. Souvenez-vous cependant que ce n'est pas une définition que nous devons donner, pas une réponse exacte, mais un souvenir suscité par la question.

Exercice « La signification de l'argent »

Qu'est-ce que l'argent ?	**Qu'est-ce que ne pas avoir d'argent ?**	**Qu'est-ce que l'argent véritablement ?**
Qualité	Sentiment de pénurie	Amplifier
Gratitude	Etre contrôlé par des règles	Energie
Un bout de papier, rien de plus	Moins de choix et moins de qualité	Du carburant
La belle vie	Impossibilité d'être généreux	Juste ce que nous avons décidé
Un engagement	Débat sur la souffrance/le plaisir	Plus de pouvoir d'influence
Une possibilité de donner	Souffrance	Avoir le choix d'un meilleur niveau de vie
Un accès à des ressources	Stupide	Puissant outil pour accentuer l'impact
Avoir plus de temps	Ne fait aucune différence d'en avoir ou pas	Une clé qui peut nous ouvrir des portes
Etre libéré des corvées	Frustration	Un équilibre
Un don de Dieu pour donner à son tour	Fait mal	Une occasion pour les gens
Un signe extérieur de richesse, de valeur ajoutée	Séparation	Le choix
Le reflet de l'intelligence		

Le reflet de l'intensité d'un objectif
Les distractions

Pour conditionner vos neurones vers l'objectif richesse, utilisez ce que vous avez retiré de la pratique de cet exercice pour répondre aux questions suivantes :

1. Quelles sont les limites que je pose, selon ce que je crois, à l'abondance financière absolue ?

____
____
____
____
____

2. Quel montant spécifique d'argent représente pour moi l'abondance financière ?

____
____
____
____
____

3. Que vais-je entreprendre aujourd'hui pour développer un plan financier ?

____
____
____
____
____

4. Qu'est-ce que j'ai appris aujourd'hui que je peux utiliser pour faire des progrès ?

____
____
____
____
____

5. Quels sont les termes financiers et les aspects des finances personnelles que je ne comprends pas actuellement ?

____
____
____
____
____

6. Pourquoi suis-je déterminé à aller de l'avant ?

____
____
____
____
____

7. Citez une ou deux situations passées que vous avez surmontées, des obstacles que vous avez franchis malgré les difficultés.

____
____
____
____
____

Après avoir terminé cet exercice, vous aurez commencé le processus de la réorientation de l'association de votre subconscient concernant l'argent.

Si vous voulez en apprendre davantage sur la façon de reconditionner votre subconscient de manière générale et non seulement en relation avec l'argent, je vous recommande les travaux d'Anthony Robbins sur la Programmation Neuro Linguistique (PNL) et le Conditionnement Neuro Associatif (CNA), méthode dérivée de la PNL. Il est le leader mondial dans ce domaine et produit des résultats phénoménaux, rapides et constants. Ses livres *(traduits en français)*, intitulés respectivement *Pouvoir Illimité*, Anthony Robbins, Robert Laffont, 1989, et *L'éveil de votre puissance intérieure*, Anthony Robbins, 1993, et d'autres encore, sont des bestsellers que l'on peut se procurer dans toute librairie. Pour plus de détails, voir aussi le site :

http://www.violaine.net/developpement/developpement_personnel/anthony_robbins/index.html

(Selon ce site, Anthony Robbins prétend que nous pouvons, avec de la discipline et au prix d'efforts, nous améliorer nous-même par le CNA, « Neuro-Associative Conditioning » *(ou en français « Conditionnement Neuro-Associatif »)*, méthode dérivée de la PNL, ou « Programmation Neuro Linguistique ».

Anthony Robbins a pratiqué longuement la PNL. Puis, un jour, il a abandonné le terme « programmation ». Pour lui ce terme sous entendrais qu'on peut reprogrammer quelqu'un en une fois comme un ordinateur et que la personne n'a plus d'effort à fournir une fois que c'est fait. Anthony Robbins préfère le terme « conditionnement » car il le trouve plus approprié aux changements que la personne doit accomplir sur le long terme.

Il utilise l'histoire d'un accordeur de piano qui doit venir une fois pour accorder le piano et, une fois l'opération réalisée, afin que le piano conserve une tension parfaite, revenir très régulièrement au début, puis de temps en temps par la suite pour accorder de nouveau le piano afin qu'il garde la même tension. C'est comme le sport : on ne peut pas sculpter son corps en une séance. D'où le terme « conditionnement ».

Puis Anthony Robbins apporte le terme « neuro-associatif », car pour lui le moyen le plus efficace d'éliminer une croyance consiste à associer suffisamment de douleur à la croyance qu'on veut voir disparaître. De même qu'il faut conditionner son cerveau à associer du plaisir aux situations vers lesquelles on tend constamment. (*Sa méthode ne s'attarde pas sur le « pourquoi ça ne va pas » mais se focalise sur le « comment ça va aller. » ndt*)

Maintenant que nous avons ôté les obstacles de notre route vers la liberté financière, nous allons déterminer exactement ce qui va nous pousser à faire les choses nécessaires pour nous créer la vie que nous désirons.

Qui sait, peut-être que ce qui vous pousse est le désir d'une Ferrari rouge toute clinquante ? Humm ! Mais si réellement c'était pour une Ferrari rouge, je vous garantis que vous en auriez déjà une sur votre route. La plupart des gens sont motivés par quelque chose de plus grand et de plus puissant que des voitures qui en mettent plein la vue et de luxueuses villas. Je fais allusion à... ? Quelque chose dans l'esprit d'aider vos semblables. On va voir...

Dans le prochain chapitre, nous allons déterminer en quoi consiste votre premier objectif.

10. COMMENT DÉCOUVRIR QUEL EST VOTRE OBJECTIF PREMIER

D'après ce que j'ai pu constater, il est plus facile pour la plupart des gens de commencer par faire l'inventaire de ce dont ils ne veulent pas dans leur vie plutôt que de faire la liste de ce qu'ils désirent...

Avant d'en arriver à l'intelligence financière et à des stratégies spécifiques de création de richesse, il serait peut-être important de vous assurer que c'est réellement ce que vous voulez dans votre vie. Qu'en pensez-vous ?

Tandis que certains sont déjà au clair, d'autres n'ont aucune idée de ce qu'est leur objectif premier dans leur vie. Ce que j'entends par « objectif premier » c'est votre projet de vie et son but, autrement dit l'expression de l'essence de votre personnalité et votre raison de vivre. Mettre en lumière cet objectif – de nature individuelle – est sans nul doute l'étape la plus importante à franchir sur le chemin de la création de la richesse. En effet, tant que vous n'êtes pas au clair sur cet objectif, les stratégies, quelles que soient leur nombre, ne vous aideront pas à réaliser ce que vous souhaitez.

Ce chapitre est donc consacré à la clarification de votre objectif premier au moyen d'un processus qui va vous y aider. Je vais vous poser des questions qui stimuleront vos pensées et vous aideront à organiser votre esprit pour la découverte de votre objectif premier. Prenez le temps de penser à vos réponses. Interrogez-vous vous-même et ensuite interrogez vos réponses. Il n'y aura pas de mauvaises ou de bonnes réponses. Les réponses que vous donnerez seront celles qui vous conviendront à *vous*.

Certaines des questions qui vont suivre vont susciter des réponses faciles et instantanées ; d'autres exigeront de vous de bien réfléchir. Certaines questions pourront vous amener à faire le point sur vos valeurs fondamentales et sur vos attitudes dans la vie. En répondant, le plus important sera d'être honnête envers vous-même.

On commence :

Voici les questions que je me suis posées à moi-même lorsque j'ai établi mon projet idéal de vie et qui furent les plus efficaces en ce qui me concerne. A votre tour de vous les poser, et n'hésitez pas à répondre par écrit :

- A quoi voulez-vous que votre vie ressemble ?
- Qu'est-ce que vous valorisez et/ou appréciez le plus ? Qu'est-ce qui revêt le plus d'importance pour vous ?
- Qu'est-ce qui est le plus important pour vous <u>en ce moment de votre vie</u> ?
- Quand il sera trop tard pour la changer, quel bilan voudriez-vous tirer de votre vie ?
- Ne passez pas cette question très pédagogique : quel est l'éloge que vous souhaiteriez que l'on dise à votre propos lors de vos funérailles ou après votre décès ?
- Comment souhaitez-vous que se déroule votre vie sur une base quotidienne ?

- Quelles sont les émotions que vous voudriez constamment ressentir ?
- Comment voudriez-vous être perçu(e) par autrui ?
- Quels sont vos rêves quotidiens ?
- Quand vous étiez petit(e), que souhaitiez-vous devenir quand vous seriez grand(e) ? Quand vous étiez gamin(e), avant l'âge de 14 ans, comment se passait votre jeunesse ? Aviez-vous des rêves, des aspirations que vous n'avez plus aujourd'hui ? Vous étiez sans doute plus créatif (ve) en imagination qu'aujourd'hui, et cette créativité contenait l'essence de ce que vous auriez pu devenir si vous aviez été libre de la laisser se développer. Trop de gens ont dû enfouir leurs rêves d'enfance.
- Est-ce que parfois vous souhaiteriez être quelqu'un d'autre, quelqu'un de différent de celui ou celle que vous êtes aujourd'hui, et en quoi ?
- Que vouliez-vous autrefois ?
- Pourquoi n'avez-vous pas concrétisé vos rêves et n'êtes-vous pas devenu(e) – le cas échéant – celui ou celle que vous rêviez d'être ? Qu'est-il arrivé au cours de votre chemin ?
- De tout ce que vous avez réalisé dans votre vie, qu'est-ce qui vous a donné le plus de satisfaction et de plaisir ?
- Si vous ne deviez plus travailler, comment passeriez-vous votre temps ?
- Et avec qui ?

Se poser sérieusement ces questions est une démarche fondamentale pour atteindre l'indépendance financière.

Il faut savoir que si l'on n'a pas de projet, si l'on ne sait pas ce que l'on vise, le genre de vie que l'on voudra mener, il sera difficile d'aller vers l'indépendance financière parce qu'on ne l'associera pas au désir, au plaisir. Sans la quête du plaisir, vous ne serez pas guidé(e) vers la création de richesse. Il faut donc aller à la recherche, par la méthode que je vous propose tout au long de ce chapitre, de ce qui vous procure du plaisir, de ce qui suscite votre désir et que vous allez ressentir comme étant votre objectif premier, votre raison de vivre.

Je connais beaucoup de gens qui ont trouvé leurs solutions bien à eux pour se libérer de l'obligation de travailler. Pour certains elles furent immédiates ; pour d'autres elles prirent moins d'un an grâce à des changements simples et logiques. Cependant, j'ai découvert que certaines personnes ne mettent rien en œuvre pour atteindre l'indépendance financière. Parfois, ces gens sont coincés dans un travail ou une affaire commerciale ou autre qui ne les rend pas vraiment heureux, mais ils ne se sentent pas assez mal pour prendre leur situation en mains et la modifier.

Nous avons remarqué que leurs six besoins essentiels, que je vais couvrir dans ce livre, sont respectés dans leur entreprise ou leur emploi. Ils ne le sont pas à un niveau élevé mais ils le sont. Pour eux, pour aller au-delà de ça et se libérer, il faudrait quelque chose qui leur garanti de toujours répondre à ces six besoins essentiels.

Ainsi, tant que vous ne saurez pas ce que vous voulez et tant que vous ne le désirerez pas vraiment, vous n'irez pas de l'avant et vous allez continuer à vous auto-saboter. Alors, vous êtes prêt(e) ? Posez-vous les questions suivantes :

- Qu'est-ce qui manque dans votre vie ?
- Quand vous remarquez que vous avez envie de quelque chose, de quoi s'agit-il ?
- Qu'est-ce qui vous motive à faire plus qu'accomplir ce que votre devoir exige ?
- Quelles sont vos plus grandes forces ?
- Quelles sont vos plus grandes faiblesses ?
- Que voudriez-vous réaliser et qui vous semble impossible ?
- Quels sont les obstacles qui rendent cela impossible ?
- Est-ce que ces obstacles sont réellement insurmontables ?

Voilà. Grâce aux questions et réponses qui précèdent, nous avons ouvert la voie qui devrait vous prédisposer, mentalement, à poursuivre le processus de la découverte de votre objectif premier. Ce processus comprend 5 étapes :

1ère étape – Qu'est-ce que vous ne voulez pas dans votre vie ?

Pour beaucoup de gens, il est plus facile de faire la liste de ce qu'ils ne veulent pas que de faire celle de leurs réels désirs, parce qu'ils ont été conditionnés ainsi. Nous allons donc commencer par faire l'inventaire de ce dont vous ne voulez pas.

Remplissez les espaces vides ci-dessous avec une liste de tout ce qui – à votre avis – vous cause de la colère, du stress, de la frustration, de la peur, de la haine, de l'embarras, de l'insatisfaction ou toute autre chose que vous ne voulez pas dans votre vie.

Essayez d'être spontané. Ne réfléchissez pas trop. Faites une liste écrite avec le plus possible de réponses.

____
____
____
____

C'est fait !

Maintenant, relisez votre liste en réfléchissant attentivement à chaque chose que vous avez notée. Analysez vos sentiments et le niveau d'importance que vous accordez à chaque point de ce que vous avez noté. Entourez d'un cercle les éléments de la liste qui sont les plus importants dans l'esprit de ce que vous ne voulez pas. Pas plus de cinq ou six ; ce que vous ne voulez réellement pas – ou plus – dans votre vie. Relisez bien.

2ème étape – Qu'est-ce que vous voulez dans votre vie ?

Maintenant que vous savez ce que vous ne voulez pas dans votre vie, il va être beaucoup plus facile de découvrir exactement ce que vous voulez.

Comme précédemment, remplissez les espaces vides ci-dessous avec une liste de tout ce que vous pensez que vous voulez dans votre vie, sans trop réfléchir. Ce que vous voulez. Puis revoyez votre liste attentivement. Evitez ce qui est superficiel et matériel ; décrivez ce qui vous satisfait pleinement, ce qui vous apporte de profonds bénéfices. Là aussi, n'y pensez pas trop et écrivez le plus que vous pouvez.

Comme auparavant, revenez sur votre liste en pensant attentivement à chaque chose que vous avez notée. Et maintenant, analysez vos sentiments et le niveau d'importance que vous accordez à tous les points que vous avez notés. Entourez d'un cercle quelques réponses (pas plus de cinq ou six) qui sont les plus importantes à vos yeux, ce que vous voulez de tout votre cœur et avec toute votre envie. Revoyez ces réponses et classez-les par ordre d'importance, en commençant par ce qui compte le plus à vos yeux.

Cette démarche va vous montrer ce que vous désirez réellement. Votre subconscient sait exactement ce que vous voulez réellement. Concentrez-vous sur ce qui vous rend heureux, épanoui, satisfait, et aussi sur ce qui vous donne de l'énergie, vous motive et qui semble valoir vraiment le coup pour vous.

3ème étape – Quelles sont vos priorités et quels sont vos obstacles ?

Qu'est-ce qui vous empêche d'avoir ce que vous voulez réellement dans votre vie ? Cette étape va montrer ce dont vous avez besoin pour franchir vos blocages.

Ecrivez sur une feuille de papier – selon le modèle qui va suivre – vos désirs les plus importants, ceux que vous avez entouré d'un cercle. Inscrivez-les par ordre d'importance. Pensez attentivement à chacune de ces choses et écrivez ce qui – s'il y a quelque chose à répondre – vous empêche de les avoir. Quels sont les obstacles et barrières sur votre chemin qui ne vous permettent pas d'avoir ce qui est à vos yeux le plus important. Concentrez-vous en particulier fortement sur les limites que vous vous imposez à vous-même et sur ce qui pourrait vous permettre de les franchir.

Les choses les plus importantes que je veux dans ma vie	Barrières et limites
______________________	______________________
______________________	______________________
______________________	______________________
______________________	______________________
______________________	______________________
______________________	______________________
______________________	______________________

C'est fait ! Vous avez franchi la 3ème étape !

4ème étape – Ecrivez votre propre éloge funèbre

Cet exercice – qui n'est pas lugubre dans son esprit – va faire apparaître ce que vous voulez réellement parvenir à réaliser d'ici la fin de votre vie. La plupart des gens n'en ont qu'une vague idée voire aucune.

Il faut commencer avec le résultat final, à l'image de la démarche d'IBM par exemple, lorsque ce groupe se fixa pour objectif et à son époque de devenir le leader dans le domaine des ordinateurs. Les propriétaires avaient élaboré d'avance la vision de ce que serait IBM une fois arrivée à son but. Chacun peut faire de même avec sa vie.

C'est de mon mentor millionnaire que j'ai appris le concept de la vision du résultat final quand je créais un business. J'ai décidé de l'appliquer pour ma vie aussi et pas seulement pour les affaires, et je vais vous guider pour le faire à votre tour au moyen d'un voyage métaphorique et imaginaire qui s'inspirera d'une coutume chrétienne mais qui pourra être adaptée à n'importe quelle autre culture selon ses rites et traditions.

Maintenant, nous allons voyager dans le futur et trouver exactement les traces que notre parcours de vie va laisser. On y va !

Imaginez que vous êtes sur le point de vous rendre à des funérailles, malheureusement. Ce sont celles d'un(e) ami(e) lointain(e) que vous n'aviez pas revu(e) depuis un bon bout de temps. Le temps est agréable. Les funérailles vont se dérouler dans une église.

Quand vous y arrivez, lorsque vous sortez de votre voiture, une brise légère souffle sur vos vêtements. Vous montez lentement les marches de l'église et vous remarquez ses hauts murs de pierre.

Lorsque vous atteignez le haut du parvis, vous voyez d'autres gens qui s'apprêtent à entrer. Vous les suivez quand ils franchissent la belle et lourde porte en bois.

Vous pénétrez dans l'allée centrale et commencez à marcher vers l'avant de la Nef, en direction de là où le cercueil est en général déposé. Vous avancez et certaines personnes qui se trouvent là vous sont familières. Il y a des gens que vous n'avez pas vus depuis longtemps, mais vous ne vous arrêtez pas pour les saluer. Quelque chose vous pousse à aller de l'avant dans l'allée centrale.

Tout en marchant, vous regardez furtivement les gens assis sur les bancs, à droite, à gauche, et vous reconnaissez quelques visages ici et là, ceux de personnes que vous n'avez pas revues depuis très longtemps, de bien nombreuses années. Il y a d'anciens amis d'école, des relations d'autrefois et même des gens dont la présence vous surprend : vous ne vous vous seriez pas attendu(e) à les voir en un tel lieu. Et comme vous êtes d'un naturel curieux, vous remarquez leur présence et vous vous dites en votre for intérieur : « Je ne les ai pas revus depuis si longtemps ! » Mais vous ne vous arrêtez pas, vous continuez à marcher, sans effort, dans l'allée centrale, en direction de l'autel.

Quand vous atteignez un certain niveau de l'allée, vous vous retournez un instant et vous contemplez les contours de l'église, ses murs intérieurs, ses piliers, ses vitraux. En regardant l'église selon cette perspective, de l'avant vers l'arrière, vous prenez conscience de sa dimension et du nombre de gens qui y ont pris place sur les bancs.

La douce musique de l'orgue ou de l'harmonium commence à se faire entendre.

Vous continuez dans l'allée centrale. Vous vous rapprochez beaucoup de l'avant et, là, sur les bancs de devant, certains membres de votre famille sont assis. Ils sont évidemment tristes et vous êtes simplement content de les voir là. Pourtant, ils semblent ne pas vous voir. Mais peut-être vous ont-ils remarqué lorsque vous marchiez dans l'allée centrale ?

Vous arrivez finalement près du cercueil. C'est un grand cercueil en bois.

L'atmosphère est pesante dans l'église. Vous vous rapprochez le plus possible du cercueil et, là, vous remarquez que le couvercle est ouvert. Vous vous penchez vers l'intérieur pour payer vos respects à votre ami ou connaissance, et alors soudain, vous n'en croyez pas vos yeux : la personne qui est étendue là, dans ce cercueil, vous ressemble comme deux gouttes d'eau ! C'est dingue ! Vous en avez le souffle coupé. Vous regardez encore une fois et vous comprenez que cette personne n'est pas votre sosie mais que cette personne décédée, c'est vous. C'est vous qui êtes couché(e) dans le cercueil, pas celui ou celle que vous pensiez. Alors vous réalisez qu'il s'agit de vos propres funérailles. Tous ces gens dans l'église sont venus pour vous rendre leurs derniers hommages. Et alors que vous essayez de réaliser ce qui se passe, quelqu'un se lève et commence à faire votre éloge funèbre.

Il y aura trois éloges :

Le premier sera prononcé par quelqu'un avec qui vous avez travaillé ou mené votre vie sociale. Cette personne parle de vous à toute votre famille, vos amis et vos connaissances. Elle vous dépeint telle qu'elle vous a perçu(e) et évoque certaines de vos réalisations. Que dit-elle de vous ? Quels sont les sentiments que ses paroles éveillent en vous alors qu'on est sur le point de vous rendre à la poussière ?

Vient le moment du second éloge, qui sera prononcé par un membre de votre proche famille ; quelqu'un qui vous a connu(e) pour ainsi dire toute votre vie et qui vous aime profondément. Malgré sa tristesse, il va évoquer quelques événements amusants concernant votre passé. Il ou elle va vous décrire, raconter certains de vos rêves et ambitions, parler de ce que vous avez accompli.

Imaginez le contenu de cet éloge. Quand vous l'entendrez, une partie de vous aura envie de réagir : « Tu oublies quelque chose ! Il y a bien plus à dire sur moi et toi seul(e) le savais ! Je me sens tout réduit, il y a bien plus à dire sur ma vie que cela ! » Mais vous réalisez que vous ne pouvez pas vous exprimer, que les gens présents ne peuvent même pas vous voir, ici et debout. Vos réactions sont sans espoir d'être entendues.

Le troisième éloge commence. Il est prononcé par votre meilleur ami ou plus chère amie et s'adresse à toutes les personnes présentes. Cette personne commence à parler de vous, de ce qu'elle pensait de vous et du genre de personne que vous étiez. Ce que vous avez accompli, comment vous étiez, ce que furent vos espoirs et vos rêves.

Que dire de plus ? Cette personne qui vous est si proche ne va peut-être pas être exhaustive ou ne pas toucher le point juste. Peut-être que malgré votre profonde amitié elle ne sait même pas ce que furent vos rêves ?

Quand elle finit de parler, vous ressentez le besoin de bondir et de vous écrier : « Mais ce n'est pas tout ! Comment peux-tu me résumer ainsi ?! Il y a bien plus à retenir de ma vie que ces bribes ! » Vous voudriez réagir, parler de celui ou celle que vous étiez. Mais c'est sans espoir. On ne peut plus vous entendre. Les gens s'en vont, attristés. Ils ne peuvent pas vous voir et vous êtes impuissant.

Votre vie est finie, comme vous le savez, et pourtant vous auriez encore tant à faire et à dire. Mais soudainement c'est trop tard. Vous commencez à comprendre que vous avez eu vos chances mais que vous les avez laissées passer.

Impuissant(e), vous faites le trajet du retour, le long de l'allée, en direction de la sortie. Lourd(e) et désemparé(e), vous descendez les marches du perron. Dès que vous vous retrouvez dehors, l'ambiance est différente. Vous entendez le gazouillement des oiseaux et le bruissement des feuilles caressées par la brise. Vous respirez l'air frais et vous mettez à apprécier toutes ces choses que vous considériez, lorsque vous étiez en vie, comme acquises. Vous prenez une totale conscience de l'immense beauté du monde extérieur.

Vous vous dirigez vers votre voiture en pensant : « Que se passerait-t-il si j'avais encore une chance ? Je voudrais juste un peu plus de temps. Je vous en supplie ! » Mais personne ne peut entendre votre supplique. Vous seriez prêt à supplier toute personne susceptible de vous entendre : « Je n'avais pas réalisé. Si j'avais su que mon temps était presque terminé j'aurais agi différemment. J'aurais fait les expériences que je voulais faire lorsqu'il était encore temps. Je me serais exprimé. Peut-être aurais-je dit à certains et certaines à quel point je les aime quand j'avais encore une chance de le faire. »

Vous réalisez que maintenant vous ne pouvez plus rien dire et que c'est trop tard, mais vous ne voulez pas accepter cette réalité. Vous essayez de supplier encore une fois auprès de qui pourrait l'entendre : « S'il vous plaît, donnez-moi juste une seule chance supplémentaire. Il y a des choses que je voudrais faire si j'avais un peu plus de temps dans ma vie. »

Si vous vous trouviez dans cette situation, qu'auriez-vous fait différemment Pensez-y. Que voudriez-vous faire absolument si vous aviez un peu plus de temps de vie ? Comme chaque seconde est précieuse ! Et maintenant c'est trop tard Qu'auriez-vous fait juste pour une heure supplémentaire de vie, un jour de plus voire une semaine entière ?

Imaginez une semaine entière de temps supplémentaire. Que pourriez-vous faire au cours d'une seule semaine si vous receviez cadeau de ce temps ? Et qu feriez-vous si vous aviez un mois de plus ou même une année, ou deux, ou cinq ? Jusqu'à quel point ce temps vous serait-il précieux ? Qu'est-ce que vous vous promettriez de faire durant ce temps supplémentaire ? Est-ce que vous vous impliqueriez, est-ce que vous feriez tout le nécessaire pour ne pas gaspiller une seconde de plus de votre vie ? Est-ce que vous vous engageriez à ne pas laisser un jour s'écouler sans exprimer votre amour pour les gens qui comptent pour vous ? Est-ce que vous vous engageriez à mettre la marque de vos passions et convictions dans tout ce que vous feriez ?

Si seulement d'une manière ou d'une autre vous pouviez recevoir en cadeau ce temps supplémentaire, que seriez-vous prêt(e) à faire pour recevoir ce temps supplémentaire ? Juste un bonus, un peu plus de temps de vie.

Si vous receviez cette chance, est-ce que vous vivriez votre vie différemment ? Quels sont les aspects de votre vie que vous changeriez ? Parmi ce qui compte le plus à vos yeux, que changeriez-vous ? Sur quoi vous concentreriez-vous ? A qui voudriez-vous éventuellement témoigner de l'amour et faire savoir ce que vous éprouviez réellement quand vous étiez en vie et quand ils ou elles pouvaient encore vous entendre ? Que feriez-vous autrement ? Qu'est-ce que vous voudriez changer ? En quoi votre vie serait-elle différente ?

Quand vous marchez vers votre voiture, vous pensez à tout cela, à ce que vous feriez différemment si vous receviez un peu plus de temps de vie. Mais vous savez que votre vœu pourra ne pas être exaucé. Vous êtes découragé. Vous n'allez pas pouvoir réaliser le vœu qui vous pousse à demander plus de vie.

Oui, mais maintenant, imaginez que vous êtes entendu(e) et que vous allez recevoir ce surplus de vie pour la raison qui vous a poussé à supplier de le recevoir. Il vous sera donné aux conditions suivantes, qu'il va falloir accepter :

Vous acceptez de tout mettre en œuvre pour accomplir vos objectifs et désirs pendant la seconde de plus, l'heure, la semaine ou l'année et peut-être les une ou deux décennies que vous allez recevoir. C'est le deal. Vous devrez promettre que vous allez faire tout cela en échange d'une seconde chance, d'une prolongation de votre vie.

Si cette seconde chance vous était accordée, tiendriez-vous votre promesse ? Rempliriez-vous les conditions que vous auriez acceptées ? Vous engageriez-vous complètement à faire tout le nécessaire pour ne plus jamais perdre une seconde de votre vie comme avant ? Est-ce que vous apporteriez les changements et les améliorations souhaitées pour que, au moment des derniers éloges, ceux-ci soient un compte rendu fidèle de ce que vous vouliez vraiment faire de votre vie ?

Plutôt que de laisser la tâche à quelqu'un d'autre, imaginez que vous vous enregistrez et que c'est cet enregistrement qui sera entendu à vos funérailles. Il parlera des traces que vous aurez laissées, des différences que vous aurez faites au cours de votre vie, après avoir vécu au mieux et le plus pleinement possible.

Imaginez le contenu de cet éloge enregistré et la différence entre lui et ce que vous avez entendu lors de vos funérailles.

Lorsque viendront vos derniers instants, ne sera-t-il pas important de savoir que vous aurez donné et réalisé tout ce dont vous étiez capable ? Que vous aurez vécu vos passions, vos rêves, atteint vos objectifs ? Que vous n'aurez pas cédé à vos peurs et que vous aurez vécu votre vie avec tout votre potentiel de créativité ? Cela vaut la peine d'y penser...

Que feriez-vous différemment si, à la veille de votre mort, vous bénéficiez d'une rémission, d'un surplus de temps ? La vie est ce que nous avons de plus précieux.

Faites la liste des changements essentiels que vous vous engageriez à faire en échange de ce cadeau de temps de vie supplémentaire.

Après ce voyage rétrospectif dans votre vie, maintenant que vous avez formé le vœu de vivre le plus pleinement possible, c'est le moment d'écrire votre éloge funèbre après une existence longue, heureuse et bien remplie, telle que je vous la souhaite.

Supposons que vous avez mené la vie que vous souhaitiez depuis cet instant et par la suite : que contiendra l'éloge sur votre vie ?

Ecrivez...

Maintenant, passons à la 5ème étape servant à découvrir votre objectif premier.

5ème étape – Inscrivez votre objectif premier sur une feuille de papier

Ecrivez une courte déclaration – une phrase ou deux, pas plus – qui résume l'essence de votre vie, son objectif essentiel. Le but de votre déclaration est de mesurer le niveau de votre baromètre intérieur. Quand vous l'écrivez, vous devriez ressentir de l'énergie, de l'enthousiasme, un sens de l'engagement, un sentiment du genre : « Oui, ça c'est pour moi ! » Si vous ne le ressentez pas, continuez à écrire. Cela peut prendre du temps jusqu'à ce que vous vous trouviez.

Je vous donne mon propre exemple : quand j'ai fait cet exercice, il y a longtemps, j'ai déclaré : « Mon objectif premier est d'élever la force de vie et l'énergie de chaque personne que j'aurai le privilège de rencontrer. » C'était un projet simple, efficace et suffisant pour m'amener à penser aux autres et cesser de penser uniquement à moi et à mes problèmes, ce qui était égoïste. Plus tard, j'ai augmenté le nombre de mes objectifs fondamentaux, l'un d'entre eux étant de « Créer un système d'éducation idéal pour le 21ème siècle pour l'Australie, les Etats-Unis et le monde entier, afin de transformer de manière positive la vie de millions de personnes et créer un monde plus solide et plus prospère. » Je décidais de « Créer un institut pour aider à influencer, susciter et mettre en œuvre un système monétaire mondial plus équitable, fort et empathique, de manière à éliminer la faim et la pauvreté dans le monde, maux largement engendrés par le système monétaire fondé sur la dette, qui fait que la plus grande partie de la richesse est manipulée par une poignée de gens. »

Maintenant, à votre tour de décrire votre objectif premier dans son essence :

____

____

____

____

____

____

____

____

____

____

Voilà. Vous le sentez ? Sinon, patience. Recommencez. Cela va venir.

Maintenant que vous avez découvert votre objectif premier, le moment est venu d'élaborer un plan d'action pour vous propulser vers le genre de vie que vous vous êtes fixé et que vous avez décrit dans votre éloge funèbre.

Votre objectif premier est le point de départ. Il va vous guider sur votre route comme vous le verrez dans le prochain chapitre.

En ce qui me concerne, la définition claire de mes objectifs, les deux objectifs premiers dont j'ai fait état plus haut, me servit de fil directeur constamment jusqu'à ce jour, occupa mon esprit et inspira mes actions pour ainsi dire quotidiennement. J'ai bien avancé. L'organisation que j'avais projeté de créer en Australie et en Nouvelle Zélande a vu le jour : elle a un impact sur environ 450 000 personnes et va probablement continuer à éduquer et influencer des millions de gens.

J'ai aussi commencé à écrire un livre pour trouver des solutions aux problèmes monétaires mondiaux, pour aider à éliminer la pauvreté dans le monde et faire connaître un des plus grands transferts de richesse menés dans les nations du monde par la Réserve Fédérale, via notamment les banques centrales et le Fonds Monétaire International, sous le déguisement de la globalisation.

Peut-être allez-vous vous sentir concerné par cette petite révélation : souvent, après avoir fait appel à un conseiller financier, bien des gens se disent que ce dernier leur a donné un ou des conseils peu honnêtes, ce qui le plus souvent n'est pas le cas. Les conseillers financiers ne sont PAS des experts de l'argent ; ce ne sont pas des investisseurs qui ont réussi financièrement ; ce sont tout simplement des agents commerciaux qui travaillent à la commission en promouvant les banques et les produits des compagnies associées, cela sous le titre fallacieux de « planificateurs financiers accrédités » (*ou « conseillers financiers accrédités » ; la titularisation est différente selon les pays. ndt*). Qu'on se le dise !

Dans ce cas et dans bien d'autres, la définition de mes objectifs m'a amené à enseigner à bien des australiens et néo-zélandais à réussir financièrement et à les aider à échapper aux stratagèmes des grandes banques qui possèdent 90 % de l'industrie financière.

Ce travail sur mes objectifs m'a aussi permis de trouver des fonds significatifs pour des institutions de charité – parmi lesquelles la Pat Rafter's (*ancien joueur de tennis, ndt.*) Cherish Children Foundation. J'ai aussi sponsorisé une école du tiers monde en Afrique afin de l'aider dans ses tâches d'éducation pour et vers un monde meilleur. Et je continue à développer mes actions sous différentes formes, fidèlement à mes objectifs premiers.

Si, à l'époque de mes débuts, je n'avais pas fait l'exercice de la clarification de mon objectif premier, je n'aurais jamais accompli tout ce qui précède ni fait d'immenses progrès en moins de dix ans alors qu'ils auraient pu me prendre une vie entière.

Comme vous pouvez le constater, en me fixant des objectifs valables et solides, je suis allé plus loin que si j'avais simplement eu comme but de faire de l'argent pour payer des hypothèques par exemple. Je ne veux pas dire par là que vous devez vous préparer à faire une différence massive dans ce monde, mais vous devez développer une vision solide de vos objectifs, de votre projet de vie, de son résultat final.

Pour terminer ce chapitre, je vais vous raconter ce qu'**une accompagnatrice de personnes en fin de vie, Bronnie Ware, raconte sur les cinq principaux regrets que les gens – selon son expérience – expriment sur leur lit de mort**. En effet, au cours de notre vie, nous ne pensons pas aux regrets que nous aurons peut-être lorsque nous arriverons au bout du chemin.

En substance : Bronnie Ware, en recherche d'emploi, décida de se consacrer à l'accompagnement des mourants à domicile pendant les trois à douze semaines précédant leur décès et a partagé avec ses patients des moments intenses. Elle en témoigne sur son site web, en anglais, dont vous trouverez la référence plus bas. Elle écrit : « Les gens évoluent beaucoup quand la mort approche. J'ai appris à ne jamais sous-estimer la capacité d'un patient à mûrir. Certains changements furent vraiment phénoménaux. Tous firent l'expérience de diverses émotions comme le déni, la peur, la colère, les remords et encore plus de déni, et, finalement, l'acceptation. Chacun de ces patients – sans exception – trouva la paix en lui avant de quitter ce monde. »

« Quand on les interrogeait sur les regrets éventuels qu'ils éprouvaient ou les choses qu'ils auraient faites différemment, certains thèmes faisaient surface de manière répétée. Voici les cinq thèmes les plus courants : »

1. J'aurais souhaité avoir le courage de mener une vie qui me correspondait au lieu de mener celle que d'autres attendaient de moi

« C'était le regret le plus commun. Quand les gens réalisent que leur vie est presque finie et qu'ils la contemplent rétrospectivement, ils voient clairement les nombreux rêves envolés, ceux qu'ils n'ont pas réalisés. La plupart des gens n'ont même pas accompli ne serait-ce que la moitié de leurs rêves et sont partis en sachant que cela était dû aux choix qu'ils avaient fait ou n'avaient pas fait. »

« Il est très important au cours de nos vies d'essayer de réaliser au moins une partie de nos rêves. Parce que quand vous perdez votre santé, c'est trop tard. La santé apporte une liberté que trop peu de gens comprennent, cela jusqu'au moment où ils la perdent. »

2. J'aurais voulu ne pas avoir à travailler aussi dur

« Ce regret fut exprimé par tous les patients masculins dont j'ai pris soin, sans exception. Ils ont manqué la jeunesse de leurs enfants et la compagnie de leurs partenaires. Les femmes aussi exprimèrent ce regret. Mais la plupart étaient d'une ancienne génération. Beaucoup de mes patientes n'avaient pas dû assurer le pain quotidien de la famille. Tous les hommes dont j'ai pris soin – des pères nourriciers – ont profondément regretté d'avoir passé autant de temps au moulin comme on dit, à un travail routinier. »

En simplifiant son style de vie et en faisant des choix conscients au long de sa route, il est possible de comprendre que l'on n'a pas besoin d'un salaire ou d'une rémunération aussi élevée qu'on le croit. Et en créant plus d'espace dans votre vie, vous serez plus heureux et plus ouvert à de nouvelles occasions plus appropriées à votre style de vie.

3. Je voudrais avoir eu le courage d'exprimer mes sentiments

« Beaucoup de gens ont fait l'impasse sur ce qu'ils ressentaient afin de rester en paix avec leur entourage. Par conséquence, ils se sont créé une existence médiocre et ne devinrent jamais ce qu'ils étaient capables de devenir. Beaucoup développèrent des maladies – en relation avec leur amertume et le ressentiment qu'ils éprouvaient. »

« Nous ne pouvons pas contrôler les réactions d'autrui. Cependant, même si au début ceux qui vous entourent peuvent réagir de manière pénible quand vous changez d'attitude, notamment en leur parlant honnêtement, l'effet au bout du compte est positif : cela renouvelle et élève la relation, la porte à un niveau plus sain. Ou, si ce n'est pas le cas, cette démarche vous libère d'une relation malsaine dans votre vie. Dans tous les cas vous en sortez gagnant. »

4. J'aurais voulu rester en relation avec mes amis

« Souvent ces patients ne réalisèrent pas pleinement l'importance de leurs vieux amis jusqu'à leurs dernières semaines, et il n'était pas toujours possible de les retrouver. Beaucoup de gens ont été tellement pris par leur vie qu'ils ont laissé des amitiés précieuses s'éloigner au fil du temps. Ils éprouvèrent de profonds regrets de ne pas avoir donné à ces amitiés le temps et l'attention qu'elles méritaient. A l'approche de la mort, tout le monde ressent le manque de ses amis. »

« Quand on mène une vie très occupée, il est courant de laisser filer des amitiés. Mais quand vous êtes face à votre mort prochaine, les détails physiques de la vie s'éloignent. Les gens veulent régler leurs affaires financières autant que possible. Mais ce n'est ni l'argent ni le statut social qui revêt une véritable importance pour eux dans ces moment-là. Ils veulent mettre leurs affaires en ordre avant tout pour le bénéfice de celles et ceux qu'ils aiment. Mais le plus souvent ils sont trop malades et affaiblis pour réaliser cette tâche. Tout ramène finalement à l'amour et aux relations. C'est tout ce qui reste pendant les dernières semaines : l'amour et les relations. »

5. J'aurais voulu me rendre plus heureux moi-même

« C'est un regret très courant et surprenant. Beaucoup ne réalisèrent pas avant leurs derniers jours que le bonheur était un choix. Ils sont restés enfermés dans de vieux schémas et habitudes. Le soi-disant « confort », la force de l'habitude, ont pris le contrôle de leurs émotions et de leur vie physique. La peur du changement les a amenés à convaincre autrui aussi bien qu'eux-mêmes qu'ils étaient satisfaits de leur vie. Pourtant, en profondeur, ils auraient désiré pouvoir encore rire vraiment et jouir d'un peu d'insouciance dans leur vie, à nouveau. »

Quand vous êtes sur votre lit de mort, ce que les autres pensent de vous est bien loin de votre esprit. Comme c'est merveilleux de pouvoir se laisser aller et sourire à nouveau, bien avant de mourir.

La vie est un choix. C'est VOTRE vie. Choisissez en pleine conscience, choisissez sagement, honnêtement. Choisissez le bonheur.

http://www.inspirationandchai.com/Regrets-of-the-Dying.html

Bonnie Ware est l'auteur de « The Top Five Regrets of the Dying – a life transformed by the Dearly Departing », Hay House, 2013, disponible en anglais sur googleread, et d'autres textes et livres. Consulter à ce sujet :

http://bronnieware.com/news.htm

11. PLANIFIER VOTRE VIE

...Si vous ne vivez pas de façon équilibrée, vous en souffrirez tôt ou tard sous une forme ou une autre au cours de votre vie

Dans le chapitre précédent, je vous ai guidé pour vous aider à découvrir votre objectif premier. Maintenant, il va falloir créer des plans d'action intégrant des objectifs à court et moyen terme de façon à vous assurer, par de petites étapes intermédiaires, que vous avancez constamment vers la réalisation de votre objectif premier.

Ces objectifs, pris un par un, ne devront jamais être en conflit avec votre objectif premier. Ils devront aussi concerner tous les aspects de votre vie afin de vous amener à une vie bien équilibrée. En effet, si votre vie n'est pas équilibrée, vous en souffrirez à un moment ou à un autre, y compris à long terme. Il va falloir vous fixer des objectifs dans les domaines de la santé, de la famille, de la carrière, des finances, de l'intellect, de la spiritualité et de la vie sociale.

Vous pouvez avoir tout l'argent du monde, si vous ne vous préoccupez pas de votre santé, vous n'allez probablement pas jouir de votre richesse comme vous le feriez si vous étiez en forme et plein de vitalité.

Dans bien des cas, quand on se fixe des objectifs, ils sont trop vastes et nous découragent avant même que nous ayons fait un tiers du chemin dans leur direction. Un bon objectif, qui nous sert bien, doit être repensé et divisé plusieurs fois jusqu'à ce qu'il devienne singulier : un objectif en soi, simple et bien défini.

Par une accumulation progressive et séquentielle de petits objectifs singuliers, on finit par aboutir au résultat final général désiré. Je vous donne un exemple : si vous vous fixez l'objectif d'épargner 10 000 S cette année et que vous êtes payé tous les mois, vous devrez fractionner cet objectif en 12 objectifs singuliers, 12 objectifs-étapes en quelque sorte, et les noter un à un pour pouvoir vérifier l'évolution de votre épargne.

Smarties

Est-ce que vous faites partie de la génération qui se souvient des Smarties ? Les Smarties ! Ces petites pastilles de toutes les couleurs enrobées de sucre croquant et remplies de chocolat ? En anglais, « smartie » vient du mot « smart » qui signifie « intelligent », « sage », et le mot « smartie » est un acronyme. Tout comme les « smarties », chacun de vos objectifs sera unique, sage et intelligent, parce qu'il sera composé ainsi :

Spécifique : il va falloir vous fixer des objectifs spécifiques et les formuler sous forme d'affirmations positives, au présent. Si votre objectif est de « prendre des habitudes de tel ou tel genre pour améliorer votre apparence physique », vous allez l'exprimer ainsi : « Je suis ravi(e) : je commence mon programme de fitness au club local lundi prochain ; il aura lieu de 6h30 à 7h45 du matin. J'y vais du lundi au samedi pendant ces trois prochains mois. »

Mesurable : Vos objectifs doivent être mesurables afin que vous puissiez contrôler vos progrès vers le succès. Par exemple, si votre objectif est de perdre du poids, vous devrez évidemment surveiller vos progrès en vous pesant une fois par semaine ou par mois. Si votre but est d'apporter des améliorations significatives dans votre carrière, il pourrait s'avérer nécessaire que vous demandiez à votre supérieur hiérarchique de vous fournir un rapport régulier sur vos performances afin que vous puissiez évaluer les progrès que vous faites vers votre objectif.

Accessible : Evidemment, vos objectifs devront vous convenir, sinon vous ne pourrez sans doute pas les atteindre. Comme l'écrivait Napoleon Hill, dont nous reparlerons plus loin : « Ce que l'esprit humain peut concevoir, il peut le réaliser. » C'est le secret du succès. Et en utilisant la visualisation vous pouvez en accélérer le processus. J'y reviendrai...

Réaliste : Vos objectifs devront s'inscrire dans le cadre de la logique et des circonstances qui vous sont propres. Cela ne sert à rien de vous fixer un objectif du genre : « Je veux être le meilleur jockey du monde. » si vous mesurez 1m95. Mais vous pourrez peut-être vous fixer le but de devenir le meilleur joueur de basketball avec cette taille. Ce serait plus approprié.

Tangible : Votre objectif doit être réel ou physique. Vous devez pouvoir le visualiser ou le toucher.

Inspiré : Si votre objectif ne vous inspire pas, vous ne serez pas poussé à entreprendre quelque chose pour le réaliser. Choisissez des objectifs qui vous font plaisir, dont vous avez vraiment envie, comme un fou de voitures de sport peut avoir envie d'une Ferrari rouge ou comme toute personne peut rêver d'avoir une merveilleuse villa. Il peut aussi s'agir de quelque chose d'altruiste et hyper excitant comme le sauvetage des baleines. Ce sont des exemples pour vous montrer ce que vous devriez ressentir par rapport à vos objectifs.

Emotionnel : Plus vous serez impliqué émotionnellement envers votre objectif, plus il se manifestera rapidement dans votre vie. Essayez de créer un contact entre vous et votre objectif. Par exemple, si vous voulez la Ferrari rouge, descendez dans un garage de luxe et prenez place dans un des modèles pour y éprouver des sensations. Respirez l'odeur des sièges en cuir et tâtez le volant avec vos mains. Si possible, faites un tour au volant de l'une de ces voitures. Faites prendre une photo de vous sur le siège du conducteur. Ainsi, chaque fois que vous allez regarder l'objectif que vous aurez noté, vous allez éprouver la sensation de cet objectif, comme par exemple celui de la Ferrari, au lieu de simplement en avoir une image bidimensionnelle.

Etablir des objectifs à court et moyen terme

A la fin de ce chapitre et pour vous aider à commencer à établir vos objectifs, j'ai inséré des feuilles sur lesquelles inscrire vos objectifs à court et moyen terme, ainsi qu'une liste directrice pour vos rêves. Ces feuilles de planification d'objectifs sont seulement des outils pour vous guider dans votre processus de réflexion.

N'hésitez pas à utiliser davantage de feuilles pour décrire vos plans dans le détail. Prêter attention aux détails est une condition pour atteindre l'excellence.

Pendant votre processus de planification, quand vous inscrivez vos objectifs, écrivez aussi tous les bénéfices possibles que vous allez retirer de leur réalisation, et leur impact sur tous les aspects de votre vie.

Une fois que vous aurez planifié et formulé vos objectifs, je vous recommande de les écrire sur de petites cartes et de prendre ces cartes avec vous pour que vous puissiez les lire et relire quotidiennement.

Concentrez-vous une demi-heure par jour, à une heure exacte, tous les jours, sur vos cartes d'objectifs et sur les opérations de principe ainsi que les pratiques nécessaires que vous allez introduire dans votre vie pour les réaliser.

Selon une enquête sur les différences entre les millionnaires et les milliardaires, seule une attitude faisait la différence entre eux : les milliardaires consultaient leurs objectifs deux fois par jour tandis que les millionnaires ne les revoyaient qu'une fois. Intéressant n'est-ce pas ?

Fabriquez un tableau de bord ou un poster

Pour rester fixé sur vos objectifs, créer un tableau ou un poster qui les met en exergue est une excellente idée. Vous pouvez vous y prendre comme nous le faisons dans notre fondation australienne en faveur d'une éducation pour le 21ème siècle, lors d'un séminaire de 4 jours : je demande à tous les participants d'amener une sélection de magazines pour couvrir tous les aspects de leurs vies. Ensuite nous donnons à chacun une feuille en carton, de la colle et des ciseaux, et nous passons un bon bout de temps à feuilleter les magazines pour choisir les rêves que chaque participant veut réaliser pour un plan de vie qui lui convienne aussi parfaitement que possible. Vous pouvez faire de même et, si vous pouvez avoir des photos de vous-même en relation avec vos rêves, par exemple une photo de vous dans une Ferrari rouge, c'est encore mieux. Cela dit, je ne vous suggère pas du tout de vous limiter à des sujets matériels. Je vous incite à en franchir le cadre avec vos rêves. C'est un très bon exercice.

Beaucoup de nos diplômés nous ont parlé de la manière dont ils ont conçu leurs tableaux d'objectifs et les ont mis sur leur mur quand ils sont rentrés chez eux après les cours. Ils nous ont raconté comment ce qu'ils avaient écrit sur leurs posters s'était rapidement réalisé.

Je vous recommande de placer votre tableau d'objectifs ou votre poster dans votre chambre à coucher, de façon à ce que vous l'ayez sous les yeux avant de vous endormir et immédiatement à votre réveil. Cela va vous aider à faire entrer vos objectifs et rêves dans votre subconscient.

Visualisation

La visualisation est un outil très puissant qui peut aider à la manifestation dans votre vie de tout ce que vous désirez. Les visualisations sont comme la projection d'un film sur un écran de cinéma dans votre esprit. Heureusement pour nous, notre subconscient ne fait pas la différence entre la réalité et le rêve. Par conséquent, si vous projetez continuellement vos objectifs de votre écran visuel mental dans votre esprit, votre subconscient va créer automatiquement les circonstances nécessaires pour que vous puissiez réaliser votre rêve.

Il faut visualiser souvent votre objectif, parce que la fréquence de sa visualisation – jusque dans ses détails – augmente la puissance de sa manifestation dans votre vie. En effet, comme vous le savez maintenant, nous attirons dans notre vie ce sur quoi nous nous concentrons constamment.

Incantations

Nous avons parlé précédemment de l'étymologie du mot émotion (« motion » versus « émotion »). Nous y faisons de nouveau référence ici afin d'accélérer dans votre vie la manifestation de ce que vous voulez. Il s'agit d'associer les incantations et les affirmations aux actions de façon à les inscrire dans votre système nerveux afin de mieux les concrétiser.

Associer des mouvements à des incantations rend votre physiologie immédiatement plus performante envers votre objectif.

Il se peut que vous vous sentiez un peu maladroit quand vous essayez cela pour la première fois. Mais après quelques temps, vous allez voir combien c'est efficace et cela va devenir pour vous un rituel secret.

J'utilise la technique de l'incantation avant mes séminaires afin de me prédisposer à la meilleure forme possible et d'exercer un impact sur mon public. Je dis : « Maintenant je donne l'ordre à mon subconscient de me guider à aider le plus grand nombre de personnes aujourd'hui en me donnant la force, l'émotion, le sens de l'humour, la persuasion, la brièveté, tout ce qu'il faut pour que ces gens réussissent, et pour leur montrer qu'ils peuvent améliorer leurs vies dès maintenant. » Je répète cette phrase le plus souvent possible en y associant des mouvements des mains pour atteindre un état de concentration maximal, ce qui va me permettre de servir les autres au plus haut niveau.

Voici ma seconde incantation : « L'abondance divine se déverse constamment dans ma vie. Merci pour tous mes rêves, désirs et objectifs qui sont réalisés instantanément par l'intelligence infinie, merci pour celui que je suis en cet instant, et merci pour toutes les richesses divines dont je suis comblé, parce que je suis vraiment avec la Divinité et la Divinité est tout. »

Je suis persuadé que c'est grâce à la pratique persévérante – pendant de nombreuses années – de ce qui précède que j'ai conditionné mon système nerveux et que ce conditionnement joue un rôle très important dans l'assurance que j'ai que la richesse ne va cesser de combler ma vie – et cela pas uniquement du point de vue financier.

Vous est-il déjà arrivé de vous être fixé un but, de l'avoir atteint et de vous être dit ensuite : « Ce n'était que ça ? »

Napoleon Hill

Je ne voudrais pas continuer mon propos sans vous donner plus d'information sur Napoleon Hill, dont j'ai cité plus haut la phrase suivante : « Ce que l'esprit humain peut concevoir, il peut le réaliser. » Son livre, *Think and Grow Rich*, publié en 1937, a été traduit en français sous le titre *Réfléchissez et devenez riche*. Ce livre existe en français en version papier et aussi en version audio : http://youtu.be/BmTF1Pix-es.

Depuis sa publication, ce livre a été vendu par millions dans le monde entier. Hill – qui fut le prédécesseur de ceux qui ont inventé les méthodes de développement personnel – est considéré comme la personnalité qui a probablement exercé le plus d'influence, au cours de notre histoire, sur des personnes qui ont brillamment réussi. Des millions d'exemplaires de son livre ont été vendus dans le monde entier, aidant ainsi des millions de lecteurs.

Réfléchissez et devenez riche est un des rares livres que chaque millionnaire et milliardaire a lu au moins une fois dans sa vie.

Comment un livre écrit pendant la Grande dépression a-t-il pu transformer la vie de tant de gens et les propulser vers la richesse ?

Hill a passé 25 ans à faire des recherches pour ce livre et s'est notamment inspiré d'André Carnegie, le grand industriel écossais qui avait trouvé une formule pour la création de richesse fondée sur 13 étapes qui avaient fait leurs preuves.

L'œuvre de Hill est un monument dans le domaine du développement personnel, et la pierre angulaire des méthodes modernes de motivation.

Ses mots, « tout ce à quoi l'homme pense et croit peut se réaliser », sont une référence intemporelle pour toute personne en quête de succès dans un domaine ou un autre.

Il écrivit aussi : « Tout succès, toute fortune, débute par une idée. Si vous êtes prêt à recevoir le secret, vous en possédez déjà une moitié. Vous reconnaîtrez plus facilement l'autre moitié au moment où elle se présentera à votre esprit. »

Le style de Hill est souvent subtil et doit être décrypté. Le lecteur de son livre doit lire attentivement ses propos, chapitre par chapitre, pour retirer toute la valeur de ce qu'il a à nous dire, pour y reconnaître le secret qu'il enseigne. Citons par exemple à propos de ce secret :

« Une chose étrange à propos de ce secret est que tous ceux qui l'ont acquis et l'ont utilisé se sont trouvés littéralement entraînés vers le succès sans faire beaucoup d'effort et n'ont plus jamais connu l'échec ! Si vous en doutez, notez les noms des personnalités qui l'ont utilisé là où ils sont mentionnés, étudiez leurs succès par vous-même, et vous en serez convaincus. » (*Ces noms sont mentionnés dans son livre, ndt.*)

« On n'a jamais rien sans rien ! » écrit-il encore.

« Vous ne pouvez pas obtenir le secret auquel je me réfère sans y mettre le prix, même si ce prix est de loin inférieur à sa valeur. Ceux qui ne le recherchent pas de toute leur volonté ne pourront l'obtenir à aucun prix. Il ne se donne pas, il ne s'achète pas, parce qu'il s'acquiert en deux parties. Ceux qui sont prêts pour le secret en possèdent déjà une partie. »

Feuille de planifications de vos objectifs

Voici maintenant, pour conclure ce chapitre, des modèles de feuilles pour vous aider à établir vos listes d'objectifs.

Objectifs à court terme :

Nom : ____ Date : __________

Ecrivez trois objectifs dans chacun des domaines suivants :

Santé :

1. ____
____
____

2. ____
____
____

3. ____
____
____

Famille :

1. ____
____
____

2. ____
____
____

3. ____
____
____

Carrière/Business :

1. ____
____
____

2. ____
____
____

3. ____
____
____

Finances :

1. ___

2. ___

3. ___

Intellect :

1. ___

2. ___

3. ___

Spiritualité :

1. ___

2. ___

3. ___

Vie sociale :

1. ___

2. ___

3. ____
____
____

Autre :

1. ____
____
____

2. ____
____
____

3. ____
____
____

Objectifs à moyen terme :

Nom : ______________________________ Date : __________

Ecrivez trois objectifs dans chacun des domaines suivants :

Santé :

1. ____
____
____

2. ____
____
____

3. ____
____
____

Famille :

1. ____
____
____

2. ____
____
____

3.____

Carrière/Business :

1.____

2.____

3.____

Finances :

1.____

2.____

3.____

Intellect :

1.____

2.____

3.____

Spiritualité :

1.____

2. ____
____
____

3. ____
____
____

Vie sociale :

1. ____
____
____

2. ____
____
____

3. ____
____
____

Autre :

1. ____
____
____

2. ____
____
____

3. ____
____
____

Liste directrice de vos rêves :

Ecrivez trois choses dans chaque catégorie ci-dessous que vous avez toujours rêvées de faire ou d'avoir. Laissez votre imagination vagabonder librement. Ignorez toute limite relative à l'argent, l'éducation ou la capacité. Sentez-vous complètement libéré, en roue libre. Ajoutez quelque chose à votre liste directrice tous les jours, toutes les semaines et tous les mois et ceci durant toute votre vie.

Ecrivez trois objectifs dans chacun des domaines suivants :

Santé :

1. ____
____
____

2. ____
____
____

3. ____
____
____

Famille :

1. ____
____
____

2. ____
____
____

3. ____
____
____

Carrière/Business :

1. ____
____
____

2. ____
____
____

3. ____
____
____

Finances :

1. ____
____
____

2. ____
____
____

3. ____
____
____

Intellect :

1. ____
____
____

2. ____
____
____

3. ____
____
____

Spiritualité :

1. ____
____
____

2. ____
____
____

3. ____
____
____

Vie sociale :

1. ____
____
____

2. ____
____
____

3. ____
____
____

Autre :

1. ____
____
____

2. ____
____
____

3. ____

____

____

Dans le prochain chapitre, vous allez apprendre que chacun de nous a sa manière propre de combler ses besoins. Nous nous pencherons sur les six besoins fondamentaux des êtres humains qu'il est impératif de connaître pour ne pas choisir des buts inadéquats.

12. LES SIX BESOINS FONDAMENTAUX DE L'ÊTRE HUMAIN

Si voulez créer une richesse significative et exercer un impact sur un maximum de gens, vous devez gérer de manière efficace vos propres besoin. Cette démarche vous permettra d'apporter votre contribution personnelle à un niveau des plus élevés.

Les six besoins de l'être humain dont je vais vous parler – énoncés dans une approche technique de réalisation de soi que je tiens d'Anthony Robbins – nous permettent magnifiquement de nous comprendre et de nous accomplir dans la vie.

D'après Tony Robbins, « Tout ce que les êtres humains font, ils le font pour une raison. Ils essayent d'apporter une réponse au six besoins fondamentaux de tout être humain. Tandis que les valeurs humaines peuvent varier et que nous avons tous des croyances, des stratégies, des désirs différents, nous partageons tous les mêmes besoins. »

« J'ai découvert que, parfois, la vie est comme une balançoire. C'est un mouvement oscillatoire qui a pour but de s'assurer que nos besoins sont comblés – sans pour autant le faire trop souvent pour ne pas considérer les choses comme acquises. »

« Vous est-il déjà arrivé d'avoir atteint un objectif et de vous être dit après coup : « C'est tout ? Rien que ça ? » »

« Vous est-il arrivé de vous maintenir à un bon niveau et de ne pas en avoir été satisfait ? Est-ce que vous avez eu une relation aimante et satisfaisante dont vous avez fini par vous lasser au point d'y mettre fin ? »

D'après Robbins, chacun de nous répond à sa manière à ses besoins. On pourrait dire que nous utilisons pour cela des « véhicules ». Certains véhicules sont destructeurs, certains sont neutres et d'autres sont constructifs. Par exemple, pour se détendre un moment, certains fument ou se droguent. D'autres s'adonnent au shopping, à des plaisirs sexuels ou encore à la lecture. Le nombre de véhicules différents pour satisfaire ses besoins est presque illimité ; autant que celui des personnes qui les utilisent. Mais souvenez-vous que c'est vous qui choisissez le véhicule ; ce n'est pas lui qui vous choisit.

Le secret pour répondre de manière positive à vos besoins est de savoir comment vous percevez vos besoins et comment vous procédez pour les satisfaire ; et, bien souvent, vous allez devoir changer de stratégies pour atteindre des résultats nouveaux. »

J'ai appris de Tony qu'il y a deux catégories générales de besoins chez les êtres humains. La première est celle des « quatre besoins fondamentaux », et la seconde est celle des « deux besoins essentiels ». Tous doivent être satisfaits pour que nous accédions au meilleur épanouissement possible.

Chacun et chacune de nous comble ses besoins à sa façon. La question est : quel est mon niveau de satisfaction et avec quel véhicule ? Est-ce que vous comblez pleinement vos besoins, pas du tout ou quelque part entre les deux ? Pour avoir la meilleure des vies, vous devez bien évidemment combler vos besoins au maximum. C'est la clé.

Anthony Robbins a identifié les 6 besoins de l'être humain de la façon suivante :

Quatre besoins fondamentaux

1. Amour et appartenance (connexion)

Le premier de nos besoins fondamentaux est celui de se sentir connecté, celui de l'appartenance, de l'amour. Certains remplissent ce besoin en créant des liens affectifs, en partageant avec d'autres, en adhérant à une cause, en communiant de diverses façons avec quelqu'un ou avec un groupe, ou en créant une relation intime avec l'autre. Chacun a besoin d'être capable de se connecter à d'autres êtres et de ressentir une sensation d'amour. Et s'il est important de recevoir de l'amour, il n'est pas moins important d'en donner.

2. Certitude/sécurité

Le second besoin est celui de la certitude ou, en d'autres termes, d'éprouver le sentiment de sécurité. Il est lié à l'aptitude à produire, éliminer ou éviter le stress – ou à créer, accroître ou intensifier le plaisir. Les gens veulent se sentir en sécurité dans leur travail et leurs relations.

Bien des gens sont heureux d'avoir un travail parce que, selon leurs critères culturels, le travail représente la sécurité – à savoir une « certitude ». Cependant, cette certitude peut être illusoire. De nos jours, bien des gens pensent que le travail va leur procurer la sécurité. Autrefois c'était possible et cela procurait à ceux qui en bénéficiaient un sentiment de sécurité parce que beaucoup travaillaient toute leur vie pour une même organisation, compagnie ou entreprise. De nos jours ce n'est souvent plus le cas et cela peut créer beaucoup d'angoisse et d'incertitude pour certaines personnes.

3. Variété

Trop de certitude dans votre vie conduit à la monotonie. Il y faut le piment de la variété qui contient un élément d'incertitude *(on pourrait dire en français « d'aventure » au sens large)*.

Beaucoup de gens éprouvent ce troisième besoin, qui peut aussi s'exprimer par les notions de « surprises », « différences », « diversité », « défis », « facteurs excitants ». Comme le dit le proverbe : « Un peu de variété vaut plus que beaucoup de monotonie ». Ainsi, quand le confort et la sécurité nous ennuient, nous ressentons souvent le besoin d'opérer des changements dans nos vies.

4. Signification

Le quatrième besoin est celui de la signification de notre vie, de sentir qu'on a besoin de nous ou que nous avons une raison d'être, voire une mission d'un genre unique qui fait que nous ressentons notre importance propre sur cette terre. Nous en avons tous besoin et nous le comblons par un véhicule ou un autre.

Et voici les…

Deux besoins essentiels et primordiaux

5. Evoluer

Le premier est d'évoluer. C'est un des besoins les plus impératifs. Si vous n'évoluez pas, vous mourrez. Et si vous aidez les autres à combler leurs besoins vous comblerez les vôtres.

6. Contribuer

Le second de ces besoins primordiaux est celui de fournir une contribution.

Souvent, nous faisons plus pour autrui que pour nous-mêmes. Pour remplir ce besoin au maximum, nous devons éprouver le besoin de donner constamment aux autres – autant que ce que nous voudrions recevoir. Ainsi, pour avoir une vie qui rapporte, pourrait-on dire, il va falloir passer du stade de celui qui réussit au stade de celui qui est comblé par la vie. **Pour y parvenir, il va falloir analyser la manière dont vous comblez actuellement vos besoins** et, si vous découvrez que parfois vous le faites de manière destructive, il va falloir changer de véhicule et les combler au maximum de la manière constructive adéquate. C'est ainsi que vous vous épanouirez de manière constante dans tous les domaines de votre vie.

Voici des **exemples de véhicules destructeurs pour combler ses besoins :**

Appartenance, connexion - signification : certains jeunes gens se rallient à un gang de rue ou de quartier et satisfont leurs besoins d'appartenance en faisant pression sur un groupe semblable ; ils retirent un sentiment de signification et d'importance lorsqu'ils font peur à autrui.

Variété : certains passent d'un job à l'autre ou d'une relation à l'autre pour éprouver la sensation de diversité, d'incertitude, pour fuir la monotonie.

Souvent, même quand tout se passe bien dans leurs vies, certaines personnes sabotent leur relation ou leur travail par exemple, afin de passer à autre chose qui les attire.

Ceux qui jouent au casino comblent leur besoin de variété, de même que ceux qui se droguent.

La tendance à dénigrer autrui est elle aussi une façon de combler un besoin de manière négative : le besoin de signification, de se sentir important… en rabaissant les autres.

Notons que Robert Kiyosaki a remarqué combien cette attitude est fréquente en Australie. Et si on peut agir ainsi en Australie, on peut le faire partout. Aux Etats-

Unis cependant, les gens sont souvent enthousiastes et excités face au succès des autres et ils se disent volontiers : « S'ils peuvent le faire alors moi aussi. »

Exemples de moyens constructifs pour combler votre besoin d'évoluer :

Participer à des séminaires, lire des livres, écouter des enregistrements, sont d'excellents moyens de procéder pour combler ce besoin.

De nouvelles relations peuvent aussi vous aider à vous épanouir, à évoluer. Si vous n'évoluez pas dans une relation, alors cette relation ne va probablement pas continuer bien longtemps, parce que ce besoin n'est pas comblé.

Si vous voulez créer une richesse significative pour assurer votre avenir et exercer un impact positif sur un maximum de gens, vous devrez gérer et maîtriser de manière efficace vos propres besoins. Cette démarche vous permettra d'apporter votre contribution propre au plus haut degré dans nos sociétés.

C'est dans le besoin d'évoluer et d'apporter sa contribution au monde que se trouve le moteur le plus puissant des êtres humains. Malheureusement, trop peu de gens le mettent puissamment en route.

Anthony Robbins est un des exemples les plus importants de quelqu'un qui est littéralement poussé par le besoin d'apporter sa contribution à la vie d'autrui. Il associe de manière intense la sensation de plaisir à l'action de servir les autres. Il est enthousiaste, passionné, et il a totalement transformé sa vie. Dès l'instant où il a établi le lien entre le plaisir et l'aide qu'il pouvait apporter aux gens, il a accru son impact et a transformé – et continue de le faire – la vie de millions de personnes sur terre.

Mon rêve pour vous est que vous trouviez les moyens qui vous permettront d'aider voire de servir massivement autrui. Si vous le faites, tout ce que vous désirez d'autre va se manifester dans votre vie à un rythme remarquablement rapide, et vous allez devenir un exemple exceptionnel et important pour ceux qui vont vous suivre ou devenir vos fans.

Le tableau qui suit présente quelques exemples de moyens qui peuvent vous permettre de combler vos six besoins humains fondamentaux à différents niveaux. Ce tableau mentionne des véhicules destructeurs, des véhicules neutres et des véhicules constructifs :

Appartenance/Connexion/ amour	**Sécurité/conf ort**	**Incertitude/var iété**	**Signification**
Attirer la sympathie par la maladie ou les blessures	Contrôle	Alcool	Partager les larmes d'autrui
Crime	Persévérance	Drogues	Violence
Fumer	Nourriture	Jouer au casino	Identité négative
Se droguer	Apprendre	Auto-sabotage, affirmation d'impuissance	Maladie et autres désordres
Gang	Identité négative	Instabilité relationnelle	Possession matérielle
Tentatives d'obtenir des autres qu'ils répondent à vos attentes	Réalisations	Nouveau travail	Degré académique
Relations	Identité	Changement de lieu de vie	Accomplissem ent
Spiritualité	Foi	Conversation stimulantes	Adopter un style
Se trouver en milieu naturel	Croire dans le fait d'être guidé	S'attaquer à de nouveaux défis	Développeme nt de nouvelles connaissances et compétences
Animaux de compagnie	Epargner de l'argent	Etudier	Augmenter son intérêt pour l'autre et son extraordinaire compassion
Sexe	Réduction des dettes	Recentrage des buts	Pénurie, pauvreté
Beauté ou art	Assurances	Protéger ses gains	Se disputer

Appartenance/Connexion/ amour	Sécurité/confort	Incertitude/variété	Signification
Se sacrifier	Observer des traditions	Investir	Etre un leader, un dirigeant
Rejoindre un groupe	Embrasser, donner l'accolade	Sport extrême	Enseigner

Nous possédons tous au fond de nous les ressources nécessaires pour satisfaire sainement nos 6 besoins fondamentaux au degré le plus élevé. Nous en avons la faculté personnelle, sans relation avec la façon dont les autres font la même démarche. Pour y parvenir, il faut simplement se poser la question : « De quoi aurais-je besoin pour croire/apprécier/percevoir ou faire (procédures/véhicules/approches) pour me sentir davantage comblé concernant tel ou tel besoin, maintenant ? »

Maintenant que nous avons mis en exergue quelques-unes des façons négatives et positives de combler les six besoins fondamentaux de l'être humain, observons quatre niveaux d'expériences humaines – ou classes de véhicules – dans le tableau ci-après.

Evidemment, il est préférable d'adopter le véhicule de première classe pour combler vos six besoins fondamentaux.

Faites l'inventaire des véhicules que vous utilisez – peut-être – en faisant maintenant l'exercice qui suit. J'y ai inclus quelques exemples pour vous aider à démarrer :

1ère classe	2ème classe	3ème classe	4ème classe
Bon	Pas bon	Bon	Pas bon
Bon pour vous	Bon pour vous	Pas bon pour vous	Pas bon pour vous
Bon pour les autres	Bon pour les autres	Pas bon pour les autres	Pas bon pour les autres
Bon pour l'intérêt général	Bon pour l'intérêt général	Ne sert pas l'intérêt général	Ne sert pas l'intérêt général
Citez un véhicule de la 1ère classe par lequel vous comblez actuellement vos besoins :	Citez un véhicule de la 2ème classe par lesquels vous comblez actuellement vos besoins :	Citez un véhicule de la 3ème classe par lesquels vous comblez actuellement vos besoins :	Citez un véhicule de 4ème classe par lesquels vous comblez actuellement vos besoins
Ex : épargner (sécurité/confort)	Ex : commencer un programme d'exercices (acceptation/signification)	Ex : alcool (variété)	Ex : mauvaises dettes (confort)
Enseigner-partager (contribution)	Travailler (certitude, signification, contribution)	Posséder une voiture de sport (signification)	Se disputer et débattre (variété et signification)

Dans ce chapitre, nous avons appris ce que sont les six besoins humains fondamentaux et nous avons identifié les différents véhicules qui nous permettent de les combler.

Après avoir terminé l'exercice qui précède, vous devriez avoir une idée honnête des véhicules que vous utilisez actuellement pour combler vos besoins de manière régulière. Ces véhicules ont été, jusqu'à ce jour, choisis par vous à un niveau subconscient et, par conséquent, pourraient ne pas se trouver en première classe. Mais que se passerai-t-il si vous pouviez apprendre ce qui vous stimule et, au lieu de vous tourner vers des véhicules négatifs pour combler vos besoins, si vous commenciez à choisir des véhicules positifs pour vous accomplir ? Vous pouvez le faire en apprenant comment contrôler vos émotions, gérer l'état dans lequel vous vous trouvez et vous mettre dans un état optimal.

Lleyton Hewitt, un grand tennisman australien qui fut presque aussi bon que Roger Federer et suscita l'enthousiasme de millions de fans, disait toujours une petite phrase magique qui le mettait en pleine forme : « Come on ! », qui pourrait être traduite par « Allez ! ». C'était son truc, un de ses véhicules pour se mettre en condition optimale.

La suite de ce livre sera consacrée à ce qu'il convient de faire pour réussir financièrement au 21ème siècle, en commençant par déterminer vos objectifs financiers.

« La société récompense la passion »

Jamie McIntyre

13. ÉTABLIR VOS OBJECTIFS FINANCIERS

« L'éducation académique est importante et l'éducation financière aussi. Les deux sont importantes. Mais les écoles oublient l'une d'entre elles. »

Robert Kiyosaki

Quand êtes-vous financièrement en sécurité, indépendant ou libre ?

Quelle est l'unité de mesure de votre santé financière ?

La réponse est le nombre de jours pendant lesquels, à partir d'aujourd'hui, vous pouvez cesser de travailler.

Combien de temps cela va-t-il prendre pour acquérir la liberté financière ?

Si vous êtes comme pour la plupart des gens, vous n'avez que de faibles notions sur la mesure de la richesse. L'exercice suivant est conçu pour vous aider à vous faire une idée de ce que cela va exiger de vous.

Nota bene *pour les francophones : je vais vous proposer des exercices qui ont été conçus il y a quelques années et qui se fondent sur les réalités australienne et américaine. Ils vont vous permettre de vous former. Vous devrez évidemment adapter les pourcentages indiqués dans ce chapitre, les chiffres qui y correspondent et les monnaies d'évaluation. Cependant, les exercices qui suivent, même s'ils n'ont pas été à l'origine réalisés pour vous, vont vous aider à faire vos propres calculs et à établir vos propres objectifs et budgets associés.*

A. Combien va-t-il vous falloir ?

Imaginez que vous voulez vous sentir financièrement en sécurité, ou indépendant, ou libre ; par exemple que vous avez gagné le premier lot de la loterie nationale. Quel est le premier chiffre qui vous vient à l'esprit ?

____________________ S(ous)

B. Combien de temps cela va-t-il prendre pour accumuler cette somme ?

Pour le moment, contentez-vous de deviner. Je répondrai plus loin.

____

Transformer vos rêves financiers personnels en réalité

Chacun et chacune a le droit de chercher à réaliser ses rêves financiers. Pour transformer ces rêves en réalité, il va falloir identifier avec précision en quoi ils consistent et à quoi ils correspondent. Voici une échelle de niveaux de bien-être financier qu'il est possible d'atteindre.

Utilisez la liste qui suit pour clarifier les rêves qui sont le plus important à réaliser dans votre vie.

Souvenez-vous : clarté = pouvoir !

1. Protection financière :

____
____
____

2. Sécurité financière :

____
____
____

3. Indépendance financière :

____
____
____

4. Liberté financière :

____
____
____

5. Liberté financière absolue :

____
____
____

Maintenant, définissons chacun de ces objectifs avec précision.

Commençons par définir ce que vous voulez financièrement

Donnez-vous 3 à 5 minutes pour réfléchir avec créativité à ce que vous voulez dans chacune des sections figurant dans les tableaux suivants :

Objectif/Délai	**Court terme 6-36 mois**	**Moyen terme 3-10 ans**	**Long terme 10 ans et plus**
Ce que vous voudriez posséder (exemples pour l'exercice)			
• Maison/appartement			
• Voiture			
• Objet d'art			
• Yacht			

• Bijoux			
• Autres			
Ce que vous voudriez donner/offrir ou dont vous voudriez profiter (ou faire profiter votre famille et celles et ceux que vous aimez)			
• Voyage(s)			
• Philanthropie			
• Acheter une maison/app à vos parents ou vos enfants			
• Autre			
Objectifs économiques			
• Réduction de dette			
• Liquidités à disposition			
• Valeur nette (patrimoine)			
• Revenu annuel de vos investissements			
• Profits provenant d'un nouveau business			
• Autre			

Exemple d'objectif : financer les études universitaires de vos enfants - le cas échéant – avec un capital initial de 0 S*

Admettons maintenant, pour l'exercice et les mesures en chiffres et en temps, que vous voulez payer les études supérieures de vos enfants lorsqu'ils seront grands, en commençant avec un capital de 0 S :

Hypothèse : Revenus annuels = 12 000 S – Taux d'intérêt = 10 % – Taux d'inflation = 1 % – Taux d'imposition (prélèvements sociaux) = 15,5 %

Fin de l'année	Capital au début de l'année	Argent mis de côté	Intérêts gagnés après prélèvements	Capital à la fin de l'année
1	0	1 200	0	1 200
2	1 200	1 212	101	2 513
3	2 513	1 224	212	3 949
4	3 949	1 236	334	5 519
5	5 519	1 249	466	7 234
6	7 234	1 261	611	9 106
7	9106	1 274	769	11 149
8	11 149	1 287	942	13 378
9	13 378	1 299	1 130	15 807
10	15 807	1 312	1 336	18 455
11	18 455	1 326	1 559	21 340
12	21 340	1 339	1 803	24 482
13	24 482	1 352	2 069	27 903
14	27 903	1 366	2 358	31 627
15	31 627	1 379	2 672	35 678
16	35 678	1 393	3 015	40 086
17	40 086	1 407	3 387	44 880
18	44 880	1 421	3 792	50 093

Montant total disponible = 50 093 S

* L'hypothèse est de commencer par une épargne nulle à laquelle vous alle ajouter 10 % de votre revenu annuel de 12 000 S (1 000 S mensuels) par anné

soit 100 S par mois, plus l'inflation. Si vous n'avez pas d'enfant mais avez le projet d'en avoir à l'avenir, vous pouvez commencer ce plan 2 ou 3 ans avant la naissance de ce dernier en mettant de côté 100 S par mois de façon à ce que, quand votre enfant naîtra, vous ayez déjà pas loin de 4 000 S de capital initial, ce qui vous rapportera plus, plus rapidement. Si vous avez déjà des enfants et que vous vous y prenez plus tard, vous devrez commencer ce plan avec un investissement initial plus important. Par exemple, si votre enfant a 6 ans, vous devez commencer ce plan d'épargne avec une somme de 7 234 S.

Plan d'épargne pour l'éducation de votre enfant

Pour disposer de ce montant lorsque votre enfant atteindra ses 15 ans, vous devez mettre de côté mensuellement les sommes suivantes* :

Age actuel de l'enfant	20 000 S	40 000 S	50 000 S	75 000 S	100 000 S	150 000 S
1	43,01	86,02	107,53	161,29	215,05	322,58
2	48,18	96,36	120,45	180,68	240,90	361,35
3	54,16	108,32	135,40	203,10	270,80	406,20
4	61,11	122,22	152,78	229,16	305,55	458,33
5	69,28	138,56	173,20	259,80	346,40	519,60
6	78,95	157,90	197,38	296,06	394,75	592,13
7	90,56	181,12	226,40	339,60	452,80	679,20
8	104,67	209,34	261,68	382,51	523,35	785,03
9	122,12	244,24	305,30	457,95	610,60	915,90
10	144,19	288,38	360,48	540,71	720,95	1081,43
11	172,84	345,68	432,10	648,15	864,20	1296,30
12	211,36	422,72	528,40	792,60	1056,80	1585,20
13	265,70	531,40	664,25	996,38	1328,50	1992,75
14	347,73	695,46	869,33	1303,98	1738,65	2607,98
15	485,10	970,22	1212,75	1819,13	1425,50	3638,25

*Les chiffres qui figurent dans ce tableau sont basés sur un taux d'intérêt fixe de 9 % accumulé mensuellement.

Ce tableau ne considère aucune fluctuation de la valeur du capital. Il n'a pas la prétention d'évaluer les résultats d'un plan d'investissement.

Aucun ajustement n'a été fait concernant les impôts.

Coupez votre prêt immobilier en deux !

Propriétaires, vous devriez en effet pouvoir réduire littéralement de moitié la durée du remboursement de votre prêt immobilier en appliquant la méthode suivante :

La prochaine fois que vous établirez votre chèque de remboursement mensuel, établissez un second chèque pour le mois suivant en indiquant « pour le remboursement partiel du prêt principal uniquement. » Il s'agit généralement de la portion la plus petite de ce que vous devez rembourser (prêt principal + intérêts + assurances).

Dans la plupart des cas, le prêt fait l'objet d'un contrat à taux fixe, donc le montant mensuel à rembourser est constant.

D'après notre exemple ci-dessous, c'est 1 000 S. Seule une petite partie de ces 1 000 S mensuels est affectée à l'amortissement du prêt principal. Et évidemment, lorsque le prêt principal est remboursé, tout est remboursé !

Exemple typique de prêt immobilier à taux fixe*

Mois	Mensualité	Remboursement partiel du prêt principal	Intérêts (+ assurances)	Somme restant à payer
Janvier	1 000	40,00	960,00	98 172,85
Février	1 000	40,39	959,61	98 132,45
Mars	1 000	40,79	959,21	98 091,66
Avril	1 000	41,10	958,81	98 050,47

Selon l'exemple ci-dessus, quand vous effectuez le paiement de janvier, vous pouvez aussi libeller un chèque supplémentaire « pour l'amortissement partiel du prêt principal uniquement », dans ce cas 40,39 S pour février. Vous n'aurez donc pas à payer les intérêts sur les 40,39 S que vous aurez versés d'avance quand vous effectuerez le paiement de février.

Le mois d'après, en mars, faites le paiement de mars pour les 1' 000 S et ajoutez séparément un chèque de 41,10 S pour le mois d'avril avec la mention « pour l'amortissement partiel du prêt principal uniquement. »

Continuez selon cette méthode – qui consiste à rembourser un mois à l'avance et chaque mois une partie du montant du prêt principal et finalement vous n'aurez plus à payer des intérêts pour la part du prêt principal qui aura été payé auparavant. Si vous appliquez cette stratégie avec persévérance, cela va vous permettre de rembourser un prêt immobilier d'une durée 30 ans en 15 ans ! C'est une puissante stratégie pour épargner beaucoup d'argent sur le paiement de vos intérêts et cela réduit de moitié la durée du temps d'amortissement de votre prêt.

A noter : si vous n'avez pas de plan d'amortissement, demandez-en un à votre prêteur.

N'oubliez pas que votre but est de créer de l'espace dans votre vie pour que l'argent puisse s'y engouffrer.

1. Protection financière

Le montant mensuel précis dont vous aurez besoin en actifs liquides pour être financièrement protégé peut être établi en faisant l'inventaire de vos dépenses mensuelles indispensables actuelles (soit le minimum). Combien vous faut-il pour tenir le coup ? Voici la liste des obligations financière impératives auxquelles vous devrez faire face pour assurer votre protection financière et celle de votre famille.

Dépenses mensuelles **Coût actuel par mois**

1. Hypothèque	______________ S
2. Electricité, gaz, eau, etc. (moyenne)	+ ______________ S
3. Transports (y compris éventuellement assurance du véhicule)	+ ______________ S
3. Nourriture et produits de ménage	+ ______________ S
4. Assurances (invalidité, santé etc.)	+ ______________ S
5. Cotisation Caisse de retraite selon le pays	+ ______________ S
6. Autre indispensable selon le pays (ex impôts)	+ ______________ S
7. Montant mensuel nécessaire pour assurer votre protection financière	= ______________ S

Mes objectifs :

Cette liste ne prend pas en compte les cartes de crédits et les remboursements de dettes éventuelles. Elle ne contient que les dépenses correspondant à vos besoins indispensables que vous devez pouvoir assumer pour survivre financièrement.

Bill et Mary, par exemple, ont calculé qu'ils ont besoin de 2 000 S par mois et ont décidé d'avoir de côté une réserve de six mois de liquidités pour faire face à leurs obligations financières de base.

Vous pouvez choisir six mois ou moins mais six mois est le minimum suggéré.

____

____

____

____

____

Mon objectif de protection financière est d'épargner assez d'argent pour couvrir six mois à l'avance le montant des mensualités dont j'ai besoin pour ma protection financière, soit par mois pendant 6 mois :

Total = ligne 7 x 6 mois = ______________ S

(Bill et Mary ont fait le choix de 6 mois de réserve pour leur protection financière à concurrence de 2 000 S par mois donc ils ont besoin d'une réserve de 12 000 S pour compléter leur premier niveau de situation financière à savoir celui de la protection financière. Souvenez-vous que les niveaux de situation financière sont au nombre de 5.)

2. Sécurité financière

Le montant dont vous allez devoir disposer pour jouir d'une sécurité financière est très simple à déterminer. Souvenez-vous que cela revient à déterminer le montant dont vous aurez besoin pour être indépendant concernant les besoins de base comme la nourriture, les vêtements, les transports, etc. (cf. tableau de la protection financière.)

Vous jouissez de la sécurité financière lorsque vos *investissements* produisent des revenus égaux à ceux nécessaires pour votre protection financière. (Besoins de base.)

Montant mensuel nécessaire pour réaliser la protection financière = 2 000 S ; x 12 mois = 24 000 S/an

Mon objectif :

Pour Bill et Mary, le revenu mensuel requis est de 2 000 S, soit un revenu annuel de 24 000 S. Disons que vous avez le même revenu. Votre objectif sera le montant mensuel mentionné à la page précédente multiplié par 12 pour atteindre la seconde marche de l'échelle de la situation financière, à savoir la sécurité financière.

Montant annuel nécessaire provenant d'investissements pour créer une sécurité financière pour toute la vie = ________________ S

3. Indépendance financière

La somme d'argent dont vous aurez besoin pour atteindre l'indépendance financière est très simple à évaluer. Souvenez-vous : cela signifie de combien d'argent vous aurez besoin pour vous libérer de l'obligation de travailler. Combien gagnez-vous annuellement ? Pour passer à un style de vie supérieur, vous allez devoir doubler votre revenu annuel actuel.*

Exemple : si vous gagnez 200 000 S par an et investissez 50 000 S, le montant dont vous aurez besoin pour devenir financièrement indépendant sera de 150 000 S. L'indépendance financière se réalise lorsque vos investissements produisent un revenu égal à votre revenu provenant de votre travail.

Le revenu mensuel – selon le modèle de Bill et Mary – nécessaire pour vivre votre style de vie actuel est égal à : 4 000 S ; x 12 mois = 48 000 S/an

Mon objectif :

Bill et Mary gagnent 48'000 S brut et n'épargnent actuellement pas. Leur montant pour atteindre l'indépendance financière est donc de 48 000 S.

Le revenu annuel que vous devez créer avec vos investissements pour atteindre l'indépendance financière pour toute votre vie est égal à : ________ S

**Si vous épargnez ou investissez un montant substantiel de votre revenu actuel, alors le montant que vous aurez besoin de doubler pour élever votre niveau de vie au niveau 3 sera moins élevé que votre revenu mensuel/annuel actuel. Ainsi, si Bill and Mary épargnent disons 10 000 S sur leur salaire annuel de 48 000 S, ils n'auront besoin de gagner que 38 000 S par an pour devenir financièrement indépendants dans ce dont ils ont besoin pour s'assurer ce niveau de vie.*

4. Liberté financière

Ce niveau est atteint quand vos investissements produisent un revenu suffisant pour que vous puissiez vivre le style de vie que vous désirez pour le reste de vos jours sans plus avoir à travailler à nouveau.

Posez-vous simplement la question : « Quel est le montant annuel dont j'ai besoin pour avoir le style de vie que je veux ? »

Je vous suggère les étapes qui suivent : afin de disposer de votre liberté financière, vous devrez avoir non seulement votre revenu mensuel actuel mais aussi assez d'argent pour acheter d'autres choses que vous voudriez avoir mais que vous ne pouvez pas vous offrir pour le moment. Souvenez-vous que ceci n'est pas votre rêve absolu.

Etablissez maintenant combien ces nouveaux désirs vous coûteraient par mois et notez-le sur la ligne 1 (plus bas).

1. Calculez le montant mensuel additionnel requis pour combler ces désirs (Souvenez-vous : ce n'est pas la liberté financière absolue.)

Exemples :

Objet ou chose désirée	**Coût**	**Paiement mensuel**
Un second logement dans votre pays	350 000 S	3 500 S
Un bateau de 10 mètres	150 000 S	1 500 S
Une voiture de luxe (ex : BMW)	80 000 S	1 000 S

Revenu mensuel supplémentaire nécessaire = 6 000 S

2. Notez sur la ligne 2 le revenu mensuel total dont vous avez besoin pour que votre style de vie actuel soit l'indépendance financière.

3. Additionnez les lignes 1 et 2 et le résultat sera le coût mensuel que vous aurez pour atteindre la liberté financière.

Ainsi :

Objet	**Paiement mensuel pour Bill et Mary**	**Idem mais pour vous**
1. Montant mensuel additionnel requis	6 000 S	______________ S
2. Montant dont vous avez déjà besoin pour l'indépendance financière	4 000 S	______________ S
3. Montant mensuel nécessaire pour la liberté financière	10 000 S (x12 pour annuel = 120 000 S)	______________ S (x12 pour annuel = _______ S

5. Liberté financière absolue

Vous parvenez à une liberté financière absolue lorsque le rendement de vos investissements vous offre la certitude que vous pouvez faire ce que vous voulez, aussi souvent et autant que vous le voulez, où vous le voulez, quand vous le voulez et avec qui vous voulez, sans jamais plus devoir travailler.

Accordez-vous un moment pour établir ce dont vous auriez véritablement besoin pour être totalement libre financièrement en remplissant la feuille d'exercice ci-après :

1. Faites la liste de tout ce que vous aimeriez avoir si vous étiez financièrement libre. Revoyez la liste de votre liberté financière (niveau 4) point par point.

a) Réécrivez les choses que vous garderiez si vous étiez complètement libre financièrement. Par exemple, si vous avez un bateau de 10 mètres mais que maintenant vous voulez un yacht. Si vous voulez garder un bateau alors écrivez-le. Sinon écrivez le coût du yacht.

b) Maintenant, ajoutez à votre liste toutes les nouvelles choses qui ne sont pas sur la liste de votre liberté financière niveau 4.

c) Etablissez combien chacun de ces nouveaux désirs coûterait mensuellement et indiquez-le à la ligne 1.

Exemple :

Objet	**Coût****	**Mensualité**
Garder la résidence secondaire dans le pays	350 000 S	3 500 S
Remplacer le bateau par un yacht	500 000 S	5 000 S
Remplacer la BMW par une Lamborghini	200 000 S	2 000 S
Acheter une île avec un parc naturel	7 000 000 S	13 000 S
Acheter un hélicoptère	171 595 S	1 800 S
Montant mensuel total requis pour être financièrement absolument libre**		**25 350 S**

2. Inscrivez sur la ligne 2 le montant total du revenu mensuel dont vous avez besoin pour mener votre style de vie actuel – celui de l'indépendance financière.

3. Additionnez les lignes 1 et 2 pour arriver au revenu mensuel total nécessaire à une indépendance financière absolue. Multipliez ce montant par 12 pour savoir le montant annuel dont vous avez besoin.

	Bill et Mary	Vous
1. Montant mensuel additionnel requis	25 350 S	________________ S
2. Montant déjà requis pour l'indépendance financière	4 000 S	________________ S
3. Montant du revenu mensuel total pour la liberté financière absolue	29 350 S	________________ S
x12 pour le montant annuel	352 200 S	________________ S

Exemples de plan d’amortissement

Hypothèque fixée pour 30 ans

S	**6 %**	**7 %**	**8 %**	**9 %**	**10 %**	**11 %**	**12 %**
100’000	600	665	734	805	878	952	1’029
250’000	1’499	1’663	1’834	2’012	2’194	2’381	2’572
500’000	2'998	3’327	3’669	4’023	4’388	4’762	5’143
1'000’000	5'996	6’653	7’338	8’046	8’776	9’523	10’286
3'000’000	17,987	19’959	22’013	24’139	26’327	28’570	30’858

Mensualités pour le paiement de la voiture

	3 ans				4 ans			
S	**5 %**	**6 %**	**7 %**	**8 %**	**5 %**	**6 %**	**7 %**	**8 %**
25’000	749	760	772	783	576	587	599	610
50’000	1’496	1’521	1’544	1’567	1’151	1’174	1’197	1’221
75’000	2’248	2’282	2’316	2’356	1’727	1’761	1’796	1’831
100’000	2’997	3’042	3’088	3’134	2’303	2’349	2’395	2’441

	5 ans				6 ans			
S	**5 %**	**6 %**	**7 %**	**8 %**	**5 %**	**6 %**	**7 %**	**8 %**
25’000	472	483	495	507	403	414	426	438

50'000	944	967	990	1'014	805	829	852	877
75'000	1'415	1'450	1'485	1'521	1'208	1'243	1'279	1'315
100'000	1'887	1'933	1'980	2'028	1'610	1'657	1'705	1'753

Mensualités pour le paiement du bateau

	7 ans				10 ans			
S	**8 %**	**9 %**	**10 %**	**11 %**	**8 %**	**9 %**	**10 %**	**11 %**
150'000	2'338	2'413	2'490	2'568	1'820	1'900	1'982	2'066

Questionnaire sur la fortune

1. Quels sont les plus importants de vos rêves, ceux dont le passage à la réalité est le plus important pour vous ?

2. A quel âge devrez-vous les voir concrétisés ?

(*Cette estimation de temps pourra changer quand vous découvrirez le temps qu'il vous faudra pour les concrétiser*)

3. Ecrivez le montant qui, au début des exercices, vous avait semblé nécessaire pour atteindre la sécurité financière

__________________________ S

(*Consultez ce que vous aviez noté au début des exercices)*

4. Notez le montant que vous devez réellement avoir pour jouir de la liberté financière. Est-ce qu'il est plus élevé ou moins élevé que ce que vous aviez imaginé au début ?

____ S

(*La plupart des gens réalisent qu'il est moins élevé)*

5. Où en êtes-vous actuellement ?

____
____
____
____
____
____
____
____
____
____

LA CLÉ

Vous devez créer de l'espace dans votre vie pour que l'argent puisse s'y engouffrer

Vos rêves financiers personnels accomplis – vos grands rêves !

1. **Protection financière**

Vous avez accumulé suffisamment de liquidités pour couvrir vos besoins de base pour un minimum de 6 mois.

Mon objectif est d'accumuler suffisamment d'argent pour couvrir 6 mois de mes besoins économiques fondamentaux, soit ____________________ S

Pour Bill et Mary c'était 12 000 S

2. **Sécurité financière**

Vous avez accumulé une masse critique de capital, investi dans un environnement sûr à un taux de rendement de 10 % qui va couvrir le coût de vos mensualités telles que votre hypothèque, votre nourriture, votre ménage, votre électricité, vos assurances, vos moyens de transports, vos impôts… toutes vos dépenses de base essentielles.

Le montant annuel que je dois accumuler pour atteindre la sécurité financière est : ________________________ S

Pour Bill et Mary c'était 24 000 S

3. **L'indépendance financière**

Vous avez accumulé une masse critique de capital investi à un taux de 10 % dans un environnement sûr pour recevoir un rendement suffisant pour maintenir votre niveau de vie actuel, ajusté à l'inflation, sans avoir à travailler et ceci pour le reste de vos jours. Vous ne travaillez que si vous le décidez.

Le revenu annuel que je dois accumuler pour être financièrement indépendant est de ____________ S

Pour Bill et Mary c'était 48 000 S

4. **La liberté financière**

Vos investissements sont suffisamment rentables pour que vous viviez le style de vie que vous désirez pour le reste de votre vie sans jamais plus avoir à travailler, sauf si vous le désirez.

Le montant annuel de mes investissements dont j'ai besoin pour être financièrement libre est de _____________ S

Pour Bill et Mary c'était 120 000 S

5. **La liberté financière absolue**

Vos investissements produisent maintenant un revenu annuel suffisant pour que vous soyez certains de faire ce que vous voulez, quand vous voulez, où vous voulez, avec qui vous voulez et de la manière dont vous le voulez, et cela pour toujours et d'une façon qui vous aide vous mais aussi les autres pour toujours. Vous ne travaillez que si vous le décidez.

Le montant annuel que je dois accumuler pour atteindre la liberté financière absolue est de : ___________________ S

Pour Bill et Mary c'était 352 200 S

La raison majeure pour laquelle vous vous fixez un objectif est ce que cela fait de vous pour l'accomplir. Ce que cela va faire de vous sera toujours plus important que ce que vous allez recevoir.

Le panier de la fortune – Exemple de Bill et Mary	
	Revenu de vos investissements nécessaire chaque année
5. Liberté financière absolue	352 200 S
4. Liberté financière	120 000 S
3. Indépendance financière	48 000 S
2. Sécurité financière	24 000 S

Si vous voulez un plan plus conservateur, prenons un bénéfice de 5%. Vous devrez alors utiliser 24 000 S x 20 = 480 000 S (100 / 5 = 20).

Mais prenons l'hypothèse que vous pouvez réaliser un bénéfice sur vos investissements de 10 %, ce qui donne : 24 000 S x 10 = 240 000 S (100 / 10 = 10). Cela signifie que Bill et Mary auront besoin de 240 000 S pour engendrer un bénéfice de 24 000 S par an sans travailler pour atteindre la sécurité financière.

Panier de richesse

Sur l'hypothèse d'un retour sur investissement de 10 %

	Revenu de vos investissements nécessaire chaque année	
	Pour Bill et Mary	**Pour vous**
5. Liberté financière absolue	3,52 millions S	________________ S
4. Liberté financière	1,2 millions S	________________ S
3. Indépendance financière	480 000 S	________________ S
2. Sécurité financière	240 000 S	________________ S
1. Protection financière	12 000 S	________________ S
Somme globale	**5 452 000 S**	________________ **S**

Sur l'hypothèse d'un retour sur investissement de 5 %

	Revenu de vos investissements nécessaire chaque année	
	Pour Bill et Mary	**Pour vous**
5. Liberté financière absolue	7,04 millions S	________________ S
4. Liberté financière	2,4 millions S	________________ S
3. Indépendance financière	960 000 S	________________ S
2. Sécurité financière	480 000 S	________________ S
1. Protection financière	12 000 S	________________ S
Somme globale	**10 892 000 S**	________________ **S**

Comment vous pouvez planifier le paiement des études de vos enfants o de bien d'autres choses

50 S par mois

50 S par mois cela fait juste 11,70 S par semaine et seulement 1,70 S par jour

50 S par mois (en commençant à la naissance de votre enfant) investis à 15 % par an équivaudront à 55 212 S lorsque votre enfant aura 19 ans

Si aucune autre contribution n'est faite et si **l'argent continue à augmenter de 15 %** par an sans compter les impôts, cela va donner :

4,8 millions S à l'âge de 50 ans

19,6 millions S à l'âge de 60 ans

79,1 millions S à l'âge de 70 ans

100 S par mois

100 S par mois cela fait juste 23,30 S par semaine et seulement 3,30 S par jour

100 S par mois (en commençant à la naissance de votre enfant) investis à 15 % par an équivaudront à 110 424 S lorsque votre enfant aura 19 ans

Si aucune autre contribution n'est faite et si **l'argent continue à augmenter d 15 %** par an sans compter les impôts, cela va donner :

9,6 millions S à l'âge de 50 ans

39,2 millions S à l'âge de 60 ans

158,2 millions S à l'âge de 70 ans

50 S par mois cela fait 11,70 S par semaine et seulement 1,70 S par jour.

100 S par mois cela fait 23,30 S par semaine et seulement 3,30 S par jour.

La notion de « masse critique »

Pour créer un plan financier efficace, vous devrez déterminer le montant de « masse critique » dont vous avez besoin pour réaliser le revenu annuel adapté votre style de vie :

Masse critique	Revenu annuel à un rendement de 10%/an	Revenu mensuel à un rendement de 10%/an
125’000	12’500	1’042
250’000	25’000	2’083
375’000	37’500	3’125
500’000	50’000	4’167
625’000	62’500	5’208
750’000	75’000	6’250
875’000	87’500	7’292
1'000’000	100’000	8’333
1'125’000	112’500	9’375
1'250’000	125’000	10’417
1'500’000	150’000	12’500
1'750’000	175’000	14’583
2'000’000	200’000	16’667
2'500’000	250’000	20’833
3'000’000	300’000	25’000
3'500’000	350’000	29’167
4'000’000	400’000	33’333
5'000’000	500’000	41’667
6'000’000	600’000	50’000
7'000’000	700’000	58’333
8'000’000	800’000	66’667
10'000’000	1'000’000	83’333
12'500’000	1'250’000	102’167
20'000’000	2'000’000	166’667
25'000’000	2'500’000	208’333
50'000’000	5'000’000	416’667
100'000’000	10'000’000	833’333

Comment votre capital augmente

15 % de rendement annuel							
S par mois	**1 an**	**5 ans**	**10 ans**	**20 ans**	**30 ans**	**40 ans**	**50 ans**
50	651	4’484	13’933	75’798	350’491	1'571’188	6'985’901
75	977	6’726	20’899	113’697	525’737	2'356’782	10'478’852
100	1’302	8’968	27’866	151’596	700’982	3'142’376	13'971’803
150	1’953	13’452	41’799	227’393	1'051’473	4'713’563	20'957’704
200	2’604	17’936	55’731	303’191	1'401’964	6'284’751	27'943’606
250	3’255	22’420	69’664	378’989	1'752’455	7'855’939	34'929’507
300	3’906	26’904	83’597	454’787	2'102’946	9'427’127	41'915’408
350	4’557	31’389	97’530	530’584	2'453’437	10'998’314	48'901’310
400	5’208	35’873	111’463	606’382	2'803’928	12'569’502	55'887’211
450	5’860	40’357	125’396	682’180	3'154’419	14'140’690	62'873’112
500	6’511	44’841	139’329	757’978	3'504’910	15'711’878	69'859’014
750	9’766	67’261	208’993	1'136’966	5'257’365	23'567’817	104'788’521
1’000	13’021	89’682	278’657	1'515’955	7'009’821	31'423’755	139'718’028
1’500	19’532	134’522	417’986	2'273’932	10'514’731		209'577’042

2’000	26’042	179’363	557’315	3'031’909	14'019’641		279'436’055
2’500	32’553	224’204	696’643	3'789’886	17'524’552		349'295’069
5’000	65’106	448’408	1'393’286	7'579’772	35'049’103		698'590’139
10’000	130’211	896’816	2'786’573	15'159’544	70'098’206		1'397'180’277
20’000	260’422	1'793’632	5'573’146	30'319’099	628'075’105		2'794'360’554

20 % de rendement annuel							
S par mois	**1 an**	**5 ans**	**10 ans**	**20 ans**	**30 ans**	**40 ans**	**50 ans**
50	669	5’173	19’118	158’074	1'168’040	8'508’731	61'862’747
75	1’004	7’759	28’677	237’112	1'752’060	12'763’097	92'794’121
100	1’228	10’345	38’236	316’148	2'336’080	17'017’463	123'725’495
150	2’007	15’518	57’355	474’222	3'504’120	25'526’194	185'588’242
200	24677	20’691	76’473	632’296	4'672’160	34'034’926	247'450’990
250	3’346	25’864	95’591	790’370	5'840’200	42'543’657	309'313’737
300	4’015	31’036	114’709	948’444	7'008’241	51'052’388	371'176’485
350	4’684	36’209	133’827	1'106’518	8'176’281	59'561’120	433'039’232
400	5’353	41’382	152’945	1'264’592	9'344’321	68'069’851	494'901’980
450	6’022	46’554	172’064	1'422’666	10'512’361	76'578’582	556'764’727
500	6’691	51’727	191’182	1'580’740	11'680’401	85'087’314	618'627’475
750	10’037	77’591	286’773	2'371’110	17'520’601	127'630’971	927'941’212
1’000	13’383	103’454	382’364	3'161’479	23'360’802	170'174’628	1'237'254’950
1’500	20’074	155’181	573’545	4'742’219	35'041’203		1'855'882’425
2’000	26’766	206’908	764’727	6'322’959	46'721’604		2'474'509’900

2’500	33’457	258’635	955’909	7'903’698	58'402’004		3'093'137’374
5’000	66’914	517’271	1'911’818	15'807’397	116'804’009		6'186'274’749
10’000	133’829	1'043’542	3'823’636	31'614’794	233'608’018		12'372'549’498
20’000	267’657	2'069’084	7'647’271	63'229’587	467'216’035		24'745'098’995

25 % de rendement annuel

S par mois	**1 an**	**5 ans**	**10 ans**	**20 ans**	**30 ans**	**40 ans**	**50 ans**
50	698	5’992	26’640	342’955	4'098’736	48'693’244	578'189’014
75	1’032	8’988	39’960	514’432	6'248’104	73'039’866	867'283’522
100	1’376	11’984	53’280	685’909	8'197’472	97'386’488	1'156'378’029
150	2’063	17’977	79’921	1'028’864	12'296’207	146'079’731	1'734'567’043
200	2’751	23’969	106’561	1'371’819	16'394’943	194'772’975	2'312'756’058
250	3’439	29’961	133’201	1'714’774	20'493’679	243'466’219	2'890'945’072
300	4’127	35’953	159’841	2'057’728	24'592’415	292'159’463	3'469'134’087
350	4’815	41’946	186’482	2'400’683	28'691’150	340'852’707	4'047'323’101
400	5’502	47’938	213’122	2'743’638	32'789’886	389'545’995	4'625'512’116
450	6’190	53’930	239’762	3'086’592	36'888’622	438'239’194	5'203'701’130
500	6’878	59’922	266’402	3'429’547	40'987’358	486'932’438	5'781'890’145
750	10’317	89’883	399’603	5'144’321	61'481’321	730'398’657	8'672'835’217
1’000	13’756	119’844	532’805	6'859’094	81'974’715	973'864’876	11'563'780’289
1’500	20’634	179’767	799’207	10'288’643	122'962’072		17'345'670’434
2’000	27’512	239’689	1'065’609	13'718’190	163'949’430		23'127'560’579

2’50 0	34’3 90	299’6 11	1'332’0 12	17'147’ 738	204'936’ 787	28'909'450 ’723
5’00 0	68’7 79	599’2 22	2'664’0 23	34'295’ 478	409'873’ 575	57'818'901 ’446
10’0 00	137’ 558	1'198’ 444	5'328’0 47	68'590’ 952	819'747’ 149	115'637'80 2’893
20’0 00	275’ 117	2'396’ 117	10'656’ 093	137'181 ’905	1'639'494 ’299	231'275'60 5’785

Souvenez-vous : il n’y a pas d’investissement sans risque !

Nous ne garantissons aucun résultat ou rendement spécifique.

Combien d’argent passe entre vos mains chaque mois sans que vous le remarquiez ?

Les effets des intérêts cumulés

Le prochain tableau montre la puissance incroyable de l’accumulation des intérêts au fil du temps. Il montre aussi l’effet très important de la stratégie consistant à laisser les intérêts s’accumuler **sans déduction des taxes fiscales**. Celles-ci seront payées en différé. Tous les investisseurs jouissent de l’accumulation des taxes fiscales à paiement différé, mais le tableau montre aussi l’importance pour vous de commencer votre plan d’investissement à impôts différés tôt dans votre vie, parce que cela fait une grande différence, dans l’hypothèse d’un rendement égal à 10 % par an.

« Cont. » = contribution annuelle ; « cap. » = capital

	Investisseur A		Investisseur B		Investisseur C		Investisseur D	
Age	**Cont.**	**Cap.**	**Cont.**	**Cap.**	**Cont.**	**Cap.**	**Cont.**	**Cap.**
8	0	0	0	0	0	0	500	550
9	0	0	0	0	0	0	750	1’430
10	0	0	0	0	0	0	1’000	2’673
11	0	0	0	0	0	0	1’250	4’315
12	0	0	0	0	0	0	1’500	6’397
13	0	0	0	0	0	0	1’750	8’962
14	0	0	0	0	2’000	2’200	0	9’858
15	0	0	0	0	2’000	4’620	0	10’843
16	0	0	0	0	2’000	7’282	0	11’928
17	0	0	0	0	2’000	10’210	0	13’121
18	0	0	0	0	2’000	13’431	0	14’433
19	0	0	2’000	2’200	0	14’774	0	15’876
20	0	0	2’000	4’620	0	16’252	0	17’463
21	0	0	2’000	7’282	0	17’877	0	19’210
22	0	0	2’000	10’210	0	19’665	0	21’131
23	0	0	2’000	13’431	0	21’631	0	23’244
24	0	0	2’00	16’974	0	23’794	0	25’568

	Investisseur A		Investisseur B		Investisseur C		Investisseur D	
Age	Cont.	Cap.	Cont.	Cap.	Cont.	Cap.	Cont.	Cap.
			0					
25	0	0	2'000	20'872	0	26'174	0	28,125
26	2'000	2'200	0	22'959	0	28'791	0	30'938
27	2'000	4'620	0	25'255	0	31'670	0	34'031
28	2'000	7'282	0	27'780	0	34'837	0	37'434
29	2'000	10'210	0	30'558	0	38'321	0	41'178
30	2'000	13'431	0	33'614	0	42'153	0	45'296
31	2'000	16'794	0	36'976	0	46'368	0	49'825
32	2'000	20'872	0	40'673	0	51'005	0	54'808
33	2'000	25'159	0	44'741	0	56'106	0	60'289
34	2'000	29'875	0	49'215	0	61'716	0	66'317
35	2'000	35'062	0	54'136	0	67'888	0	72'949
40	2'000	69'899	0	87'187	0	109'334	0	117'485
45	2'000	126'005	0	140'415	0	176'083	0	189'211
50	2'000	216'634	0	226'140	0	283'584	0	304'727
55	2'000	361'887	0	364'200	0	456'715	0	490'766

	Investisseur A		**Investisseur B**		**Investisseur C**		**Investisseur D**	
Age	**Cont.**	**Cap.**	**Cont.**	**Cap.**	**Cont.**	**Cap.**	**Cont.**	**Cap.**
60	2’000	596’254	0	586’548	0	735’543	0	790’383
65	2’000	973’704	0	944’641	0	1'184’600	0	1'272’920
Total investi	80’000		14’000		10’000		6’750	
Gains nets	893’704		930’641		1'174’600		1'266’170	
Soit	**11 fois le total investi**		**66 fois le total investi**		**117 fois le total investi**		**188 fois le total investi**	

L’avantage d’économiser sur les dépenses

Ceci peut vous économiser des années de constitution de la masse critique (à 10 % de rendement).

Montant des dépenses supprimées du budget mensuel	**Economie de masse critique**
100	12’000
200	24’000
300	36’000
400	48’000
500	60’000
600	72’000
700	84’000
800	96’000
900	108’000
1’000	120’000
1'100	132’000

Montant des dépenses supprimées du budget mensuel	**Economie de masse critique**
1'200	144'000
1'300	156'000
1'400	168'000
1'500	180'000
1'600	192'000
1'700	204'000
1'800	216'000
1'900	228'000
2'000	240'000
2'500	300'000
3'000	360'000
3'500	420'000
4'000	480'000
4'500	540'000
5'000	600'000
5'500	660'000
6'000	720'000
6'500	780'000
7'000	840'000

La parabole du hot dog

Il y avait un jour un homme qui vivait sur le bord de la route et qui vendait d'excellents hot dogs. Il fit de la publicité le long de la route pour attirer l'attention et montrer combien ils étaient délicieux. Assis sur le bord de la route, il appelait les gens : « Voulez-vous un hot dog, Madame, Monsieur ? » Et les gens achetaient ses hot dogs. Ils en achetèrent tellement que l'homme augmenta ses commandes de saucisses et de petits pains. Pour faire face à la demande, il acheta aussi une plus grande machine à faire des hot dogs. Et, finalement, il fit venir son fils – étudiant à l'Université - pour qu'il apporte son aide à ce business familial. Mais quelque chose arriva et il en fut informé par son fils qui lui dit : « Papa, tu ne regardes pas la TV ou ne lis pas les journaux ? Sais-tu que nous approchons d'une période de récession ? La situation internationale est instable et l'économie domestique en souffre. » Et le père se dit en son for intérieur : « Mon fils est un garçon intelligent. C'est un universitaire. Il sait certainement de quoi il parle. » Sur la base de cette estimation, l'homme réduisit ses commandes de saucisses et de petits pains, enleva ses panneaux publicitaires et cessa de se tenir au bord de la route pour y vendre ses hots dog. Ses ventes chutèrent en une nuit. « Tu as raison, dit-il à son fils, nous sommes certainement en période de sérieuse récession. »

La parabole du grain de riz

La fille de l'Empereur de Chine était malade et l'Empereur promit tout au monde à qui pourrait la guérir. Un jeune homme nommé Pong Lo se présenta au Palais. Avec ses capacités et sa bravoure, il parvint à guérir la Princesse et à conquérir son cœur. Comme récompense, Pong Lo demanda la main de la Princesse. C'était un paysan ; l'Empereur refusa et lui demanda de songer à toute autre chose qu'il voudrait. Au bout d'un moment de sérieuse réflexion, Pong Lo dit : « Je voudrais un grain de riz. »

« Un grain de riz ? C'est absurde ! Demandes-moi de la soie fine, la plus grande chambre du Palais, une étable remplie d'étalons sauvages, je te donnerai tout cela ! »

« Un grain de riz fera l'affaire » répondit Pong Lo. « Et puisque votre Majesté insiste pourrait-elle en doubler la quantité chaque jour pendant 100 jours ? »

Et ainsi, le premier jour, Pong Lo reçut un grain de riz. Le second jour il en reçut deux. Le troisième jour il reçut 4 grains et le quatrième, 8 grains. Le cinquième jour 16 grains ; le sixième jour 32 grains ; le septième jour 64 grains ; le huitième jour, 128 grains. Le douzième jour, le total des grains de riz s'élevait à 2,048. Le vingtième jour il reçut 524 288 grains. Et le trentième jour il reçut une livraison de 536 870 912 grains. Il fallut 40 serviteurs pour les apporter.

Désespéré, l'Empereur fit la seule chose honorable qu'il pouvait faire : il accorda la main de sa fille à Pong Lo. Par égard pour les sentiments de l'Empereur, aucun plat de riz ne fut servi au banquet du mariage.

14. RÉDUCTION DE DETTES ET GESTION DES LIQUIDITÉS

Créez un surplus mensuel. Commencez à épargner en gérant de manière efficace vos liquidités. Les meilleurs investisseurs sont aussi les meilleurs épargnants.

Stratégie de réduction de dette

Une mauvaise dette est souvent comme un boulet au pied qui vous freine et que vous traînez partout. Ce chapitre est consacré aux solutions des problèmes de dette. Mais souvenez-vous qu'il y a de bonnes dettes et de mauvaises dettes.

Une mauvaise dette est un emprunt que vous faites pour acheter quelque chose qui va perdre de la valeur, comme une voiture, des vacances ou des vêtements.

Une bonne dette est un emprunt pour quelque chose dont la valeur augmente avec le temps et qui vous permet, de surcroît, de la déduire de vos impôts. C'est un actif comme le serait par exemple une propriété de qualité ou un portefeuille d'actions.

Ce chapitre est consacré à l'élimination des mauvaises dettes ; tout spécialement celles que vous ne maîtrisez pas.

Si vous avez un montant incontrôlable de dettes, vous pouvez utiliser la stratégie que je vais décrire ci-dessous. Cependant, il vaudra peut-être mieux – dans certains cas et contextes – rechercher des arrangements susceptibles d'améliorer votre situation.

Voici un modèle de lettre que vous pouvez considérer comme un guide pour écrire votre propre lettre à votre prêteur/établissement de crédit.

Cher (Chère) ....,

Comme vous le savez, je vous dois (j'ai une dette auprès de vous, je dois à votre établissement, etc.) une somme de __________ S que j'ai bien l'intention de vous rembourser entièrement ainsi que les intérêts.

Pour atteindre cet objectif, j'ai établi ces derniers jours un plan qui devrait m'assurer une position financière stable. A cet effet, j'ai ouvert un compte « Remboursement de dette » et 25 % de mon revenu est transféré directement sur ce compte. Ceci va me permettre d'avoir des ressources suffisantes pour vivre sans inquiétude et va m'empêcher de faire encore plus de dettes.

Chaque semaine (ou mois) *vous allez recevoir un chèque d'un montant de _____ S provenant de ce nouveau compte, jusqu'à élimination totale du solde de ma dette.*

Je suis conscient(e) que ce n'est pas la mensualité de remboursement que nous avions prévue initialement, mais je suis certain(e) que vous comprendrez et apprécierez ce que je fais.

Sentez-vous libre de prendre contact avec moi si vous avez des questions. Je suis de mon côté ravi(e) par ce nouveau plan et, si vous souhaitez que je le revoie avec vous de façon à ce que vous puissiez aider avec mon idée certains autres de vos débiteurs, je me ferai un plaisir de vous rendre ce service.

En vous remerciant par avance pour votre aimable coopération, je vous adresse, Madame, Monsieur, mes salutations distinguées.

Votre signature

Ce qu'il faut avoir à l'esprit c'est que la lettre à votre prêteur est une déclaration et non une requête : c'est vous qui gérez vos finances, pas votre prêteur.

Faites en sorte que votre lettre soit soigneusement dactylographiée et joignez-y un premier chèque conformément à ce que vous venez de décider de faire. Soyez conscient qu'il n'est pas impossible qu'une personne déraisonnable ne veuille pas d'un tel arrangement, mais ne vous laissez pas déstabiliser. Votre prêteur pourrait même vous téléphoner ou tenter de vous intimider en vous menaçant de vous faire un procès. Mais gardez votre sang-froid, parce qu'aucun tribunal ne vous condamnerait. Au contraire, le jury vous féliciterait pour le plan que vous lui présenteriez pour vous libérer financièrement de votre dette.

Dans 95 % des cas, les gens auxquels vous écrirez seront des plus coopératifs. OK ? Maintenant, vous pouvez faire un bras d'honneur à vos anciennes attitudes, parce qu'à partir du moment où vous ferez cela, vous serez sur le point de commencer un tout nouveau style de vie.

Le tableau suivant peut être utile – à titre de guide – pour éliminer vos dettes.

Elimination de dette – Calculateur de montant et de durée

Montant du paiement mensuel en fonction du temps d'élimination							
Dette / Nombre d'années	**1 an**	**2 ans**	**3 ans**	**4 ans**	**5 ans**	**6 ans**	**7 ans**
1'000	88	46	32	25	21	19	17
3'000	264	138	97	76	64	56	50
5'000	440	231	161	127	106	93	83
7'000	615	323	226	178	149	130	116
10'000	879	461	323	254	212	185	166
15'000	1'319	692	484	380	319	278	249
20'000	1'758	923	645	507	425	371	332
30'000	2'637	1'384	968	761	637	556	498
40'000	3'517	1'846	1'291	1'015	850	741	664
50'000	4'395	2'307	1'603	1'268	1'062	926	830

75'000	6'591	3'461	2'470	1'902	1'594	1'389	1'245
100'000	8'792	4'614	3'267	2'536	2'125	1'853	1'660
125'000	10'989	5'768	4'023	3'170	2'656	2'316	2'075
150'000	13'187	6'922	4'830	3'804	3'187	2'779	2'490
200'000	17'583	9'229	6'453	5'073	4'249	3'705	3'320
250'000	21'979	11'536	8'067	6'341	5'312	4'631	4'150
300'000	26'375	13'843	9'680	7'609	6'374	5'558	4'980

Plan de création de richesse/pension de retraite

Investissement mensuel	**Après 5 ans**	**Revenu mensuel**	**Après 10 ans**	**Revenu mensuel**	**Après 15 ans**	**Revenu mensuel**
500	39'041	312	103'276	826	208'962	1'672
1'000	78'082	625	206'552	1'652	417'924	3'343
2'000	156'165	1'249	413'104	3'305	835'849	6'687
3'000	234'247	1'874	619'656	4'957	1'253'772	10'303
5'000	390'412	3'123	1'032'760	8'262	2'089'621	16'717
7'500	585'618	4'685	1'549'140	12'393	3'134'431	25'075

Exemple : Si vous investissez 7 500 S tous les mois pendant 15 ans, vous aurez 3 134 431 S de capital et vous pourrez prendre votre retraite avec un revenu de 25 075 S par mois tout le reste de votre vie sans avoir à y ajouter un sou (estimation basée sur un retour sur investissement de 10 %).

Réduisez vos dépenses en éliminant vos mauvaises dettes et vos gaspillages. Pourquoi ? Parce que vous aurez besoin de moins de temps et d'argent pour devenir financièrement libre.

Comment éliminer une dette en 3 à 7 ans sans devoir augmenter votre revenu

		Paiement	Etalement
Prêt immobilier	100'000 S	1'000 S	100
Véhicule 1	17'000 S	600 S	29
Véhicule 2	9'000 S	350 S	26
Visa	6'000 S	300 S	20
Mastercard	4'500 S	250 S	18
Grand magasin	1'500 S	100 S	15
Prêt personnel	8'000 S	300 S	27
Total	**146'000 S**	**2'900 S/mois**	

Exercice

Dans l'exemple qui va suivre, Bill et Mary ont réussi à dégager un disponible de 290 S dans leur budget pour éliminer leurs dettes. Comment les guideriez-vous pour éliminer toutes leurs dettes en 3 à 7 ans ?

En premier lieu, examinez la colonne « Etalement ». Cette colonne représente le nombre de paiements restant – soit leur étalement. Par exemple, un prêt personnel de 8 000 S payé par tranches de 300 S par mois va exiger environ 27 paiements, soit un facteur d'étalement de 27.

Nous allons maintenant examiner le facteur le moins élevé, celui du grand magasin à qui ils doivent (ou vous) 1 500 S que vous payez par tranches de 100 S avec un facteur de 15, ce qui est le plus bas. Il faudra payer celui-là en premier, selon cette méthode.

Par conséquent, prenons les 290 S que nous avons pu rendre disponibles et ajoutons-les aux 100 S par mois que nous payons déjà au Grand Magasin, ce qui revient à un total de 390 S. Si l'on divise le montant total de la dette au Grand magasin, soit 1 500 S, par cette somme, on réalise qu'on aura remboursé cette dette en environ 4 paiements mensuels au lieu de 15. Nous ou Bill et Mary.

Ensuite on passe au prochain facteur le moins long, celui de la Mastercard avec laquelle nous devons 4 500 S et que nous payons 250 S par mois. Nous y ajoutons maintenant les 390 S que nous payions auparavant au Grand Magasin et qui sont désormais disponibles. Nous pouvons maintenant payer 250 + 390 = 640 S par mois pour rembourser les 4 500 S que nous devons avec la Mastercard, ce qui va prendre 7 mois au lieu des 18 mois prévus initialement pour le remboursement de cette dette.

En 11 mois, soit 4 + 7 mois depuis que nous avons commencé cette stratégie (ou Bill et Mary), nous pouvons nous frotter les mains devant nos progrès significatifs en remboursement de mauvaises dettes.

Maintenant nous prenons le prochain étalement le moins long qui est celui de la carte Visa avec laquelle nous devons 6 000 S, que nous remboursons à concurrence de 300 S par mois, et nous continuons selon le même principe. 300 S + les 640 S désormais disponibles cela fait 940 S au total, que nous payerons à Visa. Notre dette à Visa sera ainsi remboursée en 6 mois environ. Cela aura pris 6 + 11 = 17 mois pour rembourser le Grand magasin, la Mastercard et la Visa.

Le prochain étalement le moins long est celui du second véhicule avec un montant restant à payer de 9 000 S par tranches de 350 S par mois. 350 S ajoutés aux 940 S désormais disponibles cela fait un total de 1 290 S que nous pouvons utiliser pour rembourser ce second véhicule, ce qui prendra environ 7 mois. 7 + 17 = 24 mois – ou deux ans du plan d'élimination des dettes.

En fait cela prendra encore moins de temps parce que la somme de 9 000 S aura baissé en raison des paiements effectués pendant les 17 premiers mois. Donc notre plan est très conservateur.

Le prochain facteur d'étalement le moins long est celui du prêt personnel de 8 000 S à 300 S par mois. 300 + 1 290 représentent maintenant un montant disponible de 1 590 S par mois à consacrer au remboursement des 8 000 S en approximativement 5 mois. 5 + 24 = 29 mois au total pour le remboursement de ces dettes à ce stade.

Le prochain facteur d'étalement le moins long est celui du véhicule n°1 pour lequel vous devez encore 17 000 S par mois que vous payez à hauteur de 600 S par mois. 600 + 1 590 cela fait 2 190 S par mois qui sont désormais disponibles pour rembourser les 17 000 S que vous devez pour ce véhicule. Cela vous prendra environ 8 mois. 8 + 29 = 37 mois à ce stade.

Le dernier facteur d'étalement est le prêt immobilier pour lequel vous payez 1 000 S par mois pour rembourser 100 000 S. 1 000 + 2 190 désormais disponibles cela fait 3 190 S que vous pouvez consacrer au remboursement des 100 000 S, ce qui va vous prendre environ 31 mois. 31 + 37 = 68 mois ou 5 à 6 ans.

Cette stratégie est souvent bien plus efficace que celle des rachats de crédits que beaucoup de gens utilisent car ils refont des dettes, par exemple avec leurs cartes de crédit, ce qui sabote leur objectif et les enfonce dans encore plus de dettes.

Faire des dettes est une habitude. Et se tourner vers un rachat de crédit ne va pas changer cette habitude. C'est l'habitude qui doit changer, et le rachat de crédit ne garantit pas le changement d'habitude.

Il y a de nombreuses manières d'éliminer des dettes en peu de temps, comme les 3 à 7 ans de l'exemple ci-dessus. Je vous en ai présenté une qui est très efficace.

Votre système de création de richesse

La création de richesse est probablement l'aspect le plus important de la planification financière. C'est au moyen de cette stratégie que l'on peut devenir financièrement indépendant. Mais c'est un domaine dans lequel très peu de gens sont doués et qui n'est familier qu'à une minorité.

Le fondement de notre système est la stratégie des dépenses. Beaucoup d'entre nous savent combien ils gagnent chaque année mais n'ont aucune idée de ce qu'ils dépensent et comment.

Comme pour toute affaire qui marche, nous devons constamment gérer et garder sous contrôle notre revenu et nos dépenses tout en nous assurant que nous réalisons un profit. En d'autres termes, nous devons épargner.

Nous avons créé une stratégie de dépenses qui s'avère efficace pour nos clients du « Centre d'Education pour le 21ème Siècle » depuis de nombreuses années. La stratégie de dépenses consiste à répartir son revenu dans des comptes à objectifs différents et faciles à contrôler. Nous les appellerons des « comptes tirelires ».

La première tirelire est celle de votre épargne – au minimum 10 % de votre revenu total – que vous allez transférer chaque mois dans votre compte tirelire appelé « Réserve de gestion ». Si vous laissez cet argent dans votre compte principal, vous verrez sans exception que rien n'en restera.

La seconde tirelire est celle de votre compte courant. C'est celui qui contient l'argent qui sert à vos dépenses quotidiennes, celles que vous faites généralement en liquides, un peu comme s'il s'agissait d'argent de poche. Vous pouvez accéder à ce compte 24/24H.

La troisième tirelire est votre compte « Opérations ». Il sert à vos dépenses plus importantes, mensuelles, bimensuelles, annuelles ou autres, qui se payent le plus souvent par chèque ou virement. Ce compte ne devrait pas être relié à votre compte courant et vous ne devriez pas pouvoir y accéder via votre compte courant. Il faut garder vos tirelires séparées les unes des autres.

Il serait sage d'utiliser le compte courant en relation avec une carte de crédit pour les cas où vos dépenses mensuelles seraient plus élevées que le montant de votre budget (exemple : les dépenses bimensuelles). La carte fait œuvre de tampon en ce sens que le paiement est étalé et sera débité le mois suivant ce qui va repousser d'un mois le dépassement du budget.

En plus de vos épargnes, vous devriez aussi mettre dans votre compte « Réserve de gestion » assez d'argent pour couvrir toutes les dépenses déductibles de vos impôts. Cela permettra à votre comptable ou à vous-même de gagner du temps lorsqu'il faudra préparer les demandes de remboursement des impôts anticipés ou les demandes de réduction.

Ce système de comptes séparés peut être relié par l'utilisation d'un compte de transfert, quand c'est possible, dans lequel vous recevez votre salaire. Depuis ce compte, vous donnez des ordres permanents pour transférer de l'argent sur les autres comptes tous les mois.

Vous devriez maintenir une petite quantité d'argent dans votre compte courant et dans votre compte « Opérations ». Le principal objectif consiste à accumuler le plus possible dans le compte « Réserve de gestion » et d'utiliser ces fonds intelligemment pour créer de la richesse.

Êtes-vous un bon ou un mauvais gestionnaire ?

Pour le savoir, cochez la case qui vous correspond dans chaque colonne :

Le mauvais gestionnaire	**Le bon gestionnaire**
Dépense tout son salaire immédiatement	Epargne un minimum de 10 % de chaque revenu
Doit avoir ce qu'il désire tout de suite, peu importe la souffrance que cela engendre ou les dettes à contracter pour l'obtenir	Fait le moins de dettes possible pour ce qui perd de la valeur
N'a pas de plan autre que « Un jour je serai riche et célèbre »	A des objectifs définis : 6-12 mois
Fait comme la plupart de ses amis	A un plan qu'il met en œuvre efficacement
Fréquente des gens qui ont des problèmes financiers du même genre que les siens	Fréquente des gens qui gèrent bien leur argent
Pense qu'il n'a pas besoin de l'avis d'autrui	Sait qu'une stratégie des dépenses est un must
Ne s'intéresse pas à enrichir ses connaissances financières	Demande l'avis des professionnels ou cherche un coach
Dépense tout son argent pour ce qui perd de la valeur, comme des voitures, des gadgets électroniques, etc.	S'intéresse aux nouveautés et aux idées relatives à l'argent et la finance
Total des cases qui vous correspondent ________________	**Total des cases qui vous correspondent** ________________

Client .... Date ....

Nom de l'entreprise ....

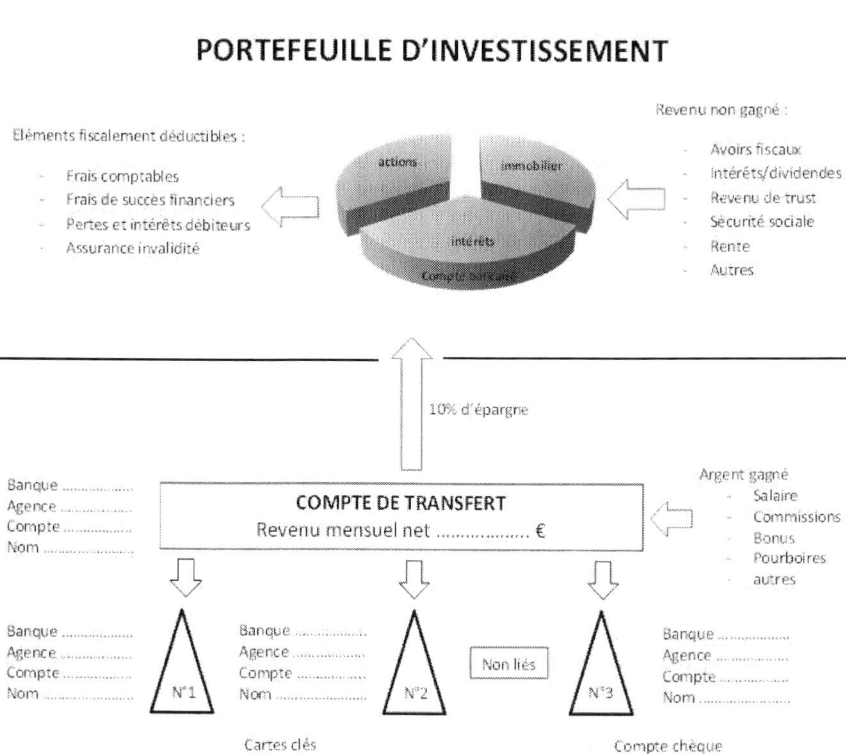

Comptes de dépôt 1 et 2

Dépenses mensuelles courantes	Client 1	Client 2
Nourriture	....	....
Boissons	....	....
Repas extérieurs	....	....
Vêtements	....	....
Hygiène	....	....
Cadeaux	....	....
Charges	....	....
Autres	....	....
TOTAL A	....	....

Comptes opérations 3

Maison		**Transports**		**Divers**	
Loyer/Crédit	....	Crédit auto	....	Mensualités	....
Entretien	....	Assurance	....	Cartes de crédit	....
Impôts/Taxes	....	Essence	....	Education	....
Assurance	....	Entretien	....	Frais médicaux	....
Electricité	....	Immatriculation	....	Frais dentaires	....
Téléphone	....	Autres	....	Abonnements	....
Gaz	....			Vacances	....
				Autres	....
				Assurance Vie Santé	....

TOTAL B ....

TOTAL A + B ....

15. DEVENIR MILLIONNAIRE : 8 ÉTAPES POUR VOUS METTRE SUR LA VOIE

« La vie est trop précieuse pour la passer à travailler pour de l'argent. Vous devez profiter de la vie en faisant travailler l'argent pour vous. »

Pour commencer ce chapitre et cet exposé, prenons comme exemple Bill et Mary. Notre hypothèse est que l'un des deux travaille à plein temps et l'autre à mi-temps. Ensemble, ils gagnent 48 000 S bruts par an.

Bill et Mary sont de mauvais épargnants, comme la majorité des gens. Ils ont tendance à dépenser tout qu'ils gagnent et, par conséquent, ils ne progressent pas rapidement sur le plan financier.

Pourtant, et c'est ce que nous allons voir, Bill et Mary pourraient, en un court laps de temps, avec de la motivation et en passant à l'action, remplacer leur revenu actuel par un revenu équivalent, et cela sans travailler. Ce revenu entrerait pendant qu'ils dorment.

En fait, s'ils avaient plus d'argent qui provenait de leurs investissements, ils pourraient éliminer leurs mauvaises dettes sans trop d'efforts, en restant fixés sur leur objectif, en agissant intelligemment et en étant bien informés sur les stratégies à appliquer.

Tout d'abord, examinons les secteurs dans lesquels ce couple pourrait se permettre d'investir.

La banque : Ce couple met son argent, à savoir de l'argent comptant, à la banque. C'est ce à quoi ils ont été conditionnés tout naturellement depuis leur enfance, quand la banque était à deux pas de l'école.

Bien sûr, épargner est une bonne habitude. Mais si on se contente de mettre de l'argent à la banque, la banque s'enrichit et notre taux d'épargne nous rapporte bien peu. Il pourra être de 4 à 5 % si vous avez de la chance, et il va donc falloir beaucoup de temps pour faire fortune à ce rythme-là. C'est pourquoi beaucoup de gens espèrent gagner au loto, parce que s'ils gagnent le million et qu'ils réalisent 4 à 5 % sur leur gros lot, ils recevront 40 000 à 60 000 S par an qui remplaceront leur revenu.

Donc, à part à la banque, où les gens peuvent-ils placer leur épargne ?

La bourse : on peut éventuellement se tourner vers la bourse. Cependant, beaucoup de gens pensent que c'est prendre de gros risques et, par conséquent, ils demandent l'avis d'un conseiller financier. Ces conseillers gagnent beaucoup d'argent en commissions en vendant des fonds gérés et, par conséquent, ils font leur possible pour convaincre leurs clients d'y placer leur argent.

En fin de compte, les gens laissent une personne tierce investir leur argent, ce qui sous certains aspects peut sembler intelligent : ils se sentent libérés d'un souci. Mais toute la question est de savoir si vous voulez réellement être financièrement indépendant et qui va gérer votre argent au mieux : vous ou quelqu'un d'autre ?

Il faut savoir que beaucoup de ces conseillers financiers ne sont pas riches eux-mêmes. Ils sont relativement mal payés dans la structure bancaire, et le plus souvent ils n'ont pas fait l'expérience de la réussite financière personnelle et n'ont reçu que peu de formation – quand ils en ont une. S'adresser aveuglément à eux c'est comme s'adresser à un autre aveugle. Le plus souvent, un conseiller financier c'est un aveugle qui guide un autre aveugle.

Ce n'est pas en prenant l'avis d'un de ces conseillers que je me suis enrichi. Pourquoi me serais-je adressé à eux s'ils n'ont pas réussi eux-mêmes ? Mon mentor millionnaire me le fit remarquer : « Pourquoi ne pas leur demander s'ils peuvent me guider sur le chemin de la réalisation de mes rêves financiers et, si la réponse est oui, alors pourquoi n'ont-ils pas eux-mêmes réussi à être financièrement indépendants ? ». « Il y a matière à réflexion » me dit mon mentor millionnaire – ce qui fut une leçon bien valable.

Il faut apprendre des gens qui ont produit des résultats et non de ceux qui ont juste l'autorisation de donner un avis concernant le placement de votre argent. N'importe qui peut obtenir l'autorisation d'être conseiller financier sans avoir besoin d'être lui-même investisseur.

Pourquoi certains experts suggèrent-ils si souvent dans les médias de s'adresser à un conseiller financier ? C'est souvent parce qu'ils ont une agence de placement et qu'ils cherchent à attirer de la clientèle. Cela dit, la question reste ouverte. Ceux qui se prétendent experts en placements sont-ils vraiment des experts ou se contentent-ils de promouvoir des conseillers financiers qui vendent des produits à la commission sans avoir réussi eux-mêmes ? Le seul moyen de le savoir est de connaître leurs résultats. Comme me l'a toujours répété mon mentor millionnaire : « La vérité est dans les résultats. Malheureusement la majorité des conseillers financiers ne sont pas millionnaires, ni financièrement indépendants, ni même aisés. » Généralement, le peu d'entre eux qui sont devenus millionnaires ont agrandi leur bureau de conseil en placements et l'ont vendu pour une petite fortune, parce que ces affaires sont très profitables en raison de toutes les commissions qu'elles permettent de gagner, et cela sans trop penser aux bénéfices de leurs clients. Par exemple, un conseiller en placement australien a gagné environ 20 millions de dollars en vendant sa part de son bureau de conseillers de placement.

Si vous trouvez un conseiller financier qui réussit financièrement très bien, écoutez-le ; sinon, méfiez-vous : n'acceptez pas des avis aveuglément, ni de leur part ni de celle de personne d'autre.

Cet état de fait explique pourquoi les éducateurs financiers qui sont réellement fortunés grâce à leurs investissements sont tellement demandés : parce qu'ils enseignent sur la base de leur expérience dans la vie réelle. Leurs cours sont bondés de gens qui désirent apprendre comment s'y prendre eux-mêmes plutôt que de se fier aux avis de conseillers financiers dont le principal intérêt est de réaliser des commissions pour eux-mêmes.

Moi, je me suis éduqué moi-même et, par conséquent, j'ai appris moi-même comment m'enrichir ; je n'ai donc pas besoin de l'avis de gens qui le donnent parce qu'ils y trouvent un intérêt. Je n'ai jamais consulté un conseiller financier pour devenir millionnaire et ne le ferai jamais – afin de rester millionnaire. J'attends encore de faire la connaissance de quelqu'un qui est devenu riche grâce à un conseiller financier.

Mes amis millionnaires et moi-même, si nous avons atteint ce niveau (beaucoup d'entre nous durant notre vingtaine ou notre trentaine), c'est notamment parce que nous avons investi dans des séminaires pour apprendre via des investisseurs qui ont réussi, et/ou de mentors fortunés, comment faire fortune. Nous n'avons pas hésité à investir des milliers de dollars dans un cours sur les manières de s'enrichir, comme le ferait un étudiant qui doit payer son université pour avoir un diplôme académique. Nous avons considéré que l'éducation financière valait vraiment autant qu'un tel diplôme et que, pour aboutir à des résultats en matière financière, c'était l'option la moins chère.

Je vous suggère donc de tenir les conseillers financiers à distance si vous n'avez pas la preuve qu'ils investissent pour eux-mêmes avec succès. Méfiez-vous aussi des journalistes qui écrivent des livres ou s'expriment dans les magazines financiers, parce que, souvent, ce ne sont pas des investisseurs et, par conséquent, tout ce qu'ils peuvent enseigner c'est de la théorie.

Si vous êtes comme je le fus et si vous êtes préparé à investir dans votre éducation financière, comme des séminaires bien choisis ou des cours à domicile donnés par des personnes qui vous donnent le sentiment que vous allez vraiment apprendre quelque chose, assurez-vous que leurs cours offrent une garantie de remboursement de 100 %. Comme ça, si le cours n'est pas aussi bon que ce qui a été annoncé, ou si tout simplement il ne vous convient pas, vous pourrez toujours demander le remboursement de votre argent. En d'autres termes, offrez-vous une éducation valable, sans risque de perdre votre mise.

L'immobilier : c'est un autre secteur dans lequel il est possible d'investir. C'est très populaire. Nous avons tous besoin de logement, que ce soit en location ou en propriété. En Australie, en 2001, le gouvernement donna un encouragement à l'achat de propriété de 14 000 $; par conséquent, beaucoup de gens se lancèrent dans l'achat de leur logement plutôt que de louer. Parmi ceux qui commencèrent alors à investir dans la propriété, certains saisirent l'occasion d'acheter plusieurs biens immobiliers en guise d'investissement.

Quand ils se lancent dans l'achat d'une propriété, beaucoup de gens agissent selon le scenario typique de l'engrenage négatif des dettes : ils travaillent plus pour se libérer des mensualités du crédit. Ce qu'ils ne comprennent pas, quand ils prennent une hypothèque, c'est que même s'ils s'enrichissent parce que leur propriété prendra vraisemblablement de la valeur, ils vont devoir travailler plus dur pour rembourser ; ils vont en avoir pour 15 à 20 ans avant qu'ils prennent leur retraite et puissent vivre de la rente provenant de leur bien locatif. Ils vont aussi devoir compter avec un « partenaire silencieux », les autorités fiscales, parce qu'un gain de ce genre est considéré – du moins en Australie et en France et probablement dans d'autres pays – comme un revenu et qu'il est donc imposable. Ils vont donc devoir travailler vraiment dur et longtemps pour pouvoir s'offrir suffisamment de propriétés et vivre du rendement de ces dernières.

Il est possible de procéder ainsi – de travailler plus pour payer les crédits immobiliers. Mais il y a de meilleures stratégies, plus efficaces, plus rapides, qui vont permettre de partir à la retraite dans un délai bien plus court. Plutôt que de prévoir un plan sur 15 à 20 ans, nous allons prévoir un délai de 3 à 10 ans, voire même moins pour certains. Nous verrons cela plus loin.

Cela semble excitant et ça l'est. Souvenez-vous de la fameuse phrase de mon mentor millionnaire : « La vie est trop précieuse pour la passer à travailler pour de l'argent. Vous devez jouir de la vie en faisant travailler l'argent pour vous. »

L'entrepreneuriat : un autre domaine dans lequel les gens peuvent investir, à part les objets de collection, les arts et les antiquités, c'est l'entrepreneuriat, le « business » pour utiliser un anglicisme. Je tiens à en parler ainsi que des raisons pour lesquelles beaucoup de gens se tournent vers ce secteur, et je veux vous en présenter des aspects trop ignorés.

Comme coach et éducateur pour le 21ème siècle, j'ai aidé des dizaines de milliers d'australiens et aidé un bon nombre d'entre eux à devenir millionnaires. Mes cours ont permis à des milliers de gens de prendre leur retraite au bout d'un laps de temps raisonnablement court et de vivre le style de vie dont ils avaient envie. Au début, ils pensaient que ça allait leur prendre 20 à 30 ans, mais beaucoup ont réussi à réaliser ce rêve en quelques années.

Michael Gerber est un « gourou » – pour s'exprimer ainsi – pour les entrepreneurs ; il est l'auteur du livre intitulé The E-Myth – Le Mythe de l'Entrepreneur.

D'après Michael Gerber, 80 % des entreprises cessent leur activité au cours des 5 premières années. D'après lui, si vous avez une entreprise pendant plus de cinq ans, ne soyez pas trop enthousiaste parce que la plupart de ces « business » feront eux aussi faillite. Donc, si pendant les cinq premières années votre entreprise tient le coup, elle va probablement faire faillite au cours des cinq années suivantes.

La plupart des gens deviennent cinglés à force de travailler pour leur « crétin de patron » (comme ils le désignent parfois.) Ils décident donc de lancer leur propre affaire et en arrivent à devenir à leur tour un « crétin de patron ». Au lieu de travailler cinq jours par semaine pour un salaire qui tombe à la fin du mois, ils vont se mettre à travailler six ou sept jours par semaine pour leur propre business et cela souvent sans garantie qu'ils toucheront un salaire en fin de mois. Ceux qui ont déjà une entreprise ou un business peuvent se reconnaître dans cette triste description.

J'ai remarqué que quand ils se lancent dans ce genre d'investissement, beaucoup de gens ont tendance à commettre une grande erreur. Ils ouvrent une ligne de crédit sur leur propriété et utilisent cet argent pour ouvrir une affaire de type traditionnel. Souvent, leur affaire ne marche pas et, dans ce cas, ces gens perdent non seulement leur « business » mais aussi leur maison, et tout se termine par un désastre financier total. J'ai vu cela bien souvent et je considère cette approche comme absolument déconseillée. Je vous dis non et non.

Mais je ne veux pas pour autant vous inciter à ne pas vous lancer dans une entreprise. Un petit investissement dans un business comme le marketing de réseau par exemple, peu coûteux et relativement simple, ne présente pas de grands risques. Mais acheter, disons, un café pour 100 000 S, comme l'avait fait ma mère, ça c'est un investissement à haut risque. Et emprunter en donnant en garantie tout ou partie de sa propriété pour acquérir une affaire, c'est prendre un plus grand risque encore et, souvent, il faut continuer à travailler tout aussi dur qu'auparavant.

La véritable définition d'une affaire est celle d'une entreprise rentable qui va idéalement fonctionner sans vous. La plupart des gens n'en ont pas ; ils ont juste un travail qui le plus souvent les stresse.

Robert Kiyosaki conseille dans la suite de « Père Riche Père Pauvre », « Le Quadrant du Cashflow », livre que je recommande fortement, de posséder un business qui fonctionne sans que votre présence soit nécessaire. Autrement dit, si vous voulez partir 6 mois, vous devriez pouvoir le faire sans affecter le fonctionnement de vos affaires, qui continueraient à produire des revenus passifs en votre absence.

La plupart des gens ne savent pas comment s'y prendre pour cela. Pour le découvrir, vous devez comprendre ce qui s'appelle les « called systems ». Afin de les étudier, je vous suggère vivement le livre de Michael Gerber, The E-Myth, et ceux qui ont suivi. Il suffit de faire une recherche en tapant le nom de cet auteur dans le site d'un grand libraire en ligne et vous trouverez toute son œuvre. Les titres en sont parlants.

Il faut être conscient, j'insiste, du fait qu'emprunter pour acheter un business est très difficile et risqué. Les banques vont toujours vous demander une garantie, sur votre logement, ce qui prouve une fois de plus que les banquiers savent où réside leur intérêt. La sécurité c'est eux qui vont l'avoir en détenant votre maison. Vous, vous allez risquer tout votre avenir financier.

Il convient d'examiner deux autres stratégies d'enrichissement dont je suis persuadé qu'elles présentent bien moins de risques que l'entreprenariat traditionnel : **la bourse et l'immobilier**. Ces stratégies sont de nature à vous permettre d'augmenter votre capital et de vous procurer aussi de l'argent comptant pour que vous puissiez en vivre. Les deux stratégies peuvent rapporter des revenus substantiels sur le long terme ; mais vous devrez savoir à leur sujet ce que la plupart des gens ignorent.

Avant de passer à cela, il faut savoir comment se préparer à faire des investissements, c'est-à-dire comment trouver de l'argent à investir.

Prenons pour hypothèse que, tout comme Bill et Mary, bien des gens n'ont pas commencé à s'enrichir parce qu'ils pensent qu'il faut déjà beaucoup d'argent au départ. Je tiens à saper ce mythe. Si je devais coacher Bill et Mary de la façon dont je fus guidé par mon mentor millionnaire, je leur demanderais s'ils pourraient commencer, avec 10 000 à 15 000 S, un plan d'investissement sur 3 à 10 ans.

Bill et Mary pourraient me répondre – comme le feraient beaucoup d'autres gens – qu'ils n'ont pas cette somme. Si j'étais à leurs côtés, je leur dirais, comme ami et comme coach : « Permettez-moi de suggérer quelques idées pour récolter ces 10 000 à 15 000 S. »

Pour ce faire, tout ce que j'ai besoin de savoir c'est s'ils sont pleinement décidés. S'ils sont complètement déterminés, je peux les aider à devenir riches. S'ils ne le sont pas, personne ne peut les aider, même pas Warren Buffet ou Robert Kiyosaki. Personne ne peut aider personne à devenir riche. Chacun doit être personnellement totalement engagé envers un tel objectif.

Donc, disons que Bill et Mary sont pleinement décidés à atteindre l'indépendance financière et veulent se créer une vie de qualité. Voici 8 méthode que je leur suggérerais pour accumuler les 10 000 à 15 000 S qui leurs manquent pour commencer à investir et à gagner de l'argent pendant leur sommeil - suffisamment pour remplacer leur revenu actuel.

Etape 1 – Epargner

Tous les grands investisseurs sont de grands épargnants. Tant que vous n'épargnerez pas, vous n'aurez aucune chance de vous enrichir.

Quand j'ai débuté, j'ai essayé de convaincre mon mentor millionnaire de m coacher sur la manière de devenir riche. Une des premières questions qu'il m posa, je m'en souviens, était combien d'argent je mettais de côté. Je répondis « Humm, pour le moment rien pour être honnête. » Il me répondit brièvement e sèchement : « Donc ne me faites pas perdre mon temps. Je pensais que vous étie déterminé à devenir riche et maintenant vous me dites que vous ne mettez rien d côté. Il faut faire un choix. Ou bien vous êtes décidé à devenir riche, ou bien vou ne l'êtes pas. » Il me ficha dehors en me disant : « Commence à épargner pour m prouver que tu es décidé. » Puis il ajouta : « Beaucoup de gens font du bla bl mais vraiment peu d'entre eux parcourent le chemin. » Cela me fit un choc. Je m dis « Vous les gens friqués, vous êtes blessants et arrogants. » A l'époque pensais qu'il était dur. Mais plus tard je me suis rendu compte qu'il était juste u peu ferme. Il me parla vrai. En effet, si vous n'épargnez pas, vous ne pouvez pas devenir riche.

Beaucoup de gens disent : « Bon, si cela vous va Jamie, vous êtes riche et vous pouvez mettre de l'argent de côté. » Et je réponds : « Peu importe combien vous gagnez, vous pouvez toujours épargner. Vous devez trouver un moyen de commencer à épargner de l'argent. Quand vous recevez votre revenu, vous devez vous payer en premier. C'est une règle d'or de l'enrichissement personnel, et vous devez par tous les moyens commencer à épargner de l'argent immédiatement. Même si c'est seulement un petit montant, chez vous, cela doit devenir un réflexe. »

Etape 2 – Vendre quelque chose

Avez-vous quelque chose à vendre ? Je ne vous dis pas de vendre des Tupperware, bien que Tupperware ait de bons produits. Ce que je vous suggère c'est d'organiser une brocante et d'y vendre tout ce dont vous n'avez pas besoin. Tout ce dont vous voudriez vous débarrasser et dont la vente pourrait vous rapporter quelque chose.

Avez-vous un réfrigérateur en trop, quelques meubles, une vieille bicyclette ou n'importe quoi d'autre que vous pourriez convertir en argent liquide ? N'importe quoi qui puisse vous fournir quelques sous serait formidable.

Ma sœur et mon beau-frère ont procédé ainsi et ce fut assez efficace. Ils se sont tournés vers le marché des options et vivent une vie simple à Glenn Innes où nous avons tous grandi. Mon beau-frère parvint à remplacer son revenu par le commerce des options. Il y passait tout son temps avec enthousiasme.

Le couple décida d'organiser une brocante – qui leur rapporta quelques milliers de dollars – pour vendre tout ce dont ils n'avaient pas besoin, afin d'avoir un peu plus d'argent à investir et faire davantage de bénéfices.

C'était intéressant de voir comment les autres percevaient leur initiative : il y avait des commérages dans leur entourage, du genre : « Je pense qu'ils sont en train de se casser la figure ; maintenant, ils font une brocante et doivent vendre tout ce qu'ils ont pour survivre. Nous savions que s'ils avaient gardé leur job, qui était bien sûr, ils s'en seraient sortis. » Et bla bla bla…

C'était assez amusant parce que la réalité était bien différente. Ma sœur et mon beau-frère étaient fermement décidés à gagner de l'argent et ils avaient estimé rentable de sacrifier certaines choses pour donner un coup de pouce au processus de leur enrichissement. Et contrairement aux ragots, ils avaient appris à récolter de l'argent pour l'investir et étaient en train de s'enrichir à la maison au lieu de travailler durement pour autrui.

Mon mentor millionnaire me dit : « Jamie, si tu as l'intention de devenir riche, fiches-toi de ce que les autres pensent. Si tu te laisses déstabiliser par ce que les autres disent, tu ne seras jamais riche ; tu pourras faire une croix dessus. Tu n'en seras peut-être pas conscient, mais tu seras freiné par les limitations et les peurs des autres. Il va falloir apprendre à ignorer les commentaires extérieurs et te concentrer sur ce que tu fais, puisque comme tu le sais, ce que tu fais est nécessaire. »

Etape 3 – Réduire ses impôts

La troisième étape est la réduction des impôts.

Bien des gens payent beaucoup d'impôts sur le revenu, spécialement les gens de la classe moyenne.

Vous devriez utiliser si possible une partie de l'argent de vos impôts pour l'investir en bourse ou dans l'immobilier.

Pour éviter l'impôt sur le revenu, vous pouvez tenter de passer un accord avec votre employeur pour qu'il vous accorde un statut de consultant ou de travailleur indépendant sous-traitant pour sa compagnie au lieu de votre position d'employé, ce qui devrait vous permettre de mieux vous organiser du point de vue fiscal, en tous cas en Australie (à vérifier dans les autres pays). Au lieu de toucher un salaire qui serait taxé directement (charges sociales) et indirectement (impôts sur le revenu, TVA et autres), vous seriez un indépendant rémunéré par un montant brut. Vous pourriez ainsi diminuer le montant de votre imposition et retarder le paiement de vos impôts.

Beaucoup d'entreprises encouragent la sous-traitance, qu'on appelle aussi « outsourcing », anglicisme à la mode au 21ème siècle. Vous devriez pouvoir négocier un contrat de ce genre.

Etape 4 – Augmenter son revenu

Augmenter votre revenu n'est pas si difficile si vous le voulez vraiment et si vous voulez récolter les 10 000 à 15 000 S qui vont vous permettre de débuter dans les investissements.

Sans entrer dans les détails à ce stade, je vais vous orienter : il s'agit d'analyser ce que vous faites et de voir comment vous pourriez y ajouter de la valeur.

Dans cet esprit, mon mentor millionnaire me dit : « Jamie, si tu veux t'enrichir tu devras ajouter de la valeur à ce que tu fais. Une des manières de s'y prendre ser d'améliorer et de développer tes compétences et qualités. »

Les quatre qualités qu'il faut avoir pour réussir au 21ème siècle

Ces quatre qualités sont :

1. La capacité à penser avec créativité et à résoudre les problèmes

2. La capacité à communiquer plus efficacement

3. La capacité à mettre une idée ou un concept sur le marché et à le transformer en réalité

4. La capacité à négocier

Si vous mettez en pratique ces 4 compétences, je vous garantis que votre revenu va augmenter considérablement, parce que ce sont des compétences qui permettent d'ajouter plus de valeur à ce que vous faites et donc d'accroître vos gains.

La raison pour laquelle la plupart des gens ne développent pas ces qualités est qu'ils travaillent de façon routinière. Souvent, pendant leurs heures de travail, ils envoient des messages personnels, ils « piquent » quotidiennement des agrafes et des stylos et ne se sentent pas concernés par les profits que réalise leur employeur. Le plus souvent, tout ce qui les intéresse, c'est leur salaire.

Mon mentor millionnaire disait : « Jamie, pour s'enrichir, il faut examiner la manière dont on peut aider la compagnie pour laquelle on travaille à faire plus de profits. Si tu peux aider ton employeur à gagner plus, tu pourras négocier avec lui pour qu'il t'attribue une part de ces profits supplémentaires. Une des manières d'aider une entreprise à être plus rentable est de lui donner des idées pour limiter ses dépenses. »

Je suis persuadé que là où vous travaillez, où que vous soyez, des sommes considérables sont gaspillées. Si vous pouvez trouver une idée pour y remédier, vous pouvez approcher votre employeur ou votre hiérarchie et proposer de leur livrer vos idées – sans obligation pour eux de les adopter –en échange d'un bonus pour ce qu'ils auront économisé grâce à vous. Peut-être pourrez-vous négocier 10 à 20 % de la somme qu'ils économiseront grâce à vos suggestions. Si vous savez vous y prendre, ils pourraient bien accepter. Il faudra alors que cela soit stipulé par écrit.

C'est une situation gagnant-gagnant. Ils ne sont pas obligés d'adopter vos suggestions, mais s'ils épargnent davantage grâce à elles, disons 20 000 S, vous pourriez recevoir une part de ce profit, par exemple 10 %, soit 2 000 S de bonus que vous recevriez pour une simple idée – et que vous pourriez investir !

Mon mentor millionnaire me dit aussi qu'un autre moyen d'aider l'entreprise qui vous emploie à faire plus de profits est de s'y impliquer le plus possible. Bien des patrons adoreraient que leurs employés arrivent le lundi matin et leur dise : « J'ai pensé ce weekend à un moyen d'aider notre entreprise à gagner plus. Je voulais simplement vous dire que je suis absolument déterminé à vous y aider et que j'ai quelques idées que je voudrais partager avec vous si vous le voulez bien. » Vous pouvez aussi déclarer clairement que vous êtes ouvert à toute suggestion de leur part qui serait de nature à augmenter les gains de la compagnie pour laquelle vous travaillez.

C'est un scenario gagnant-gagnant et vous pouvez présenter des propositions pour accomplir cela. Cela prend du temps mais cela vaut le coup. Il faut cependant être assez fin pour comprendre que certains chefs, dans votre hiérarchie, pourraient ne pas accepter vos propositions et attitude, pour des raisons de jalousie ou d'ego, et pourraient donc tenter de vous saboter. Vous devez en être conscient et, si cela arrive, vous devrez vous tourner, le cas échéant, vers un autre interlocuteur, celui qui sera réceptif, ou alors changer d'employeur.

Ceci m'amène à vous parler de la stratégie suivante :

Quelle est votre valeur ?

Mon mentor millionnaire m'enseigna ceci : « Une autre manière pour d'augmenter rapidement votre revenu est de découvrir ce que tu vaux, à savoir ce que tu apportes de particulier dans ton travail. »

Disons que vous travaillez pour une entreprise ; mais c'est valable pour toute entité. Avez-vous d'autres alternatives, d'autres employeurs potentiels ?

La meilleure position pour négocier est d'avoir plusieurs alternatives en matière d'employeur. Testez cela. Testez ce que vous valez sur le marché du travail.

Quand vous serez au clair et que vous aurez des alternatives, vous serez en position de dire à votre employeur actuel : « J'envisage de m'en aller parce que je ne gagne pas en conséquence de ce que je vous apporte. Je pense que je devrais gagner tel ou tel montant et voilà ce que je suis prêt à faire pour ajouter de la valeur aux services que je vous rends déjà, pour toucher ce salaire (ou ces honoraires). » Demandez à votre employeur de bien vouloir prendre cela en considération et faites en sorte qu'il soit conscient que vous avez d'autres choix et qu'il pourrait vous perdre. Mais auparavant, examinez bien tous les aspects des indemnités en cas de départ volontaire.

Si vous êtes fondamentalement prêt à ajouter de la valeur à votre travail et que vous le faites savoir efficacement, vous allez voir (comme ce fut le cas de nombreux étudiants dans mes séminaires) que l'entreprise qui vous emploie va prendre conscience de votre valeur et comprendre combien il sera difficile de vous remplacer. En effet, personne ne viendra au-devant de vous pour vous offrir une augmentation, ou alors très rarement. En général, c'est le collaborateur qui la demande. Pour recevoir quelque chose, il faut d'abord donner, donc il va falloir proposer à votre employeur ce dont il a besoin et qui à l'évidence le convaincra d'augmenter votre salaire.

Si vous avez de la valeur, ce n'est que lorsque vous aurez les alternatives qui vous permettront de vous en aller que votre employeur réalisera combien vous lui êtes précieux, et c'est alors qu'il sera mûr pour vous payer davantage. Si vous appliquez cette stratégie, vous pourriez être agréablement surpris.

Une de mes amies a été engagée par une de nos compagnies. Elle travaillait auparavant dans une grande banque quand elle décida de rejoindre nos rangs. Son employeur proposa d'augmenter immédiatement son salaire d'environ 10 000 $ si elle restait. Elle ne le demanda même pas. Si elle avait voulu, elle aurait pu rester dans cette banque et gagner environ 10 000 $ de plus simplement parce qu'elle avait de la valeur et qu'elle était prête à changer d'emploi.

Pour négocier en position solide, vous devez vous sentir libre de vous en aller. Il se peut que votre employeur ne souhaite pas vous donner l'augmentation que vous désirez, mais si vous savez que vous avez d'autres alternatives et pouvez gagner davantage ailleurs, vous êtes bien évidemment mieux placé pour négocier.

« La détermination est l'horloge-réveil de tout être humain. Quel genre de personne dois-je devenir pour réaliser tout ce que je veux ? »

Anthony Robbins

Le jeu des cinq sources de revenu

Quelles sources de revenu avez-vous actuellement ?

____________________	S ____________________
____________________	S ____________________
____________________	S ____________________
____________________	S ____________________

Quelles sources de revenu pouvez-vous envisager ?

____________________	S ____________________
____________________	S ____________________
____________________	S ____________________
____________________	S ____________________

Quelles sources de revenu pourriez-vous obtenir le plus facilement ?

____________________	S ____________________
____________________	S ____________________

_______________________ S_______________________

_______________________ S_______________________

Faites la liste de vos possibles sources de revenu

5. ____

6. ____

7. ____

8. ____

9. ____

10. ____

11. ____

Etape 5 – L'argent des autres (A.D.A)

A.D.A. est un acronyme pour « Argent Des Autres ». Pour vous enrichir, vous devriez peut-être envisager d'utiliser l'argent d'autres personnes, et nous allons voir comment en commençant par un exemple.

Si vous vouliez investir 15 000 S et que vous ne les aviez pas immédiatement, auriez-vous de quoi demander un prêt personnel ? J'ose imaginer, si vous avez un travail, que vous pourriez obtenir un prêt personnel auprès de quelqu'un.

Disons que vous avez pu emprunter 15 000 S et que Bill et Mary ne l'ont pas fait. S'ils épargnent 100 S par semaine, cela va leur prendre 3 ans de constants efforts pour épargner une telle somme. Et que feront-ils de leur épargne, s'ils sont comme la plupart des gens ? Eh bien ils vont probablement la dépenser dans des vacances, une nouvelle voiture ou quelque chose d'insignifiant. Pourtant, épargner 15 000 S demande beaucoup d'efforts et de persévérance. Les dépenser pour des biens sans apport de valeur serait bien triste.

Mais considérons un autre scenario : Bill et Mary sont décidés à investir et prêts, tout comme vous, à emprunter 15 000 S dans ce but. Un prêt personnel impliquera qu'ils devront rembourser environ 75 S par semaine. S'ils ont déjà entamé le processus qui consiste à épargner 100 S par semaine, ces 100 S hebdomadaires pourront désormais couvrir le remboursement de leur prêt sans stress supplémentaire, mais cela va leur permettre d'investir 15 000 S immédiatement. Que va-t-il donc se passer ?

Il y a certaines stratégies financières rapides, que nous allons examiner bientôt, grâce auxquelles, avec un investissement de 15 000 S (à risque minime à modéré, par exemple à la bourse, effectué de la manière dont je l'enseigne aux gens), on peut gagner 300 à 1 000 S par mois. Et cela avec moins de risques que ceux que la plupart des gens prennent actuellement. En bref, 15 000 S peuvent rapporter 300 à 1 000 S par mois en argent liquide additionnel. Ce qui est évidemment beaucoup moins risqué que d'utiliser les 15 000 S pour acheter une voiture...

Je sens que vous brûlez d'envie de me demander : « Jamie, pouvons-nous passer directement à ce sujet et pouvez-vous me montrer comment faire ? » Je traiterai ce point dans les prochains chapitres. Ce que je veux démontrer ici c'est qu'en utilisant l'argent des autres – l'A.D.A. – intelligemment et sagement, on peut augmenter ses revenus ; mais cela présente aussi ses dangers si on ne procède pas correctement.

La plupart des gens disent qu'il est trop risqué d'investir en bourse, qu'ils ne vont jamais le faire. Mais combien d'entre eux sont prêts à faire un emprunt pour acheter une voiture ? Or, comme nous le savons, acheter une voiture c'est le mauvais investissement le plus classique. Dès l'instant où nous la sortons de la concession, elle perd environ 20 % de sa valeur. Et après cinq ou dix ans, que vaut-elle encore ? Tout au plus quelques milliers de sous. Par conséquent, nous avons perdu une somme d'argent considérable, sans compter tout ce qu'elle nous a coûté en essence, entretien, assurance, etc. Les voitures coûtent de l'argent tous les mois et perdent de la valeur. « Investir » 15 000 S dans une voiture c'est jouer perdant. Mais combien de personnes ont au moins une ou deux voitures ? Beaucoup de gens. Et ils estiment que c'est intelligent. Je sais bien que, souvent, on considère qu'avoir une voiture est une nécessité. Mais en réalité c'est un luxe que les gens s'offrent avant d'en avoir les moyens. Tandis que si les 15 000 S empruntés étaient consacrés à un investissement dans le pire des titres boursiers, la perte serait moindre que celle subie en 5 à 10 ans avec une voiture.

Il faut savoir réfléchir. Qu'est-ce qui est risqué ? Le plus grand risque que l'on puisse prendre est de ne pas épargner et de ne pas investir. C'est cela le plus grand risque. Si vous investissez, en effet il est possible que vous perdiez. Je l'admets et cela arrivera parfois. Mais le montant sera gérable. Vous pouvez apprendre à le faire et vous serez dans tous les cas bien en avance sur ceux qui auront décidé de ne pas investir.

Souvenez-vous que je vais vous suggérer des stratégies ; vous allez devoir examiner ces suggestions et les adapter à votre situation personnelle, et vous allez aussi devoir faire le point sur vous-même : est-ce que vous voulez véritablement acquérir la mentalité qui va vous permettre de rendre mes suggestions valables pour vous ? C'est vous qui décidez. Parce que si vous préférez suivre les avis que vous pouvez lire dans vos magazines ou votre journal financier, cela vous aidera, pour sûr, à prendre votre retraite dans 100 ans. Je ne dis pas que les opinions qui y sont publiées sont fausses, mais ce sont les propositions de conseillers financiers qui gagnent de l'argent en attirant des clients et en touchant des commissions, ou des avis de journalistes qui ont rarement produit eux-mêmes des résultats financiers dans la vie réelle. En général, les placements vers lesquels vous êtes orientés par ces gens sont lents et ennuyeux.

Ce qu'il faut toujours faire c'est tenter de se trouver des mentors financiers qui ont obtenu des résultats. Vous pouvez aussi participer à des séminaires bien choisis ou suivre des cours à domicile donnés par des millionnaires autodidactes. C'est ainsi que vous vous éduquerez continuellement.

Etape 6 – Utiliser son patrimoine

Beaucoup de gens possèdent un patrimoine qui peut être utilisé plutôt que d'être simplement laissé inactif. Bien des gens sont riches en actifs qui ne rapportent rien en argent liquide, et pauvres en liquidités. Cela provient du fait qu'on leur a enseigné que, dans la vie, il faut d'abord faire de bonnes études, puis travailler dur toute sa vie, payer sa maison et prendre sa retraite, et finir par jouir d'une vie meilleure.

Certains couples, durant leurs vieux jours, ont fini de payer leur maison. Si elle est dans un bon quartier, elle aura pris de la valeur – parfois beaucoup. Mais elle est souvent trop grande : les enfants sont partis ; ils n'ont plus besoin de tant d'espace. La maison entraîne des frais et, donc, ils continuent à travailler pour pouvoir les payer. En effet, leur maison ne leur rapporte pas d'argent, elle leur en coûte.

Ce que je suggère donc tant qu'il en est encore temps c'est d'utiliser un peu de votre patrimoine pour l'investir dans des produits dont le rendement sera en argent liquide. Et une fois de plus je m'entendrai répondre : « Non, je ne veux pas, c'est trop risqué », alors je me réfère à l'enseignement de mon mentor millionnaire : la vie est une entreprise risquée, un risque en soi. Pas un seul d'entre nous n'en sortira vivant. Qu'est-ce que cela veut dire « risqué » ? Nous devrions tous prendre les bons risques, le plus grand des risques étant de ne rien faire du tout.

Mon mentor millionnaire me raconta l'histoire suivante : une dame de 86 ans était sur son lit de mort. Elle confia alors à ses proches : « Vous savez, la seule chose que je regrette quand je repense à ma vie, qui touche maintenant à sa fin, c'est de ne pas avoir pris plus de risques. Pourquoi avais-je peur ? »

Ce jour arrivera pour nous tous. Pourquoi avoir des regrets ? Essayons d'en éviter les raisons.

En ce qui concerne les investissements, est-il plus risqué de ne rien faire ou d'investir ? Vous comprenez le message que je tente de faire passer ? Il est important.

La plupart des gens prennent des risques bien plus grands que nécessaires. Ils pourraient faire moins et mieux en investissant avec sagesse pour devenir incroyablement riches à court terme. Pour ce faire, je vous suggère, si vous en avez, d'utiliser un peu de votre patrimoine pour l'investir. Cela peut être dans un autre propriété, avec une bonne stratégie, ou à la bourse, avec une stratégie toute aussi bonne et qui vous permettra d'assurer votre position. (J'expliquerai la notion de « position assurée » plus loin.)

Et voilà que j'entends déjà des réactions : « Jamie, cela marche si vous avez un patrimoine, mais que faire si je n'ai pas de patrimoine ? » Souvenez-vous : quand on est absolument déterminé à réaliser un objectif, on trouve toujours une solution. De surcroît, je ne fais qu'énoncer des suggestions. Comme le disait mon mentor millionnaire : « Tu n'es obligé de rien. C'est juste une question de choix. Tu peux tenter d'éviter tous les risques possibles dans ta vie, mais alors tu prendras le risque de la gâcher. »

A mon avis, investir était le moindre risque, et j'ai décidé de le prendre.

Etape 7 – Utiliser le patrimoine des parents

Les points 7 et 8 points de ce chapitre ont pour objectif de vous flanquer un coup de pied au derrière ! Parce que qui sait, c'est une question de tact et d'amour familial, vous pouvez utiliser le patrimoine de vos parents. Peut-être en ont-ils. Ou alors de vos grands-parents.

La plupart des gens attendent que leurs parents meurent pour hériter de leur maison. C'est triste, ainsi d'ailleurs que tous les conflits qui peuvent naître d'un héritage. Mais pourquoi attendre le décès de vos parents pour hériter de leur éventuelle « fortune » ? Pourquoi ne pas appliquer la loi des opposés et ne pas attendre ? Dans certains cas, je suis conscient qu'il s'agit d'une question sensible. Pourtant, il devrait être parfois possible de recevoir votre héritage de leur vivant.

Un reporter qui assistait à un de mes séminaires trouva cette suggestion cruelle et n'hésita pas à l'écrire. Il faut dire que ce journaliste était à bout, que son état d'esprit par rapport à l'argent n'était pas positif et qu'il n'aimait pas ceux qui étaient enthousiastes à l'idée de devenirs financièrement indépendants, au contraire de bien d'autres. Il était tristement négatif, se refusait à apprendre. Pour lui, ce que je disais ne pouvait pas marcher. Il était très choqué quand j'ai parlé du patrimoine des parents et, selon lui, il était impensable d'imaginer une chose pareille. Alors je lui ai posé la question suivante, ainsi qu'à mon assistance, et je vous la pose aussi : « Est-ce que la plupart des parents souhaitent que leurs fils et filles vivent au mieux leur vie ? Oui ou non ? » En ce qui me concerne, je répondrai oui. Mais certains me diront : « Jamie, vous ne connaissez pas mes parents. » Evidemment, toute situation familiale est un cas particulier et chacun doit jauger sa situation propre et les sensibilités familiales. Mais je pars ici de l'hypothèse que la plupart des parents veulent le bien de leur progéniture. Comment le montrent-ils ? Parfois ils pensent que l'une des meilleures manières d'aider leurs fils et filles est de les aider à acheter une voiture. C'est un investissement classique et, par conséquent, ils n'hésiteront pas à utiliser des biens familiaux, soit pour ce véhicule, soit pour garantir des prêts à cet effet. Bref, malgré toutes leurs bonnes intentions, ils ne vont pas contribuer ainsi à l'enrichissement de leurs enfants.

Que penseriez-vous de l'idée d'approcher vos parents et de leur demander de vous aider : « Je voudrais acheter un bien immobilier comme premier investissement et faire aussi quelques investissements dans l'économie réelle. J'ai bien étudié la question sous tous ses aspects, j'ai évalué le potentiel, les côtés négatifs et les côtés positifs, et j'ai étudié comment gérer le risque. Je voudrais utiliser un peu de votre patrimoine pour commencer. Si vous acceptez, je vais vous donner les garanties suivantes : je vais rembourser ce que je vous devrai à temps. Si je tarde ne serait-ce qu'un jour à le faire, j'accepterai de vous payer 500 S de frais de retard (cela fait penser à une banque). Par ailleurs, si je suis en retard de trois paiements, vous pourrez reprendre à votre compte cet investissement dans un bien immobilier. »

Si vous envisagez un investissement dans une résidence, la valeur de votre bien augmentera presque certainement. C'est le plus souvent le cas. C'est pour ainsi dire garanti. Tandis qu'investir dans une voiture, c'est courir à une perte garantie, aussi garantie que le soleil va se coucher demain. Vous me suivez ? Vous comprenez ce que je veux dire ? Il y a toujours un risque. Il faut seulement comparer ce risque à un autre pour pouvoir prendre une décision financière intelligente. Pour ce type d'investissement, vous pouvez donc peut-être envisager d'utiliser le patrimoine de vos parents.

Comprenez-moi bien : ce n'est pas une obligation, c'est seulement une option. Si vous n'avez pas de parents et de grands-parents détenant un patrimoine, peut-être pouvez-vous utiliser celui d'un ami ou de quelqu'un d'autre ? Il y a tant de patrimoines qui ne sont pas utilisés. Ce qui est surprenant, quand on utilise un patrimoine comme une propriété, c'est que la valeur de cette dernière peut continuer à augmenter, même si l'on retire un peu du patrimoine et qu'on l'investit ailleurs. Donc, on gagne sur les deux tableaux. Si la valeur de la propriété augmente, vous avez de l'argent qui travaille pour vous à un double niveau : celui de l'augmentation de la valeur de la propriété et celui de l'investissement. C'est magique, non ?

Pour commencer avec 10'000 à 15'000 S	
1. Les économiser	2. Vendre quelque chose
3. Faire baisser ses impôts	4. Augmenter son revenu
5. A.D.A – l'argent des autres	6. Patrimoine personnel
7. Patrimoine des parents	8. En Australie* : superannuation ce qui équivaut à une caisse de retraite, un deuxième pilier, le compte 401 K etc.

Etape 8 – Superannuation*

(Ce passage est résumé et adapté pour les francophones, ndt)

La 8ème méthode est la superannuation. *(*En Australie, la superannuation est une taxe que l'employeur de tout travailleur, quelle que soit sa nationalité, doit payer pour sa retraite. Le montant ainsi mis de côté peut être retiré par exemple, ndt)*

Une de mes compagnies aide beaucoup de mes étudiants en établissant pour eux des fonds de superannuation qu'ils peuvent gérer eux-mêmes et dans lesquels ils peuvent activement investir.

En Australie, la superannuation est obligatoire.

Je pense que si le gouvernement australien était plus créatif et souhaitait encourager l'épargne dans le pays, il devrait complètement réformer le système de la superannuation pour le rendre plus bénéfique.

Selon moi, et à l'instar de ce qui se fait dans d'autres pays, plutôt que l'employeur soit seul obligé de payer sa part, les employés devraient payer une cotisation équivalente et y être encouragés en bénéficiant d'avantages fiscaux.

Ce genre de fonds n'est en général accessible qu'à l'âge de la retraite. Il serait souhaitable que les gens puissent utiliser une partie de leur superannuation ou fonds de pension avant l'âge de la retraite pour l'investir. En effet, la superannuation n'est pas très populaire parce qu'elle ne devient accessible qu'au moment de la retraite et que l'argent qui y est versé est ainsi bloqué pendant longtemps. Si les australiens pouvaient avoir accès à leur fonds avant et recevoir la possibilité d'en utiliser une partie, de l'investir et de réaliser des profits supplémentaires, ce serait tout bénéfice pour eux et un encouragement à cotiser dans ce fonds, ce qui contribuerait aussi à la prospérité de l'Australie en général.

Cette épargne supplémentaire pourrait être injectée dans l'économie australienne qui serait moins tributaire des compagnies étrangères qui achètent les nôtres et empochent les profits, le plus souvent sans payer d'impôts. Nous pourrions alors nous aussi acheter des compagnies outre-mer.

Des pays comme Singapour, qui étaient autrefois des pays du tiers monde, et d'autres pays de petite taille sur la carte du monde, peuvent s'offrir nos compagnies parce que ce sont de bien meilleurs épargnants et investisseurs que l'Australie, du moins au moment où je m'exprime.

Il est vrai que le gouvernement a fait quelques efforts pour rendre la superannuation plus attractive, et je reste persuadé qu'en étudiant bien la superannuation on devrait pouvoir en tirer profit. A garder à l'esprit et à suivre…

Etape suivante – Comment créer de l'argent de toute pièce

Nous avons examiné 8 moyens de trouver de l'argent pour commencer à investir. Il y en a beaucoup d'autres. Commençons par l'argent qui peut être créé de toute pièce.

J'ai fait état auparavant de l'ajout de valeur. Si nous ajoutons de la valeur à quelque chose, cette chose prend de cette valeur. Autrement dit, par exemple, si nous ajoutons de la valeur à l'entreprise ou autre entité pour laquelle nous travaillons, nous pouvons engendrer plus de richesse ; si nous ajoutons de la valeur à un bien immobilier, il en sera de même pour cette propriété.

Imaginons que vous et vos parents possédez vos logements respectifs, acquis avec une part de patrimoine et un prêt immobilier dont le remboursement est en cours. Une des premières choses que vous pourriez faire c'est utiliser ce patrimoine pour obtenir une ligne de crédit qui vous permettrait d'obtenir un peu d'argent à investir.

Prenons à nouveau Bill et Mary comme exemple. Disons qu'ils ont un logement qui vaut 150 000 S. La banque en possède 100 000 S et, par conséquent, le patrimoine de Bill et Mary – à savoir la portion de la maison qui leur appartient réellement – est de 50 000 S. Bill et Mary pourraient demander une ligne de crédit sur une partie de cette somme afin de l'investir.

Disons que Bill et Mary doivent disposer pour leur investissement de départ de 10 000 à 15 000 S. Ils pourraient penser qu'ils ne les ont pas. Mais s'ils m'en parlaient, je leur répondrais : « Vous avez un patrimoine dans cette propriété de 50 000 S qui sont à vous et qui dorment. Vous pourriez les utiliser en demandant à la banque de vous accorder une ligne de crédit sur ce patrimoine. Mais il va d'abord falloir savoir combien vaut votre logement, parce que ce que la banque va peut-être mettre à votre disposition sera fonction de cette valeur. »

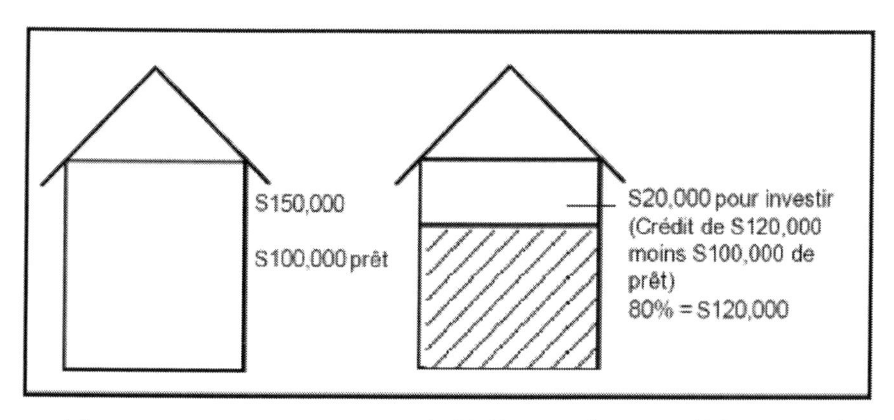

Admettons que ce pourcentage est de 80 % et que leur propriété vaut 150 000 S ; 80 % de cette valeur donne 120 000 S desquels Bill et Mary devront soustraire 100 000 S, soit le montant qu'ils doivent encore à la banque sous forme de prêt immobilier. Ils ne peuvent évidemment pas l'emprunter une seconde fois. Donc, 120 000 S moins 100 000 S égalent 20 000 S.

Bill et Mary, s'ils sont en mesure de négocier et savent s'y prendre, pourraient obtenir sur cette somme un prêt d'un montant équivalent soit de 20 000 S.

Quand on utilise un prêt, selon moi, il faut toujours laisser une somme tampon en cas d'urgence. Disons dans ce cas qu'ils pourraient laisser 5 000 S de côté et prélever 15 000 S pour les investir sans attendre. Je montrerai plus loin un exemple de ce qu'ils pourront faire de cet argent liquide, ces 15 000 S soudain à leur disposition, pour en tirer des revenus en argent comptant sans avoir à travailler, pendant leur sommeil.

C'est là que cela devient vraiment excitant, et il n'aura pas fallu des années à Bill et Mary, comme avec l'épargne, pour avoir cet argent sous la main.

Ce genre de stratégie, qui permet de trouver facilement de l'argent et, dans ce cas, grâce à son logement, peut aboutir en un mois. C'est pourquoi les gens en sont friands. Surtout s'ils ont le bon état d'esprit et si quelqu'un leur présente des stratégies comme je le fais avec vous.

Mais ce n'est pas tout. Bill et Mary peuvent retirer encore plus d'argent de leur propriété. Ils pourraient procéder à une nouvelle estimation de sa valeur. Les biens immobiliers, dans la plupart des villes importantes, tendent à prendre de la valeur avec le temps. Quand Bill et Mary ont-ils évalué leur maison pour la dernière fois ? Il y a des années, comme la plupart de leurs compatriotes ?

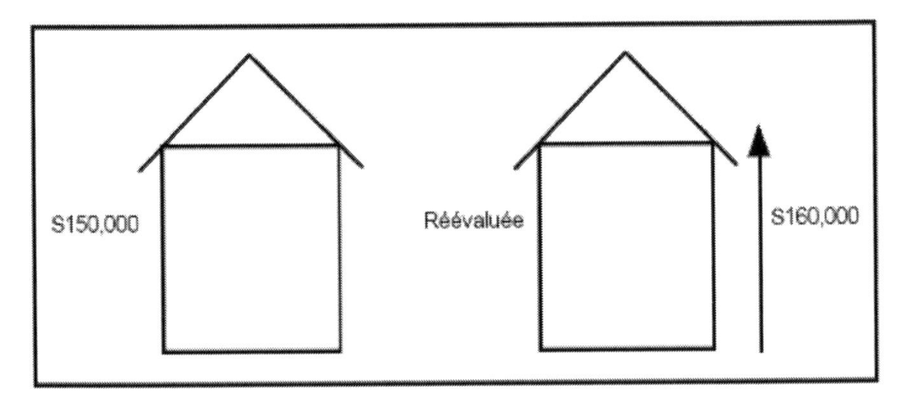

Ce que je suggérerais dans ce cas c'est qu'ils demandent à leur banque de ré-estimer la valeur de leur bien, ce qui va leur coûter environ 300 à 400 S. Il se peut même que la banque paye elle-même ces frais d'expertise. Après quoi leur propriété pourrait bien valoir 160 000 S et non 150 000 S par exemple, parce que la valeur des propriétés dans leur quartier aurait augmentée. Ainsi, Bill et Mary pourraient obtenir plus d'argent pour leur prêt à partir de leur patrimoine.

Rénovations

Et si, avant de faire procéder à une nouvelle estimation de leur propriété, Bill et Mary faisaient une rénovation rapide et peu coûteuse de leur logement qui serait de nature à ajouter une valeur importante à leur bien ? Penchons-nous un instant sur cette idée. L'objectif de Bill et Mary serait d'ajouter un peu de valeur à leur propriété avant la réévaluation.

Bill et Mary pourraient faire des rénovations du style de celles que l'on montre dans certaines émissions télévisées : en quelques heures ou en un week-end, les maisons ou appartements sont rajeunis et transformés par quelques peintres et menuisiers et – quelle bonne surprise pour les propriétaires ! – ils prennent de la valeur.

Certaines de ces rénovations, comme l'ont montré les émissions de télévision, ont ajouté dans bien des cas 20 000 à 50 000 S de valeur aux propriétés qui en ont bénéficié.

Bill et Mary, s'ils voulaient procéder à une telle opération, devraient d'abord en établir le budget, qui devrait être le moins élevé possible. Ils pourraient changer un peu le jardin s'ils en ont un, ou la terrasse, ou faire de petits travaux dans l'appartement, comme la peinture intérieure ou extérieure, modifier un peu l'aménagement. Il ne faut pas dépenser beaucoup : moins on dépense, mieux c'est.

Ils pourraient peut-être donner un coup de jeune à la cuisine et à la salle de bain, qui sont les parties les plus importantes du logement. Avec un peu de créativité cela peut être fait à moindre coût. Ils pourraient peut-être remplacer les tapis par du joli carrelage. De tels changements, simples et bon marché, qui améliorent l'aspect général du logement, peuvent faire grimper son prix au moment de la réévaluation.

Disons que Bill et Mary investissent 20 000 S dans une telle rénovation, après quoi leur bien sera plus attirant, leur maison sera plus belle voire la plus belle de leur rue, et son estimation pourrait alors se monter à, disons, 200 000 S. C'est une hypothèse qui nous sert de cas d'étude. Dans certains cas la valeur du bien peut ne pas augmenter autant que cela, et dans d'autres augmenter plus. Mais ici, pour l'exemple, nous nous fondons sur une estimation de 200 000 S.

Bill et Mary auront dépensé 20 000 S pour une rénovation et leur maison vaudra désormais 200 000 S. L'ajout de valeur à leur propriété sera de 50 000 S (à partir du montant initial de 150 000 S), moins les 20 000 S qu'ils auront dépensé en rénovation = 30 000 S de valeur supplémentaire. Et voilà, une fois de plus Bill et Mary auront créé de l'argent de toute pièce !

Permettez-moi de vous poser une question : « Combien de temps avez-vous mis à épargner vos derniers 30'000 S ? »

Voilà comment, en réfléchissant de manière créative, en sortant des sentiers battus, on peut en très peu de temps disposer d'un montant supplémentaire significatif au prix de quelques petits efforts.

« Et si Bill et Mary n'ont pas les 20 000 S pour rénover ? » me direz-vous. Eh bien je vous réponds qu'il n'est pas nécessaire de dépenser autant pour augmenter la valeur de son bien. Souvent, 3 000 à 5 000 S sont suffisants.

Quand je dis aux gens que cette stratégie ne fonctionne pas seulement pour les grandes villes mais aussi pour les petites, ils se moquent de moi. Mais en général cela fonctionne – le principe étant de faire tout son possible pour ajouter de la valeur à quelque chose.

Une jeune femme qui vivait dans une petite ville et qui avait participée à un de mes séminaires gratuit se lança. Elle dépensa 1 000 S pour améliorer son logement dont la valeur augmenta, du coup, de 20 000 S. Cette femme en fut ravie et, grâce à cette stratégie, elle put commencer à investir cet argent ailleurs. Cela peut sembler trop beau pour être vrai. Et pourtant…

Il est bien rare que cette stratégie ne réussisse pas. Mais certains ne savent pas en tirer parti. Voici un conseil sur ce qu'il ne faut PAS faire pour donner ses meilleures chances à cette approche :

D'abord, quand on fait des rénovations, il faut s'en tenir à quelque chose de cosmétique, ne pas se lancer dans des changements majeurs comme l'ajout d'une piscine, la construction d'un garage pour trois voitures ou que sais-je encore de très coûteux. Le risque en effet est que le coût d'une rénovation majeure dépasse le montant de l'augmentation de la valeur du logement considéré. Il ne faut pas dépenser 50 000 S et se retrouver avec une valeur estimée qui n'a augmenté que de 20 000 S. Le principe à suivre est de dépenser le moins possible pour un gain potentiel maximum.

L'augmentation de la valeur de votre bien immobilier dépendra aussi de la région où il se trouve. Ce critère pourra conduire à ce que, à certains endroits, une maison rénovée gagne beaucoup de valeur et dans d'autres bien moins.

Mais revenons à Bill et Mary qui ont maintenant plus d'argent à disposition et qui sont très enthousiastes. Ils vont pouvoir l'investir dans d'autres domaines qui leurs permettront de gagner de l'argent non pas en travaillant mais en dormant.

Nous allons maintenant évoquer quelques autres stratégies.

Le marché des changes – en d'autres termes, la bourse. J'en parle maintenant mais ce ne fut pas toujours le cas. Je pensais que c'était trop risqué et que cela prenait trop de temps, jusqu'à ce que mon mentor millionnaire m'aide à comprendre certaines stratégies d'investissement en bourse.

Quand j'ai appliqué ces stratégies, j'ai connu un tel succès que je suis devenu un fan de la bourse. J'ai aidé beaucoup de gens à gagner des montants substantiels grâce au marché des changes. C'est stimulant parce qu'on peut gagner de l'argent comptant rapidement, et, quand on fait ce qu'il faut, on peut minimiser les risques Beaucoup de gens ne comprennent pas cela.

Même si ce n'est pas avec la bourse que j'ai démarré, je considère que c'est un bon moyen pour commencer à s'enrichir, même si on est débutant en la matière.

Gagner de l'argent liquide en « louant » des actions

Une des stratégies les plus excitantes consiste à louer des actions. Beaucoup réagissent en me disant : « Jamie, c'est une faute de frappe : « louer des actions Je sais qu'on peut louer une propriété, mais comment peut-on louer des actions ? »

Oui, vous avez bien lu, vous pouvez louer des actions. C'est moi qui suis l'auteur de cette expression, que j'ai inventée en tant qu'orateur et éducateur pour mieux transmettre mes connaissances et enseigner à mes étudiants comment mettre en œuvre une stratégie fort simple. Pour décrire cette stratégie – ce que je vais faire plus loin –, on peut utiliser un abondant vocabulaire technique mais, bien souvent les gens ne comprennent pas le langage boursier. Il s'agit de mots qui sont codé qui semblent parfois compliqués. Mais la stratégie ne l'est pas.

Ce que je tiens aussi à vous montrer plus loin dans ce livre c'est comment assurer votre position sur le marché des changes. La plupart des gens ne savent pas que c'est possible, à condition de suivre certaines stratégies. Je vais donc abord ces sujets un peu plus tard.

Je vous montrerai comment j'aurais aidé Bill et Mary, en ma qualité d'ami et de coach, en leur donnant certaines idées pour gagner 1 000 S par semaine sans travailler et dans le délai le plus court possible, en utilisant leur argent efficacement tout en gérant les risques. Pourquoi 1 000 S par semaine ? Parce que c'est approximativement ce qu'ils gagnent ensemble à ce stade hypothétique. Cet argent comptant remplacerait le revenu provenant de leur travail et leur permettrait de faire des choix majeurs dans leurs vies. Ils pourraient décider de réduire par exemple leur temps de travail. Oui, ils auraient le *choix*.

Bill et Mary pourraient prendre plus de vacances voire travailler 6 mois par an. Ils pourraient même cesser complètement de travailler. Peut-être pourraient-ils se tourner vers une autre carrière qui leur procurerait du plaisir parce qu'ils feraient quelque chose qu'ils ont envie de faire et non quelque chose qu'ils sont obligés de faire juste à cause de l'argent. Leurs gains en bourse transformeraient complètement leurs vies, et cela grâce à quelques stratégies qu'il faudrait mettre en place. Vous pourriez être intéressés à faire de même.

Dans le prochain chapitre, je vais expliquer une demi-douzaine de stratégies pour gagner de l'argent rapidement dans le marché des changes. Je vais entrer dans le détail de deux d'entre elles, dont celle de la location d'actions.

Si vous avez besoin de plus d'assistance pour comprendre mes stratégies, vous pourrez me demander de vous envoyer gratuitement le DVD expliquant ces stratégies en détail sur le site www.21stcenturyeducation.com.au.

Je suis persuadé, sans le moindre doute, que si vous êtes comme les centaines de milliers de personnes qui ont regardé ce DVD, vous serez très enthousiasmés par ces stratégies, non seulement parce qu'elles sont réalistes mais aussi parce qu'elles peuvent être appliquées rapidement. Ce livre va vous donner les clés de compréhension fondamentales sur la manière de s'y prendre si elles sont applicables à votre situation actuelle ou future.

Possédez-vous les traits de caractère d'un millionnaire ?

Le livre de Thomas Stanley et de William Danko, *The Millionnaire Next Door*, révèle que la plupart des millionnaires sont des gens simples qui pourraient être vos voisins. Ils ne s'offrent pas une nouvelle voiture chaque année et ne se déplacent pas en jet d'un point à l'autre du globe (ne serait-ce d'ailleurs que pour des raisons écologiques.) Comme on dit en français, ils n'en « jettent » pas et, parfois, il peut s'agir de la dernière personne dont vous auriez imaginé qu'elle le serait.

La plupart des millionnaires ont en commun 7 traits de caractère ou attitudes de vie. Comparez-vous à ce qui suit : où vous situez-vous ?

1. Ils vivent en-dessous de leurs moyens. La moitié des millionnaires interviewés ne vivent pas dans des quartiers huppés mais dans les mêmes quartiers que la moyenne.

2. Ils ont des styles de vie plutôt frugaux. La plupart d'entre eux n'achètent pas de yachts ou même de nouvelles voitures. Ils achètent des produits en action et négocient toujours pour un meilleur deal. On pourrait penser à leurs attitudes qu'ils sont radins.

3. Ils sont indépendants ou ont leur propre business. Ils aiment leur travail. Ils sont en phase avec ce qu'ils font, ce qui les passionne.

4. Ils étudient et planifient leurs investissements. La majorité des millionnaires investit beaucoup et passe beaucoup de temps à étudier les investissements ou à demander l'avis de réels experts financiers.

5. Ils n'ont pas toujours été les meilleurs de la classe. Cela peut sembler surprenants mais ils n'ont pas tous de beaux diplômes et n'ont souvent pas fréquenté les grandes écoles ou l'université. Certains n'ont même pas terminé leurs études secondaires (collège, lycée).

6. Ils le sont devenus seuls. La plupart des millionnaires n'ont pas reçu d'argent en provenance de leur famille et n'a pas pour projet d'en donner beaucoup à leurs enfants. Ils souhaitent que ces derniers réussissent comme eux l'ont fait, à leur propre manière.

7. Ils ont échoué plus d'une fois, mais cela ne les arrête pas. C'est ce qui distingue avant tout les millionnaires : ils n'ont pas peur d'avancer et continuent leur chemin, même s'ils se heurtent à un échec.

Cela dit, et je tiens à le souligner, ne pensez surtout pas que vous devez échouer avant de réussir ! Ce n'est pas une nécessité. Evidemment, il est important de savoir essuyer un échec et d'en tirer une leçon valable. Mais avec de bons conseils et un bon guide, vous pouvez faire tourner la roue en votre faveur et connaître le succès sans passer par des désastres. C'est important de le savoir.

(*Dans l'édition originale australienne, il y a ici une étude de cas concernant l'ascension d'un jeune milliardaire australien. Cependant, le cas choisi étant très spécifiquement australien et de surcroît devenu obsolète, il n'a pas été repris dans l'édition française. Pour des détails sur la personne concernée, voir http://en.wikipedia.org/wiki/Nathan_Tinkler*.)

> « Mener la belle vie est plus une question de planification que d'argent »
>
> **Jamie McIntyre**

16. STRATÉGIES DE GÉNÉRATION DE LIQUIDITÉS INSTANTANNÉES

Spéculer ou suivre des tuyaux est exclu en bourse. Pourtant, que font la plupart des gens ? Ils spéculent ou suivent des tuyaux.

Au début de ce chapitre, j'insiste sur le fait que mon intention n'est pas de vous donner des conseils financiers, bien que j'y sois autorisé – tant pour les actions que pour les produits dérivés – par l'ASIC en Australie. Ce que je veux c'est former mes lecteurs en leur faisant connaître des stratégies financières qu'ils pourraient envisager d'appliquer. Toutefois, je voudrais aussi les prévenir et leur suggérer de ne pas investir de l'argent sur la base du matériel contenu dans ce livre ou de tout autre support matériel. Je les invite à trouver leurs solutions de manière indépendante, que ce soit en écoutant l'avis d'experts ou autres sources d'information, et à effectuer eux-mêmes les choix financiers qui leur conviennent et qui s'avèrent les plus appropriés.

Acheter des actions

En premier lieu, nous allons examiner le marché des actions et si une action XYZ est une bonne affaire, auquel cas nous allons essayer de savoir à quel prix il conviendrait de l'acheter, éventuellement.

Il y a deux types d'analyse pour trouver ces éléments d'information. L'une est technique et l'autre fondamentale. J'ai tendance à utiliser un peu des deux, mais je pense qu'une des raisons pour lesquelles j'ai réussi sur le marché des actions tandis que d'autres personnes que moi échouaient c'est parce que je me suis comporté avec bon sens et simplicité.

C'est la simplicité de mon enseignement qui me permet d'aider mes étudiants et lecteurs. En effet, je pense que pour beaucoup la vie est difficile, compliquée. Si quelque chose paraît trop simple, il leur semble que quelque chose cloche. Je crois que c'est une immense erreur de penser qu'il est compliqué de réussir financièrement. Je ne vais pas vous dire que c'est très facile – il faut une concentration et une détermination soutenues –, mais si vous permettez à ce processus de se dérouler avec simplicité, il n'est pas compliqué. C'est fou ce que les êtres humains peuvent compliquer les choses pour rien !

Passons donc à notre premier sujet ici : comment savoir quelle action acheter. Le commerce d'action, c'est comme un business. Pour l'achat d'une action, nous allons prendre les mêmes renseignements que pour ceux que nous prendrions pour acquérir une entreprise, parce que c'est bien de cela qu'il s'agit. Quand vous achetez des actions, vous êtes réellement en train d'acheter les parts d'une compagnie entière.

Disons que nous avons repéré une action XYZ. L'action XYZ n'existe pas, c'est une désignation fictive juste pour l'exercice. Admettons aussi que cette action se trouve dans la liste des actions disponibles dans votre pays.

En premier, il va falloir vous informer à propos de cette action, à savoir sur la compagnie qui l'a émise. Il existe beaucoup de sources gratuites d'information : les journaux et magazines, internet, etc. Il y a aussi de nombreux logiciels de commerce d'actions, à savoir de « trading », anglicisme courant dans le monde francophone.

Quand je fais du trading, je veux que mon business soit profitable et qu'il fonctionne sans que ma présence soit constamment nécessaire. Ce que j'adore dans les stratégies que j'utilise c'est que je ne consacre que 15 à 30 minutes par mois à tout organiser et, ensuite, de manière phénoménale, je touche de l'argent comptant. C'est donc un bon business.

Comment savoir à quel prix acheter une action ? Si nous consultons les journaux, nous verrons que, dans le passé, l'action XYZ valait disons 26 S, et que durant les 12 derniers mois elle a chuté à 12 S. Mais vous, vous ne le saviez pas, et si on vous glisse des informations dans l'oreille, en vous encourageant à l'acheter, en vous disant que c'est un bon tuyau et que cette action vaut en ce moment 19 S, est-ce que vous l'achèteriez ? Prendre une décision sur cette base équivaudrait à deviner ou à vous fier à une information rapide. In-ter-dit ! Non, non et trois fois non à la spéculation, aux hypothèses et aux pseudos « bons tuyaux ». Quand on commerce sur le marché des actions, il y a des attitudes auxquelles il faut s'opposer fermement. Et devinez ce que font la plupart des gens ? Ils spéculent ou se fondent sur un « bon tuyau » sur lequel sauter ! Il ne faut jamais faire cela. Nous n'allons quand même pas jouer ainsi notre avenir financier. Nous ne sommes pas au casino. Bien au contraire. Nous allons toujours prendre des décisions fondées sur notre bon sens.

Warren Buffet, le plus grand investisseur du monde et milliardaire bien connu, enseigne la même chose. Ses décisions sont fondées sur le bon sens alors que beaucoup de gens perdent la boule. Le sens commun semble être devenu une denrée des moins communes sur cette planète.

Mais revenons à notre action XYZ. Vous venez de découvrir que son prix a monté jusqu'à 26 S, puis baissé jusqu'à 12 S au cours des douze derniers mois, et qu'il est maintenant de 19 S. Que faites-vous ? Vous l'achetez ? Nous ne savons pas grand-chose à propos de cette action, mais nous avons une indication sur son cours. Il a varié entre un prix plus élevé, un prix moins élevé et un prix moyen qui se situe quelque part entre ces deux pôles, soit 19 S. Cette information vous donne une petite idée sur le cours de cette action et vous l'avez trouvée gratuitement, en consultant les journaux, les magazines ou internet.

Si vous utilisez l'analyse technique, vous pouvez aller regarder des sites qui vont vous fournir beaucoup d'informations sur l'historique des cours des actions. *(La plupart des courtiers en ligne fournissent toutes les informations nécessaires, ndt.)* Ce que vous allez pouvoir apprendre d'une analyse technique sont les mouvements quotidiens ou hebdomadaires des prix des actions, et cela va vous donner une idée schématique de leurs tendances.

Mais n'oublions pas nos émotions : il faut bien savoir que deux principales catégories d'émotions influencent le marché des changes : la peur, d'une part, et l'appât du gain, d'autre part. Laquelle de ces deux émotions fait grimper le marché des actions d'après vous ? Vous l'avez sans doute deviné, c'est l'appât du gain. Et laquelle tire le marché vers le bas, et cela bien souvent bien plus rapidement qu'il ne grimpe ? Vous l'avez deviné, c'est la peur. Nous en avons discuté précédemment en parlant des attentats du 11 septembre 2001 et de la « crise des subprimes » – à savoir des prêts hypothécaires titrisés – aux Etats-Unis. Le marché des changes s'est effondré et certains sont restés bloqués par leur peur, recroquevillés sur eux-mêmes, tandis que d'autres – sans pour autant oublier – ont continué à avancer dans leurs vies.

Pour ce qui est du marché des changes, quand le bon sens a refait surface, la bourse aussi et beaucoup d'investisseurs y trouvèrent d'excellentes occasions pour leur activité de trading.

Il est utile de savoir que depuis la Seconde guerre mondiale, environ 27 crises ont provoqué une chute soudaine du marché des changes – autrement dit une crise boursière – et il est non moins utile de savoir qu'après chacune de ces crises, le marché des changes a rebondi avec un index encore plus élevé qu'auparavant, ce qui veut dire que le marché des changes est souvent influencé par la peur ou par la recherche irrationnelle de gains, l'avidité. L'avidité conduit souvent les investisseurs à des pertes. *(Voir la crise des subprimes, ndt.)*

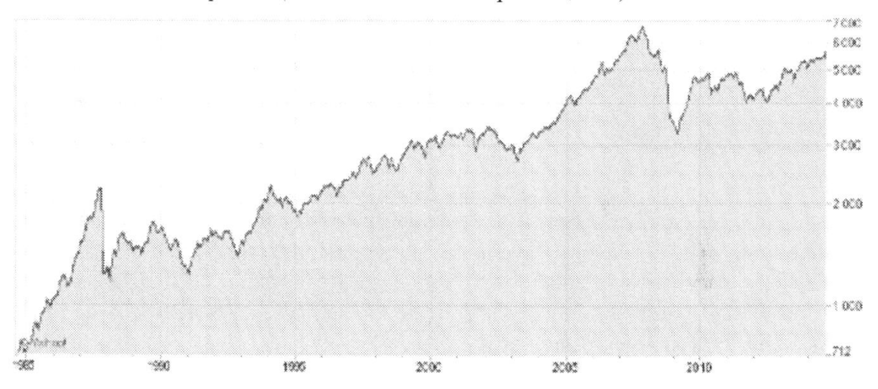

Graphique montrant tous les mouvements de l'indice australien « All Ordinaries » (équivalant australien du CAC français et du Dow Jones américain) de 1985 à septembre 2014

Nous allons expliquer **comment analyser les performances d'une action donnée par le moyen de l'analyse technique**. Il s'agira de découvrir la courbe de cette action, soit celle de ses valeurs les plus élevées, les moins élevées et de ses valeurs médianes, reliées par une ligne qui montre le mouvement de cette action au cours d'une période donnée. C'est l'analyse technique. Il sera nécessaire de compléter cette information par une analyse plus fondamentale sur ses performances, à savoir sur les activités de la compagnie qui l'a émise et sur les profits de cette dernière. Il est important de savoir si cette compagnie ou autre entité fait des bénéfices et comment, si c'est une compagnie qui a donné la preuve de sa solidité boursière.

Je m'en tiens toujours aux compagnies les plus grandes, les plus fortes et en général les plus profitables. Ce comportement en bourse réduit les risques de manière significative. Vous pouvez ensuite vérifier la variation du coût de son action durant les 12 derniers mois pour savoir si vous l'achetez à un bon prix.

Si vous agissez ainsi lors de vos débuts en bourse, vous allez beaucoup réduire les risques, mais vous ne les éliminerez pas complètement. Vous pouvez aussi vous exercer – au début – avec un compte de démonstration – appelé généralement « compte démo » – afin de prendre confiance en vous. Ce genre de compte permet de se familiariser avec le trading sans argent réel, uniquement avec de l'argent virtuel, fictif. Sur internet, vous trouverez des comptes ou logiciels démo gratuits. Faites semblant d'acheter et regardez combien vous gagnez virtuellement. Par ailleurs, un bon courtier, qui vous offre tous les services souhaités, peut aussi vous aider en vous offrant des analyses fondamentales et vous informer sur les gains actuels, la position, etc., de telle ou telle action particulière.

La méthode de sélection d'actions de Warren Buffet

Warren Buffet s'en tient à trois règles de base :

1. Il n'achète jamais les actions d'une compagnie qui n'est pas rentable. Cela semble simpliste mais, franchement, combien de traders achètent une action en se fiant à un « bon » tuyau et ne cherchent pas à savoir s'il s'agit de l'action d'une compagnie rentable ?

2. Il n'achète jamais les actions d'une compagnie dont il ne comprend pas comment elle réalise ses profits. Pourquoi ? Parce que s'il ne comprend pas cela, comment peut-il prévoir l'avenir de la compagnie considérée ? Par exemple, Buffet s'est abstenu d'acheter des actions d'Enron parce qu'il ne parvint pas à comprendre comment Enron faisait des bénéfices. Personne d'autre ne put l'éclairer, pas même les directeurs d'Enron.

Buffet fut critiqué pour avoir manqué le boom de la bulle internet avant que la bulle n'éclate. Les critiques affirmèrent que Buffet appartenait à la vieille école, qu'il était en train de perdre la boule, qu'il ne comprenait pas l'avenir de la bulle technologique, etc., simplement parce qu'il refusa d'investir dans des compagnies internet tandis que leurs actions grimpèrent de manière significative en moins d'une année. Mais Buffet ne comprenait pas comment ces entreprises internet gagnaient de l'argent et s'en tint donc à la règle de ne pas acheter leurs actions dans ce cas. En fait, et bien souvent, elles ne gagnaient rien et ne gagnèrent jamais rien. Grâce à sa fidélité à son principe, Warren Buffet ne fut pas affecté par le crash de la bulle internet. Je pense que si ces règles fonctionnent pour Buffet, elles fonctionnent aussi pour moi.

3. Il n'achète jamais les actions d'une compagnie qu'il considère comme surévaluée. Ceci peut être plus difficile à établir et fait appel à un bon jugement. Mais idéalement, il cherche des compagnies que le marché des changes sous-évalue, comme cela il peut toujours obtenir un bon prix.

Warren Buffet considère qu'acheter une action c'est comme acheter une compagnie toute entière. Certains pourraient rétorquer que c'est valable pour lui mais pas pour tout le monde puisque lui, en général, peut se permettre d'acheter des compagnies entières. Pourtant c'est quand même un bon conseil. En effet, si vous pouviez acheter un kiosque à journaux, une boutique locale ou un restaurant, vous voudriez savoir si ses affaires sont rentables et vous assurer que leurs comptes et bilans sont fiables. Vous voudriez aussi savoir comment ils font leurs bénéfices, n'est-ce pas ? Et même si l'affaire que vous envisageriez d'acheter est rentable et si vous compreniez comment elle réalise des profits, si vous découvriez qu'elle peut être estimée à, disons, 250 000 S, vous ne l'achèteriez pas pour 300 000 S. Vous l'achèteriez pour, admettons, 200 000 S, soit à un prix inférieur à sa valeur. Est-ce que cela vous semble logique ? Buffet reste fidèle à ce principe simple et, par conséquent, il est devenu multimilliardaire.

Channelling

(Comme « canal », « canaliser », ndt.)

La seconde méthode que nous allons examiner pour découvrir les variations de tendances du cours d'une action est celle du « channelling ». Je n'ai pas inventé cette stratégie. Elle est utilisée par de nombreux grands investisseurs.

Si vous observez les graphiques de l'évolution des cours de plusieurs actions, vous allez constater qu'ils forment une ligne dont la forme est schématique.

Par exemple, disons qu'une action donnée a connu un cours aussi bas que 16 S et est montée jusqu'à 19 S, puis est redescendue à 16 S, remontée à 19 S, redescendue à 16 S, remontée à 19 S, redescendue à 16 S puis remontée encore une fois à environ 19 S. On se rend alors compte, en observant la courbe graphique, que ces résultats apparaissent sous forme de lignes parallèles de formes comparables dont l'ensemble fait apparaître comme un tunnel ou canal (en anglais : « channel »). *(On peut bien voir ce tunnel quand on trace une ligne droite reliant les points montrant les prix les plus hauts et parallèlement une droite reliant les points les plus bas. Si les deux droites sont parallèles on peut observer une figure qui fait penser à un tunnel et qui évolue latéralement par rapport à ces lignes droites. Dans ce cas on dit que la tendance des cours de l'action forme un tunnel, à savoir que cette action est « channelling », ndt.)*

Si vous constatez que l'action se comporte selon un tel schéma, récurrent et en tunnel, la prochaine fois que sa valeur atteindra environ 16 sous, vous pourriez envisager de l'acheter. En effet, après avoir techniquement analysé son cours et constaté son parcours en tunnel, il vaut toujours mieux l'acheter quand elle atteint un cours d'environ 16 S que quand elle atteint le sommet de la courbe et s'échange à 19 S. Bien sûr, si elle atteint 19 S, vous pouvez prendre une autre décision. Seriez-vous disposé à la vendre ? Si vous faites appel à votre sens commun, la réponse serait en général oui, et vous pourriez faire un profit, dans ce cas, d'environ 20 %. En effet, vous l'auriez achetée à 16 S et vous l'auriez vendue pour 19 S. Il vous suffira alors de donner l'instruction à votre courtier de la racheter la prochaine fois que son prix descendra à approximativement 16 S. Qu'en pensez-vous ? C'est ce que vous pourriez faire et vous pourriez répéter cette opération plusieurs fois.

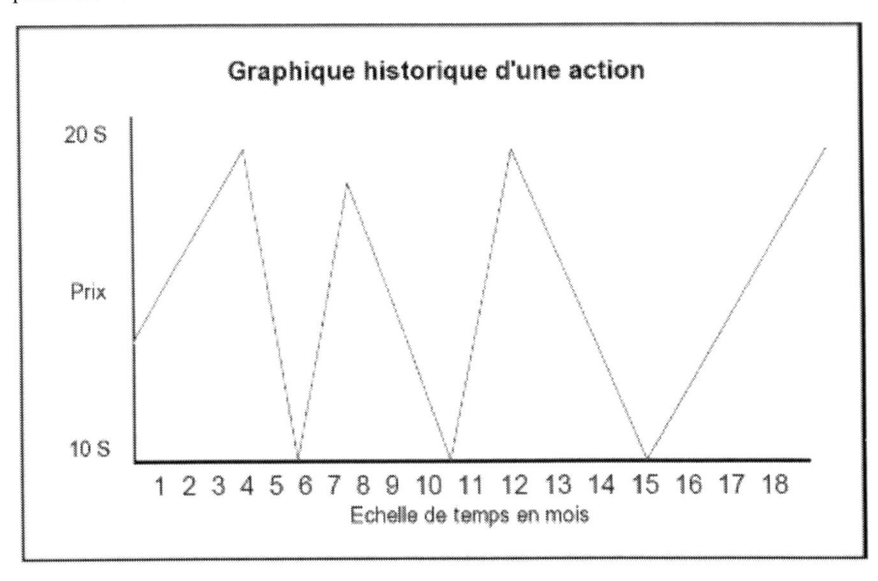

Disons que cette action que nous avons appelée XYZ a « canalisé » vers le haut et le bas 4 fois par an, et disons que vous faites un bénéfice de 20 % chaque fois que vous achetez et vendez cette action. Après la quatrième fois, votre bénéfice serait dans ce cas d'environ 80 %. Vous auriez fait un bénéfice de 80 % sur l'année.

Ainsi, comme vous pouvez le constater, certaines stratégies uniques en leur genre devraient vous permettre d'augmenter énormément vos bénéfices.

Celle que je viens de vous présenter est une stratégie que beaucoup de grands investisseurs utilisent, et c'est une de celles qui sont envisageables, en veillant à conserver sa simplicité.

Certaines actions peuvent monter et descendre le canal, ou tunnel, 4 fois par mois, mais quatre fois par an est plus réaliste. Cette stratégie semble relativement simple mais c'est une de celles que beaucoup de gens ne vont pas appliquer. Souvent, ils ne vérifient même pas si l'action a monté, ou baissé, ou suivi une courbe latérale : ils vont acheter l'action pour 19 S. Pourquoi ? Parce que tout l monde parle de cette action, elle est géniale, tous les conseillers financiers ou les courtiers disent que c'est une bonne action et qu'elle est en train de monter. Donc ils l'achètent et ils ont tendance à l'acheter à son prix maximum, celui du sommet de sa courbe, quand tout le monde l'achète. Elle monte parce que la plupart des gens l'achètent, mais nous, nous allons faire exactement le contraire selon ma chère loi des opposés. Quand elle atteint son maximum, ce sera un bon moment pour la vendre.

Faire le contraire de ce que la plupart des gens font va exiger de vous de ne pas tenir compte de ce que disent les autres et de vous conduire selon un processus de décision dont vous êtes sûr, suffisamment sûr de vous pour aller à l'encontre de l'opinion de la majorité. L'appât du gain, en effet, pourrait bien pousser certains à attendre que le prix de l'action monte, avant de vendre à 19 S, et la peur, au contraire, pourrait dissuader certaines personnes d'acheter à environ 16 S parce que l'action baisse et que tout le monde la vend.

Plus les gens vendent, plus le sentiment – ou l'opinion du marché – est que l'action baisse, et la plupart des gens reçoivent le conseil de ne pas l'acheter et le suivent. Pourtant, c'est au contraire précisément et souvent le moment opportun pour acheter.

Ensuite, évidemment, quand le prix remonte à environ 19 S, si vous devenez trop avide, vous allez refuser de vendre parce que vous espérez qu'elle grimpe à 21 S, ce qui pourrait en effet arriver et vous ne voudrez pas manquer les 2 S de bénéfice supplémentaires éventuels. Mais si vous ne vendez pas et si le prix de l'action ne monte pas, vous allez rater l'occasion de ce profit hypothétique. Si vous l'avez vendue 19 S après l'avoir achetée 16 S, vous aurez gagné 3 S même si elle monte à 21 S. Vous aurez sagement ignoré votre avidité pour les 2 S de profit supplémentaire.

Comme le rappela Henry Ford à ceux qui étaient sceptiques quant à cette méthode : « Vous n'êtes pas fichus de vous y tenir. C'est pourquoi vous ne faites pas de bénéfices. »

Souvenez-vous que la peur et l'appât du gain sont vos pires ennemis en bourse. C'est pourquoi une grande partie de ce livre est consacrée au développement de la bonne mentalité.

Les gens me disent qu'ils veulent que je ne parle que des stratégies, mais je vous garantis que si vous n'adoptez pas, si vous ne développez pas votre mentalité et ne travaillez pas à la construire et la consolider, vous allez avoir beaucoup de difficulté à appliquer ces stratégies, parce que vos émotions vont interférer sur les décisions dictées par le sens commun.

Si vous avez déjà investi en bourse, vous serez sans doute d'accord avec moi si je vous dis que la mentalité est ce qui est le plus difficile à acquérir. Dans un chapitre ultérieur, nous allons examiner certains moyens qui devraient vous permettre d'être plus efficaces dans la gestion de vos émotions lorsque vous investirez.

L'effet de levier

La troisième méthode ou stratégie d'investissement que je vais vous présenter est celle dite de l'effet de levier. Je vais prendre l'exemple de Bill et Mary pour la décrire et l'expliquer.

Admettons qu'ils aient investi 15'000 S avec lesquels ils ont pu acheter 1'000 actions à 15 S chacune. S'ils pouvaient obtenir un effet de levier, autrement dit utiliser l'argent d'autres personnes ou emprunter de l'argent pour acheter des actions, ils pourraient parvenir à doubler leur mise et acheter 2'000 actions pour un montant total de 30'000 S. Ceci accroîtrait leurs bénéfices. Ils auraient désormais 2'000 actions travaillant pour eux au lieu de 1'000 et, ainsi, ils pourraient potentiellement doubler leur revenu. Comment y parviendraient-ils ?

Comme je l'ai dit il faudrait qu'ils empruntent. Certaines personnes pensent ne pas pouvoir le faire parce qu'ils ont de mauvaises dettes ou ont connu la faillite et sont persuadés qu'ils ne pourront pas obtenir de prêt. Ont-ils raison ? Eh bien laissez-moi vous déclarer ceci : pour ainsi dire tout le monde (sauf si vous êtes âgé de moins de 18 ans) peut emprunter pour investir en bourse. Et cela même si vous avez été en faillite ou avez eu une sale histoire de dettes. Je ne suggèrerais pas de passer par les banques parce qu'elles rendraient cela difficile, mais de passer par des sociétés de courtage. Beaucoup d'entre elles accepteront de vous accorder des prêts. Tout ce dont vous avez besoin dans ce cas est d'y avoir un dépôt de 15 000 S pour vous permettre d'emprunter les 15 000 S supplémentaires. Ce dépôt doit être en argent comptant ou en actions. Il peut être constitué par les actions de vos parents ou de quelqu'un d'autre. C'est la condition pour pouvoir accéder à de l'argent supplémentaire sous forme de prêt. Les taux d'intérêts sont le plus souvent assez raisonnables, à peine plus élevés que 1 % à 2 %, soit les taux d'intérêts que l'on peut demander pour un prêt immobilier. Cet apport s'appelle un levier.

Augmenter votre levier peut accroître vos bénéfices potentiels mais aussi vos pertes. Toutefois, il ne peut augmenter vos pertes que si vous ne vous y prenez pas de la bonne façon. Vous devez en être conscient avant de décider si cette stratégie vous convient. (Plus loin dans ce livre, nous allons examiner différentes allocations d'actifs et divers profils de risque pour vous aider à décider de ce qui vous correspond le mieux.)

Avant d'emprunter, vous devriez toujours consulter un professionnel pour savoir si l'investissement que vous envisagez est adapté à votre situation. Vous pourriez pouvoir emprunter l'équivalent de trois fois votre dépôt, à savoir que sur la base d'un dépôt de 15 000 S vous pourriez en emprunter 30 000, pour un total de 45 000 S (3 000 actions à 15 S).

Veillez bien, si vous empruntez pour acheter des actions, à conserver toujours au moins 50 % de votre dépôt comme « tampon » afin d'éviter ou de réduire les risques de recevoir à un moment donné un appel de marge, soit une demande soudaine et stressante de la part de votre courtier de lui envoyer dans un délai de 24 heures un apport d'argent supplémentaire s'il constate une érosion de votre dépôt, afin que vous soyez couvert en cas de baisse de la valeur de vos actions. En effet, dans ce cas, si vous ne lui envoyez pas la somme demandée, il pourrait vendre vos actions.

Une fois, j'ai emprunté 2 millions de dollars (100 %) pour les investir dans le marché des actions. Mais j'ai fait protéger ce capital par une assurance, donc mes 2 millions de dollars étaient totalement couverts. Assurer vos actions, c'est la stratégie que je vais vous décrire maintenant.

Assurer vos actions

La quatrième méthode ou stratégie consiste à assurer vos actions.

Je demande souvent aux gens quand ils envisagent de se lancer en bourse de penser éventuellement à assurer leurs actions, de façon à ce que, en cas d'effondrement majeur de la bourse, ils n'en soient pas affectés. En général ils sont un peu étonnés : « Oui, disent-ils, je veux bien investir en bourse. Mais je ne savais pas du tout que je pouvais conclure une assurance de ce genre. »

Je ne me lasse pas de le rappeler : la plus grande crainte des gens concernant l'investissement en bourse est la peur de perdre de l'argent. Pourtant, des investisseurs potentiels peuvent apprendre des stratégies qui leur permettent de se protéger contre les risques sous-jacents, ce qui les libère du stress et rend leur activité bien plus agréable. Quand on a compris ces stratégies, on commence à apprécier le jeu de la vie et le jeu de l'investissement. La clé c'est : allez-vous jouer et comment allez-vous jouer le jeu pour gagner ?

Pour assurer vos actions, vous pouvez téléphoner à votre compagnie d'assurance et dire à votre assureur : « Je suis en train de lire un livre dans lequel Jamie McIntyre me dit que je peux assurer mes actions. Pouvez-vous me faire un devis ? » Vous allez probablement vous entendre répondre : « Ah non, en aucun cas nous ne pouvons assurer vos titres. Nous en sommes désolés. D'où tenez-vous cette idée saugrenue ? » (Et votre interlocuteur pourrait imaginer que vous êtes drogué ou je ne sais quoi.)

Le mot « assurance » tel que je l'utilise ici n'est pas à prendre en son sens traditionnel. J'utilise le terme « assurance » uniquement pour vous aider à comprendre comment vous pourriez faire pour couvrir votre investissement, vous protéger des risques. J'appelle cela, moi, « assurer des actions », et cela peut être fait seulement auprès de votre courtier.

Comment procéder ?

Vous passez des options d'achat. *(Une option d'achat est un contrat qui donne à l'acheteur le droit de vendre son actif sous-jacent au prix d'exercice convenu jusqu'à la date d'échéance, ndt.)* Autrement dit, vous acceptez de payer une somme, par action, qui va faire office de « prime d'assurance » grâce à un contrat, par l'intermédiaire de votre courtier. Selon ce contrat, un tiers vous donne l'assurance d'acheter vos actions à leur prix actuel si elles devaient perdre de la valeur. Voici un exemple :

Disons que vous avez acheté 1 000 actions à 16 S chacune. Si vous passez un contrat d'assurance, comme je l'appelle, vous devrez payer disons 0,30 S par action comme « prime d'assurance », à savoir en jargon boursier vous allez passer une option d'achat au prix de 0,30 S par action. Le contrat se fera par l'intermédiaire de votre courtier. Ainsi, vous allez payer 0,30 S quand vous allez acheter votre action à 16 S. Elle pourrait grimper un peu, mais vous allez « l'assurer » à 16 S parce qu'il se peut aussi que sa valeur baisse. Au prix de 0,30 S par action, 1 000 actions vont pouvoir être assurées pour 300 S pour une durée limitée. Cela peut être pour un mois, deux mois, trois mois, etc., tout comme pour une assurance classique. Elle sera en vigueur pendant toute la période durant laquelle vous souhaiterez être couvert. Bien évidemment, plus longue sera la durée de couverture, plus chère sera cette « assurance ».

Que se passera-t-il si quelqu'un d'autre, que vous avez payé – votre assureur disons – s'engage à acheter vos actions si leur prix baisse en-dessous du prix auquel vous les avez assurées pour une période donnée ? Vous pourrez dormir sur vos deux oreilles, parce que si la bourse s'effondre et que vos actions baissent à 13 S, cela n'aura pas d'importance pour vous. En effet, vous pourrez exercer vos droits auprès de votre « assureur » à tout moment quand votre action baisse en dessous de 16 S, et cela jusqu'à expiration de votre « assurance ». Vous recevrez donc 16 S pour le rachat de vos actions, même si ces actions ne valent plus que 13 S. Cette stratégie est excellente parce qu'elle peut potentiellement vous faire gagner encore plus d'argent, comme nous allons le voir maintenant.

La stratégie de gain à la baisse

La stratégie de gain à la baisse – la cinquième stratégie présentée ici – est une méthode qu'utilisait mon beau-frère et dans laquelle il excellait. Il n'avait pas beaucoup d'argent pour entrer en bourse, donc il commença avec une méthode qui lui permit de faire de l'argent aussi bien à la hausse qu'à la baisse, sans avoir même à posséder une action. Cela semble trop beau pour être vrai, mais c'est possible.

Vous pouvez en effet gagner de l'argent à la bourse sans avoir à posséder des actions et en apprenant comment commercer sur le marché des options.

Quand le mot « options » est prononcé, beaucoup sont au bord de l'AVC parce qu'ils ont entendu parler des options en bourse et pensent qu'elles sont très risquées. C'est souvent ainsi : quand les gens ne comprennent pas quelque chose, ils y voient un haut risque. Et en effet, les options présentent un risque si elles ne sont pas comprises et utilisées comme il le faut. A l'évidence, cette stratégie n'est pas recommandée pour tout le monde mais peut convenir à certains. Pour être un bon commerçant d'options, il faut avoir un mental d'acier et pouvoir vous concentrer bien souvent pendant une demi-heure à une heure par jour, parfois plus, sur votre commerce.

Certains diront que c'est mieux qu'un job où on travaille 8 à 10 heures par jour. Bien souvent, on gagne plus d'argent en s'adonnant au commerce des options que si on a un travail dit « normal ».

Mon beau-frère, qui travaillait à l'armée, apprit à utiliser cette méthode et parvint à remplacer et même à doubler son revenu en travaillant une demie heure à une heure par jour après avoir suivi un cours et s'être exercé avec un compte de démo. Puis il est devenu suffisamment à l'aise pour faire de réels profits.

La stratégie de gain à la baisse est très simple. Vous pouvez en fait acheter une assurance comme dans l'exemple précédent mais sans posséder d'actions. Si vous pensez que le marché des actions pourrait baisser, vous pouvez acheter une assurance comme si vous aviez des actions, ce serait pareil. Vous pouvez payer 0,30 S pour cette prime d'assurance pour couvrir le prix de l'action à 16 S, même si vous ne possédez pas cette action. Vous vous contentez d'acheter une assurance parce que si la valeur de l'action baisse disons à 13 S, l'assurance que vous avez payée 0,30 S pourrait valoir désormais approximativement 3,30 S et que vous pourriez la revendre.

En effet, votre contrat d'option d'achat prend de la valeur si les prix des actions baissent, parce qu'à ce moment-là il est d'autant plus important pour les gens d'avoir un tel contrat. Vous aurez payé 0,30 S mais, en cas de baisse, vous pourriez vendre cette assurance pour 3,30 S. Si vous avez acheté 1 000 de ces « primes d'assurances », votre dépense aura été de 300 S, mais vous recevrez en retour 3 300 S après déduction des divers frais relatifs à cette transaction.

Comme vous le voyez, vous n'aurez pas seulement réalisé 10 % de bénéfice sur votre mise, ni même 100 %, mais 1 000 %, et cela peut se produire en quelques jours ou quelques semaines. Vous pouvez voir aussi comment, avec un apport d'argent modeste, vous pouvez réaliser potentiellement de très hauts bénéfices. Selon l'exemple ci-dessus, vous faites un bénéfice supplémentaire et, si le prix de l'action ne descend pas, tout ce que vous pouvez perdre – éventuellement – sur cette transaction c'est votre apport de 300 S, soit les 0,30 S par action assurée.

La stratégie de gain à la hausse et à la baisse

La sixième stratégie est aussi une méthode que mon beau-frère utilisa avec succès, que j'appelle « la stratégie de gain à la hausse et à la baisse » parce que vous pouvez gagner de l'argent à la hausse comme à la baisse sur le marché des actions et cela sans détenir vous-même des actions.

Pour faire de l'argent au moment de la hausse, on fait l'inverse de la stratégie précédente au cours de laquelle vous pouviez acheter ce qu'on appelle des « options d'achat » (expliquées plus en détail par la suite dans ce livre) qui vont vous donner le droit d'acheter une action à un prix convenu.

Selon cette méthode, vous pourriez payer 0,30 S pour pouvoir acquérir le droit d'acheter l'action disons à 16 S à la fin du mois. Si vous tradez aux alentours de ce prix, vous pouvez adopter cette stratégie si vous estimez que l'action XYZ va peut-être atteindre 17 ou 18 S.

Si elle est montée avant la fin du mois à 18 S, alors cette option particulière appelée « option d'achat » que vous avez achetée et pour laquelle vous avez payé 0,30 S pourrait bien valoir 2,30 S. Autrement dit, vous avez dépensé 0,30 S par action ou 300 S pour 1 000 de ces actions et vos options valent désormais 2 300 S. Ceci pourrait arriver en une semaine ou un peu plus. Comme vous le voyez, vous pourriez gagner des montants significatifs en bénéfices sur vos investissements, et le seul risque serait la dépense initiale.

(Autrement dit, vous allez vendre 2,30 S par action l'option d'acheter l'action XYZ à 16 S à des acheteurs qui pensent que l'action va continuer à monter. Vous allez pouvoir la vendre plus cher que vous l'avez achetée car plus l'action monte plus il est intéressant de pouvoir l'acheter à un petit prix. En effet, il est plus intéressant de pouvoir acheter l'action XYZ pour 16 S quand elle vaut 21 S par exemple que quand elle vaut 18 S voire 17 ou 16,5 S, car vos acheteurs vont pouvoir acheter ces actions pour 16 S alors qu'elles en valent 21, et ils vont pouvoir les revendre immédiatement 21 S l'action s'ils le veulent, empochant ainsi 21 – 16 – 2,30 = 2,7 S par action.

Vous, dans cette histoire, aurez réalisé environ 2 000 S de bénéfice car vous aviez acheté cette option plus tôt, lorsqu'elle valait seulement 300 S, et la revendez maintenant qu'elle vaut 2 300 S, et ce sans avoir jamais détenu d'actions.

Vous pourriez aussi exercer votre option d'achat pour acheter ces actions à 16 S l'action et les revendre à leur cours actuel – disons 18 S –, réalisant ainsi 18 – 16 – 0,30 = 1,7 S de bénéfice par action, soit 1 700 S pour 1 000 actions, mais vous devrez d'abord débourser 16 000 S pour acheter ces 1 000 actions XYZ à 16 S l'action, alors que si vous ne faites qu'acheter l'option 300 S pour la revendre 2 300 S, vous gagnez 2 000 S et n'en avez dépensé que 300).

(P*our plus d'info, n'hésitez pas à consulter* *http://fr.wikipedia.org/wiki/Call*, *paragraphe « Rôle ». Ndt)*

C'est une stratégie idéale pour ceux qui désirent y passer un peu de temps, mais cela demande aussi un entraînement plus intensif que pour les investissements en actions. Il vous faudra comprendre les analyses techniques et disposer d'un logiciel pour cette activité.

A notre « Centre d'Education pour le 21ème Siècle », nous avons aidé beaucoup d'australiens avec cette stratégie, et, grâce à nos programmes d'enseignement, beaucoup de nos élèves travaillent désormais une demi-heure à une heure par jour, 5 jours par semaine. C'est assez enthousiasmant, parce que si on apprend à bien la maîtriser, cette stratégie peut rapporter un revenu équivalent à celui que vous touchez en travaillant à plein temps.

Cependant, moi, je ne m'adonne pas au commerce des options parce qu'il exige trop de temps pour moi et que je n'aime pas rester longtemps assis devant mon ordinateur. Plus généralement, je pense que moins de 30 % des gens ont un profil idéal pour faire du commerce d'options et à condition d'être bien formés. Le plus souvent ce sont les femmes qui réussissent le mieux avec cette stratégie. Elles ont tendance à mieux faire que les hommes dans ce cas. Je ne sais pas pourquoi. Peut-être sont-elles plus portées à suivre des instructions dans le détail (elles ont leurs recettes, qui sait ?), tandis que les hommes sont parfois moins disciplinés, ce qui dans ce cas les conduit évidemment à perdre de l'argent. Peut-être. C'est une pure supposition.

En ce qui me concerne personnellement, je préfère la prochaine stratégie que je vais vous présenter et pour laquelle vous allez devoir dégager 5 minutes par mois de votre temps au lieu de une heure et demie par jour, tout en courant moins de risques. En plus, c'est une stratégie qui convient à tout le monde. C'est la méthode la plus enthousiasmante à mes yeux.

Louer des actions

Je l'appelle « louer » des actions. La mise en location d'actions. Comme je l'ai dit plus haut, « louer », dans ce contexte, est un mot que j'ai créé en ma qualité d'éducateur pour enseigner à mes étudiants australiens comment utiliser cette stratégie. Grâce à cette expression, je suis parvenu à l'expliquer en termes très simples à des milliers de gens. Beaucoup en font désormais usage. Ils parlent de « louer » des actions comme s'il s'agissait d'un terme générique.

Désormais, par conséquent, des milliers de gens ont pu gagner un revenu équivalent à celui d'un travail à mi-temps et même à plein temps grâce à cette stratégie.

Il est fondamental que vous soyez très bien informés sur cette méthode, même si vous n'avez jamais investi dans les actions auparavant ou si vous êtes déjà investisseur. Vous pourriez être absolument abasourdi voire choqué par les gains que vous auriez pu ne pas réaliser si vous n'aviez pas connu cette méthode de « location » d'actions. Mais avant d'entrer dans le détail, je vais m'assurer que vous serez bien préparé mentalement et que vous comprendrez comment cette stratégie fonctionne, parce que si vous faites un pas de travers, vous ne réaliserez pas les profits escomptés.

Je pense que la clé de ma réussite avec cette méthode c'est que je suis parvenu, peut-être mieux que d'autres, à lui conserver un caractère très simple.

Attention : si cette méthode fonctionne si bien, tant pour moi que pour mes étudiants, c'est que je l'applique en combinaison avec d'autres stratégies, créant ainsi un effet synergétique qui accroît de manière significative le profit potentiel, ce qui n'est pas le cas lorsqu'on l'utilise comme stratégie isolée. J'enseigne évidemment aussi ces autres stratégies.

Je n'ai pas besoin d'un logiciel pour l'appliquer et j'y consacre 15 à 30 minutes par mois voire moins ; souvent pas plus de 5 minutes. Je connais bien cette stratégie, depuis fort longtemps et je suis bien placé pour savoir qu'elle a fait ses preuves, qu'elle est sûre et efficace, et cela même quand le marché des changes traverse des crises majeures comme celle du crash qui a suivi les attentats du 11 septembre à New York en 2001. Je l'ai utilisée dans les bons et les mauvais moments et elle a tenu le coup. En fait, depuis la crise globale du crédit et l'effondrement du marché des actions en novembre 2007, cette stratégie est devenue plus rentable que jamais. Ceci est dû à la volatilité du marché et à la possibilité d'acheter des actions à des prix très bas comparés à ceux des années du boom.

Si nous combinons cette stratégie avec certaines des autres méthodes dont nous avons parlé auparavant, je ne connais pas de meilleur moyen pour les débutants, voire même pour les plus avancés dans le domaine boursier, de créer des revenus cash grâce à un investissement relativement modeste. C'est une des stratégies les plus sûres parmi celles qui existent sur le marché des changes, j'y crois fermement, mais à condition qu'on l'applique correctement.

Pour aborder la location d'actions avec un esprit bien préparé, il faut considére cette stratégie comme un business comme un autre. D'ailleurs, il faut toujours faire ainsi, aussi en ce qui concerne l'immobilier. Je pense que cette attitude, à savoi traiter les opérations boursières ou immobilières comme un business, est une de clés de ma réussite dans ces domaines. Nous allons donc penser comme si nou allions acheter un business traditionnel. Que nous faudrait-il, notamment e matière de capital et autres ressources ? Quels seraient les risques ? Nous allon réfléchir à tous les aspects du business de la location d'actions comme s' s'agissait d'un business traditionnel, et nous allons comparer. Quand vou comprendrez les alternatives qui se présenteront à vous grâce à cette approch vous allez trouver cette stratégie encore plus intéressante, tout comme moi. Allons y :

Capital nécessaire - Si vous achetez un restaurant par exemple, vous devre disposer d'au moins 100 000 S et parfois même de millions.

Risques - J'estime qu'ils sont très élevés. La banque va vous demander des garanties concernant le business en soi et, aussi, bien souvent, vous demander des garanties sur votre propriété. Ces garanties sont à mon avis le plus grand risque que vous encourrez parce que si vous perdez vous perdez tout.

Revenus potentiels - Pendant les premières années, est-ce qu'on gagne un bon salaire avec un business traditionnel ? Généralement pas. Il faut s'attendre à un revenu plutôt bas au début, même si l'affaire marche bien et pourrait potentiellement bien vous rapporter à l'avenir.

Accaparant - Est-ce accaparant ? Très ! Parce que vous devez diriger votre business, sauf si disposez et savez mettre en place un système qui vous permet de le faire tourner en votre absence.

Style de vie - Est-ce que votre business va vous apporter une haute qualité de vie ? Non. Sauf si ce business vous passionne et constitue votre qualité de vie en soi. En effet, vous devrez y consacrer environ 5 à 7 jours par semaine.

Stress - Elevé la plupart du temps dans un business traditionnel.

Personnel - Aurez-vous besoin de personnel pour ce business ? Oui, et ça aussi c'est stressant.

Mon mentor millionnaire disait : « Vous savez, avoir du personnel dans une entreprise c'est comme diriger un centre de soins pour adultes. » J'ai pensé au début qu'il s'agissait d'ironie. Mais quand j'ai dirigé des entreprises, j'ai réalisé ce que mon mentor voulait dire. Avoir du personnel à gérer est presque plus pénible que de gérer un centre de soins. Et puis, dans un centre de soins, vous êtes au moins payé pour surveiller les patients. Quand vous avez des employés, vous devez non seulement les payer mais aussi les surveiller, et, souvent, ils font des bêtises qui coûtent cher. Avoir des employés est une difficulté majeure, un facteur de dépenses important et peut constituer un vrai défi difficile à relever pour un patron.

Frais généraux - Elevés.

Lieu - Fixe. Autrement dit vous ne pourrez pas travailler n'importe où dans le monde si vous achetez par exemple un restaurant. Vous allez devoir vous trouver en un lieu particulier, là où sera situé votre restaurant. Un lieu fixe influence du même coup votre style de vie.

Revenu de votre investissement - Est-ce que vous allez faire un grand ou un petit bénéfice avec votre investissement ? Il va d'abord falloir que vous gagniez l'argent que vous aurez dépensé pour acheter votre business avant de pouvoir penser en termes de bénéfices.

Liquidation - Pourriez-vous, le cas échéant, liquider rapidement un business traditionnel et récupérer en retour la majeure partie de votre argent ? Humm... je dirais que non. Dans la plupart des affaires traditionnelles, vous pourriez payer

100 000 S pour son acquisition et essayer de vendre un an plus tard. Si votre affaire n'a pas été gérée correctement, il va falloir vous battre pour trouver un acquéreur. Une telle opération serait peu fluide et pourrait s'avérer peu valable. Conclusion : il est très pénible de liquider une entreprise, et la valeur de revente est généralement difficile à faire monter, sauf si vous êtes un vendeur très expérimenté.

Maintenant, faisons la comparaison avec un business de location d'actions :

Capital pour la mise en location d'actions - Le capital nécessaire pour commencer un business de location d'actions est relativement faible. Vous pouvez faire cela avec 1 000 actions, donc vous allez avoir besoin d'au moins 15 000 S. Vous pourriez aussi faire avec moins, mais je suggère 15 à 20 000 S comme montant idéal pour débuter. Cela dit, juste pour la comparaison avec un business traditionnel, nous allons prendre pour hypothèse une mise de départ de 100 000 S. Par exemple, 50 000 S que vous auriez obtenus grâce à un prêt sur une propriété et 50 000 S provenant d'un prêt boursier *(effet de levier, ndt)*, selon la combinaison qui vous conviendra le mieux.

Risque - Vous pouvez emprunter bien plus facilement que pour un business traditionnel, sans passer par les banques, sans donner de propriété en garantie. Emprunter pour la location d'actions est très simple. Pas besoin de passer par une banque. C'est auprès de votre courtier que vous obtenez un prêt. N'importe qui, même si vous êtes en faillite ou avez une sale histoire de crédit, peut emprunter de l'argent en utilisant le marché des actions. Pratiquement n'importe qui peut obtenir par exemple un effet de levier. Evidemment il va vous falloir un dépôt en actions ou de l'argent dans votre compte, mais votre courtier va vous prêter l'argent supplémentaire.

Emprunter pour un business de location d'actions est une des formes de financement possible, et c'est aussi assez bon marché. Le facteur de risque quand on emprunte est beaucoup plus bas que pour un business traditionnel parce qu'on ne vous demandera pas de garanties traditionnelles. Les actions elles-mêmes serviront de garantie. Cela veut dire que tout ce que vous pouvez perdre si votre business ne fonctionne pas est ce que vous avez payé, soit les 100 000 S que vous aurez mis au départ.

Revenu – ou rendement – potentiel - A mon avis, très élevé. Un investissement de base de 15 à 20 000 S peut rapporter quelque chose comme 500 à 1 200 S par mois. J'ai vu plus de 1 500 S pour 1 000 actions en un seul mois, et cela peut se reproduire plusieurs fois au cours de l'année, soit pendant 6 à 9 mois. Donc le revenu potentiel est très élevé.

Une mise de fonds de 100 000 S peut rapporter dès le premier jour un montant de 2 500 à 6 000 S par mois. Avec un levier, 5 000 à 12 000 S par mois. Et avec un levier maximum (réservé aux experts), 7 500 à 18 000 S par mois. Et vous pourriez de surcroît assurer votre capital, ce qui représente moins de risque que d'acheter une voiture.

C'est beaucoup d'argent pour ceux qui disent – ou disaient – que c'était trop risqué de faire des profits élevés. Si vous bénéficiez d'une éducation financière correcte, le niveau de risque baisse de manière drastique, et il est tout-à-fait gérable, même en cas d'effondrement de la bourse. La clé c'est évidemment une éducation financière de qualité. C'est pourquoi les séminaires crédibles sur l'art des investissements et dont les enseignants sont des investisseurs qui réussissent rendent des milliers de clients heureux.

Mise à jour

En raison de la crise globale du crédit de 2009, beaucoup de gens ont commencé à avoir peur d'investir dans le marché des changes, ce qui est ironique parce que les actions peuvent être, dans des moments comme ceux-là, achetées pour une fraction du prix maximum auquel elles se vendaient lors du boom de fin 2007, à une époque à laquelle les gens se les arrachaient malgré leur prix élevé. Par exemple, en raison de la crise globale du crédit, les stratégies de génération de liquidités et de « location » d'actions devinrent plus rentables que jamais. En utilisant un levier et en assurant ses positions, un individu moyen qui possédait 150 000 S de patrimoine pouvait réaliser un revenu de 30 000 S en janvier 2009, ainsi que le mois d'après. C'est un rendement massif et bien plus élevé que les habituels 7 500 à 18 000 S par mois mentionnés ci-dessus, et c'est possible grâce à la volatilité des actions, ce qui veut dire qu'avec un petit capital, soit 15 000 S, un levier et une assurance, on peut encore obtenir jusqu'à 3 000 S en un mois pour certaines actions.

Je traite ces questions en détail dans un séminaire en live de 4 jours. Rendez-vous ici pour davantage de détails : www.21stcenturyeducation.com.au

Personnel - Pour louer des actions, vous n'avez pas besoin d'employés. Il ne vous faut que 15 minutes par mois.

Frais généraux - Quasi inexistants. A part ce que vous payez pour les actions elles-mêmes, vos frais généraux seront le coût de votre temps et le prix du journal – de préférence un journal de votre pays. Ce dernier va vous montrer combien vous pouvez gagner en louant vos actions – dans la section des informations boursières.

La plupart des courtiers auxquels vous allez téléphoner n'auront pas la moindre idée de ce dont vous parlez, parce que 92,5 % des courtiers ne sont pas accrédités pour louer des actions. Plus de courtiers assisteront à nos séminaires, plus vous aurez de chances d'accéder à un courtier qui s'y connaît.

Style de vie - A l'évidence, comme vous n'aurez à travailler que 15 minutes par mois, votre qualité de vie sera bien meilleure pour deux raisons :

1. Ce business vous prend très peu de temps, donc vous pouvez si vous le souhaitez gagner aussi de l'argent par d'autres moyens (un travail, etc.).

2. Ce qui est génial avec la location d'actions c'est que vous pouvez le faire depuis n'importe où.

Quand je suis allé en vacances outremer, il m'a suffi d'envoyer un SMS ou de passer un coup de fil à mon courtier une fois par mois pour faire marcher cette affaire. Je l'ai fait par exemple au cours d'un safari de 6 semaines en Afrique et, grâce à mon SMS, qui contenait mes instructions à mon courtier, j'ai gagné en quelques minutes ce que m'avait coûté mon safari.

Vous pouvez faire de la location d'actions avec la majorité des marchés boursiers dans le monde si vous le désirez. Mais comme je suis australien, j'utilise le marché australien comme exemple. Si vous êtes en Nouvelle Zélande, je vous suggère d'utiliser aussi le marché australien. Cela dit, vous qui lisez ce livre en francophonie, examinez votre propre marché des changes pour voir s'il se prête à cette stratégie. Si vous pouvez faire de la location d'actions, votre qualité de vie sera vraiment fantastique. De quelle meilleure carrière peut-on rêver que de celle qui vous procure un revenu sans que vous passiez votre temps à travailler ? Juste 15 minutes par mois, le temps de consulter le journal. Après avoir regardé la section pertinente de votre quotidien, vous passez un coup de fil à votre courtier – qui peut même vous offrir des services supplémentaires pour vous aider. Ce n'est vraiment pas la fin du monde !

Lieu – Le lieu n'est pas fixe. Comme je vous l'ai dit, vous pouvez vous trouver n'importe où sur terre : en plein safari, dans une super station de ski ou en train de flâner aux Caraïbes. Cela n'a pas d'importance.

Rendement - Dans n'importe quel business, le rendement est un indicateur clé de performance (ICP). Avec cette stratégie, 15 à 30 % par an est réaliste. Si vous utilisez un levier, votre rendement pourrait être de 50 à 60 % ou plus, parfois même plus de 100 %. Vous pouvez pratiquement compter sur 2 à 5 % par mois si vous faites cela efficacement et si vous assurez vos actions pour protéger vos arrières.

En ce qui me concerne, je n'applique cette stratégie qu'avec une assurance, parce que si le marché devait souffrir un nouveau crash majeur à l'avenir, j'aurai la garantie d'en profiter au lieu de me trouver en position de victime.

Risque - Je considère que c'est un investissement à faible risque si on sait comment minimiser le risque. Cependant, il va rester un risque et il est important pour vous d'acquérir une éducation financière au préalable. Pour apprendre comment utiliser ces stratégies en détail, je vous recommande hautement de prendre part aux séminaires du « Centre d'Education pour le 21ème Siècle » qui sont donnés par ses membres en Australie et en Nouvelle Zélande. Les membres du Centre d'Education pour le 21ème siècle ont accès aux nombreux experts qui font du trading en utilisant constamment ces stratégies, et des courtiers autorisés par l'ASIC à les appliquer. Vous pouvez aussi apprendre comment mettre en œuvre ces stratégies en achetant les cours à domicile du DVD qui vous les décrivent en détail. Il vous suffit de vous connecter sur www.21stcenturyeducation.com.au

Liquidation - La possibilité de liquider vos positions est importante. Disons que vous voulez vendre rapidement votre business. Pouvez-vous le faire ? La bonne nouvelle c'est que, oui, vous pouvez liquider en moins de deux votre business de location d'actions. Généralement on le fait en 30 jours ou moins, et il est toujours préférable d'être de bons acheteurs parce que vous aurez choisi de grandes compagnies, solides, qui font des profits. Vous pouvez tout liquider et, le plus souvent, vous ne touchez pas seulement votre capital en retour mais aussi des bénéfices. Donc, si vous avez investi 100 000 S dans de grandes compagnies, de bonne qualité, il y a bien des chances pour qu'en 6 mois vous trouviez acquéreur, pas comme pour un business traditionnel dont la liquidation prendrait un temps fou et vous rapporterait trois fois rien.

En effet, si vos actions, que vous avez achetées à des compagnies solides, subissent une certaine baisse, elles vont fort probablement remonter à leur niveau antérieur et continuer à grimper – à de rares exceptions près. Ainsi, la valeur de revente de votre business sera généralement excellente et vous pourrez la contrôler dans une certaine mesure. Ainsi, quand on compare une affaire traditionnelle à un business de location d'actions, il est évident que le gagnant est le business de location d'actions.

Trop beau pour être vrai ? Parfois la vie peut être trop belle pour être vraie si nous recevons l'éducation adéquate et si nous comprenons ce que nous faisons. Nous pouvons minimiser nos risques et maximiser nos revenus ; mais beaucoup de gens ratent complètement ces occasions parce qu'ils ne sont pas suffisamment ouverts d'esprit pour s'éduquer eux-mêmes et se fient à de soi-disant conseillers financiers qui bien souvent sont trop embarrassés pour avouer qu'ils ne savent pas comment utiliser ces stratégies, donc ils se couvrent en disant qu'elles sont trop risquées. Ils conseillent de ne pas les appliquer pour cacher le fait qu'ils ne savent pas de quoi vous parlez. Je vous promets que cela va arriver si vous n'y prêtez pas attention. C'est pourquoi vous allez devoir devenir votre propre expert financier. Lisez des livres, assistez à des séminaires, pratiquez avec des comptes de démo, puis faites des opérations réelles avec de petits montants au début, juste pour prendre confiance en vous et adapter votre mentalité à votre nouvelle activité.

L'effort d'étudier vaut le coup. Rappelez-vous qu'il est plus risqué de ne pas investir. Une phrase comme : « Cela me semble risqué. Pourquoi personne ne le fait ? » ne devrait pas exister. « Risqué comparé à quoi ? » demandait mon mentor millionnaire quand les gens lui disaient que ce qu'il proposait semblait risqué. Il y a toujours des risques en tout. La question est : quel risque êtes-vous prêt à prendre puisque tout comporte une part de risque et qu'investir intelligemment est souvent ce qui comporte le moins de risque ?

Voici maintenant quelques détails sur la stratégie de location d'actions :

En premier lieu vous allez devoir acheter quelques actions. Si vous avez déjà des actions vous pouvez peut-être utiliser ces actions-là, mais on ne peut pas louer toutes les actions – ce que nous allons voir.

Examinons l'action XYZ. C'est une bonne action, d'une compagnie forte et rentable, donc susceptible d'être louée. Avant de choisir une action, il faut s'informer un peu sur la compagnie, tant sur le fond que sur sa rentabilité.

Nous allons décider à quel prix nous allons acquérir cette action. Pour ce faire, nous avons examiné la courbe de ses hausses et de ses baisses pendant les 12 derniers mois (il nous a suffi de consulter le journal pour cela ou un site web boursier quelconque), et nous avons appris qu'il y a peu de temps les actions XYZ sont montées à, disons, 19 S, et sont descendues à 16 S. Bien sûr, le meilleur moment pour acheter cette action est à 16 S, donc nous l'achetons pour environ ce prix.

Pour le bon fonctionnement de cette stratégie, il va falloir acheter au minimum 1'000 actions qui vont vous coûter 16'000 S. Si vous n'avez pas suffisamment vou devriez pouvoir obtenir ce qui manque grâce à un levier. Mais vous pourriez auss relire les 8 étapes décrites au chapitre précédent pour trouver cet argent. Donc vou achetez 1'000 actions, ce qui va faire l'objet d'un contrat pour 1'000 actions.

1'000 actions est la quantité minimum. Vous pouvez acheter des actions bo marché, mais si vous voulez de bonnes primes, achetez de meilleures actions. Pou l'exemple, j'utilise le prix de 16 S parce que c'est une valeur honnête pour de actions qui seront rentables.

Maintenant, imaginons qu'il y a deux personnes, une de chaque côté de l transaction, que je vais vous présenter. D'un côté il y a moi, et de l'autre mo beau-frère, Simon. Moi je loue des actions à autrui. Lui, il peut louer les action d'autrui et peut gagner de l'argent quand elles montent et quand elles descenden sans même avoir à les posséder. Je vais entrer un peu dans le détail de ce que fa Simon, ce qui va vous permettre de mieux comprendre ma stratégie.

Disons que le prix de l'action est à 16 S. Simon est persuadé qu'elle va mont à 17 S d'ici la fin du mois. Disons qu'il s'agit du mois de décembre. Il va do louer cette action pour une durée d'un mois, soit jusqu'à la fin du mois c décembre, et est disposé à payer un loyer de 0,44 S pour cette action durant le mo en question, prime qui est fonction de la valeur de l'action. Quand vous utilis cette stratégie, celle de payer un loyer pour contrôler des actions durant u période donnée, vous passez votre contrat généralement au début du mois, par que les primes de loyer sont alors plus élevées.

De notre côté nous allons louer nos actions à Simon parce qu'il est persuadé que leur prix va monter à 17 S d'ici fin décembre. Il nous paye un loyer de 0,44 S par action pendant le mois de décembre, ce qui nous fait gagner 0,44 S par action louée pendant le même mois. Et comme nous lui avons loué 1 000 actions, cela va nous faire un revenu de 0,44 S x 1 000 = 440 S. Nous allons les recevoir sur notre compte – vous allez le recevoir sur votre compte, cet argent vous appartiendra, c'est le loyer que vous aurez perçu pour vos actions durant le mois de décembre. N'est-ce pas bien ? Evidemment que oui.

Comment déterminer le prix du loyer ? Vous le trouvez dans le journal, sur tout site web boursier, ou vous pouvez téléphoner à un bon agent si vous en trouvez un. Malheureusement, 92 % des courtiers (en Australie) ne sont pas autorisés à appliquer cette stratégie, donc cela peut être un véritable défi d'en trouver un qui non seulement comprend cette stratégie mais est aussi capable de l'exécuter. Si vous trouvez un courtier qui sait s'y prendre, il vous dira très exactement à quel prix louer. Ces primes de loyer peuvent varier, monter et descendre à chaque instant en fonction de l'offre et de la demande. (Je vous rappelle que les membres du « Centre d'Education pour le 21ème Siècle » ont accès à nos courtiers.)

Donc, vous pourriez, en votre qualité de trader, louer vos actions. Ceux qui ne le font pas manquent simplement la prime mensuelle qu'ils pourraient toucher en guise de loyer. Combien d'heures devez-vous travailler, vous, pour 440 S ?

Et Simon, pourquoi souhaitera-t-il louer nos actions et nous payer 0,44 S de loyer par action pendant un mois convenu ? Il ne va pas le faire parce que c'est un gentil beau-frère ! Il va le faire parce qu'il peut réaliser un profit. Il n'est pas indispensable que vous compreniez comment, mais je vais vous l'expliquer dans les grandes lignes. Simon est prêt à louer nos actions parce qu'il est convaincu que leur prix va monter. S'il a raison, il pourra revendre son contrat à quelqu'un d'autre à un prix plus élevé, fonction de la nouvelle valeur des actions en question. Selon notre exemple, il pourrait revendre son contrat de location, qui lui a coûté 0,44 S par action, pour 0,88 S par exemple, si le prix de l'action a bien monté. Il va trouver un acheteur – via notre courtier – qui sera ravi de payer ce prix parce que la valeur des actions a monté. En bref, il aura payé 0,44 S par action et pourra peut-être revendre ce contrat de location pour 0,88 S au bout d'une semaine et doubler ainsi sa mise.

L'activité de Simon présente des risques élevés, tandis que la mienne, celle qui consiste à louer mes actions à autrui, en présente peu, et ils peuvent être le plus souvent maîtrisés. Je me contente de louer mes actions et de toucher un loyer mensuel, merci beaucoup et point barre. Mon risque a été faible. Mais ceux qui font le commerce inverse, celui de Simon, prennent des risques élevés. C'est une des raisons pour lesquelles je ne m'adonnerais pas à un tel business. Parce que quand il a loué mes actions en supposant que leur prix allait monter, Simon a aussi pris le risque que leur prix baisse. Dans un tel cas, il devrait vendre ses options pour une valeur moins élevée que le prix qu'il a payé pour les acquérir, disons 0,33 S au lieu de 0,44 S, au bout d'une semaine, et donc subir une perte légère.

Certains prétendent – je l'ai entendu dire quelquefois – que si vous gagnez de l'argent à la bourse c'est aux dépens de quelqu'un d'autre. Ceux qui propagent de telles opinions – inexactes – sont mal informés. L'exemple ci-dessus montre que Simon a choisi un business qui comporte plus de risque que le nôtre mais il pouvait aussi y gagner. Simplement, il est prêt à prendre des risques. Ce que nous – vous – devons comprendre pour le business de location d'actions à autrui – à des gens comme Simon –, c'est que si le prix de l'action monte, le montant du contrat de location du côté Simon monte et qu'il peut gagner de l'argent en le revendant. Mais cela ne vous affecte pas, parce que de votre côté vous aurez reçu un loyer pour le mois de 0,44 S par action, soit 440 S payés d'avance, et cela sans relation avec les fluctuations du prix de vos actions. C'est une bonne chose.

Pour une telle opération, il y a trois scenarios possibles :

1. Le prix de l'action reste stable. Dans ce cas, vous allez garder S 0,44 de loyer perçu par action pour le mois, et passer un nouveau contrat pour le mois suivant, et ainsi de suite. C'est tout. Vous continuerez à percevoir un loyer.

2. Le prix de l'action monte. Disons qu'il monte à plus de 17 S. Or Simon vous a payé 0,44 S pour avoir le droit d'acheter vos actions à la fin du mois si leur valeur montait au-dessus de 17 S d'ici la fin d'un mois convenu. (La fin du mois est généralement déterminée par le dernier jour de trading, un jeudi pour ce mois particulier.) Dans un tel cas, Simon pourra acheter votre action, ce qui veut dire que votre action pourra être vendue à votre locataire, pour un montant de 17 S par action. Est-ce que c'est bien ou pas ? Vous avez acheté les actions à 16 S et maintenant elles valent 17 S. Si elles sont vendues à ce prix, vous faites un bénéfice de 1 S par action x 1 000 actions = 1 000 S. Mais attendez, il y a plus ! Non seulement vous faites un profit de 1 000 S, mais vous allez garder les 440 S de loyer que vous avez reçu ! Donc vous vous en sortez avec un gain de 1 440 S, moins les frais de courtage. Des frais mineurs – environ 75 S de frais. Cela dépend du courtier. Parfois moins et un petit pourcentage de la valeur des actions que vous aurez cédées. Mais vous vous êtes enrichi de 1 440 S pendant ce mois de décembre. Est-ce bien ? Absolument ! La location d'actions est un business rentable.

Quand vous dites à un courtier que vous voulez appliquer cette stratégie, il peut chercher à vous en dissuader en vous disant que vos actions risqueraient d'être cédées, à savoir vendues. Son niveau d'éducation financière serait en fait moins bon que le vôtre parce que vous pourriez lui répondre : « Et alors ? Tant mieux, je ferais un bon bénéfice ! » Et si vous chérissiez vos actions, vous pourrez toujours les racheter immédiatement, voire même annuler toute l'opération.

3. Le troisième scenario est que la valeur de l'action chute.

Vous vous dites peut-être que tout cela est trop beau pour être vrai, que cela ne peut se produire dans la réalité. Je vous entends d'ici me dire : « Jamie, et si le prix descend ? Vous n'avez pas parlé de ça ! » Bon, alors parlons-en.

Disons que le prix de l'action que vous avez donnée en location descend de 16 S à 15 S pendant le mois de décembre, durant lequel le contrat de location est en vigueur. Cela pourrait facilement arriver parce que les prix fluctuent constamment. Disons qu'il descend à 15,50 S à la fin du mois. Le résultat sera que la valeur de vos actions sera réduite de 0,50 S par action. Vous aurez désormais une moins-value de 0,50 S par action. Mais vous aurez reçu 0,44 S en prime de loyer au début du mois, donc votre perte réelle en valeur par action ne sera pas de 0,50 S mais de 0,50 – 0, 44 = 0,06 S. Est-ce que c'est bien ? La réponse est naturellement « oui ». En utilisant cette stratégie, vous êtes en bonne position et courrez un faible risque parce que vos gains en primes de loyer vont couvrir pour ainsi dire toutes vos pertes dans ce cas. Si vous n'aviez pas loué vos actions pour ce mois, vous auriez perdu 0,50 S par action. Mais comme vous les avez louées, vous ne perdez que 0,06 S par action. Donc votre contrat de location est un coussin de protection ; il réduit vos pertes en cas de baisse de la valeur de vos actions. Le mois suivant, si le prix de l'action remonte, vous aurez regagné et tout votre argent deviendra pur profit.

Donc, **même si votre action baisse, il y a de bons côtés. Votre assurance, ou contrat de location d'actions, réduit vos pertes. Vous êtes donc en meilleure position quand vous utilisez cette stratégie que quand vous ne faites rien**, parce que dans ce dernier cas vous allez rater les 0,44 S que vous touchez chaque mois par action. *(Et encore, vos pertes ne sont réelles que si vous vendez. Sinon, vous n'avez qu'à attendre que le cours de l'action remonte pour vendre et vous n'aurez rien perdu ou beaucoup moins. Ndt)*

Pour résumer :

- Dans le premier cas vous louez vos actions, vous recevez 0,44 S par action pour 1 000 actions, vous faites donc un profit 440 S. A la fin du mois, vous pouvez répéter l'opération. Vous louez tout simplement de nouveau vos actions. C'est du « tout bénef' ».

- Dans le second cas, si le prix de votre action monte, votre « locataire » peut exercer ses droits et vendre vos actions. Si vous les aviez achetées 16 S et si elles sont montées à 17 S, vous allez faire un profit de 1 S par action soit 1'000 S pour vos 1'000 actions, et, en plus, vous aurez touché et gardé l'argent du loyer, soit 1 440 S de gain – moins les frais de courtage, insignifiants.

- Dans le troisième cas, si le prix de l'action descend, vous pourrez vous dire que vous avez été heureux d'acheter cette action à ce prix, que vous avez accepté qu'elle pourrait monter et descendre pendant le mois de la durée du contrat, donc vous n'allez pas paniquer et vous jeter par la fenêtre. Vous allez continuer à louer, et la prime de loyer que vous toucherez contribuera à couvrir une baisse éventuelle de leur valeur. Vous allez aussi vous dire que, chaque mois, quand vous recevez une prime de loyer, vous recevez une sorte de rabais sur le prix d'achat de vos actions. En effet, selon notre exemple, vous avez payé 16 S pour ces actions et reçu 0,44 S de loyer par action pour ainsi dire tout de suite, ce qui veut dire que le prix réel de cette action, pour vous, n'était pas de 16 S mais de 16 – 0,44 = 15,56 S. Dans ce cas de figure, vous aurez pratiquement acheté vos actions au rabais.

Admettons maintenant, en suivant ce raisonnement, que vous avez loué vos actions pour le mois d'après et que vous recevez 0,56 S par action parce que les loyers fluctuent en raison du jeu de l'offre et de la demande. Le prix que vous aurez payé pour votre action ne sera plus de 15,56 S ni de 16 S mais de 15 S. Vous verrez, après avoir pratiqué cette stratégie pendant de nombreux mois, que le prix de revient de vos actions va diminuer de plus en plus par rapport à leur prix d'achat. Donc, même si la bourse souffre d'une crise, vous serez protégé parce que vous aurez reçu des primes et donc réduit le coût de vos actions. En conséquence, il est beaucoup plus sûr d'utiliser cette stratégie que de ne pas le faire.

Vous pouvez assurer vos actions contre une baisse éventuelle. Vous recevez d'avance une prime de 0,44 S par action et vous pouvez prélever un peu de cet argent, disons 10 à 20 centimes, pour acheter une assurance. J'achète le plus souvent une assurance bon marché, à disons 5 à 10 centimes, pour protéger mes actions à disons 2 S en dessous du prix auquel elles s'échangent. Si elles s'échangent à 16 S, j'achète une assurance (une option d'achat) à 8 centimes par action pour les protéger à disons 14 S. De lette façon, si le marché s'effondre, mes actions sont protégées à 14 S, donc ma perte maximum est de 2 S, soit 16 – 14 = 2 S. Je suis satisfait de cette couverture partielle, soit d'un risque de baisse de 2 S, parce que durant 4 mois de location à une moyenne de 50 centimes j'aurais touché 2 S, donc je pourrais potentiellement récupérer mes pertes. Vous pouvez aussi assurer vos actions à 15 ou 16 S, mais vous devrez payer plus. Tout dépend du niveau de risque que vous vous sentez prêt à prendre. Ainsi, si les actions baissent, cela ne fait rien. Vous ne pouvez pas perdre beaucoup d'argent parce que vos actions sont protégées. Et le bon côté c'est que vous pouvez toucher plus de 0,44 S pour certaines actions. La prime la plus élevée que j'ai jamais reçue pour certaines actions sur le marché australien est $1,51 pour certaines actions, et cela à répétition. Sur le marché américain, vous pouvez recevoir des primes allant jusqu'à $5 voire plus. Tout dépend des actions que vous aurez choisi de louer. Certaines vous rapporteront beaucoup et d'autres moins. Si vous louez des actions bon marché, votre prime pourrait être petite, disons 0'10 S. Cela dit, si le prix de l'action est très peu élevé, vous pouvez en faire le commerce en grand nombre et toucher une prime globale appréciable.

Vendre des contrats d'assurance

Cette stratégie consiste à se comporter comme une compagnie d'assurance. On vous paye en échange d'une promesse que vous ne devrez peut-être jamais honorer. Je me sers souvent de cette stratégie en combinaison avec la location d'actions parce que c'est une excellente manière d'acheter des actions à prix réduit et que cela rapporte souvent un revenu mensuel cash d'autant plus appréciable que vous ne devez que rarement payer, que vous épargnez des intérêts sur des effets de levier et des frais de courtier pour vos achats.

Par exemple, disons que l'action XYZ s'échange à 16 S et que je voudrais l'acheter. Au lieu de l'acheter, je pourrais faire une promesse selon laquelle je suis d'accord pour acheter cette action au prix de 16,50 S si le prix de cette action baisse en dessous de ce montant d'ici la fin, disons, du mois prochain. D'autres investisseurs vont être intéressés parce qu'ils voudront assurer leurs actions. Ils pourraient payer disons 0,70 S par action pour assurer leurs actions à 16.50 S. Si vous procédez ainsi, vous pouvez toucher 0,70 S par action ou 700 S pour 1 000 actions que vous vous êtes engagé à acheter. Ainsi, votre prix d'achat effectif pour cette action sera de 15,80 S et non de 16 S si vous devez les acheter (16,50 – 0,70 = 15,80 S).

Si l'action XYZ monte au-dessus de 16,50 S, alors vous n'aurez pas de promesse à remplir et vous continuerez à toucher vos primes. Vous ne devrez l'acheter que si son prix descend au-dessous de 16,50 S avant la fin du mois en question. Dans ce cas de figure, vous devrez acheter les actions à 16,50 S, mais vous allez conserver de toutes façons les primes de 0,70 S par action ou 700 S pour 1000 actions.

Ensuite, vous pourrez sans attendre louer vos actions et, qui sait, peut-être gagner encore 0,50 S en prime de loyer, ce qui signifie que le prix de revient de votre action sera de 15,30 S, réduction significative par rapport au prix d'achat.

Pour ma part, je m'impose d'assurer mes positions avec cette stratégie pour minimiser mes risques : je les assure pour 2 S en-dessous de leur prix d'achat (ce qui fait que ma prime est faible). Si vous ne le faites pas et que l'action perd de sa valeur, vous pourriez devoir affronter des pertes sans fin et c'est un risque qu'il est préférable d'éviter. Cependant, pour utiliser cette stratégie, vous devez être en mesure d'acheter les actions si c'est nécessaire. La question clé est : souhaitez-vous acheter ces actions si vous le devez ? Si oui, c'est bien. Sinon, n'utilisez pas cette stratégie.

Les traders membres du « Centre d'Education pour le 21ème Siècle » utilisent de multiples autres stratégies. Par exemple ils promettent d'acheter des actions mais n'ont jamais besoin de remplir cette promesse. Certains clients ont réalisé plus de 60 000 S par mois dans un marché à la hausse avec cette stratégie. Mais il s'agit d'une stratégie pour traders avancés alors je ne vais pas entrer dans le détail. Il y a aussi une autre stratégie qui permet d'acheter des actions à un prix fortement réduit. Je ne puis tout expliquer ici, mais ces stratégies sont enseignées dans les séminaires du « Centre d'Education pour le 21ème Siècle ».

Développer vos compétences en éducation financière

Pour créer de la richesse, comme me le disait souvent mon mentor millionnaire, il faut ajouter de la valeur. Une des façons de le faire est de développer vos compétences financières, c'est-à-dire votre éducation financière, soulignait-il.

Les capacités (ou aptitudes) que vous devrez avoir ou acquérir sont :

1. La capacité à penser et à résoudre des problèmes avec un sens créatif

2. La capacité à communiquer efficacement

3. La capacité à vendre une idée ou un concept et à donner à ceci une réalité et une valeur commerciale

4. La capacité à négocier

« Au sommet du monde », à l'endroit le plus élevé de l'une de mes fermes dans le Nord des Nouvelles Galles du Sud, à 40 km de Glenn Innes, où j'ai grandi.

En train de me détendre dans ma maison de la Côte d'Or, où je suis venu m'installer, après Sydney, pour y jouir d'un style de vie plus calme qu'auparavant. En fait, il s'agit de mon bureau, à la maison, où j'aime travailler, et qui surplombe le canal.

Lors du Sommet du « Centre d'Education pour le 21ème Siècle » à Melbourne, en 2011, avec mes parents ; nous sommes en train d'écouter Sir Richard Branson raconter sa remarquable histoire à plus de 6000 clients de notre Centre. Ils m'ont beaucoup soutenu quand j'ai commencé et je leur en serai toujours reconnaissant.

A Las Vegas, non loin du Grand Canyon, avec Anthony Robbins et son épouse, Sage.

En pleine conversation, profonde, avec Anthony Robbins et mon cher ami Simon.

Au sommet d'une montagne à Queenstone, en Nouvelle Zélande (à gauche), et entrain d'explorer le Grand Canyon non loin de Las Vegas (à droite). J'adore voler en hélicoptère.

Avec Scherri-Lee Biggs, Miss Univers d'Australie 2011, et Mark Markson.

Au Pratt Mansion, où j'ai eu l'honneur d'être invité à un dîner privé pour y faire la connaissance du Premier ministre britannique, Tony Blair, et sa femme Cherie.

Avec Sir Richard Branson à l'occasion du lancement de sa nouvelle ligne aérienne « V Australia », à Los Angeles (à gauche). A Sidney, à la cérémonie du lancement de la ligne « V Australia ». Je ne suis pas très branché art, mais cette nuit j'ai fait une exception (à droite).

La ferme familiale où j'ai grandi, où mes parents résident et où je m'échappe de temps en temps.

Dans la ferme familiale avec mon père et trois de mes frères : Paul, Dennis et Troy (à gauche). Ma première tentative pour devenir millionnaire consista à vendre des rutabagas, comme sur la photo, au marché de Brisbane quand j'étais un tout jeune homme (à droite).

Quelques-uns de mes collaborateurs, heureux de travailler à Queenstone, en Nouvelle Zélande, pour nos séminaires de quatre jours. Queenstone est ma seconde résidence et l'un des endroits que j'aime le plus au monde.

Sur scène, en train de m'exprimer devant une assemblée de 6000 personnes lors du Sommet du « Centre d'Education pour le 21ème Siècle » à Melbourne, Hisense Arena, en 2011.

En train de briser des planches en bois lors de l'un de mes séminaires. Cet exercice contribue à aider les étudiants à franchir leurs barrières limitantes en prenant conscience que l'on peut réaliser tant de choses dans la vie quand on atteint le bon équilibre émotionnel et que l'on connaît les stratégies.

Mary, une heureuse participante à mon séminaire, après avoir brisé sa planche. J'autorise tous les parents à amener un adolescent avec eux gratuitement à toutes les manifestations de mon Centre, ce qu'ils adorent absolument. Ils disent tous que c'est bien mieux que l'école.

Rencontre avec Kristin Davis à Los Angeles lors d'un cocktail privé. Cette actrice, plus connue sous le nom de Charlotte, est l'une des héroïnes de la série Sex and the City.

Avec Maria Hines, juge dans de l'émission de télé réalité Idol. Une femme vraiment merveilleuse.

La fête de mon 35ème anniversaire avec mes frères, Paul et Dennis, et Sonny Bill Williams, le LNR infâme qui a fui peu de temps après mon équipe favorite, les Bulldogs, pour jouer en Union en France, ce qui n'était pas l'une de ses meilleures décisions.

En Egypte, un des pays les plus fascinants du monde, en train de visiter les pyramides.

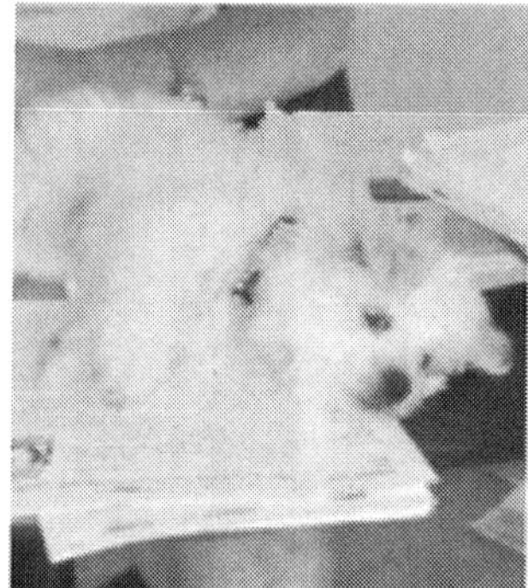

En train de travailler dans mon bureau, à la maison, avec mon ami et partenaire en affaire Rocky McIntyre, un chien de la race des Maltese Shih Tzu.

A Miami avec mon cher ami Nik Halik. Nik est un ami complètement fou qui a plongé jusque sur le pont du Titanic. C'est aussi un cosmonaute qui s'est préparé pour être le 5ème civil à se rendre dans l'espace pour un prix de 30 millions de dollars. J'ai trouvé que c'était cher payer et lui ai dit qu'il aurait mieux fait de se faire engager par la NASA, qui l'aurait payé pour ce voyage dans l'espace.

Le Quartier général des compagnies du « Centre d'Education pour le 21ème Siècle », et notre dépôt et nos bureaux administratifs à Noosa dans le Queensland.

Ma maison sur la Côte d'Or et mon bateau lorsque j'emmène ma famille et mes amis pour leur faire plaisir.

En train de conduire ma Ferrari 360 Spyder vers ma ferme. C'est un cadeau de Noël que je me suis offert il y a quelques années pour réaliser un rêve de gosse.

Avec Mark Bouris, Président de Yellow Brick Road, et Mark Markson (à gauche). Pose devant les photographes pour le cocktail du « Centre d'Education pour le 21ème Siècle » avec Sir Richard Branson (à droite).

Lors d'une croisière dans les Caraïbes avec Chris Howard pour le voyage annuel du Club « Platinum » de notre « Centre d'Education pour le 21ème Siècle » (à gauche). Avec Jordan Belfort, « Le Loup de Wall Street » (à droite).

Je réalise un vœu avec ma Lamborghini lors du concours de charité « Faites Un Voeu ».

Avec Jeff et Kane, de l'industrie des stars du rock, lors du premier Sommet de notre « Centre d'Education pour le 21ème Siècle » (à droite).

Avec Tim Ferris, auteur de La Semaine de 4 heures, et Eddie McGuire, présentateur de programmes télévisés et homme d'affaires.

DJ Havana en train de divertir notre équipe à notre Sommet du « Centre d'Education pour le 21ème Siècle » à Melbourne.

J'ai eu la chance de rencontrer George Clooney lors d'un déjeuner à Sidney.

Avec Bill Rancic, entrepreneur qui fut le premier candidat engagé par l'Organisation Trump à la fin de la première saison de l'émission de télé réalité Australia's Celebrity Apprentice.

En compagnie de Wendell Sailor, ancien joueur professionnel de rugby qui était en train d'être filmé pour une émission australienne de télé réalité, Australia's Celebrity Apprentice.

Célébrant la fête nationale de l'Australie sur mon yacht, dans le port de Sidney.

En train de préparer des paquets pour Noël pour les moins fortunés lors d'une manifestation de charité avec mon équipe de Melbourne.

En train de montrer à mon ami l'éléphant, à Bali, les dernières caractéristiques de mon Apple iPad – ce qu'il a préféré c'était la petite pomme (à gauche). En cours d'ascension dans les falaises de Sedona en Arizona (à droite).

17. STRATÉGIES D'INVESTISSEMENTS IMMOBILIERS RAPIDES

McDonald's réalise plus de profits avec son patrimoine immobilier qu'avec ses hamburgers parce qu'il utilise ce patrimoine pour le réinvestir.

Pourquoi investir dans l'immobilier ?

Il y a beaucoup de bonnes raisons. Bien des gens ont fait fortune dans l'immobilier et je considère que ce secteur est de nature à beaucoup rapporter. C'est un marché auquel tout un chacun peut avoir accès et qui présente de nombreux avantages. Cependant, si vous décidez d'investir dans l'immobilier *(on dit aussi « la pierre » dans le monde francophone, ndt)*, soyez un bon écolier, faites bien vos devoirs, parce que comme pour tout ce qui touche à l'investissement, les chemins qui mènent à l'immobilier peuvent parfois être risqués. C'est un domaine sensible. C'est une question d'expérience et de détermination : l'immobilier peut aussi bien vous rapporter que vous faire perdre. Il va falloir savoir s'y prendre.

Les millionnaires de l'immobilier

Investir intelligemment dans l'immobilier peut rendre une personne ordinaire bien formée millionnaire en 10 ans voire même moins. On dit que seuls les riches sont propriétaires. Eh bien, en Australie en tous cas, la plupart des investisseurs immobiliers gagnent – au moment auquel j'écris ces lignes – environ 50 000 $/an.

L'immobilier n'a pas pour seul but l'enrichissement ; il contribue aussi à valoriser certains environnements et à les faire apprécier.

Si vous souhaitez vous enrichir, tirez parti de l'immobilier à votre avantage. En effet, les prix de l'immobilier grimpent pour ainsi dire constamment, les intérêts augmentent et de moins en moins de gens peuvent se permettre de s'offrir la maison de leurs rêves. Il faut s'attendre – une fois de plus à l'époque à laquelle j'écris ces lignes – à ce que seuls 40 % des australiens y parviennent, ce qui est un pourcentage inférieur à celui des années 1980. Et ceux qui ne réaliseront pas ce rêve resteront locataires durant leurs vies entières.

Personnellement, si je le peux, je ne débourse pas un centime pour investir dans l'immobilier. Je n'aime pas bloquer du cash dans la pierre alors que je peux le faire travailler autrement ou en jouir. J'ai donc appris comment acquérir des biens immobiliers sans sortir un centime de ma poche. Il y a des années, j'ai acheté plusieurs propriétés à Brisbane – estimées par la banque à 600 000 $ chacune – pour environ 40 000 $ en-dessous de cette valeur. Je n'ai payé qu'environ 2 400 $ pour les acheter. Ce qui signifie que j'ai fait un profit instantané de $40,000 et je n'ai rien eu à payer pour ces propriétés pendant plus d'un an. Au bout d'un an, la valeur de ces biens avait augmentée et chacune de ces propriétés était estimée à environ 800 000 $. Et je vous le rappelle, mon apport initial a été vraiment très minime. En général, un agent immobilier demande de faire un dépôt de 10 % de la valeur du bien considéré, qui ne rapporte rien, mais moi je n'ai pas eu à le faire. J'ai donc épargné cet argent, ce qui l'a rendu disponible pour d'autres investissements comme celui de la location d'actions.

Comme vous pouvez le constater, investir est un hobby sympathique, surtout quand vous en êtes au point où vous n'avez plus besoin d'argent, parce que vous en avez plus que vous ne pourriez en dépenser. C'est fabuleux. On peut faire des tas de bonnes choses avec cette activité.

Il faudrait consulter les statistiques de vos pays respectifs, mais en ce qui concerne l'Australie et les USA, certaines statistiques affirment que la valeur moyenne des propriétés a doublé tous les 7 à 10 ans durant les quelques 150 dernières années. Mais il faudrait actualiser ces estimations et surtout être conscients qu'elles ne s'appliquent pas à tous les biens immobiliers. La valeur de certaines propriétés double en 5 ans, tandis que celle d'autres biens double en 20 ans. Cela dépend bien évidemment du lieu où se trouve la propriété en question, de sa qualité et de son prix d'achat.

Exemple : John et Sally gagnent 50 000 S par an et souhaitent remplacer le revenu provenant de leur travail par un revenu issu de leurs investissements. Je dirais qu'en achetant juste deux propriétés ils pourraient y arriver et prendre leur retraite plus tôt que prévu. Si vous pouviez utiliser la même méthode d'investissement pour prendre votre retraite plus tôt, seriez-vous prêt ou prête à acquérir deux propriétés ? Voici comment s'y prendre – cet exemple étant fondé sur les conditions prévalant en Australie et de nature à inspirer mes lecteurs francophones :

50 000 S, après déduction des impôts sur le revenu, cela donne environ 35 000 S de revenu net par an.

Selon le plan que je vais vous exposer – un plan sur 10 ans – la première année, nous allons acheter une propriété. Les propriétés que j'ai tendance à acheter valent souvent environ 300 000 $, donc je vais utiliser ce chiffre comme hypothèse de base – mais en sous (S) – pour vous montrer comment mettre ce plan en pratique. La seconde année nous n'achetons pas de propriété, et la troisième année nous achetons notre seconde propriété.

Inutile d'acheter une centaine de propriétés pour que ce plan fonctionne. Pas besoin de devenir un gourou de l'immobilier.

Au bout de 10 ans, vos propriétés, que vous aurez payées 300 000 S chacune, pourraient respectivement valoir 600 000 S. Leur augmentation en valeur va dépendre des critères que vous appliquerez au moment de l'achat.

Nota bene : prévoyez une certaine souplesse dans votre timing, parce que votre plan pourrait prendre plus de 10 ans pour aboutir.

Voici mes critères de sélection lorsque j'achète un bien immobilier : je l'achète dans une métropole, parce que dans les métropoles ils continuent à augmenter. Je possède aussi des propriétés qui ne sont pas situées dans des métropoles et qui m'ont permis de faire des bénéfices considérables, mais je préfère les métropoles. A vous de choisir vos critères.

En Australie, cette stratégie ne fonctionne pas bien dans les petites villes de campagne. La valeur de l'immobilier, dans des endroits comme cela, ne va pas doubler en 10 ans ni même en 100 ans et pourrait même diminuer. Je pense par exemple à Broken Hill, une petite ville minière au fin fond de l'Australie. Vous pouvez y acheter une propriété pour 1'300 $, mais elle ne doublera pas tous les dix ans. Les gens quittent les lieux parce qu'il y a moins de travail et que votre propriété ne vous rapporterait rien. Il y a beaucoup d'exemples comme cela de par le monde.

Si la valeur d'une propriété double en 10 ans (idéalement 7 ans mais je prévois 10 ans par prudence), un bien que vous auriez acheté 300 000 S vaudrait désormais 600 000 S, ce qui vous ferait 300 000 S en valeur supplémentaire. Si vous avez deux propriétés et que les deux doublent de valeur, le gain en valeur total sera de 600 000 S au bout de 7 à 10 ans.

Vous aurez probablement acheté ces propriétés en déposant 10 % auprès de l'entité qui vous les aura vendues (sauf si vous avez compris comment acquérir une propriété sans débourser un centime) et emprunté la différence. Désormais vos propriétés vaudront chacune 600 000 S et vous aurez gagné 600 000 S sous forme d'augmentation de votre capital.

Revenons à John et Sally : ils ont besoin de 35 000 S nets par année pour remplacer leur revenu actuel. Ils sont sans doute persuadés que pour acheter un bien immobilier ils vont devoir travailler beaucoup plus dur. S'ils en ont acheté un et le revendent pour faire un profit, ils vont en général devoir payer des impôts sur leur plus-value. Avec notre stratégie, nous allons acheter une bonne propriété et idéalement la garder pour toujours.

John et Sally ont besoin de 35 000 S en liquidités pour remplacer leur revenu annuel : comment peuvent-ils les obtenir ?

Et pourquoi pas un crédit sur la valeur du premier bien immobilier ?

Note : La valeur nette de votre propriété est égale à sa valorisation moins le solde de votre emprunt en cours. Un crédit réalisé sur la valeur nette d'un bien immobilier (plutôt que sur des revenus cash) permet de générer de l'argent sans avoir à le vendre. Ce bien immobilier fait partie de votre patrimoine sur lequel, en plus de vos revenus, se fie votre banque pour vous prêter de l'argent.

Disons que John et Sally ont une propriété grâce à laquelle ils peuvent emprunter 35 000 S la première année de l'acquisition de leur bien. Ils peuvent utiliser cet argent comme ils le souhaitent tant qu'ils font face à leurs obligations (remboursement de l'emprunt et des intérêts pour l'achat de leur propriété, etc.).

La deuxième année, ils peuvent recommencer l'opération, soit emprunter 35 000 S supplémentaires sur leur propriété, et la troisième année aussi.

Ces 35 000 S par année, est-ce qu'ils les ont gagné en travaillant dur ou est-ce de l'argent dont ils disposent sans grand effort, qui s'est fabriqué pendant leur sommeil, comme par magie ?

Après la 3ème année, John et Sally ne vont pas emprunter davantage sur leur propriété, même s'ils le pourraient. Rappelons-nous qu'ils ont attendu 10 ans avant de commencer à sortir cet argent.

Durant les 4ème, 5ème et 6ème années, ils pourraient emprunter disons 35 000 S sur la seconde propriété. L'argent s'y trouve (« dans la pierre ») et ne travaille pas. Pourquoi ne pas l'utiliser ?

Six ans plus tard, la première propriété vaudra plus de 600 000 S. Et si elle se trouve dans une métropole ou une région en pleine expansion, elle pourrait même valoir 900 000 à 1 million de sous. Cela à condition que sa valeur d'origine de 300 000 S ait doublé au bout des 10 premières années et ait donc atteint 600 000 S 6 ans après, en effet, cette propriété pourrait valoir plus de 900 000 S.

Ces 900 000 S – toujours selon notre exemple - représentent pour John et Sally une somme supplémentaire de 300 000 S. C'est un patrimoine qui dort et peu donc être utilisé. John et Sally n'ont pas fini d'emprunter sur les premiers 300 00 S, et maintenant ils ont un montant supplémentaire de 300 000 S à disposition, e leur propriété continue à prendre de la valeur.

Maintenant, si John et Sally veulent se montrer attentifs, ils vont remarque qu'ils se trouvent dans une situation dans laquelle ils gagnent plus d'argent qu'il ne peuvent en dépenser et, donc, plus qu'il ne leur en faut pour leur retraite.

Est-ce que John et Sally doivent payer des impôts sur les 35 000 S par anné qu'ils empruntent sur leur patrimoine ? La réponse, en Australie (renseignez-vou dans votre pays), est non, parce que ce n'est pas considéré comme un revenu. C argent n'est pas imposable parce qu'il s'agit d'emprunts. Toutefois, en Australie, vous n'achetez pas pour investir – comme selon le modèle ci-dessus – mais po louer, le gouvernement va vous taxer, car les loyers perçus sont considérés comm des revenus.

Est-ce que John et Sally devront rembourser la totalité de leur dette de 35 000 ou devront-ils simplement en payer les intérêts ? Réponse : ils n'auront aucu obligation de rembourser cette dette, sauf s'ils en décident autrement. C'est pourquoi les compagnies d'assurances sont faites ; elles se font payer pour assur votre dette. Quand vous mourrez, vos assurances payeront vos dettes (si vous av pris des assurances emprunteurs). Mais si vous voulez payer cette dette, vous pouvez.

Certaines personnes méfiantes vont vous mettre en garde : cette stratégie va vous cribler de dettes. Mais si nous y regardons de plus près, quels sont les avantages d'une stratégie d'endettement ? La plupart des gens travaillent dur pour essayer de payer leur bien immobilier. Est-ce vraiment intelligent ? Non. Mais on leur a appris à travailler dur pour de l'argent. Il faut se libérer de cette manière de penser. Les banques ne travaillent pas dur pour gagner de l'argent.

Avez-vous remarqué que les banques possèdent les plus grands immeubles dans les villes ? Pensez-vous que les banquiers travaillent dur pour payer ces immeubles ? Les banques savent très bien que leur valeur augmente. Pensez-vous que les banques ne prennent pas de cet argent qui dort et ne l'utilisent pas ?

McDonald's gagne plus avec ses biens immobiliers qu'avec ses hamburgers parce que cette compagnie emprunte sur la valeur de ses biens immobiliers pour réinvestir.

Beaucoup de gens s'enrichissent ainsi parce qu'ils ont compris ce principe. Ainsi, par exemple, Gerry Harvey, le propriétaire de Harvey Norman *(une grande compagnie australienne d'électronique et autres produits, qui accorde des franchises, ndt)*, s'enrichit grâce à la valeur immobilière des magasins qu'il met à disposition des commerçants auxquels il accorde des franchises.

Si John et Sally voulaient rembourser leur dette et vivre de la location d'un bien immobilier, ils pourraient vendre leur seconde propriété pour payer la première. Ainsi ils effaceraient leur dette sans avoir à travailler dur pour autant. Ce serait une alternative. Il faut savoir considérer l'argent sous des angles différents.

Plan à 10 ans

Années	**Valeur du bien immobilier**
1	Acheter un bien immobilier à 300'000 S
2	Ne pas acheter de bien immobilier
3	Acheter un bien immobilier à 300'000 S

Les propriétés prennent de la valeur en 10 ans, notre hypothèse est que cette valeur double.

	Patrimoine supplémentaire au bout de 10 ans
Bien immobilier 1 : 600'000 S	300'000 S
Année 11	John et Sally font un crédit (non imposable) sur leur bien immobilier pour remplacer leur revenu annuel, soit 35'000 S (50'000 S de revenu moins les impôts

	sur le revenu = 35'000 S de revenu net)
Année 12	Idem
Année 13	Idem
Bien immobilier 2 : 600'000 S	300'000 S
Année 14	Faire un crédit de 35'000 S sur le bien immobilier 2
Année 15	Idem
Année 16	Idem
Année 17	Idem
	Selon notre hypothèse, la valeur de leur bien immobilier 1 est maintenant d'environ 900'000 S, ce qui signifie 300'000 S de patrimoine supplémentaire.
Année 18	Idem
Année 19	Idem
Année 20	Selon notre hypothèse, la valeur de leur bien immobilier 2 est maintenant d'environ 900'000 S, ce qui signifie 300'000 S de patrimoine supplémentaire.
	Le cycle continue…

NB : Dans cet exemple, le premier crédit commence 10 ans après l'achat du premier bien immobilier. John et Sally pourraient commencer à profiter de leur patrimoine plus tôt s'ils le voulaient.

Ce qui précède est uniquement un concept. Bien sûr, dans la réalité, il y a des obstacles à surmonter. Par exemple : êtes-vous qualifié pour recevoir un financement, avez-vous de bonnes estimations, vous sentez-vous à l'aise en dépensant de l'argent tiré de votre patrimoine (comme par magie) ? Peut-être préférez-vous le laisser dormir où il se trouve…

Que faire si le marché de l'immobilier s'effondre ? Dans ce cas il faudrait ajuster votre plan à 15 ans plutôt que 10 ou 5 ans.

Qu'est-ce qui est préférable ? Planifier sa pension ou pas ? Planifier, c'est évident ! Si vous comprenez le concept, vous avez fait 80 % du chemin vers votre but.

J'ai demandé à mon mentor millionnaire : « Comment vais-je payer les intérêts de mon crédit puisqu'ils vont augmenter tous les ans, chaque fois que j'obtiendrai un nouveau crédit de 35 000 S ? » Il me répondit d'être créatif et de relever tous les défis qui pourraient se présenter à moi. Par exemple, il me donna l'idée d'utiliser le montant des loyers puisqu'ils tendent à doubler tous les 7 à 9 ans et qu'ils représentent un revenu de plus. Et aussi, serait-il possible de prendre un crédit un peu plus élevé sur mon patrimoine afin de couvrir une part des intérêts, le cas échéant ? Ou obtenir une déduction fiscale qui permettrait de couvrir ces frais ? Ou encore, pourquoi ne pas créer des revenus avec la stratégie de location d'actions pour couvrir ces intérêts, et cela sans avoir à travailler, tout en jouissant de sa retraite ? Toutes ces solutions étaient des réponses possibles au problème exposé dans ma question. Il suffisait de penser hors des sentiers battus pour les trouver, et de bien réfléchir. Je m'étais forgé la mentalité nécessaire pour jouir de mon enrichissement et pour ne pas retourner faire un dur travail pour payer ces intérêts.

Il faut vous auto-conditionner pour réussir, vous forger le bon état d'esprit. Tout ce que l'on veut réellement dans la vie c'est changer la manière dont on se sent.

Anthony Robbins

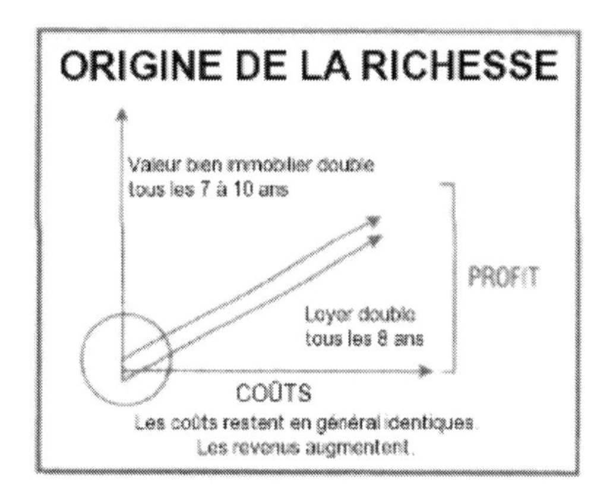

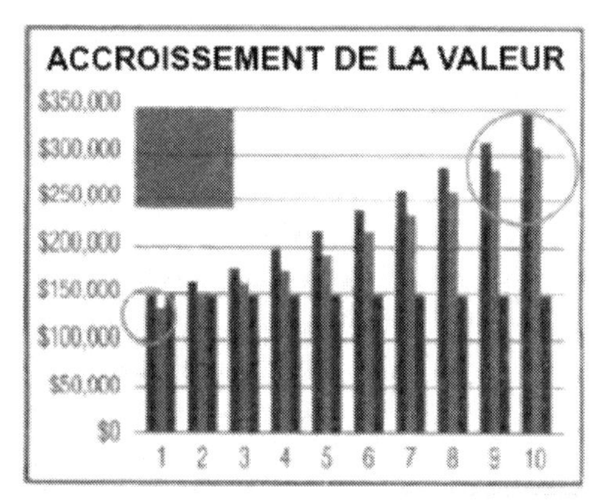

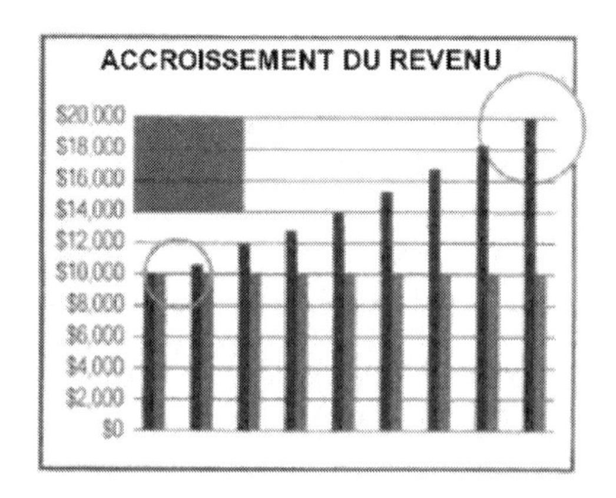

Si le revenu du bien immobilier est de 10'000 S et que les dépenses sont de 10'000 S, ils s'annulent.

Détermination

Les seules limites à votre impact sont votre imagination et votre détermination.

Anthony Robbins

Stratégies immobilières rapides pour gagner de l'argent pendant que vous dormez

Et si vous pouviez :

- Acheter de l'immobilier pratiquement sans débourser un centime ?
- Vous assurer que votre bien immobilier prend de la valeur ?
- Avoir des locataires qui :
  - Vont payer leur loyer à temps, tout le temps ?
  - Prendre soin de ce logement comme si c'était le leur ?
  - Etre prêts à accepter des augmentations de loyer ?
  - Signer des baux de 3 à 5 ans ?
- Obtenir des bénéfices de vos biens immobiliers équivalent à 100 % de bénéfice dans une compagnie ?
- Réduire vos impôts légalement ?
- Trouver des vendeurs motivés ?
- Réduire massivement le droit de timbre ?
- En apprendre davantage sur les secrets des investisseurs immobiliers ?

L'immobilier comparé à la bourse

IMMOBILIER	BOURSE
Acheter un portefeuille immobilier de 1'000'000 S Généralement un dépôt de 10 % soit 100'000 S pourrait être requis	100'000 S de dépôt pour un portefeuille d'actions
Un prêt équivalant à 90 % du montant du bien immobilier est possible pour obtenir un plus grand effet de levier avec l'immobilier qu'avec la bourse	Pour faire un bénéfice équivalent à celui de votre bien immobilier, il vous faudrait un gain de 100 % sur vos actions
En assumant un accroissement du capital de 10 % sur un an, la nouvelle valeur de votre portefeuille immobilier serait de 1'100'000 S…	Si – c'est une hypothèse – votre capital augmente de 10 % comme l'immobilier…
…= 100'000 S de gain de patrimoine sur un dépôt de 100'000 S au départ	…= 10'000 S
…= 100 % de retour sur investissement	…= 10 % seulement de retour sur investissement

Cet exemple montre que l'immobilier est 10 fois plus profitable que la bourse, surtout si on comprend qu'il est possible de ne rien débourser. En effet, bien souvent, on peut emprunter 80 à 90 % voire 100 % pour acheter un bien immobilier. Tandis qu'avec la bourse on ne peut pas réaliser de tels bénéfices et on prend des risques plus élevés. Peu de planificateurs financiers sont suffisamment honnêtes pour le faire remarquer, notamment parce qu'ils gagnent des commissions en vendant des fonds gérés qui sont investis pour la plus grande partie en bourse.

Personnellement, j'ai coutume d'investir dans les deux – l'immobilier et la bourse. Cependant, je me rends compte que c'est plus facile et que cela prend moins de temps, d'engagement et de compétences de réaliser un gain de 10 % par an avec un portefeuille d'investissement de qualité dans l'immobilier que de réaliser un gain de 100 % en bourse, pour un retour sur investissement identique. Il est vrai que l'effet de levier en bourse peut atteindre 70 %. Cependant, il comporte des risques substantiels en comparaison avec un prêt immobilier.

Principes d'organisation d'un portefeuille immobilier

J'ai inclus dans ce chapitre mes principes clés pour l'organisation d'un grand portefeuille immobilier.

J'ai pu construire un portefeuille immobilier de plus de 10 millions de dollars en moins de 5 ans en utilisant ces principes, beaucoup d'entre eux ne nécessitant aucune mise de fond.

Traitez cela comme un business, donc ajoutez de la valeur et faites un profit.

Un business qui réussit doit traiter ses clients comme des VIP. Vos clients, dans le business de l'immobilier locatif, sont vos locataires. Ils doivent être traités comme des VIP.

Un business qui réussit doit avoir une offre unique. Si vous possédez un logement parmi 50 appartements semblables dans un même immeuble, est-ce que votre business offre quelque chose d'unique ? Certainement pas.

L'immobilier commercial, c'est un business. Alors pourquoi ne pas appliquer les principes de l'immobilier commercial à l'immobilier résidentiel ? L'augmentation du loyer et celle – automatique – de la valeur du bien rendent cette dernière plus facile à acheter sans débourser un centime, et cela avec des avantages fiscaux potentiels.

Ajouter de la valeur à son bien immobilier, y compris sa propre maison. Voici 5 idées qui vont dans ce sens :

Valeur de départ	Nouvelle valeur	Patrimoine supplémentaire
300'000 S	350'000 S	50'000 S
1.________________		Rénover la salle de bain et la cuisine
2.________________		Refaire la peinture
3. ________________		Nouveaux parquets/carrelages
4. ________________		Amélioration du jardin ou de la terrasse
5________________		Nettoyage et aspect soigné

Disons que vous avez fait des petites rénovations de ce genre. **Après, votre logement devrait être estimé à nouveau.** Il est préférable, pour ce faire, de ne pas faire appel à la banque par laquelle vous êtes passé pour acheter votre logement. En effet, pour une nouvelle estimation, elle va se fonder sur son prix d'achat d'origine. Adressez-vous à une autre banque pour réévaluer et refinancer votre logement. Ce nouvel établissement va se fonder sur des critères objectifs, à savoir la valeur des logements comparables, dans le quartier notamment.

Ajoutez de la valeur aux locataires que vous pourriez avoir. Pensez à ce que les locataires voudraient avoir. Faites une liste des cinq façons d'attirer des locataires valables, qui payent davantage et qui restent plus longtemps dans votre propriété. J'ai donné quelques exemples qui peuvent être efficaces dans différentes circonstances un peu plus loin.

En ajoutant une telle valeur, vous pouvez :

• Toucher un loyer plus élevé si la propriété est plus attrayante.

• Augmenter la valeur en capital, parce que plus le loyer est élevé, plus la valeur de la propriété est élevée. Cela va de pair. Si un locataire signe un bail de 3 à 5 ans, cela va augmenter immédiatement votre capital parce que votre propriété vaudra plus.

• Obtenir plus d'argent à partir de votre patrimoine immobilier si vous prenez un crédit.

• Utiliser un tel crédit pour acheter du nouveau mobilier pour votre propriété afin d'y attirer un locataire encore meilleur, qui pourrait rester plus longtemps.

Et par conséquent, prendre votre retraite plus tôt.

Apporter de la valeur aux locataires

1______________________________	Offrir l'entretien de la piscine, du jardir des meubles
2.______________________________	Des meubles : ils pourront les garde pour eux si ils restent plus longtemp payent un loyer plus élevé et toujou dans les délais
3.______________________________	Si le loyer est payé à temps, donner au locataires une part de l'augmentation d la valeur de votre bien, s'ils signent u long bail et sont d'accord sur ce q précède.

4. ______________________________ Si vos locataires sont des étudiants, vous pourriez inclure une voiture à disposition gratuitement et demander un loyer plus élevé. Vous en utiliseriez une partie pour payer les frais de remboursement de la voiture.

Exemple de financement à 100 %

Les étapes :

1. **Vous achetez une propriété qui vaut disons 300'000 S**

2. **Vous négociez un rabais de 10 %** sur le prix de cette propriété pour le faire baisser à 270'000 S. Repérez des propriétaires et des vendeurs susceptibles de vous accorder de tels rabais. Certaines personnes qui discréditent les bons investisseurs pourraient dire que vous vous servez de la misère des autres, mais pas du tout. Nul besoin d'être un loup pour obtenir une réduction. Inutile de chercher des vendeurs désespérés. Au contraire, recherchez toujours une occasion gagnant/gagnant, parce que beaucoup de gens sont ravis de vendre au rabais pour des raisons variées qui n'ont rien à voir avec le désespoir.

3. **Evitez d'avoir à faire un apport de 27 000 S en utilisant une garantie de dépôt** pour un coût approximatif de 600 S.

4. **Echangez les contrats au point A** du graphique ci-après.

5. **Vous aurez le temps d'augmenter votre épargne**, de gagner en patrimoine à partir d'autres propriétés et d'obtenir un financement plus favorable avant le règlement.

6. **Avant le règlement, obtenez une réévaluation de la propriété** à environ 330 000 S – soit une augmentation de valeur de 10 %.

7. Obtenez un prêt avec un ratio de 90 % sur la valeur la propriété, soit 297'000 S (330'000 x 90 % = 297'000), ce qui représente plus de 100 % du financement requis. Un prêt immobilier de 264'000 S serait presque égal à 100 %. Différez le règlement de 12 mois. Obtenez de la banque un financement soit pour le montant de la nouvelle estimation, soit selon la valeur estimée la plus élevée.

Exemple de financement à 100 %

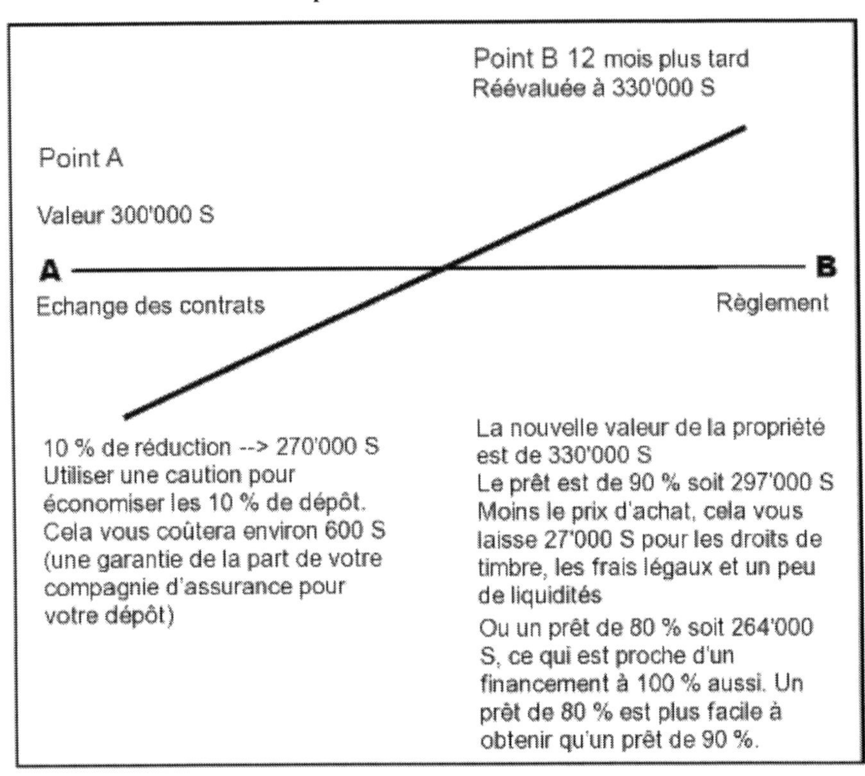

Autrefois, j'ai acheté plusieurs propriétés estimées à $330'000 après avoir négocié un rabais de $22'000 par propriété, parce que, avec d'autres, nous avons formé un groupe pour acheter la totalité de ce projet immobilier. Ainsi, notre prix d'achat se montait à $308'000 avec un délai de règlement de 6 mois. Nous avons fait ré-estimer ces propriétés à $335'000 et j'ai mis l'une d'entre elles sur le marché pour $375'000 avec l'option de la vendre avant le règlement, si souhaité réalisant ainsi un profit de $67'000 (sans avoir déboursé quoi que ce soit parce que j'ai utilisé une caution pour épargner les 10 % de dépôt). Cependant généralement, ma stratégie préférée est de ne jamais vendre mes bien immobiliers, sauf si j'ai besoin rapidement de liquidités.

Un règlement différé donne le temps de trouver des locataires et d'améliorer s position financière pour obtenir un meilleur financement, à savoir un pré hypothécaire de 90 % au lieu de 80 %.

Mes associés, bien souvent, payent à l'une de mes compagnies une prime pou les aider à arranger de telles affaires. Par exemple, voudriez-vous payer 2'000 S d commission si un ami ou associé vous trouve une propriété avec un rabais d

22'000 S à 35'000 S ? Vous seriez d'autant plus gagnant que la valeur d'une telle propriété pourrait bien augmenter de 25'000 S en 6 mois, voire doubler de valeur d'ici 7 à 10 ans.

Vous pouvez trouver vous-même de telles propriétés et gagner une commission en faisant des offres à d'autres investisseurs immobiliers, ou simplement bénéficier des rabais dus à l'achat de propriétés en gros par un groupe d'investisseurs. Si vous ne pouvez obtenir que 1 % de rabais sur une propriété de 330'000 S, soit 3'300 S, cela ne vaut-il pas la peine de demander ce rabais ?

Les gens médisants vous donneront ces conseils

1 – Si vous pouvez acheter une propriété au rabais, c'est qu'elle ne valait pas le prix proposé au début. Mais combien de ces « rabats joie critiques » sont devenus millionnaires par eux-mêmes ? Pas beaucoup ! Les réductions sont possibles si vous visez les bonnes personnes et que vous négociez bien. Vous pouvez créer des relations gagnant/gagnant et ne pas profiter d'autrui.

2 – Que se passe-t-il si la propriété perd de la valeur ? La solution est d'utiliser un critère spécifique pour choisir prudemment. En tous cas, si vous avez négocié un rabais, vous réduisez automatiquement votre risque parce que vous achetez une propriété à un prix inférieur à sa valeur et que les propriétés de qualité perdent rarement de la valeur.

Au lieu de vendre des propriétés d'une valeur de 300'000 S avec un rabais possible, des vendeurs, véritables requins de l'immobilier, ajoutent souvent 20 % ou plus au prix de vente et, donc, à la valeur réelle de la propriété en question. Ils vendent ces propriétés à des investisseurs crédules qui ne sont pas du coin, en faisant du baratin, pour 360'000 S, et ramassent ainsi un profit de 60'000 S. Plusieurs années plus tard, l'investisseur découvre que sa propriété vaut moins que ce que fut son prix d'achat.

Attention : si vous participez à des séminaires sur l'enrichissement, assurez-vous qu'ils vendent des cours d'éducation et qu'ils offrent une garantie de remboursement de 100 %. De surcroît, méfiez-vous de certains séminaires sur l'immobilier qui vendent des propriétés qui perdent en valeur, et faites toujours faire une estimation indépendante si vous souhaitez poursuivre la négociation. Il est à espérer que des règles plus sévères vont empêcher certains promoteurs immobiliers de vendre des propriétés surévaluées aux consommateurs. Cependant, ces règles ne protégeront pas tout le monde. Ce n'est que l'éducation que vous vous donnez personnellement et de manière autonome qui va vous protéger. C'est pourquoi vous pouvez vous éduquer vous-même, en lisant des livres et en assistant à des séminaires pour développer votre éducation financière, afin d'éviter de vous retrouver en position de victime.

Checklist en 21 points pour choisir un bien immobilier

Voici une liste en 21 points de ce qu'il convient de vérifier avant d'acheter un bien immobilier *(ces critères et prix sont conçus pour le public australien mais sont pour la plupart valables dans le monde entier, ndt)* :

1. **Choisissez des propriétés dans une fourchette de prix de 250'000 à 500'000 $.**

• Les biens immobiliers qui coûtent moins de 250'000 $ seront souvent trop petites ou n'auront pas les qualités de finition désirées, ou ne se trouveront pas dans des régions recherchées et donc rentables.

• Si le bien immobilier vaut plus de 500 000 $, le montant du loyer ne sera pas abordable pour une majorité de locataires. La plupart d'entre eux ne pourront pas payer de loyer supérieur à 550 $ par semaine.

• Il sera aussi difficile d'obtenir un prêt selon le rapport entre le prêt et la valeur du bien de la part de la plupart des institutions.

2. **Choisissez des biens qui se trouvent dans des endroits recherchés en raison du style de vie de leurs habitants, des lieux qui font l'objet d'une demande constante de la part des locataires potentiels, et de qualité.**

3. **Choisissez des biens non pas en plein centre des villes, là où sont regroupés toutes les entreprises, mais dans un périmètre de 15 km autour, voire dans certains faubourgs.**

4. **Choisissez des biens qui se trouvent dans des endroits où le terrain constructible est peu disponible.**

• En effet, s'il y a un peu de terrain constructibles pour de futurs projets de développement, il y aura moins de concurrence pour les locataires.

• Les valeurs des biens vont augmenter à un taux plus élevé.

• Quand le terrain est limité, cela veut dire que l'endroit est recherché ; les gens veulent y vivre.

5. **Choisissez des biens dans des quartiers où la valeur des biens immobiliers a augmenté durant les 5 dernières années.**

6. **Choisissez des biens proches de l'eau, soit des plages, des mers, des océans, des rivières, des lacs, etc.**

7. **Choisissez des biens dans des endroits recherchés par les locataires.**

• Tout d'abord, téléphonez, puis rendez visite aux meilleurs agents immobiliers du quartier considéré. Consultez leur liste de locataires en attente de logement afin d'évaluer la demande de location pour ce quartier, ou alors regardez combien il y a d'appartements ou villas à louer à cet endroit.

• Renseignez-vous auprès du responsable des locations pour savoir comment se présente la demande à cet endroit.

8. **Choisissez des biens dans des lieux où les locataires ont un salaire élevé.**

• Beaucoup de gens – selon la conjoncture – louent des biens résidentiels et investissent le surplus de leurs salaires et revenus.

• Plus le locataire touchera un salaire élevé, plus vous pourrez augmenter le loyer chaque année et moins vous courrez de risques que votre bien soit affecté en cas de récession ou de retournement du marché.

• Le capital augmente beaucoup dans les endroits où la demande en location est grande et où les gens veulent vivre.

9. **Choisissez des biens proches des transports publics.**

10. **Choisissez des biens que les agences immobilières de location recherchent.**

• Les agences immobilières de location ont tendance à payer davantage et sont de très bons locataires.

• Vous pouvez trouver de telles agences sur internet ou en consultant l'annuaire téléphonique ou les pages jaunes. Téléphonez et renseignez-vous sur les endroits les plus recherchés par ces agences.

11. **Choisissez des biens proches d'établissements scolaires publics et privés et d'universités de bon niveau.**

12. **Choisissez des biens proches de centres sportifs, de centres commerciaux, de restaurants, etc...**

13. **Choisissez des biens qui ont un peu de terrain.**

• En règle générale, le terrain prend de la valeur et les bâtiments en perdent.

• Dans certaines circonstances, des appartements situés en hauteur peuvent être préférables dans certains quartiers chics parce qu'ils offrent à leur occupants une eau d'excellente qualité et de belles vues sur les villes ou les montagnes.

14. **Choisissez des biens du style maisons accolées ou blocs résidentiels.**

• Les maisons accolées ou en rangées sont préférables à des appartements et à des villas construites sur de grands terrains.

• La plupart des australiens préfèrent vivre dans un environnement de style résidentiel avec des villas plutôt que dans des appartements situés au dernier étage de grands immeubles. Mais à cause de changement dans nos styles de vie, certains ne veulent pas passer de temps à prendre soin d'un jardin.

• Avoir à l'esprit que si vous achetez un appartement dans un immeuble, il y aura des frais de copropriété, ce qui sera moins le cas si vous achetez une maison accolée ou en bloc.

• Les maisons accolées sont les plus attirantes pour les agences immobilières de location en raison de leur entretien facile, de leur sécurité plus grande, de leur intimité et des zones de distraction extérieures.

15. **Choisissez des biens qui offrent des taux d'amortissement élevés et des avantages fiscaux.**

• Demandez au promoteur du bien que vous envisagez d'acheter s'il a un calendrier d'amortissement. Dans le cas contraire, engagez un expert pour faire une analyse du calendrier d'amortissement du bien.

• Plus la prévision d'amortissement est grande, plus les avantages fiscaux sont élevés et moins vous devrez payer pour le coût de l'entretien du bien. Vérifiez la véracité de cette affirmation dans votre propre pays.

16. **Choisissez des biens au sein de projets de construction dont le potentiel de rendement n'est pas basé sur le court terme ou sur des locations saisonnières.** Ce que vous achetez en fait c'est le locataire, pas le bien.

• En effet, vous achetez le locataire, comme vous l'aurez maintenant compris, donc avec un investissement basé sur un logement saisonnier comme des appartements de service ou dans des résidences de vacances, vous n'achetez pas la structure immobilière, vous n'achetez que des locataires ponctuels.

• Si vous ne trouvez pas de locataire ou s'il disparaît, vous pouvez dire adieu aux bénéfices escomptés sur votre investissement.

A propos des concurrents qui se pressent à votre porte

Si votre appartement est un parmi 50 ou plus, vous allez avoir 50 à 100 concurrents qui voudront vendre ou louer leurs appartements en même temps que vous.

La règle de base dans l'immobilier, ancien et classique, est l'équilibre entre l'offre et la demande, qui détermine le prix. Si le marché de l'immobilier connaît une baisse et que 50 concurrents ou davantage essayent de vendre ou de liquider leurs biens en même temps que vous, il est fort probable que votre investissement, acquis au prix de vos efforts, ne vaille pas plus de 40 % de sa valeur d'origine.

17. **Choisissez des biens qui sont situées au sein de petites unités de logements**

• Sélectionnez des biens avec moins de 35 unités dans le projet, plutôt que des logements dans des projets de grands centres commerciaux avec des unités qui se prêtent à toutes sortes de magasins.

• Vous aurez un problème similaire – comme nous l'avons vu plus haut – avec les projets de construction d'appartements de services et pour tous les lots d'appartements situés dans les étages supérieurs d'immeubles de plus de 35 unités, spécialement les projets de bâtiments de stockage pour grossistes.

• Si le marché de l'immobilier connaît une baisse, étant donné que vous aurez des tas de concurrents, que pensez-vous qu'il va arriver à votre loyer et à votre capital ?

• Si vos voisins paniquent et vendent leur bien (qui est semblable au vôtre) à une valeur inférieure à celle de leur achat originel, votre bien va être automatiquement dévalué.

• Souvenez-vous qu'un bien vaut seulement le prix auquel a été vendu un autre bien comparable ou semblable. Vous aurez bien évidemment moins de concurrence au niveau des loyers dans un ensemble de 15 unités que dans un projet de 150 unités de logement. Plus petit sera le nombre d'unités, moins vous aurez de concurrence en matière de loyer. Si vous achetez dans un grand ensemble, vous ferez face à la concurrence et réduirez donc votre potentiel de gain provenant du loyer de votre bien.

• Si une même institution finance la plupart des unités dans un même immeuble et que les acheteurs commencent à faire défaut, la banque pourrait décider de réévaluer votre bien et vous demander un patrimoine plus important pour renflouer votre prêt.

18. **Choisissez un bien dont le prix vous permet de réaliser au moins 4 % de bénéfice sur le loyer – ce résultat étant fondé sur une garantie que l'agent immobilier devrait accepter de vous fournir sur le long terme.**

• Demandez à l'agent immobilier de vous indiquer un montant de loyer qu'il est absolument certain d'obtenir même dans le pire des scenarii.

• Si le loyer sur lequel vous vous êtes mis d'accord n'est pas obtenu par l'agent de location après 2 semaines d'essais, cet agent ne recevra pas de commission et devra couvrir la différence entre la garantie de loyer qu'il aura donnée et le loyer effectif de votre bien.

19. **Choisissez des biens dans des projets de développement immobiliers dont vous avez la garantie qu'ils seront menés à terme. Evitez les types de projets suivants :**

• Les projets qui pourraient présenter le risque de ne pas satisfaire les exigences demandées par les banques avant la vente. Si l'entrepreneur ne peut pas obtenir le financement souhaité, son projet ne sera jamais terminé.

• Des projets d'entrepreneurs amateurs qui ne peuvent pas obtenir le financement adéquat ou le prix de construction pour finir le projet. Renseignez-vous sur des projets qui ont déjà été achevés par le même constructeur et inspectez les lieux vous-même.

• Des projets de promoteurs qui n'ont pas encore choisi l'entreprise de construction au moment de votre achat. Les promoteurs professionnels vont finaliser le prix et le choix du constructeur pendant les trois premiers mois avant l'étape de la promotion du projet. Si le promoteur n'a pas encore engagé d'entreprise de construction, vous courrez des risques : si le coût de la construction ne profite pas au promoteur, le projet ne sera jamais mené à son terme.

• Si le projet n'est pas finalisé, vous allez perdre de l'argent en raison des coûts de la transaction (notaire, comptable, banque) dépensés pour acheter ce bien.

20. **N'achetez pas de biens qui sortent des normes et qui sont sujets à des demandes de permis ou d'autorisations.**

21. **Choisissez des biens qui ont 3 chambres à coucher pour augmenter le montant du loyer.**

• Vous ne devriez acheter que des biens qui ont 3 chambres à coucher ou un minimum de deux.

• Un de vos objectifs devrait être d'augmenter le loyer de votre bien chaque année autant que possible.

• Obtenir de hauts loyers est beaucoup plus facile avec une bien de 3 chambre à coucher. 4 chambres à coucher, c'est trop, parce que vous trouverez difficilemen un locataire qui aura besoin de 4 chambres à coucher de manière durable et qu restera longtemps dans le même bien.

• Une des seules raisons pour lesquelles vous pourriez ignorer le critère ci dessus serait que le bien vous serait vendu à un prix très bas. Et cela ne s produirait que si vous aviez à faire à un vendeur désespéré.

(*Ces conseils sont valables pour l'Australie et contiennent aussi une logique plu générale. Toutefois, il convient de les confronter avec le marché de l'immobilie dans votre pays. Ndt.)*

Comment obtenir un financement à 100 %

Pour obtenir un financement idéal, il va falloir prendre contact avec diverse personnes et entités disposées à accorder des prêts pour des biens résidentiels. E ce qui me concerne, je m'adresse à de bons courtiers en crédits immobiliers q travaillent à la performance, selon le résultat. Ne payez pas de frais d'avance parc qu'un tel courtier pourrait ne pas obtenir le prêt et pourrait garder votre argent.

J'ai aussi ma propre agence de courtiers, *21st Century Finance*, pour aider n clients. Cette compagnie essaye d'obtenir un prêt pour pratiquement tout chacun, et j'ai demandé à notre équipe d'offrir aux lecteurs de ce livre une analyse gratuite de leur portefeuille, d'une valeur de $195.

www.21stcenturyfinance.com.au

Vous pouvez obtenir une liste d'autres agents et prêteurs dans les journaux, sur Internet et dans les magazines traitant des crédits immobiliers, que vous pouvez trouver dans n'importe quel magasin de journaux bien fourni.

Voici quelques questions que vous devrez poser pour obtenir un financement idéal :

• Qui est l'expert auquel le prêteur fait appel pour estimer le bien et, le cas échéant, accepterait-il l'estimation que vous avez faite faire par une autre institution financière ?

• Est-ce que le prêteur accepterait – grâce à vos talents de négociateur – que vous achetiez le bien à un prix de gros ?

• Est-ce que le prêteur tiendra compte de l'accroissement du marché quand il évaluera le rapport entre la valeur du bien et le montant du prêt *(en anglais* LVR, *ndt)*

• Est-ce que le prêteur va vous prêter l'argent sur la base d'un contrat selon un prix d'achat ou sur la base d'une estimation, ce qui serait le montant le plus élevé ?

• Est-ce quel le prêteur va vous offrir 100 % du prêt fondé sur le rapport entre la valeur estimée du bien ou seulement 80 % ?

• Est-ce que le prêteur va vous demander le remboursement du capital et des intérêts ou seulement des intérêts ?

• Est-ce que le prêteur va vous demander un intérêt fixe pour une durée donnée de, disons, 5 à 10 ans, avec une possibilité de passer à un intérêt variable ?

• Est-ce que votre situation financière actuelle (revenus et actifs) remplissent les conditions du prêteur ?

• Est-ce que ce prêteur acceptera de vous prêter de l'argent pour acheter plusieurs bien ?

Vous pourriez avoir à prendre contact avec de nombreuses institutions de prêt pour trouver deux prêteurs adaptés. Assurez-vous d'avoir préparé toute l'information financière que le prêteur va vous demander, organisée dans un dossier bien présenté et prêt à être examiné.

Les relations sont cruciales concernant le financement des biens immobiliers. Cultivez une bonne relation avec le directeur de votre institution de prêt. Déclarez votre intention de conclure une assurance adéquate, y compris une assurance perte de gain et toutes les assurances requises.

Préparez une proposition de financement qui inclut :

• Une évaluation du bien et son potentiel du point de vue du loyer

• Des photos du bien et toutes les informations relatives, des articles de journaux ou médias à l'appui

• L'estimation effectuée par la banque

• Toutes les études de marché que vous avez menées

• Une analyse professionnelle (préparée par un comptable ou un consultant accrédité) sur ce bien et sur votre situation financière particulière.

Cette analyse devrait comprendre ce qui suit :

• Tous les bénéfices fiscaux associés à ce bien et leur effet sur vos frais généraux et d'entretien

• Un calendrier de dépréciation pour le bien

• Le rendement estimé que le bien devrait pouvoir procurer. Vous pouvez obtenir cette estimation de la part de votre agent immobilier local. Il devrait être plus qu'heureux de vous la fournir que cela va lui donner l'occasion de la mettre en location.

• La banque va prendre en considération 75 % de l'estimation du loyer (parfois 80 %) et ajouter cela au montant de votre revenu annuel général. Cela va contribuer à augmenter votre capacité à emprunter.

• Une projection financière à plus long terme (minimum 20 ans)

• La preuve que vous êtes prêt au pire des scenarii. Prouvez à la banque que vous ne courez pas de risque.

Présentez un dossier très soigneusement préparé et relié.

Assurez-vous que votre prêteur vous fournira les fonds requis dans un déla convenu, dès que vous aurez obtenu l'approbation d'un prêt *irrévocable*.

Comme je l'ai mentionné précédemment, vous devrez probablement approche plusieurs prêteurs pour obtenir les conditions idéales, mais veillez à ne pas signe le « Privacy Act » *(il s'agit en Australie d'un engagement selon lequel le renseignements que vous donnez seront du domaine privés, ndt)* ou tout accor similaire tant que vous n'aurez pas obtenu de leur part une déclaration honnê selon laquelle votre financement sera approuvé, ceci pour éviter qu'il soit no dans votre dossier de crédits. En effet, chaque fois que vous demanderez un prê ce dernier pourrait être enregistré dans votre dossier de crédits, et cela que vous ayez reçu ou non votre financement.

Ce n'est pas parce qu'une banque va vous refuser un crédit qu'un autre prêteur ne va pas vous l'accorder. Vous devez adopter une attitude selon laquelle il apparaîtra à l'évidence que vous allez obtenir ce financement. Si vous êtes absolument déterminé, vous ne prendrez pas un refus pour une réponse. Généralement, en consacrant tout le temps nécessaire à l'approche des prêteurs, vous allez finir par obtenir ce que vous désirez.

Un prêt avec intérêts ou un prêt avec capital et intérêts ?

Les prêts avec intérêts seuls sont préférables pour investir dans l'immobilier. La valeur de votre bien ne stagne pas, même si vous n'y apportez pas de valeur.

Peut-on emprunter de l'argent pour financer un bien quand on a un très petit revenu annuel (en Australie, moins de $20'000) voire aucun revenu ?

Si vous avez un patrimoine *(un bien immobilier comme votre maison par exemple, ndt)*, vous pouvez utiliser ce patrimoine comme un revenu « tampon » en établissant un crédit à partir de celui-ci. Vous pouvez utiliser ce crédit pour régler la différence entre la totalité de vos dépenses pour l'achat du bien et le loyer que vous allez percevoir.

Approchez le prêteur comme si vous étiez un investisseur professionnel et expliquez-lui clairement votre intention d'utiliser votre patrimoine comme un revenu provenant d'un crédit. Si toutes vos autres informations sont en ordre, la plupart des prêteurs vont vous prêter l'argent requis pour acheter votre bien immobilier.

Notez bien que le prêteur va prendre 80 % de votre montant potentiel de loyer en compte quand il évaluera votre candidature pour un prêt. Si vous n'avez pas de patrimoine et un petit revenu, vous pouvez quand même obtenir un prêt, mais vous aller devoir convaincre une autre partie (un investisseur potentiel avec le revenu correct requis) de garantir votre prêt. Cet investisseur pourrait être un membre de votre famille, un ami ou même un collègue de travail. Vous devriez alors partager votre profit avec lui comme encouragement pour lui ou elle de co-garantir votre prêt.

Ne pensez jamais que tout se passe selon des règles. Communiquez.

Anthony Robbins

Que se passe-t-il si je ne peux pas obtenir de financement à 100 % et que je dois avoir un patrimoine ?

Si vous ne pouvez pas recevoir de financement à 100 % parce que vous ne pouvez pas obtenir un rabais assez grand ou que vous ne pouvez pas obtenir un levier suffisant de la part du prêteur, vous pourrez toujours acheter le bien sans utiliser votre propre argent.

Vous pouvez emprunter la somme requise (qui a été financée par le prêteur) par les moyens suivants :

1. **Vous pouvez utiliser la valeur de votre propre maison ou d'autres actifs, commerciaux ou d'investissement, biens, business, etc.**

2. **Vous pouvez demander un prêt personnel à des institutions de prêts.** Si vous avez un travail stable, la plupart des institutions financières en Australie vont vous prêter 35'000 à 50'000 $ sans demander de garantie si ce n'est la vôtre.

3. **Vous pouvez trouver un partenaire d'investissement.** Vous pouvez ainsi approcher votre famille, vos amis ou tout autre investisseur potentiel et leur demander de mobiliser leurs actifs pour garantir l'emprunt. Si l'investissement est sûr et si vous ne demandez pas d'argent liquide, il ne devrait pas être difficile de trouver des investisseurs qui seront disposés à garantir votre prêt.

4. **Vous pouvez faire une hypothèque de second rang.** Beaucoup d'agents accordent de tels prêts pour une propriété résidentielle, mais ils offrent un taux d'intérêt plus élevé, disons 1 à 4 % au-dessus des taux variables les plus courants du marché.

5. **Vous pouvez emprunter de l'argent liquide auprès d'un investisseur privé et lui offrir un taux d'intérêt plus élevé ou une part de la propriété que vous envisagez d'acheter.** Vous pouvez demander au vendeur à qui vous achetez la propriété de vous trouver un financement pour une petite partie du prix d'achat.

Par exemple, s'il vous manque 50'000 S sur 250'000 S, vous devrez payer au vendeur 200'000 S (de la banque) et vous lui payeriez encore 50'000 S garantis par une seconde hypothèque sur la propriété et des garanties personnelles.

Si vous offrez au vendeur un taux d'intérêt suffisamment élevé, il acceptera dans la plupart des cas. Une fois de plus, ce n'est qu'une question d'argent.

Devrais-je m'adresser à un agent pour m'arranger un prêt ?

Le processus consistant à tenter de trouver un prêt immobilier va vous enseigner comment vous y prendre par vous-même à l'avenir. Vous allez établir vos propres relations avec des prêteurs qui pourront jouer un rôle clé pour vos futurs besoins financiers. Gardez toujours à l'esprit que, selon mon opinion, la plupart des courtiers en crédits immobiliers sont incompétents et ne vous apportent pas ce que vous êtes en droit d'attendre. Et soyez attentif, parce que la plupart de ces courtiers vont vous demander de payer des frais à l'avance. Or s'ils n'obtiennent pas ce que vous désirez, ils vont garder cette commission. Donc évitez d'avoir affaire à des intermédiaires qui veulent une avance.

Si vous faites appel aux services d'un courtier, assurez-vous que vous ne « pinaillez » pas concernant les commissions. Vous voulez le meilleur des services : ces gens ne vont pas travailler pour quelques sous. S'ils vous fournissent les résultats souhaités et garantis, il va falloir les payer correctement.

Vous et moi avons le même pouvoir à notre disposition à chaque minute de la journée. En ce moment, les questions que nous nous posons forgent la perception de qui nous sommes, de ce dont nous sommes capables et de ce que nous sommes prêts à faire pour réaliser nos rêves. La détermination est la sonnerie d'alarme du réveil de la volonté humaine.

Anthony Robbins

Biens en défaut de paiement – ou en « défaillance »

L'achat de biens en défaut de paiement peut être une stratégie très efficace si on l'applique correctement. On peut ainsi obtenir des biens à un rabais élevé, parfois 90 %, faire une estimation après leur achat et les utiliser comme patrimoine pour acheter d'autres biens immobiliers.

Qu'est-ce qu'un bien immobilier en défaillance ?

Quand une entité propriétaire n'a pas payé ses taxes annuelles – par exemple – à l'autorité locale (par exemple municipale) pendant un temps donné, son bien immobilier peut être mis en vente. Il fait alors l'objet d'une offre publique. Il s'agit de trouver un acheteur qui va non seulement pouvoir assumer les taxes en retard mais aussi pouvoir payer les impôts à venir.

Comment trouver de telles offres ?

En Australie, il y a des listes de Conseils régionaux avec leurs numéros de fax et de téléphone. Vous pouvez les appeler et demander à parler au département qui s'occupe des taxes.

En effet, selon la loi, quand un bien fait l'objet d'une offre publique, la population doit en être informée dans les médias officiels, chez nous la Gazette, ailleurs le Journal Officiel, voire des sites Internet.

A combien revient un bien en défaut de paiement ?

Cela dépend de plusieurs facteurs, notamment le prix de base que les autorités auront éventuellement fixé, et du montant des impayés. Le prix de ces biens immobiliers est donc variable. Le modèle de calcul du coût en Australie se fait généralement selon le schéma suivant :

Coût = **Paiements dus (3 à 5 ans) + 10 % de frais du Conseil + frais d'annonce légale + droit de timbre**

Pour vous adresser au département responsable de la perception des taxes immobilières afin de leur demander s'ils ont un bien à vendre, vous pouvez utiliser l'approche que je vous montre ci-dessous à titre de simulation, ou évidemment choisir vos propres termes :

Demande de renseignement à propos de biens en défaut de paiement

A la secrétaire : Bonjour Madame, mon nom est .... Je vous appelle depuis .... Pourriez-vous s'il vous plaît me passer le Département des impôts ?

Pour vous adresser à l'employé de ce service ou département : Bonjour Monsieur (ou Madame), mon nom est .... Je vous appelle depuis .... Je voulais juste savoir si vous avez des biens en défaut de paiement à proposer dans les six prochains mois ?

Si oui : Vous en avez ?! C'est magnifique ! Auriez-vous la gentillesse de m'envoyer par email les informations relatives à ces biens immobiliers ou de me les faire parvenir par courrier – selon ce qui vous convient le mieux ? Merci mille fois pour votre temps et votre aide si précieuse !

Si non : Vous n'en avez pas ? Je vous suis reconnaissant(e) en tous cas pour votre temps et votre aide. Juste une petite question si vous me le permettez : est-ce que cela vous dérangerait si je reprenais contact avec vous dans 6 mois ?

Oui / Non.

Bon, merci encore. Bonne journée !

Ce que vous devez savoir avant de vous rendre à une vente publique de biens en défaut de paiement

Selon les Conseils et l'Etat australiens (dans votre pays ce peut être des autorités municipales ou autres), on pourrait vous demander de faire un dépôt de 10 % le jour de la vente publique et vous demander de régler le solde dans les 30 jours. Certains Conseils demandent de tout payer le jour de la vente.

L'adjudicataire devra aussi payer les taxes légales et le droit de timbre, donc il sera important d'être organisé financièrement avant de vous rendre à la vente. En général les Conseils acceptent de l'argent liquide, un chèque bancaire ou un virement bancaire. Assurez-vous de prendre tous les renseignements nécessaires à ce sujet avant de vous rendre à une vente publique et de commencer une enchère.

Finaliser la transaction

Téléphonez au Conseil avant de vous rendre à la vente publique et ceci pour deux raisons :

1. L'entité propriétaire pourrait bien payer son dû à la dernière minute et, dans ce cas, son bien ne sera pas mis en vente.

2. La date de la vente peut changer.

Terrain/ n° du lot	Paiements dus	Prix de base	Ce que vous allez payer	Notes générales

Un membre du « Centre d'Education pour le 21ème Siècle » a créé un site qui liste toutes les offres des Conseils, ce qui permet de gagner un temps fou. Cette personne « pense que cela procure un grand service à ceux qui cherchent ce type d'offre, car essayer de contacter chaque Conseil dans toute l'Australie par téléphone ou email est vraiment pénible. » Elle affirme en savoir quelque chose pour avoir traversé cette épreuve plusieurs fois. J'ai reçu ce courriel de la personne qui l'a mis en place :

« J'ai démissionné d'un poste de IT Manager de 60 à 70 heures par semaine après avoir participé à l'un de vos séminaires de 4 jours à Melbourne. Depuis j'ai acheté 4 biens immobiliers en défaut de paiement et fait aussi d'autres investissements dans des produits de détail. Je trade aussi en bourse pour des liquidités et pour mon fonds de pension. Tout cela avec succès !

J'ai gagné beaucoup d'argent lors du dernier crash boursier. J'ai créé un revenu passif avec un site web et, avec un partenaire, j'ai lancé un projet de construction de propriétés.

Et maintenant, et c'est ce qui est merveilleux, je reste à la maison et je m'occupe de ma fille de 3 ans, Gemma, qui était à la crèche depuis qu'elle avait 6 mois.

Je n'aurais pas pu et je n'aurais pas appris tout ce que vous m'avez enseigné avec mes parents, ni à l'Université ! »

18. 7 LEÇONS QUE J'AI APPRISES DE RICHARD BRANSON

« Je voulais être éditeur ou journaliste. Je n'avais pas vraiment envie d'être entrepreneur. Mais j'ai découvert que si je voulais que mon magazine existe et perdure, je devais devenir entrepreneur. »

Richard Branson

Le milliardaire Richard Branson, du groupe Virgin, a été un de mes mentors en affaires pendant plus de 10 ans. J'ai commencé par lire ses livres et par m'inspirer de ses stratégies entrepreneuriales. Puis j'ai eu la grande chance de le rencontrer en personne. Voici les sept leçons les plus précieuses que j'ai apprises à son contact, notamment dans le domaine de l'entrepreneuriat.

Leçon 1. Faites ce que vous aimez et ce qui vous passionne et vous augmenterez vos chances de succès dans tout ce que vous tenterez de réaliser.

C'est une leçon bien connue et la majorité des millionnaires et milliardaires la connaissent. Mais tant de gens l'ignorent. Ce qui passionne Richard c'est de « faire la différence » et, idéalement, de faire un profit simultané pour pouvoir continuer à faire la différence dans le monde.

Beaucoup de gens ne savent pas faire de l'argent, mais sans argent on a moins de possibilités de faire la différence de manière positive. Pourtant, pour la plupart des gens, la carrière idéale consiste à faire quelque chose qu'ils aiment et à gagner du même coup beaucoup d'argent. Si Richard Branson inspire tant de gens, c'est notamment et évidemment dû à sa passion pour ce qu'il entreprend et l'entrepreneuriat.

Leçon 2. Entourez-vous d'une équipe motivée et apprenez à ses membres à évoluer - en leur déléguant les tâches.

Richard doit son succès au fait qu'il a su réunir une équipe de managers passionnés auxquels il a confié des tâches exécutives à haut niveau dans ses entreprises.

Ayant passé du temps avec l'équipe Virgin de Richard, je ne peux que témoigner de leur engagement. Ces gens étaient passionnés par leurs fonctions, par la culture de leur entreprise, ils éprouvaient le sentiment de faire partie de la famille Virgin et, par conséquent, ils étaient prêts à tous les efforts pour atteindre les résultats désirés.

Richard avait compris qu'il y avait deux sortes de personnalités : ou bien vous êtes entrepreneur, ou bien dirigeant, mais pas les deux. Ainsi, trop d'entrepreneurs gèrent leurs compagnies jusque dans les moindres détails et ne les laissent pas se développer suffisamment pour qu'elles puissent fonctionner sans eux. Inversement, pourrait-on dire, trop de bons dirigeants doués pour la gestion abandonnent leurs fonctions pour monter leur propre affaire et échouent, au lieu de se lier à un bon entrepreneur et de faire fonctionner sa compagnie.

Leçon 3. Rendez votre business agréable, « fun » comme on dit aussi

Richard me donna le conseil d'organiser plus de fêtes et de célébrer plus souvent mes succès avec mon équipe. Il me dit que, pour cela, il n'était pas nécessaire de dépenser beaucoup d'argent, mais il fallait chercher des moyens de fêter les succès et de récompenser ses collaborateurs, et cela le plus possible. Ce n'est pas seulement un immense plaisir d'agir ainsi, parce que tout le monde aime les fêtes, mais cela contribue à renforcer les relations au sein de l'équipe et à faire en sorte que les collaborateurs ne se consacrent pas uniquement à un dur travail mais qu'ils passent aussi de bons moments.

Leçon 4. Avoir une marque connue et reconnue.

C'est sans doute la leçon la plus importante que j'ai apprise en affaires. Virgin a brisé toutes les règles du marketing en utilisant le même nom de marque pour des entreprises dont les activités n'avaient aucun lien entre elles. Mais grâce à cette stratégie de promotion et de développement des entreprises par leur marque, Virgin est devenu une des marques les plus prestigieuses au monde.

Leçon 5. Ne déléguez jamais complètement le contrôle des finances.

Cette leçon fut cruciale mais difficile, parce qu'on doit déléguer le travail pour permettre aux entreprises ou compagnies de s'agrandir.

En ma qualité de propriétaire de nombreuses compagnies, je ne pouvais pas exercer un contrôle financier sur toutes mes compagnies tout en menant une vie personnelle. Avant de prendre conscience de cette leçon, j'ai complètement délégué le contrôle financier de mes affaires. Résultat : j'ai perdu des millions en raison de fraudes ou simplement de mauvaise gestion par certains contrôleurs financiers.

Mais selon Richard, peu importait la grandeur de la compagnie, son propriétaire devait s'y rendre et signer des chèques tous les 6 mois. Ainsi, il restait au courant des dépenses et pouvait poser des questions sur la gestion des coûts, ce qui lui permettait de mettre un frein aux gaspillages. J'ai suivi le conseil de Richard et examiné de plus près les dépenses de mes compagnies, ce qui m'a permis d'épargner des millions.

Leçon 6. La vie est une aventure, alors prenez quelques risques.

Richard s'est rendu célèbre par ses tentatives de traverser l'Atlantique en montgolfière, ce qui était pour le moins casse-cou, par ses courses sur l'océan et bien d'autres choses.

Nul besoin d'être cascadeur pour réussir en affaires, mais il va falloir accepter de courir des risques.

Leçon 7. Faites la différence.

Richard Branson a une passion dans laquelle il met toute sa motivation : celle de faire la différence de manière positive dans ce monde. Pour cette raison, il a une énergie sans limite et l'argent est son moteur secondaire.

« On s’en fiche, faisons-le ! »

Sir Richard Branson

19. LES SECRETS FISCAUX DES GENS FORTUNÉS

Ce chapitre a été préparé par Maître Warren Black B. Com., avocat hautement qualifié ayant reçu les plus hautes mentions honorifiques. C'est aussi un expert en fiscalité qui a une solide et longue expérience dans les domaines du droit fiscal et du droit des affaires. Il est extrêmement compétent en matière de planification fiscale, de protection des biens, de droit commercial et de droit fiscal international.

Warren a découvert que beaucoup de ses clients ignoraient totalement les incroyables secrets et les multiples possibilités dont les personnes fortunées disposent pour diminuer leurs impôts.

Note de l'éditeur français à l'attention des francophones

Bien que ce chapitre présente des exemples australiens qui sont fondés sur le droit anglo-saxon et porte essentiellement sur la protection du patrimoine et des meilleures manières d'économiser sur ses impôts quand on fait fortune en Australie, il existe des moyens qui y ressemblent en droit québécois, français, suisse, etc.

Certains penseront aux fiducies mais, en francophonie, le mot fiducie ne doit pas être utilisé lorsqu'il s'agit de trusts (sauf en droit québécois où c'est synonyme). C'est pourquoi nous avons décidé de conserver, dans la traduction de ce chapitre, le vocabulaire juridique anglais.

La fiducie est une institution du droit romain (« fiducia ») à caractère contractuel. Le droit anglo-saxon a créé l'institution du « trust » qui a des caractères communs et des caractères différents par rapport aux fiducies. (Cf. courriel de Maître Nicolas Junod – Genève - à Debora-Dominique Arbell, 20 juin 2014.)

Les francophones qui liront ce chapitre y trouveront beaucoup d'idées, mais ils devront consulter ensuite un notaire, un expert-comptable et/ou un avocat fiscaliste spécialistes dans les domaines de la protection du patrimoine et des économies d'impôts afin d'exposer leurs objectifs et de faire appel aux meilleures solutions possibles dans leurs pays respectifs.

Saviez-vous que l'Australie est l'une des nations où les impôts sont les plus élevés au monde ? En fait, l'australien moyen travaille 6 mois par an uniquement pour gagner de quoi payer ses impôts !

Une tentative est en cours – dans la mouvance de la globalisation – pour créer un système fiscal mondial – un système fiscal unique pour le monde entier afin d'atténuer la concurrence fiscale, ce qui va, par suppression de la concurrence, maintenir un taux d'imposition élevé.

Nos droits en tant qu'individus souverains subissent une érosion, et nos affaires financières font l'objet de surveillance, ainsi d'ailleurs que tout ce que nous faisons, et même nos personnes physiques. Il y a de plus en plus de poursuites judiciaires en Australie. [...]

Mais il n'y a pas que les poursuites et les litiges. Les impôts excessivement élevés et le contrôle exercé par le gouvernement sont très pénibles voire écrasants pour les hommes et les femmes d'affaires et les investisseurs qui cherchent à s'enrichir. Saviez-vous que la moyenne des petites entreprises passe un jour par semaine à remplir les exigences du contrôle gouvernemental ? Ou saviez-vous par exemple qu'en Australie, si vous investissez 10 000 $ à 30 % par an pendant 10 ans, après 10 ans, votre capital, accru par les bénéfices accumulés de votre investissement, sera de 200 855,37 $ si vous ne payez pas d'impôts, tandis qu'ils ne seront que de 46 879,72 $ si vous payez un impôt de 48,5 % sur vos bénéfices ?

Pour tous ceux dont le projet est de s'enrichir, qu'ils soient employés, entrepreneurs, hommes ou femmes d'affaires, investisseurs, c'est un handicap significatif quand ils ignorent les méthodes permettant de réduire leurs impôts.

La question qu'il faut se poser quand on s'enrichit est : combien va-t-il me rester après avoir payé mes impôts ?

Comme le démontre l'exemple qui précède, notre fortune est exposée à un véritable danger fiscal. Mais les gens aisés se sont dotés de ce que l'on pourrait appeler l'« intelligence financière » : ils sont au courant de secrets raffinés que la plupart des gens ordinaires ignorent, en Australie comme sans doute ailleurs.

Nous allons passer de l'autre côté du miroir et vous allez découvrir un monde dont vous avez probablement totalement ignoré l'existence jusqu'ici...

Introduction aux « trusts »

Qu'entendons-nous par « trust » ?

Un trust est un acte juridique que l'on utilise pour gérer un patrimoine immobilier ou personnel, établi par une personne, le « grantor » ou « settlor », au bénéfice d'une autre (le bénéficiaire). Une tierce personne (le « trustee ») ou le « grantor » lui-même gère le trust.

L'histoire des trusts remonte à l'époque des Croisades, aux $11^{\text{ème}}$ et $12^{\text{ème}}$ siècles. Les chevaliers étaient envoyés au combat au Moyen Orient et, s'ils trouvaient la mort en chemin ou pendant la bataille, leurs biens étaient transférés au Roi. Les moines eurent pour idée que les biens des chevaliers pourraient être confiés à un « trust » pour le bénéfice du Chevalier et de sa famille ; lorsqu'ils étaient transférés au trust, les biens du chevalier étaient ainsi protégés pendant son absence. De cette manière, il était possible de les transférer à sa famille si quoi que ce soit devait lui arriver durant la Croisade.

Pourquoi dois-je impliquer une compagnie ?

Qu'est-ce qu'une « corporate trustee » ?

Le trustee est la personne ou la compagnie responsable de prendre les décisions quotidiennes concernant la gestion du « trust ». Le « trustee » peut être un individu, des individus associés ou une compagnie. Si c'est une compagnie, alors vous pouvez la contrôler en détenant ses actions. Vous pouvez aussi en être le Directeur.

La raison pour laquelle de nombreux « trusts » ont une « corporate trustee » est d'assurer la protection de leurs biens. Quand le « trustee » du « trust » fait l'objet d'un litige – pour une question de responsabilité personnelle concernant une des propriétés du « trust » – si le « trust » est géré par un seul individu ou par un groupe d'individus, ces personnes seront tenues pour collectivement responsables de toute action de ce genre. En revanche, si c'est un « corporate trustee », toute action intentée sera limitée aux biens de la compagnie.

Le « corporate trustee » est une compagnie Pty Ltd qui a été établie (c'est le plus souvent le cas) conjointement au « trust ». Selon la nature des biens que le « trust » aura à gérer, il pourrait être bénéfique d'avoir un directeur, ou plusieurs directeurs, et cela sera décidé au moment de sa création, sur la base d'une consultation juridique.

Comment un trust protège-t-il mes biens ?

L'origine et la raison d'être du « trust » sont la protection du patrimoine. La raison pour laquelle les « trusts » ont la faculté de protéger des biens est que, si le trust devait faire l'objet d'une poursuite, l'entité contre laquelle l'action serait intentée serait le « trustee ». Comme expliqué plus haut, le « trustee » est une compagnie « Pty Ltd » et comme beaucoup de gens le savent, les compagnies de cette nature ont une responsabilité limitée qui protège leurs actionnaires.

Si le « trust » devait faire l'objet d'une poursuite judiciaire, l' « appointor », le « guardian » (contrôleur du trust) licencie le « trustee » et en nomme un nouveau Si, malgré cette mesure, l'action judiciaire dirigée contre la compagnie continue, la compagnie ne possède pour ainsi dire rien. Dans ce cas, celui qui a lancé la poursuite contre vous peut s'en sortir avec quelques miettes, voire rien du tout, mais le plus souvent il abandonnera.

Voici un exemple : admettons que John forme un trust discrétionnaire familial (en qualité de créateur) avec Jones Pty Ltd comme trustee (Fred Jones et Mary Jones contrôlent la compagnie). Mary Jones est « l'appointor ».

Ce trust est formé pour gérer des actifs et pour investir de l'argent afin de faire des bénéfices et de les distribuer aux bénéficiaires qu'ils auront désigné. Dans cet exemple, ce sont leurs enfants, James, Jack et Jenny, des parents et des œuvres de charité.

Supposons maintenant que Fred et Mary réalisent un profit de 100 000 S grâce à leurs investissements et d'autres affaires en 2006-2007. C'est leur revenu annuel. Fred et Mary peuvent distribuer cet argent chaque année à qui ils le souhaitent et dans la proportion qu'ils désirent. Et ce qui est bien dans ce cas – nous verrons plus loin pourquoi – c'est que toute personne qui reçoit l'argent paye les impôts sur ce revenu.

Fred et Mary peuvent tout donner à leurs trois enfants : 70 % à James, 10 % à Jack et 20 % à Jenny. Ils peuvent se donner à eux-mêmes 30 %, 20 % à chacun de leurs enfants et les 10 % restants à leur œuvre de charité préférée ou à leur communauté religieuse locale.

Pour être plus spécifique, si Fred distribue ses 100 000 $ entre les bénéficiaires et qu'il s'attribue à lui-même 80 000 $, cette somme sera considérée comme un revenu imposable et Fred devra payer des impôts selon son plus haut taux d'imposition marginal, soit 45% (+ 1,5% pour Medicare Levy, *le fonds d'assurance maladie australien, ndt*).

Mais Fred et Mary pourraient estimer qu'il serait préférable de ne pas envoyer l'argent à Fred mais d'envoyer à Mary 60 000 $ parce que c'est une femme au foyer et qu'en Australie elle paye moins d'impôts que son mari qui travaille. Ses impôts sur 60 000 $ seront de seulement 13 350 $. Fred et Mary enverront aussi 30 000 $ à leur famille (qui paye 30 % d'impôts, ce qui fera 9 000 $), et le montant restant, soit 10 000 $, à leur église locale, qui ne paye pas d'impôts du tout. En procédant ainsi, le total des impôts payés s'élèvera à 22 350 $ (13 350 + 9 000).

Si Fred avait tout distribué par l'intermédiaire de sa compagnie, il aurait payé au fisc un montant de 30 000 $ sur ses 100 000 $, et s'il avait fait la même chose en son nom il aurait payé 46,5 % d'impôts. Pire encore, tout l'argent dont il aurait fait don à son église locale serait déduit de son revenu *après* imposition. Mais en utilisant son trust, cet argent sera comptabilisé *avant* imposition.

Les « appointors » doivent garder à l'esprit qu'il existe des lois contre la fraude fiscale qui protègent aussi les créanciers. Cependant, dans une mesure minime, le trust va protéger des actifs hors-trust si ces derniers devaient faire l'objet d'une action judiciaire. Pour davantage d'information, consultez plus loin le sous-chapitre intitulé « Est-ce que vos biens sont protégés » ?

Comment un trust me permet-il d'économiser des impôts ?

Les trusts vous permettent d'épargner de deux façons :

1. Le trust n'est pas soumis à un taux d'imposition, donc un revenu taxable peut être réparti entre les bénéficiaires du trust qui payeront leurs impôts selon leurs taux marginaux d'imposition respectifs ;

2. Le trust peut effectuer des dépenses qui seront comptabilisées en déduction du revenu avant son imposition.

Distribution entre les bénéficiaires

Comme expliqué plus haut, le trust (contrairement aux compagnies) n'est pas soumis à un taux d'imposition.

En revanche, les bénéficiaires du trust sont taxés selon leurs taux marginaux d'imposition, qui dépendra du montant de revenu taxable qui leur aura été envoyé par le trust.

Comme beaucoup de gens le savent, il n'est pas possible pour un chef de famille qui travaille de mettre son revenu au nom de son épouse ou de ses enfants. *(Exemple : si vous êtes marié et que vous gagnez une somme X, vous ne pouvez la déclarer comme étant le revenu de votre épouse, ndt.)* C'est notamment en cela que le trust peut être utile : il permet d'attribuer des revenus à des bénéficiaires désignés et de mettre ainsi en place un bon plan d'économie d'impôts. Le trust permet de faire des bénéfices fiscaux.

Savez-vous que, si vous avez constitué un trust avant de prendre part à un séminaire d'études sur le fisc ou sur la comptabilité, vous pourrez déduire de votre revenu toutes les dépenses relatives à ce cours par l'intermédiaire de votre trust ? Mais vous ne pourrez pas le faire en votre nom propre.

Comme vous pouvez le voir selon l'exemple ci-dessus, la possibilité de répartir le revenu entre différentes parties peut permettre d'économiser des sommes importantes sur les impôts, chaque année. De plus, contrairement à un salaire dont les impôts sont prélevés - en Australie - chaque fois que vous le touchez, dans un trust, les impôts ne sont redevables que pour les distributions effectuées à la fin de l'année financière, ce qui signifie en fait que vous pouvez investir votre argent pendant une plus longue durée, soit 12 à 18 mois, sans avoir à payer d'impôts, ce qui devrait vous permettre de réaliser de bien meilleurs bénéfices sur vos investissements puisque vous pourrez en accumuler les bénéfices.

Dépenses déductibles du revenu avant impôts

Selon le système fiscal australien, la plupart des choses que nous achetons (sauf les petits achats qui ne grèvent pas vraiment notre salaire) sont inclus dans notre revenu avant sa taxation. Par exemple, si vous êtes imposé au taux maximal de 46,5 %, quelque chose qui vous coûte 30 $ vous coûte en réalité 56 $. Avec le temps, ces montants s'amoncellent et peuvent représenter beaucoup d'argent.

Cependant, puisque le trust est traité comme un business, il peut payer pour ces achats en relation avec ledit business et les déduire des impôts. Dans un tel cas, si vous achetez quelque chose 30 $, vous économiserez 26 $ qui pourront être réinvestis. Comme pour les distributions dont j'ai fait état plus haut, ces économies accumulées peuvent avoir un incroyable effet d'intérêts composés au fil du temps.

Comment est-ce que je dépose et retire de l'argent de mon trust ?

Retirer

Comme expliqué ci-dessus, retirer de l'argent se fait tout simplement au moyen de la distribution de l'argent entre les bénéficiaires. Ces paiements peuvent être effectués aisément par virement bancaire du compte du trust vers un compte personnel, par exemple le vôtre. Cependant, il est important de se souvenir, à ce stade, que tout paiement effectué par votre trust à vous-même sera imposé et que, donc, il est important de tenir une comptabilité précise afin de pouvoir les inscrire dans votre déclaration d'impôts (qui contient une section spécifique pour l'indication des revenus provenant de trusts).

L'argent n'est pas le seul bien que vous pouvez distribuer à partir de votre trust. Vous pouvez aussi transférer des gains en capital et des gains non soumis à l'impôt au bénéficiaire le plus « utile » sur le plan fiscal, pour réduire la totalité des impôts à payer.

Déposer

Déposer de l'argent dans votre trust afin d'investir peut être fait de deux manières :

1. Faire don de l'argent au trust en le prenant sur votre revenu personnel.

2. Prêter de l'argent au trust.

On vous dira la plupart du temps que le seul de moyen de mettre de l'argent dans un trust est de lui accorder un prêt et que, sans un contrat de prêt, vous vous exposerez à une double imposition ou à des sanctions. Mais tel n'est pas le cas si c'est le bénéficiaire qui donne de l'argent au trust. Il faut cependant bien conserver les documents relatifs à de tels dons afin que les fonds qui font l'objet du don ne soient pas inclus dans le revenu taxable du trust pour l'année considérée.

Bien que, comme expliqué ci-dessus, un contrat de prêt ne soit pas une nécessité, beaucoup de gens préfèrent en établir un en raison des effets qu'un tel contrat produit. En effet, si vous faites un contrat de prêt avec intérêts, ces derniers étant semblables à ceux en vigueur sur le marché, ces intérêts deviendront déductibles pour le trust et un revenu pour le prêteur. De tels contrats peuvent être utilisés efficacement pour améliorer l'imposition aussi bien du trust que du prêteur. (…)

Pourquoi ne puis-je pas simplement laisser l'argent dans le trust sans le distribuer ?

C'est une question que l'on pose souvent avec l'espoir de faire l'économie des impôts. Malheureusement ce n'est pas possible. Si le trust ne distribue pas tout son profit chaque année à au moins un de ses bénéficiaires, ce montant sera taxé à 46,5 % (soit le taux marginal d'imposition maximum). Mais cela ne se produira pas parce que le trust va distribuer les profits entre des bénéficiaires variés qui seront taxés selon leurs taux d'imposition respectifs.

Si vous avez l'intention de garder de l'argent longtemps dans votre trust, vous devriez avoir recours à une compagnie dite « tirelire » (« bucket company »), dont la fonction est de servir de porte-monnaie – ce qui est expliqué à la page suivante – pour réduire le montant des impôts à payer chaque année fiscale.

Dois-je donner de l'argent aux gens entre lesquels je distribue le trust ?

N'importe qui peut être désigné comme bénéficiaire de votre trust. Cependant les bénéficiaires sont usuellement des membres de la famille et des trusts e compagnies associés.

Il n'est pas nécessaire d'informer les bénéficiaires désignés au moment d l'établissement initial du trust. Mais si vous avez l'intention d'effectuer u paiement en faveur d'une personne en particulier, il faut l'en informer, car c revenu devra être mentionné dans sa déclaration d'impôts pour l'année fiscal considérée. Cet argent sera taxé selon son taux d'imposition, ce qui, s'il est moin élevé que le vôtre, peut représenter un bon moyen de diminuer les revenus taxable – dans leur ensemble – provenant du trust.

Quand cet argent aura été payé à cette personne, il sera réellement impos Cependant, dans la pratique, on fait toutes sortes de contrats qui permettent qu'e fin de compte, même si une personne devait payer des impôts et recevoir u montant nominal pour l'avoir fait, le contrôleur originel du trust sera celui q finira par percevoir l'argent. *(Autrement dit, le trust, contrôlé par X, donne tel somme à Y, qui paiera des impôts sur cette somme avant de redonner cet argent X, qui remboursera Y pour les impôts payés à sa place. Ndt)*

Il est très important d'informer les tiers bénéficiaires d'une distribution avant de leur envoyer un paiement. En effet, il faut qu'ils puissent se renseigner sur la façon dont ce revenu affectera leur taux d'imposition pour l'année fiscale en question. En Australie, de tels versements pourraient aussi influencer des paiements provenant du gouvernement quand un certain seuil est franchi.

Qu'est-ce qu'une « compagnie tirelire » (« bucket company ») ?

Comment une telle société peut-elle m'aider concernant mon trust ?

Le terme « bucket company » *(traduction littérale = compagnie bidon, « bidon » à prendre au sense de « contenant » et non de « fictif », ndt)* est utilisé pour décrire une compagnie qui est établie comme bénéficiaire de votre trust pour y accumuler de l'argent. Une sorte de compagnie tirelire.

Les compagnies tirelire (on les appelle aussi caisses noires – « sloshs » – ou portefeuille/portemonnaie – holding) sont rattachées à votre trust et sont utilisées pour y envoyer de l'argent afin de réduire vos impôts. En effet, leur taux d'imposition n'est que de 30 % *(33,1/3% en France, ndt)*.

Comme cet argent sera taxé selon le taux d'imposition de cette compagnie, il pourra ensuite être prêté au « trust » qui va pouvoir le réinvestir. Si cet argent devait être distribué à une date ultérieure, il pourra alors être payé sous la forme d'un dividende non imposable et le bénéficiaire de ce paiement pourra utiliser entièrement ce crédit affranchi pour diminuer son revenu. Cette stratégie peut être pour vous un moyen efficace de réinvestir de l'argent à un taux d'imposition plus bas et d'attendre que votre propre taux marginal d'imposition soit moins élevé pour le payer soit à vous-même soit à un autre bénéficiaire.

Voici un exemple : le trust de la famille Jones dispose d'un bénéfice de 100 000 $ à distribuer, et tous les bénéficiaires sont actuellement imposés selon le taux le plus élevé, à savoir 46,5 % en Australie. Les membres du trust voudraient utiliser ces 100 000 $ pour un nouvel investissement qui commencera au début de la prochaine année fiscale et ils veulent pouvoir disposer du montant le plus élevé possible pour cette opération. Or, si ces 100 000 $ étaient distribués aux bénéficiaires actuels, le montant des impôts à payer serait de 46 500 $. Mais si l'argent est versé à une compagnie que nous appellerons par exemple « Jones Pty Ltd » (une compagnie tirelire), celle-ci ne payera que 30 000 $ d'impôts. Cette stratégie permettra de réaliser une économie de 16 000 $ pour de futurs investissements. Si l'investissement d'une telle somme à 7 % dure 10 ans, avec les intérêts composés il va rapporter au trust 280 000 $.

Est-ce que je peux simplement donner tout l'argent à mes enfants ?

Quand le terme « family trust » fut trouvé, la première pensée qui vint à l'esprit de beaucoup de gens fut : « puis-je donner tout l'argent à mes enfants pour réaliser des économies fiscales ? » Ce serait en effet merveilleux ! Mais ce n'est malheureusement pas possible. Des règles différentes s'appliquent au taux d'imposition des enfants, selon leur âge ou le rôle qu'ils jouent dans le trust. Les règles relatives aux distributions aux enfants portent sur les trois groupes d'âge suivants :

- 0 à 14 ans
- 14 à 18 ans
- 18 ans et plus.

Les enfants de 0 à 14 ans peuvent recevoir jusqu'à 1'325 $ par an sans être assujettis à l'impôt. Au-delà de ce montant, leur revenu sera taxé à 46,5 %. Ainsi, leur verser plus de 1'325 $ ne serait pas rentable du point de vue fiscal. De plus, avant de verser de l'argent à un enfant, il faut s'assurer qu'il n'a pas reçu d'autre revenu imposable provenant d'une autre source, telle les intérêts d'un investissement bancaire par exemple, afin que son revenu total ne dépasse pas les 1'325 $ exempts d'impôts pour l'année fiscale. Sinon, le revenu de votre enfant sera imposé.

Quand les enfants sont en âge de travailler (cet âge varie selon les Etats en Australie), ils peuvent être employés dans le trust si leurs tâches sont en relation avec les activités du trust. Dans un tel cas, l'enfant employé sera payé par le trust et son salaire imposé selon son taux d'imposition marginal. Il faut donc bien peser de telles décisions et exposer votre situation avec clarté à votre avocat fiscaliste, parce que des considérations relatives à la « superannuation » (caisse de pension de retraite australienne) peuvent être prises en compte et que les taux d'imposition peuvent changer d'année en année.

Peut-on déduire des intérêts débiteurs ou des pertes dans le trust ?

Bien des gens vous diront que le principal inconvénient d'un trust est qu'on ne peut rien tirer des intérêts débiteurs et des pertes parce qu'on ne peut pas déduire ces intérêts débiteurs ni ces pertes de revenus personnels.

Bien qu'il y ait un peu de vérité dans ces propos, ils ne sont pas tout-à-fai[t] vrais. En effet, pour autant que le trust soit contrôlé par les membres d'une mêm[e] famille, les pertes de l'année peuvent être utilisées pour compenser les bénéfice[s] imposables de l'année suivante et des années ultérieures s'il y a des années d[e] pertes successives. C'est pour cette raison qu'il est important que tous les frai[s] soient soigneusement notés et déclarés lors de chaque année fiscale, et cela mêm[e] si vous avez encouru des pertes, parce que vous pourrez les utiliser lors des année[s] futures.

En plus de l'utilisation des intérêts débiteurs et/ou pertes du trust lors de[s] années suivantes, ce trust pourra effectuer une manœuvre ayant pour but d[e] diminuer le montant des gains dans un autre trust. On procède à une « family trust election ». C'est une pratique courante lorsqu'un trust gère des investissements immobiliers avec des intérêts d'emprunts tandis qu'un autre s'adonne au trading. Dans un tel cas, la « family trust election » permet d'utiliser les intérêts d'emprunts des biens immobiliers pour réduire le montant des impôts sur le revenu des plus-values boursières.

Et si je veux juste acheter un bien immobilier mais que je n'ai pas de liquidités dans le trust ?

Beaucoup de nos clients souhaitent acheter un bien immobilier engendrant un déficit – à savoir qu'au moment de l'achat, et jusqu'à ce qu'il gagne en valeur, il coûte plus cher qu'il ne rapporte –, mais ils n'ont pas de source de liquidités dans un autre trust. Toutefois, ils veulent quand même acheter leur bien immobilier avec ce trust afin de bénéficier de la protection de leur patrimoine et d'avantages fiscaux.

Dans un tel cas, il est possible de déclarer ses pertes en son nom propre pour réduire ses impôts sur le revenu tout en profitant simultanément des avantages d'un trust.

Il y a deux solutions envisageables : l'« Hybrid Trust » et les accords de prêts. Si vous envisagez d'investir dans un bien immobilier engendrant un déficit, n'hésitez pas à solliciter un avis juridique et comptable compétent sur le choix qui conviendra le mieux à votre situation. (*Et bien évidemment, selon le pays où vous habitez, consultez un expert-comptable, informez-vous sur le droit des trusts et renseignez-vous pour savoir si d'autres institutions, comme par exemple des fiduciaires, pourraient remplir des fonctions analogues à celles des trusts, ndt.*)

Voici des exemples d'économies que vous pouvez réaliser en investissant dans l'immobilier via un trust.

Admettons que John a subi une perte de 10 000 $ une année X et réalisé un bénéfice de 12 000 $ l'année suivante. Dans ce cas, durant l'année suivante, John n'aura que 2 000 $ de revenu imposable parce qu'il pourra déduire les pertes de l'année précédente. Donc ce qui importe c'est le moment des pertes subies. Au bout du compte, et dans la plupart des cas, vous pourrez les déduire l'année suivante.

Résumé sur les trusts

Les trusts sont de formidables moyens de protéger votre patrimoine ainsi que d'économiser beaucoup d'argent sur vos impôts.

Il y a beaucoup de mythes sur ce qui peut être réalisé avec les trusts. C'est pourquoi il est important de consulter un expert en la matière. Si l'on n'est pas très bien organisé dans ce domaine, on peut finir par rencontrer des problèmes significatifs.

Par exemple, disons que Jack achète une propriété engendrant un déficit dans le trust de « Jack and Jill Immobilier ». Jack gagne 110 000 $ par an tandis que Jill est femme au foyer et que son revenu est minime (il provient des tricots qu'elle vend sur eBay). Admettons maintenant que Jack et Jill vendent leur propriété et que cela leur apporte une plus-value de 100 000 $. Comme ils ont été propriétaires de cette maison pendant plus d'une année, ils bénéficient (en Australie) de 50 % de rabais sur les impôts relatifs à cette plus-value. Si Jack devait payer ces impôts à titre personnel, ils s'élèveraient à 21 250 $. Si Jack distribue toute la plus-value entre Jill et leurs deux enfants, la famille ne paye que 12 575 $ sur la plus-value – une économie de près de 9 000 $. Et plus grande serait la plus-value, plus il serait possible de réaliser des économies.

Quels sont les avantages à établir un trust ?

Qu'est-ce qu'un trust ?

Un trust est un simple accord selon lequel une partie gère les actifs au nom d'une autre partie. Les participants principaux du trust sont le contractant, le « trustee » (qui gère le trust) et les bénéficiaires.

Le contractant : il constitue le trust pour quelques dollars (en général 5 à 10 $). C'est généralement une personne qui n'est pas personnellement impliquée dans le trust, tel un expert-comptable ou un notaire. On procède ainsi pour éviter les droits de timbre et des conséquences désagréables sur l'imposition du revenu. Il n'est pas souhaitable qu'un membre de la famille soit le contractant d'un trust.

Le « trustee » : le « trustee » gère le patrimoine du trust (investissements, actifs, etc.) et paye les profits aux bénéficiaires. Le « trustee » peut être un individu ou une compagnie (dans la plupart des cas, le « trustee » est une compagnie).

Voici un exemple simple de ce qu'est un trust : John donne à Anne 1'000$ afin qu'elle les remette à la sœur de John dans les deux jours. Ils signent un contrat à cet effet. C'est un trust. John est le contractant parce que John a créé le trust ; Anne est le « trustee » parce que Anne gère les 1'000 $ de la sœur de John ; et la sœur de John est le bénéficiaire parce qu'elle est celle qui sera en droit de recevoir ces 1'000 $ et pourrait porter plainte contre Anne, le « trustee », si Anne décidait de ne pas lui verser cette somme. Même si cet accord n'a pas été passé par écrit mais verbalement, il a valeur de contrat.

Autre exemple : John donne à Anne 10'000 $ à investir et à payer tout le bénéfice de cet investissement à Derek. John est le contractant parce que John a donné les 10'000 $; Anne est le « trustee » parce qu'elle gère le bien et l'investit pour produire un revenu pour Derek ; et Derek est le bénéficiaire parce que Derek est la personne désignée pour recevoir les bénéfices des 10'000 $ ainsi que des 10'000 $ eux-mêmes, sauf s'il en est décidé autrement.

Quels sont les différents types de trusts ?

Il y a beaucoup de types de trusts. 42 pour être précis. Cependant, les deux principaux types de trusts sont les « unit trust » (ou « fixed trust ») et les « discretionary trust ».

Les **« unit trusts »** sont comparables aux compagnies. Ils ont un droit fixe pour les actifs et bénéfices. Les parties sont le « settlor » (contractant), le « trustee » (gérant) et les « beneficiaries » (bénéficiaires) où les bénéficiaires sont connus sous le nom de « unit holders » (« porteurs de parts »). Dans les compagnies, les détenteurs d'intérêts sont appelés des « shareholders » (actionnaires).

Par exemple, si John constitue un trust et veut donner à Anne et Derek 50 % de droits chacun sur le capital et les bénéfices du trust, et nomme Mary comme gérante du trust, John peut utiliser un « unit trust » et donner à Anne 50 % des parts de ce trust et à Derek les autres 50 %. John est le contractant, Mary est la gérante, et Anne et Derek sont les « unit holders » (porteurs des parts).

Les **« discretionary trusts »** sont des entités complètement différentes. Ce sont des structures très populaires pour la planification des impôts et la protection des avoirs. Un « discretionary trust » a un contractant, un gérant et des bénéficiaires, mais il a aussi un « appointor » (contrôleur).

Le gérant gère le patrimoine immobilier et les investissements du trust et paye aux bénéficiaires les revenus nets de ces investissements.

Le contrôleur contrôle le trust au bout du compte. Il a la faculté d'engager ou de renvoyer le gérant. C'est le réel contrôleur du trust.

Certains « discretionary trust » ont aussi un « guardian » qui est le superviseur ultime *après* le contrôleur.

La beauté d'un « family discretionary trust » c'est que les bénéficiaires sont une large catégorie de gens. Chacun d'entre eux peut recevoir un revenu car le gérant peut répartir et payer le revenu entre les bénéficiaires dans les proportions que ce gérant désire. Il n'y a aucune restriction. A des fins de planification fiscale et de protection des biens, c'est un des grands avantages de ce type de trust.

Comment un « family discretionary trust » peut vous aider

Disons que John établit un « family discretionary trust » comme contractant avec « John Ltd » comme gérant (Fred et Mary Jones contrôlant cette compagnie) et Mary Jones comme contrôleur. Le trust est créé pour gérer le patrimoine et investir l'argent afin d'engendrer des bénéfices et de les distribuer à discrétion aux bénéficiaires, qui sont leurs enfants, James, Jack et Jenny, parents et proches et œuvres de charité favorites.

Supposons maintenant que Fred et Mary réalisent un profit de 100 000 $ à partir de leurs investissements et d'autres activités en affaires durant l'année fiscale 2006/2007. Fred et Mary peuvent distribuer leur argent chaque année à qui ils le désirent et dans les proportions qu'ils souhaitent. Et ce qui est formidable c'est que toute personne qui reçoit l'argent paye les impôts.

Ils pourraient distribuer ces profits selon la répartition suivante à leurs trois enfants : 70 % à James, 10 % à Jack et 20 % à Jenny. Ils peuvent aussi s'attribuer 30 %, 20 % à chacun de leurs enfants et ce qui reste – soit 10 % – à leur œuvre de charité préférée.

Pour être plus précis concernant la répartition de ces 100 000 $, admettons que Fred gagne 80 000 $ par an. Fred va payer des impôts au plus haut taux marginal d'imposition, soit 45 % (plus 1,5 % pour l'assurance maladie australienne Medicare Levy). Fred et Mary pourraient décider de distribuer l'argent ainsi : rien à Fred, 60 000 $ à Mary (parce que comme femme au foyer elle paye moins d'impôts et que ceux-ci s'élèveraient dans ce cas à 13 350 $), 30 000 $ à la compagnie de la famille (dont le taux d'imposition est de 30 %, donc le montant de l'impôt de 9 000 $) et les 10 000 $ restants à leur église locale (qui ne paye pas d'impôts du tout). Donc le total des impôts à payer sera de 22 350 $ (13 350 + 9 000).

Maintenant, si Fred fait tout à travers sa compagnie, il payera 30 000 $ sur les 100 000 $, et s'il opère en son nom propre, il payera 46,5 % soit 46 500 $. Pire encore, tout l'argent qu'il donnera à son église locale ne sera pas déduit de ses impôts.

Donc, comme vous pouvez le voir, un trust familial offre une grande flexibilité concernant la planification de la fiscalité et de l'épargne sur les impôts.

Ce qui précède décrit un trust familial classique. A notre avis, un trust familial semble être l'une des meilleures structures en Australie pour protéger le patrimoine et réduire le montant des impôts sur le revenu.

Quels sont les avantages d'un « family discretionary trust » ?

Les « family discretionary trusts » sont merveilleux pour plusieurs raisons :

1. **Le coût.** Ils coûtent peu, contrairement aux compagnies (cela ne coûte presque rien de les établir et cela demande moins de travail comptable que pour ces dernières).

2. **L'imposition des revenus du trust.** Les revenus du trust sont imposés au niveau des bénéficiaires et non du gérant. C'est très important et c'est la caractéristique qui les rend si attirants. Par conséquent, comme le gérant dispose

du pouvoir discrétionnaire de distribuer les profits, il peut distribuer le profit aux bénéficiaires qui sont soumis aux taux d'imposition les plus bas. Ils peuvent même faire des dons à des œuvres de charité exemptes d'impôts (qui sont déduits du revenu avant imposition).

3. **La protection des actifs et du patrimoine.** Il est très difficile de pénétrer dans les « family discretionary trusts », même si dans certaines circonstances ce n'est pas le cas et que les organismes d'enquêtes sur les faillites et les tribunaux familiaux peuvent obtenir de mettre un trust en examen. [...]

Y a-t-il des inconvénients avec les trusts ?

Oui. Il y a deux problèmes avec les trusts en Australie.

1. **L'accumulation des revenus.** Les trusts ne peuvent pas accumuler de revenus. Ils doivent distribuer ces revenus aux bénéficiaires chaque année. Il est possible d'accumuler des revenus avec des compagnies mais pas avec des trusts. Si un trust accumule un revenu, il doit payer 48,5 % au fisc. (Cela ne veut pas dire qu'il doit payer des impôts sur le revenu chaque année ; il peut distribuer l'argent sur le papier mais peut éviter de le payer de manière effective, et cela indéfiniment s'il le désire.) Cela dit, si vous voulez accumuler un revenu, vous pouvez créer une compagnie familiale et lui payer l'argent que vous souhaitez.

2. **Acheter un bien immobilier engendrant un déficit.** Si vous achetez un bien immobilier qui vous coûte plus qu'il ne vous rapporte, le déficit encouru ne peut pas être sorti du trust. Cela signifie que vous ne pouvez pas aisément compenser les pertes encourues dans le trust au niveau de votre revenu personnel. Elles restent bloquées à l'intérieur du trust. Pour éviter ce problème, vous pouvez envisager un trust hybride, ou, autre alternative, un accord de prêt avec le trust. *(Cela se fait en droit anglo-saxon. Citoyens de pays francophones, consultez un expert dans votre pays, je le rappelle, ndt.)*

Pouvez-vous me donner un autre exemple ?

Donnons un autre exemple de l'utilité fantastique des trusts pour les hommes et les femmes d'affaires. Nous allons prendre le trust de la famille Jones pour exemple une fois encore. Fred se rend à un séminaire de trading d'options et apprend à faire du trading d'options. Il ouvre un compte chez un courtier en bourse qui lui permet de faire du trading d'options au nom du trust familial.

Jusque-là, Fred travaillait et son salaire annuel était de 80 000 $, tandis que Mary ne gagnait rien parce qu'elle préférait rester à la maison et s'occuper de leurs trois enfants, James, Jack et Jenny. Mary ne s'intéressait pas au trading des options. Fred allait à l'église et faisait un don de 10 % par semaine à son église, qu'il prélevait sur son revenu après imposition.

Maintenant, grâce au trading d'options, Fred réalise un bénéfice net de 60 000 $ avant imposition. Sur le conseil de son expert-comptable, pour l'année fiscale se terminant le 30 juin, Fred décide de répartir ce revenu en se payant 5 000 $, 35 000 à Mary, 5 000 à l'église, 500 à James et Jack (âgés de 10 et 14 ans et qui n'ont aucun revenu) et 4 000 à Jenny (sa fille de 18 ans qui gagne 10 000 $ par an et qui ne fait pas – à ce moment-là – de trading d'options. Il paye aussi 10 000 $ à sa compagnie familiale « Jones Investments Pty Ltd ».

Que se passe-t-il du point de vue fiscal ?

Comme cet argent sera imposé une fois qu'il se trouvera entre les mains des bénéficiaires, Fred sera imposé sur le revenu provenant de son travail quotidien, plus ses 5 000 $ à un taux d'imposition de 46,5 % (soit 2 425 $). Mary payera 7 054 $ d'impôts sur son revenu de 35 000 $ en provenance du trust (environ 20 %). John et Jack ne payeront pas d'impôts puisqu'ils ne gagnent rien. Jenny payera un impôt de 650 $ sur ses 4 000 $ (17 % d'impôts, ce qui est le taux marginal d'imposition le plus bas parce qu'elle ne gagne que 10 000 $ par an). Quant aux 5 000 $ qu'il offre à son église, Fred pourra les payer à partir de son revenu en provenance du trust, soit *avant* imposition. S'il les avait donnés en les prélevant sur son salaire quotidien hors trust, cette somme aurait été comptabilisée sur son revenu *après* impôt. Sa compagnie, « Jones Investments Pty Ltd », payera 30 % d'impôts sur les 10 000 $ (soit 3 000 $) qu'elle aura reçu du trust.

Comme vous pouvez le voir, en procédant ainsi, Fred réalise des économies considérables sur ses impôts. S'il avait fait tout ce profit en son nom propre, il aurait dû payer 29 100 $ d'impôts. En procédant à travers le trust il ne paye que 13 479 $, plus de 50 % de moins, ce qui représente une économie d'environ 16 000 $.

Mieux encore : disons que la fille de Fred, qui a 18 ans, trouve un travail qui lui rapporte un salaire annuel de 60 000 $ l'année suivante, tandis que Fred quitte son travail pour devenir trader d'options à plein temps. Fred peut tout simplement distribuer plus d'argent à lui-même et moins à sa fille.

Il y a d'autres magnifiques possibilités à exploiter avec des trusts.

Concernant l'exemple qui précède, vous pourriez demander : « Pourquoi Fred ne distribuerait-il pas davantage à ses fils de 10 et 14 ans ? Avec un seuil d'imposition de 6 000 $, il pourrait économiser une fortune en impôts ! » Le problème c'est qu'il y a des sanctions – selon les lois australiennes – si vous distribuez les profits d'un trust à des enfants âgés de moins de 18 ans. A moins que le montant total de leur revenu respectif soit inférieur à 1 375 $ ou fasse l'objet de certaines exemptions, il est taxé au taux d'imposition maximum de 46,5 %.

Résumé sur les « family trust »

Comme nous l'avons vu ci-dessus, les trusts familiaux sont un moyen fantastique de protéger vos affaires et vos biens personnels et de vous assurer que vous payerez le moins possible d'impôts en toute légalité. Le seul inconvénient d'un trust familial c'est d'avoir dans le trust un bien immobilier qui ne rapporte pas mais qui, au contraire, coûte. Cela dit, même cet obstacle peut généralement être surmonté par une planification très précise et soignée.

Les gens fortunés savent comment utiliser des compagnies et des trusts pour réduire leurs impôts et protéger leurs actifs [...].

Est-ce que vos biens sont protégés ?

Est-ce que votre patrimoine est bien à l'abri ? Est-ce que les murs de votre édifice destiné à veiller sur votre patrimoine est bien étanche et ne peut laisser passer les créanciers et les prédateurs avides de poursuites qui voudraient piller votre fortune pour « récolter ce qu'ils n'ont pas semé » ? Peut-être que vous pensez que oui, mais vous pourriez être choqué.

Savez-vous que les Nouvelles Galles du Sud sont la troisième plus haute juridiction dans le monde pour les poursuites aux personnes après la Californie et le Texas aux Etats-Unis ? Et Victoria n'est pas bien loin. Les poursuites et litiges sont beaucoup plus fréquents qu'on pourrait le penser, tant en Australie qu'aux Etats-Unis.

Savez-vous que vous pouvez être tenu pour responsable des dettes de quelqu'un d'autre, non seulement dans le cadre d'un partenariat mais aussi dans une compagnie ou un trust ?

Savez-vous que votre assurance responsabilité professionnelle pourrait ne pas vous couvrir si vous êtes poursuivis ?

Savez-vous que des employés peuvent être poursuivis personnellement pour un comportement négligent qui causerait des dommages aux clients de l'entreprise ?

Ce sont des faits auxquels nous devons faire face dans le monde d'aujourd'hui.

La plupart des gens ne savent pas que, dans de nombreuses circonstances, leurs biens durement acquis n'ont aucune protection. En tant qu'avocats, nous passons plus de temps à soigner des « cancers » financiers qu'à les prévenir.

Nous allons examiner maintenant les principes de bases de la protection des biens tout en vous donnant des exemples et des réponses à des questions posées fréquemment qui peuvent vous aider à savoir si vous êtes exposé à des actions judiciaires, et comment, le cas échéant, vous pouvez rectifier votre situation.

Nous allons nous poser les questions suivantes :

- Pourquoi dois-je protéger mes biens ?
- J'ai une police d'assurance : ai-je la certitude d'être couvert ?
- J'ai déjà une compagnie et un trust : suis-je protégé ?
- Je suis employé : ai-je besoin de protéger mes actifs ?

Les poursuites judiciaires

Pensez-vous que vous êtes à l'abri de poursuites judiciaires ? [...] *En aucun cas, explique l'auteur de ce livre, exemples à l'appui. Cependant, nous avons renoncé à les traduire parce qu'ils concernent le droit anglo-saxon et qu'ils sont relatifs à l'Australie et les Etats-Unis, pays bien différents de nos pays francophones et dans lesquels le droit applicable n'est pas le même que dans les pays francophones. Ndt)*

Principes de protection du patrimoine

Quand on bâtit une fortune, on doit prendre en considération deux choses :

1. **Comment on crée notre fortune.** Cela comprend des questions relatives à la création de richesse comme monter une entreprise, développer des stratégies pour gagner des liquidités, investir en bourse, dans l'immobilier et d'autres actifs.

2. **Comment garder et gérer notre fortune.** Cela comprend des questions de gestion de l'argent, de réduction des dépenses en épargnant sur les coûts, d'économies sur les impôts, de préservation de notre richesse face à des gens peu scrupuleux et des avocats affamés, de prétendus créditeurs et des agences gouvernementales.

Examinons la méthode de « l'homme de paille » (à savoir le dirigeant de droit) et de « l'homme de l'ombre » (à savoir le dirigeant de fait) pour protéger nos biens.

La stratégie de l'homme de paille et de l'homme de l'ombre

C'est une bonne stratégie pour des couples mariés ou des partenaires en affaires dans certaines situations.

L'homme de paille est exposé aux actions en justice éventuelles parce qu'il signe de son nom tout et n'importe quoi, même ce qui est relatif aux affaires présentant un risque. Les hommes de paille (ou dirigeants de droit) sont des directeurs de compagnies, des contrôleurs de trusts.

« L'homme de l'ombre », ou dirigeant de fait, n'est pas menacé. Il ne signe rien, n'engage son nom dans rien, mais contrôle en fait tous les biens.

Ainsi, l'homme de paille est exposé mais ne contrôle rien. Le dirigeant de fait n'est pas exposé mais contrôle tout. C'est la stratégie de l'homme de paille et de l'homme de l'ombre.

Comment ça marche dans la pratique ?

A titre d'illustration, prenons l'exemple du Dr Egbert, médecin dont l'épouse Edwina reste à la maison et s'occupe de leurs 6 enfants. Egbert est exposé au risque de poursuites. Edwina ne l'est pas. Egbert devrait être « l'homme de paille » et Edwina la « femme de l'ombre » (mais on dit « l'homme de l'ombre »).

Disons qu'ils ont une maison de famille dont la valeur grimpe avec le temps et sont exemptés d'impôts sur ce capital. Si le Dr Egbert et Edwina créent un trust familial, ou une compagnie, ils vont perdre leur droit d'être exemptés d'impôts sur ce capital pour les maisons de famille. (Ce ne sera pas forcément le cas. Tout dépendra de la façon dont cette transaction sera structurée. Mais il faudra être très prudent et consulter un expert pour examiner cette question en détails.)

Pour protéger sa maison familiale contre les poursuites judiciaires, le Dr Egbert pourrait faire en sorte qu'elle soit au nom de son épouse qui, elle, n'est pas exposée aux risques inhérents aux affaires commerciales. Si la maison familiale est aux deux noms, ou au nom du Dr Egbert, il peut la mettre au nom d'Edwina. Mais il va falloir faire preuve de prudence en la matière. En effet, si de telles transactions sont effectuées pour protéger une maison contre des créanciers ou en cas de poursuite judiciaire en attente ou de menace d'action judiciaire, et que cela apparaît clairement, l'opération de transfert de propriété pourrait ne pas être prise en compte par la loi. *(Il faut que le transfert de propriété soit fait* avant *tout problème, ndt.)*

En règle générale, cependant, les moyens les plus efficaces de protéger des biens sont ceux des compagnies et des trusts.

Utiliser une compagnie pour protéger des biens

Tout d'abord, voici une brève description d'une compagnie et de son fonctionnement.

Une compagnie est une entité juridique distincte de ses actionnaires. Elle peut être poursuivie. Elle peut passer des contrats. Dans le monde artificiel du commerce, un monde de science-fiction, c'est une personne réelle. Elle a un nom réel. Ses actionnaires n'ont une responsabilité limitée qu'au montant de leurs apports (égaux au montant de leurs actions). Ils n'ont pas à payer les dettes d'une compagnie avec leurs propres actifs.

Les compagnies ont deux principaux acteurs :

1. **Les dirigeants.** Les dirigeants dirigent quotidiennement les affaires de la compagnie pour les actionnaires.

2. **Les actionnaires.** Les actionnaires sont les propriétaires de la compagnie. Ils ont droit à un intérêt fixe sur les actifs de la compagnie, en proportion directe avec le pourcentage de leurs actions. Les compagnies offrent une protection de leurs actifs à leurs actionnaires et à leurs directeurs.

En règle générale, dans une compagnie qui fait du commerce pour elle-même (qui n'est pas un gérant pour un trust), les dirigeants sont exposés à des risques. Le dirigeant devrait être un homme de paille ou une entité contrôlée par un homme de paille. Les actionnaires ne courent pas de risques. Ils devraient être des hommes de l'ombre ou une entité contrôlée par un tel homme.

Exemple

Nous allons reprendre notre exemple du Docteur Egbert et de sa femme Edwina. Egbert est « l'homme de paille » et Edwina la « femme de l'ombre ». Le Dr Egbert est exposé aux actions judiciaires. Sa partenaire Edwina encoure peu de risque d'être poursuivie, étant à la maison avec 6 enfants et ne travaillant pas.

Si le Docteur Egbert dirige sa clinique médicale au moyen d'une compagnie, comme médecin, il est très exposé aux actions judiciaires.

Pour appliquer la stratégie de l'homme de paille et de l'homme de l'ombre, dans ce cas, le Dr Egbert devrait être le seul dirigeant de sa compagnie. Edwina ne devrait pas signer de chèques ou assister aux réunions de la compagnie pour éviter d'être identifiée ou considérée comme partie de la direction sous quelle que forme que ce soit selon la loi australienne « Corporations Law ».

Edwina devrait être le seul actionnaire parce qu'elle ne conduit aucune activité en affaires de nature à l'exposer à des poursuites judiciaires.

Utiliser un trust pour protéger des biens

Les trusts sont de merveilleux véhicules pour économiser des impôts, protéger des biens et créer une fortune pour votre famille et les générations futures. Les trusts sont formidables parce qu'ils protègent très bien les fortunes. Ils peuvent aussi réduire vos impôts de manière significative.

Il y a différents types de trusts. Les principaux trusts utilisés en affaires sont les « discretionary trusts » et les « unit trusts ». Il y a aussi les « hybrid trusts » (qui sont un mélange de « discretionary trusts » et de « unit trusts »).

Les « discretionary trusts » sont une manière déjà ancienne d'élaborer et de protéger une fortune. Les « family discretionary trusts » protègent les biens parce que personne, en fait, ne possède les biens du trust, à savoir que le gérant détient les biens dans le trust pour un certain nombre de bénéficiaires et peut donner les biens et leurs revenus à qui il le souhaite et selon son désir. Ces formes de trusts sont d'excellents outils pour la protection des affaires et des investissements.

Les parties d'un « family discretionary trust » standard sont :

• Le « settlor », ou contractant. C'est celui qui crée le trust.

• Le « trustee », ou gérant. Il gère les biens pour le compte des bénéficiaires et dirige le trust.

• Les bénéficiaires. Ce sont ceux qui profitent des bénéfices du trust.

• L'« appointor », ou contrôleur. C'est le marionnettiste ; sa marionnette est le « trustee » – ou gérant. C'est celui qui, en dernier ressort, contrôle le trust dans la plupart des trusts.

• Le « guardian », ou contrôleur suprême. Il supervise le tout, contrôle le contrôleur, même si en réalité et pratiquement dans tous les trusts, le contrôleur suprême et le contrôleur sont une seule et même personne.

Le gérant est une marionnette. Le contrôleur est le marionnettiste. Il peut licencier le gérant à tout moment.

Donc, en ce qui concerne la protection des biens, le contrôleur et le contrôleur suprême du trust sont « l'homme de l'ombre » (« de fait »), et le gérant est « l'homme de paille ». Par conséquent, le contrôleur et le contrôleur suprême devraient être le dirigeant de fait, ou une entité contrôlée par le dirigeant de fait, tandis que le gérant devrait être l'homme de paille ou une entité contrôlée par un homme de paille.

Il est commun, dans les trusts familiaux (et hautement recommandé dans la plupart des cas), que le gérant soit une compagnie. En effet, la compagnie est un écran de protection supplémentaire (un pare-feu) entre vos créanciers et vos biens. Le dirigeant de la compagnie de gestion du trust, bien évidemment, devrait être l'homme de paille.

Exemple : Revenons au Dr Egbert et à son épouse Edwina. Egbert sera le gérant ou dirigeant de la compagnie de gestion du trust, et Edwina sera le contrôleur ou le contrôleur suprême du trust. Ainsi, Edwina peut démettre la compagnie de gestion du trust en cas de risque de poursuite judiciaire.

Commentaire final : il faut être attentif aux lois. Il y a eu des cas exceptionnels dans lesquels des trusts ont pu être mis en examen. *(L'auteur en donne des exemples, mais ils sont spécifiques au droit australien et l'éditeur a renoncé à les traduire, les estimant peu pertinents pour le public francophone.)*

Quoi qu'il en soit, si des forteresses réputées imprenables ont connu une brèche ne serait-ce qu'une fois, cela peut arriver de nouveau. Il faut donc que les avocats, les experts comptables, les investisseurs et les hommes et femmes d'affaires sachent rester en alerte afin de penser à toutes les façons futures possibles de protéger leurs biens. Il est fondamental à cet effet d'avoir recours à des conseils d'experts en la matière.

Entreprise et protection des biens

Si vous êtes dans les affaires ou désireux de vous lancer dans les affaires, il sera indispensable d'assurer vos arrières concernant vos biens personnels. Dès le moment où vous pénétrez dans l'arène des affaires, vous entrez sur un champ miné par les poursuites et litiges. Vous êtes immédiatement visé. Vous êtes responsable de tout ce qui ne va pas dans votre entreprise. Si vos employés font des erreurs, vous pouvez être poursuivi. Vous devez absolument vous assurer que vos biens personnels sont protégés contre les actions judiciaires qui pourraient être intentées contre vous et vous assurer que la richesse que vous aurez créée grâce à votre dur travail reste intacte.

Cependant, ce ne sont pas seulement vos biens personnels qui pourraient être en danger mais aussi ceux de votre entreprise. Si vous passez des années à élaborer une liste de clients qui a de la valeur, ou un bon fonds de commerce, une seule action judiciaire peut rayer tout cela de votre « carte » et réduire à néant vos années de travail acharné. Une planification simple peut éviter tous ces problèmes.

L'auteur de ce chapitre a eu une fois un client qui est venu le consulter parce que lui et sa femme avaient des biens s'élevant à une valeur de 2 millions de dollars. Ce client avait travaillé dur toute sa vie comme conseiller en investissements. Un jour, il commit une erreur de jugement en donnant un conseil à un client. Juste une erreur. Toutefois, les conséquences auraient pu être désastreuses. Il aurait pu ne pas être couvert par son assurance professionnelle parce qu'il n'aurait pas respecté les conditions très strictes de sa police d'assurance. S'il avait été poursuivi, tous ses biens auraient été exposés parce qu'ils étaient en son nom propre. Même les biens de sa femme auraient été exposés parce qu'elle avait une fonction de direction dans sa compagnie, jusqu'à des temps récents. Tout soudain, sa richesse durement acquise ne sembla plus aussi sûre qu'avant.

Ce qui est très bien dans la protection des biens c'est qu'il ne s'agit pas seulement d'éviter une responsabilité morale si vous commettez une erreur et que celle-ci cause un dommage à votre client. Cela vous donne aussi le pouvoir de faire le choix moral de décider si vous êtes responsable ou non. C'est vous qui prendrez cette décision, pas un client, pas un tribunal ni personne d'autre.

Autre exemple : Dick le Désastreux ouvre une affaire de conseiller financier qui s'appelle « Montre-moi l'argent chéri ! ». Dick est confiant : son entreprise va acquérir une bonne réputation. Il aura de nombreux conseillers financiers travaillant pour lui à la commission. Il va faire du marketing sur internet et il offrira sur son site des facilités pour l'obtention de prêts en ligne.

Le plan personnel de Dick est de générer, au moyen de son entreprise, des liquidités et de les investir. Dick a pour intention d'acheter des biens immobiliers qui rapportent, de trader des actions, des options, des CFD, et de faire du Forex, d'acheter des actions internationales qui vont prendre de la valeur, des lingots d'or et bien d'autres choses encore.

Dick pourrait créer un trust pour gérer ses biens et pour le nom de son entreprise « Montre-moi l'argent chéri », ses locaux professionnels et d'autres biens de valeur. « I Hold Assets Trust », son trust, fait les formalités pour donner une licence au nom de son affaire et gérer les locaux via « My Trading Trust », qui s'occupe de son entreprise. Si quelqu'un intente une action contre son entreprise, celle-ci sera dirigée contre « My Trading Trust ». Ce trust ne possède pas le nom de l'entreprise ; il n'a fait que l'enregistrer pour la licence ; il ne gère que de l'argent ; il n'y a rien à saisir ; les biens sont en sécurité.

Dick perd de l'argent dans ce trust. Cependant, il met simplement fin à son accord avec « My Trading Trust », crée un nouveau trust et continue.

Pour protéger ses biens personnels en même temps, Dick pourrait créer un trust séparé pour s'occuper de ses propriétés, et un autre pour s'occuper de ses investissements et pour faire du trading.

Dick peut protéger sa maison de famille en la mettant dans un trust familial ou faire un gros emprunt sur sa maison de famille et mettre l'argent dans un trust.

Si Dick décide de faire des affaires avec son partenaire Manadu, d'autres belles stratégies s'ouvrent à Dick.

Dick n'est pas malin s'il se contente de créer un partenariat avec Manadu, parce qu'ainsi, et de fait, il garantit les dettes de Manadu. Il ferait donc mieux de créer une structure qui le protège, qui protège Manadu et qui établit une séparation entre leurs deux entreprises. [...]

Investisseurs et protection des biens

Si vous êtes investisseur, même si vos risques sont moins élevés que ceux d'une personne qui a une entreprise, vous êtes quand même exposé.

Par exemple, même si la détention d'action peut difficilement être un facteur susceptible de vous exposer à une action judiciaire, vous pouvez être poursuivi par vos clients en relation avec vos investissements immobiliers, et votre police d'assurance professionnelle pourrait ne pas vous couvrir.

Les compagnies et les trusts peuvent offrir une protection de vos biens mobiliers et immobiliers.

Employés et protection des biens

Est-ce que les employés ont besoin d'une protection de leurs biens ? Traditionnellement, la plupart des employés ne se considèrent pas comme étant personnellement exposés à des risques. Cependant, ce n'est pas nécessairement le cas. Même si, dans la pratique, la plupart des employeurs couvrent leurs employés en cas de poursuite judiciaire, et si la plupart des créanciers poursuivent l'employeur plutôt que l'employé (parce que, généralement, les employés n'ont pas de garantie d'être protégés), les employés sont eux aussi exposés aux risques.

Comme employé, il est essentiel que vous vous organisiez pour protéger vos biens. Il vaut mieux être averti avant que de devoir être défendu par la suite, ce qui serait plus difficile. Rien ne vaut un esprit tranquille.

Exemples

John possède trois biens immobiliers dans lesquels il a investi en son nom propre. Un visiteur de l'un de ses biens le poursuit en sa qualité de propriétaire parce qu'il a glissé sur une peau de banane laissée par mégarde dans l'escalier. L'assureur qui couvre le loyer du bien refuse de le couvrir en invoquant tel ou tel minuscule paragraphe de la police d'assurance imprimé en petit. Soudainement, tous les biens immobiliers dans lesquels John a investi sont exposés à des risques.

A Houghton v Arns, un expert employé d'un site internet a donné une fausse information à un client de la compagnie sur les possibilités d'internet. Cette erreur a coûté au client une somme d'argent significative. Le client ne put pas poursuivre la compagnie parce qu'elle avait fait faillite. Par conséquent, il poursuivit le web designer et un autre employé. Il fut décidé par les autorités que le web designer et que l'autre employé étaient responsables d'un montant de 58 000 $ de pertes pour le client en question. La cour déclara l'employé coupable de négligence notamment, et le rendit responsable des pertes.

Il faut donc que les employés prennent les mesures nécessaires pour assurer leur protection. Un homme averti en vaut deux et mieux vaut tard que jamais.

Récapitulatif sur la protection du patrimoine

La protection du patrimoine devrait être envisagée par tout le monde, surtout les personnes qui ont une entreprise.

Les compagnies et les trusts sont des moyens excellents de protéger des biens.

La stratégie de l'homme de paille et de l'homme de l'ombre est un principe essentiel pour chaque achat de bien et la comprendre est fondamental.

Cela étant, même les employés qui investissent dans l'immobilier et les actions ou autres biens devraient envisager de protéger leurs biens. Les employés ne restent pas forcément toujours employés ; ils se tournent parfois vers l'entreprise.

Chacun devrait prendre conscience des dispositions, règles et lois dans le cadre d'un divorce, lorsqu'il s'agit du partage des biens et de la protection juridique dont il faut bénéficier, ainsi que ceux que vous aimez.

Pour vous assurer que vos affaires financières sont gérées de manière adéquate tant que vous êtes encore en vie, vous devriez aussi envisager de donner des procurations. Si vous avez un partenaire, vous devriez aussi penser à une procuration de réserve.

Pourquoi dois-je protéger mon patrimoine ?

Les actions judiciaires sont chaque jour plus nombreuses. Vos assurances pourraient ne pas vous couvrir. Vous pourriez être tenu pour responsable des dettes d'autrui, dans certaines circonstances, et cela même si vous êtes bien protégé. Vous pouvez être appelé à payer des impôts en retard et à faire l'objet de sanctions simplement parce que le gouvernement a changé sa politique administrative. Vous pouvez être injustement poursuivi ou attaqué et perdre votre procès parce que vous aurez un moins bon avocat que celui de votre adversaire…

20. COMMENT ACHETER UN BIEN IMMOBILIER AUX ÉTATS-UNIS

Introduction

Les informations qui vont suivre sont relatives au marché immobilier aux Etats-Unis et s'adressent à toute personne en mesure d'acheter dans ce pays, principalement les Australiens. Mais cette version française du livre de Jamie McIntyre est aussi une adaptation. L'éditeur a donc ajouté quelques informations qui ne se trouvent pas dans la version anglaise et en a enlevé d'autres exclusivement pertinentes pour le public australien. Les lecteurs francophones devraient consulter les lois de leurs pays respectifs avant d'entamer une éventuelle procédure d'achat de propriété aux Etats-Unis, parce que certaines banques et certains pays n'acceptent plus ce qu'ils appellent des « US-Persons », à savoir des gens qui font des affaires sur le marché américain. Cependant, il est très intéressant d'acheter un bien immobilier aux Etats-Unis, et les lignes qui suivent sont une introduction aux avantages qu'offre ce marché.

Je me suis permis de décrire dans ce chapitre la toile de fond de la crise des subprimes, la plus grande crise immobilière et financière qui puisse être, qui a causé une chute majeure de la demande en biens immobiliers et des prix de ces biens. Cette crise a aussi affecté l'ensemble de l'économie mondiale, comme nous le verrons plus loin.

Lors de cette crise, que je décrirai en détail, plus de 7 millions de biens immobiliers ont été saisis aux Etats-Unis, ce qui est énorme. L'économie des Etats-Unis et le marché de l'immobilier ont alors atteint leur niveau le plus bas depuis 30 ans. La valeur de certains biens a chutée de 300 000 $ à 40 000 $. Dans bien des cas, les Américains ont pris leurs distances par rapport aux prêts immobiliers et les banques américaines n'en accordent qu'avec beaucoup de prudence. Des acheteurs du monde entier ont alors décidé d'investir aux Etats-Unis en achetant des biens de bonne qualité à des prix très abordables.

Pourtant, malgré la chute des prix et les saisies, les loyers sont restés stables, ce qui évidemment assure aux propriétaires des biens loués un revenu tout aussi stable. Ces facteurs sont une occasion qui ne se présente qu'une fois dans la vie d'un investisseur – à savoir acheter des biens immobiliers à des prix défiant toute concurrence et les mettre en location avec une possibilité d'augmenter progressivement le montant des loyers, et donc des revenus qui en proviennent.

(Suivent des considérations qui s'adressent principalement au lecteur australien et qui n'ont pas été traduites en français. L'auteur met à disposition des compagnies qui assistent les Australiens et les Néo-zélandais dans leur processus d'achat aux Etats-Unis. Ndt.)

Pour investir, il faut un bon jugement et non une boule de cristal.

John Paulson, fondateur du Fonds Américain Alternatif et grand financier, misa sur le marché de l'immobilier américain alors que ce dernier était en pleine dépression, et gagna des millions de dollars.

Au moment où je rédigeai ces lignes, Warren Buffet, le plus célèbre et crédible des investisseurs de tous les temps, le champion des valeurs sûres, se tourna lui aussi vers ce marché américain, contrairement à beaucoup d'autres. [...]

Comme je ne cesse de le rappeler à ceux qui fréquentent mes séminaires d'éducation financière, il va vous falloir davantage d'argent pour prendre votre retraite. Si vous vous dotez d'une éducation financière, vous serez probablement mieux apte à faire des affaires, et cela avec une mise de fonds minimum.

En ce qui me concerne et à titre d'exemple, j'ai voulu faire une affaire pour une valeur de 15 millions de dollars. Mais au lieu de payer ce montant, j'ai négocié de façon à ne faire qu'un dépôt de 10 %, ce qui forcément a réduit mes risques. Savoir négocier, comme je l'ai dit, est essentiel.

Comme le marché de l'immobilier en Australie ralentissait, je me suis tourné vers d'autres régions. C'est ainsi que je me suis penché sur le marché américain. Je suis à l'aise et satisfait d'investir sur ce marché. J'ai souvent voyagé aux Etats-Unis pour étudier les conditions sur place et m'éduquer moi-même, pour recueillir les informations de due diligence sur le potentiel de ce marché. Grâce à la maîtrise progressive de mes connaissances, j'ai surmonté mes craintes initiales, mon scepticisme et mes préjugés. Désormais, je suis enthousiasmé par les occasions que j'ai trouvées sur ce marché et j'y ai acquis de plus en plus de biens. Je vais vous dire quelque chose et vous allez me répondre que c'est un cliché : le marché immobilier aux Etats-Unis est une occasion unique, notamment en raison du peu de temps qu'il faut pour en retirer des bénéfices et se constituer une retraite confortable. (*Ici, l'auteur compare avec le marché australien, moins avantageux. Ndt)*

Deux exemples à titre de mises en bouche : Sarah Palin a acheté une grande villa à Phoenix pour 1,7 millions de dollars. Peu de mois auparavant, un investisseur l'avait achetée pour 800 000 $. Il a donc fait un immense bénéfice en la revendant.

J'ai personnellement examiné une magnifique villa offerte pour 960 000 $ et qui se vendrait pour au moins 5 millions de dollars en Australie, et probablement très cher aussi dans d'autres pays.

Les prémisses du crash immobilier aux Etats-Unis

Quand Bill Clinton, du Parti démocrate, était Président des Etats-Unis, une loi fut adoptée pour permettre aux gens ayant peu de moyens d'acheter une propriété en obtenant facilement un prêt immobilier pouvant atteindre 100 %. Le parti démocrate défend les droits des pauvres, des travailleurs et de la classe moyenne.

Le sentiment des démocrates était qu'il était injuste que les gens des classes peu fortunées ne puissent accéder à la propriété. Ils voulaient donc faire quelque chose de positif pour les aider à réaliser cet objectif. Pour répondre à l'attente des démocrates, les banques furent encouragées à prêter un certain pourcentage de leurs fonds aux plus pauvres, à ceux qui jusqu'alors avaient eu beaucoup de difficulté à acheter un logement bien à eux. Résultat : les emprunteurs purent obtenir des prêts plus facilement, ce qui conduisit à une augmentation de l'activité bancaire en matière de prêts, ainsi que celle des autres agents de prêts immobiliers. Et comme la demande grandissait, les prix des logements augmentèrent.

Beaucoup de banques et d'agents de prêts immobiliers comprirent que la situation leur offrait un bon moyen de gagner beaucoup et rapidement. Ils accordèrent des prêts immobiliers à tire larigot – même à des SDF qui de toute évidence étaient insolvables.

Vint ensuite l'administration Bush, du parti conservateur. Cette administration décida d'ignorer les effets malsains possibles de la pratique des prêts immobiliers aux Etats-Unis. Elle ignora aussi l'effet que l'accroissement de la demande de logements avait sur l'économie, cela sous l'effet des angoisses liées à l'avenir de l'économie américaine après les attentats du 11 septembre 2001. En effet, peu après cette catastrophe, certains s'en souviendront amèrement, la bourse américaine s'effondra et ne rebondit qu'après quelques mois, et les conservateurs ne voulaient sans doute pas courir de risque de déstabilisation.

En effet, si la demande est élevée et si les prêts pour les achats sont facilités, l'économie en bénéficie à court terme, et toute récession possible est repoussée à plus tard. Malgré la situation, certains observateurs manifestèrent leur inquiétude vis-à-vis des niveaux d'endettements qui furent créés sur le marché immobilier et qui étaient ignorés. Mais un premier événement allait changer les mentalités et la donne : l'effondrement d'une banque vieille de 128 ans, la banque Lehmann Brothers. Cette faillite eut de nombreuses conséquences qui mériteraient une étude en soi et qui provoqua un effet domino sur tout le système bancaire, y compris international, le précipitant dans une situation dangereuse, y compris en Europe et ailleurs.

Cette faillite monstre ne fut que l'un des facteurs de la détérioration du marché américain – qui est celui dont je traite ici.

La bulle immobilière aux Etats-Unis et son éclatement

Un des éléments essentiels du rêve américain c'est de posséder un logement ; avoir sa propre maison. Alors évidemment, quand on offrit aux Américains des prêts sans acompte et des intérêts avec des facilités de paiement, les gens se jetèrent dessus. Beaucoup d'entre eux, inconscients du danger voire insolvables, bénéficièrent de tels prêts pour s'acheter une maison.

Avec l'accroissement de la demande, les prix augmentèrent, ainsi que le montant des remboursements des prêts immobiliers, qui doublèrent puis triplèrent. Cette situation, caractérisée par une hausse rapide de la valeur des biens immobiliers, de nature spéculative, s'appelle une « bulle immobilière ». Selon Wikipédia, une « bulle immobilière » se traduit par un écart important et persistant entre le prix des biens immobiliers et la variation de ses déterminants économiques fondamentaux comme les salaires ou le rendement locatif. Cette spéculation immobilière, lorsqu'elle est effectuée à crédit, fait courir des risques aux créanciers comme aux emprunteurs.

Ceux qui peinaient déjà pour gagner leurs 1 000 $ de remboursement mensuel devaient désormais redoubler d'efforts pour trouver, chaque mois, les 2000 à 3000 $ dont ils avaient besoin pour faire face à leurs obligations en la matière. Mais beaucoup ne pouvaient payer la facture et la bulle immobilière éclata : le rêve des acheteurs américains tourna alors au cauchemar.

Les biens en défaut de paiement furent saisis, ce qui n'avait pas seulement un effet dévastateur sur le propriétaire mais aussi sur les institutions de prêts et sur l'environnement des saisies en question. Les gens qui résidaient dans de grandes copropriétés – dans des lieux où les saisies immobilières étaient nombreuses – devaient payer d'autant plus de taxes, d'impôts locaux et de frais de copropriété. De plus, la criminalité augmenta. Les maisons vides attirèrent les vandales qui se mirent à les détruire, en brisèrent les portes et les fenêtres, les couvrirent de graffitis tant à l'intérieur qu'à l'extérieur.

Certains organismes de prêts prétendirent que les saisies immobilières leur revenaient à environ 80 000 $, alors qu'en réalité elles leur coûtaient rarement plus de 3 500 $ – et encore. D'ailleurs, si tel était le cas, pourquoi ces saisies étaient elles en continuelle augmentation ?

Beaucoup de gens dont le bien fut saisi restèrent comme paralysés et n cherchèrent pas à prendre contact avec leur organisme de prêt. Ils attendaient qu les autorités viennent les expulser.

Les perspectives après l'éclatement de la bulle immobilière

Les analystes estiment que la crise immobilière américaine va finalement bie tourner, pour le bien de tous. Mais cela va prendre des années, en raiso notamment de l'effet des saisies dont il va falloir que les Américains se remettent.

Un « bon » aspect des choses – si je puis dire – est que la situation n'a jama été meilleure pour l'achat des biens immobiliers. En effet, au moment où j'écr ces lignes, il y a tant de biens à vendre pour un bon prix que c'est le mome d'acheter. Cela dit, il ne faut pas penser que tous les biens offerts sont une bon affaire. Il faut éviter de surfer sur la vague des saisies. Pour chaque bi immobilier que l'on envisage d'acheter, il faut faire une enquête et une évaluation, soit une « due diligence » comme on dit aussi en français.

Pourquoi l'éclatement de la bulle immobilière aux Etats-Unis a-t-il conduit à tant de douloureuses conséquences ?

Une des raisons est la taille du marché américain. Mais plus important encore en raison de la détérioration des normes en vigueur au moment de la contraction des prêts, qui conduisit à une grande quantité de défauts de paiement.

Une bulle boursière n'est pas une bonne chose ; une bulle immobilière, qui permet aux gens de s'acheter une maison, ce n'est pas bon non plus, même si c'est encore gérable. Mais une bulle immobilière d'une grandeur telle que les acheteurs ne peuvent pas payer leur logement, ça, c'est pire que tout. Les Etats-Unis ont souffert de cette maladie-là.

Les prêts immobiliers étant facilités et accessibles à tout un chacun, les entrepreneurs se mirent à construire encore plus de logements, et quand la bulle éclata, le marché fut envahi par des biens immobiliers invendables parce que trop nombreux, ce qui se répercuta sur les 7 millions de prêts immobiliers qui ne pouvaient pas être remboursés par les emprunteurs. Imaginez la proportion : en Australie (je donne cet exemple à titre d'illustration) nous avons un total de 8 millions de maisons !

Aux Etats-Unis, la plupart des prêts étaient « sans recours », ce qui signifiait que le propriétaire du bien pouvait s'en aller sans être poursuivi par le prêteur pour un crédit restant à rembourser. Ainsi, le marché de l'immobilier fut inondé par des millions de biens non payés, que les prêteurs cherchaient à vendre pour rentrer dans leurs fonds. Le prix de certains biens chuta de 70 %. La moyenne de la baisse fut d'environ 30 %. Des villas dont la valeur originelle était de 250 000 $ par exemple purent être acquises pour 75 000 $.

Où investir aux Etats-Unis ?

Avant d'investir dans un bien immobilier aux Etats-Unis, il est indispensable de s'éduquer et de se familiariser avec le marché américain, de façon à ne pas faire les mêmes erreurs que celles que font la plupart des novices.

En effet, ce marché de l'immobilier a ses caractéristiques spécifiques, tant sur le plan des impôts que sur celui du financement des achats. De naïfs investisseurs australiens, par exemple, ont acheté des maisons aux Etats-Unis par l'intermédiaire d'agents qui avaient prétendu qu'il s'y trouvait un locataire. Une fois rentrés en Australie, ces acheteurs reçurent un loyer pendant quelques mois et, ensuite, les paiements cessèrent. Ils réalisèrent que la maison qu'ils avaient achetée n'avait jamais eu de locataire et que c'était l'agent qui avait payé le loyer pendant quelques temps, avant de disparaître dans la nature. Il faut donc bien s'informer.

Afin d'éviter certains pièges, dont personne ne veut évidemment, nous avons dégagé quelques règles importantes relatives à l'achat d'un bien immobilier aux Etats-Unis :

1. Eviter les régions comme Détroit et Buffalo où la population diminue ainsi que la valeur des biens.

2. Se concentrer sur des villes ou régions qui ont souffert le plus et où les prix ont chuté de 60 à 70 % : Las Vegas, Phoenix et Miami. Phoenix est la meilleure, mais les trois ont la capacité de se relever après ce coup très dur.

3. Diversifier : si possible, acheter par exemple des biens à Kansas, qui sont très rentables du point de vue loyers, et d'autres à Phoenix par exemple, dont la valeur en capital augmentera.

4. Ne pas acheter de biens non rénovés.

5. Ne pas acheter de biens dans lesquels il n'y a pas déjà un locataire.

6. S'assurer de connaître le montant exact du loyer.

7. Se méfier des offres sur Internet.

A mon avis, Phoenix, en Arizona, offre le meilleur potentiel de gain en capital, à savoir en plus-value. C'est une grande ville, très active en affaires, et dont les performances économiques sont excellentes. C'est une ville attirante parce qu'il n'y a que peu de jours de pluie. Elle est recherchée par les gens qui souffrent de problèmes de santé. Les fonds spéculatifs américains qui disposent de beaucoup de liquidités s'y intéressent, et avec suffisamment d'investissements, la ville va rebondir.

A Miami, de grands condominium (ou « condos ») – soit des biens en copropriétés – peuvent être acquis pour aussi peu que 60 000 $, mais (…) il y a peu de chances que les prix augmentent à court terme. […]

Exemple

Nous avons dit que certains fonds spéculatifs américains ont choisi d'investir à Phoenix, estimant que c'était une occasion qu'il ne fallait pas manquer. Un des membres de notre « Centre d'Education pour le 21ème Siècle » a acheté une villa à W Rancho Drive, Phoenix, dotée de 3 chambres à coucher, une grande et une petite salle de bain, pour 66 000 $ alors qu'elle avait été estimée sur le marché à 190 000 $. Cela lui fit réaliser un profit brut de 14,5 % et un profit net de 12.7 % (*Des affaires immobilières similaires furent réalisées à Phoenix, qui sont décrites dans le détail dans la version anglaise de ce livre. Ndt.*) Des affaires du même genre à Melbourne n'auraient pas rapportées plus de 3 %.

Autre exemple à Phoenix : un condo de 83 m², à E Belleview St, 2 chambres à coucher, une salle de bain et un prix estimé sur le marché de 90'000 $, fut acheté pour 34 000 $, ce qui représente un profit brut de 19,4 % et net de 10,2 %.

Kansas City : une maison récemment rénovée, 3 chambres à coucher, une salle de bain et demie, fut achetée pour 51 000 $, avec un profit brut de 20,04 % et un profit net de 16,07 %. *(L'auteur donne d'autres exemples d'acquisitions très rentables de villas à Kansas City. Ndt)*

Il y a d'autres alternatives dans des villes stables et qui s'agrandissent peu, comme Memphis, Kansas, Houston ou St Louis et Atlanta (l'ancienne ville des jeux olympiques). Des rendements très appréciables sont réalisables au moment où j'écris ces lignes, dans toutes ces villes.

Notre tour en bus des conditions d'achats de biens immobiliers

Quand notre équipe emmène des investisseurs australiens potentiels en bus pour faire un tour et se faire une idée des logements en vente, leur première réaction est de s'exclamer : « Wow ! » Ils ne peuvent croire qu'ils peuvent acheter des biens de grande qualité, bien présentés et avec des rendements très attirants, pour moins de 100 000 $.

Il faut aussi savoir qu'aux Etats-Unis, ça ne pose pas de problème aux gens de devoir faire une demi-heure de trajet en voiture pour se rendre à leur lieu de travail. Ainsi, pour la plupart des locataires potentiels, les biens situés dans les quartiers périphériques ne perdent pas de leur attrait.

Enfin, et c'est très important, il faut avoir une mentalité adaptée à celle des habitants des Etats-Unis pour réussir dans le marché immobilier de ce pays. Il va falloir comprendre la mentalité de vos clients, à savoir des gens qui vont louer votre bien et y vivre. [...]

Avec 135 000 $ de liquidités, vous pouvez acheter sur le marché américain deux maisons de qualité. Et même mieux : sur certains marchés vous pouvez acheter trois ou quatre maisons et réaliser un bénéfice net provenant des loyers de plus de 15 % par maison ! Cela vaut la peine d'y penser.

Le marché de l'immobilier aux Etats-Unis, qui a atteint son niveau historique le plus bas, représente une occasion inespérée pour les investisseurs qui peuvent acheter un bien immobilier dans ce pays. N'oubliez pas toutefois de prendre en considération le taux de change par rapport à votre monnaie nationale. (...)

Voici un simple calcul : **si vous dépensez $333'000 pour un bien immobilier aux Etats-Unis avec un rendement net de 15 %, cela va vous faire un revenu annuel de $50'000**. Pour la même somme en Australie, avec tous les frais annexes, vous aurez un revenu de 9 900 $ par an. (...) Dans les autres pays, faites vos propres comptes.

Après la crise des subprimes, que nous allons décrire plus loin dans ce chapitre, l'industrie de la construction aux Etats-Unis fut obligée de réduire ses constructions de maisons d'environ 25 % par rapport à sa quantité antérieure qui était d'un million de maisons par an. Puis elle a continué à ralentir jusqu'à 33 %, tandis que la population continuait à augmenter. Beaucoup d'entreprises de construction ont dus fermer leurs portes. Cela va prendre des années pour que l'industrie de la construction aux Etats-Unis revienne à son rythme antérieur de production. Avec le temps, le surplus de maisons va lentement être acheté ; après quoi l'industrie de la construction de maisons – qui prendra un nouveau départ – ne pourra pas faire face à la demande, même si l'économie continue à stagner. Ainsi, une reprise de l'économie américaine sera un grand avantage pour les acheteurs de propriétés sur le marché actuel, qui continueront à gagner de l'argent avec les loyers. En Australie, l'achat de propriétés aux Etats-Unis est très en vogue. Il y a même des annonces publicitaires proposant des facilités de prêts pour ceux qui achètent de l'immobilier aux Etats-Unis. [...]

« Combien de temps cela prend de réaliser une telle opération immobilière et de profiter du rendement ? » m'a-t-on demandé. A mon avis, les investisseurs ne devraient pas hésiter trop longtemps (6 à 12 mois) quand ils étudient le marché immobilier aux Etats-Unis. Cela pourrait leur coûter trop cher, parce que le montant des biens va augmenter. Mais comme vous le verrez plus loin, nous leur offrons tous les services nécessaires.

L'expérience de Lou Harty

Lou Harty est une femme dynamique, ancien officier de l'armée australienne, qui a entraîné des recrues pendant environ 20 ans. Puis elle décida de devenir financièrement indépendante et devint membre de notre centre d'éducation pour se doter d'une éducation financière. Lou est maintenant une « tradeuse » à succès qui réussit brillamment ses investissements. Elle a su tirer parti de certaines des stratégies que j'ai enseignées dans mon programme d'études à domicile. (http://21stcenturyeducation.com.au/louharty).

Lou pose les questions suivantes aux investisseurs australiens potentiels ; questions qui donnent des occasions de comparer et qui sont des occasions de réfléchir pour tout lecteur :

Imaginez que vous pouvez acheter une maison en Australie pour des prix équivalents à ceux, actuellement bas, que l'on offre sur le marché américain.

- Achèteriez-vous une maison dans un bon quartier si les prix étaient ce qu'ils étaient il y a 20 ou 30 ans ?

- Achèteriez-vous un bien sans avoir à payer le droit de timbre ?

- Achèteriez-vous un bien pour un montant aussi faible que 20 000 à 30 000 $? [...]

Lou posa aussi à Ben Walls, directeur de notre équipe d'acquisition de biens aux Etats-Unis, une série de questions relatives au marché immobilier aux Etats-Unis. Ben est basé dans ce pays et a plus de 15 ans d'expérience dans l'immobilier américain. Ben lui répondit sur ce que lui et son équipe proposent :

« Nous examinons le bien immobilier, nous l'achetons, nous le rénovons, nous y mettons un locataire, nous confions tout cela à une agence de gestion et nous vendons le bien – clés en mains et loués – à un investisseur à qui nous l'offrons en fait sur un plateau d'argent *(sans mauvais jeu de mots, ndt)*.

Quand Lou s'informa sur la question des critères de sélection pour les clients australiens, Ben répondit – et cela vaut pour tous : « Ce qui compte avant tout ce sont les régions où il y a une grande demande de la part de locataires, parce qu'il est agréable d'y vivre. Chaque ville a ses prix et ses avantages. Les régions essentiellement habitées par des propriétaires et où les propriétaires sont en augmentation sont celles que nous préférons. Certains endroits sont habités uniquement par des locataires. Ce ne sont pas de bons lieux où investir. Même si les biens y sont forcément meilleur marché, la grande quantité de locataires va limiter nos stratégies de sortie quand nous souhaiterons vendre. » [...]

21 % de retour sur investissement net près du Kansas

Lou est très fière d'une propriété, « une très belle petite maison », qu'elle a acheté près de Kansas sans l'avoir examinée elle-même, sur la base d'une annonce sur Internet (un coup de chance !). Avant la crise, elle valait 113 000 $, mais Lou la décrocha en un jour pour 49 000 $. Cette propriété a procuré à Lou un revenu de 25,71 % brut et de 21,12 % net. Lou adore raconter à qui veut l'entendre qu'elle touche 1 050 $ de loyer par mois : « J'ai deux locataires dans cette propriété en duplex, donc si l'un des locataires s'en va, l'autre continue à me procurer un revenu. »

Quatre critères pour acheter des propriétés aux Etats-Unis

Selon Lou Harty et Ben Walls, voici 4 critères auxquels les investisseurs doivent être attentifs lorsqu'ils achètent aux Etats-Unis. (*NB : Selon le pays dans lequel vous habitez, il convient d'examiner si vous pouvez acheter des biens immobiliers aux Etats-Unis sans payer d'impôts dans votre propre pays. C'est possible pour les Australiens et expliqué dans la version originale de ce livre, mais le passage concerné n'a pas été retenu pour la version française, celui-ci n'étant pas pertinent pour les francophones. Ndt)* [...]

1. **Ne pas y toucher**. Ben affirme qu'il y a certaines villes aux Etats-Unis, comme Détroit, qu'il faut éviter. Ce n'est pas parce que les prix y sont bas que ce serait un bon investissement d'y acquérir un bien. Les Etats-Unis sont très vastes et l'offre et la demande varie énormément selon les régions, les économies locales et

la démographie. Les investisseurs doivent prêter une grande attention aux rendements de leurs investissements en achetant dans une bonne région.

2. **Augmentation du capital**. Phoenix répond à ce critère. La ville est très recherchée parce qu'elle y offre notamment, comme nous l'avons vu, de bonnes conditions sur le plan de la santé. En février 2011, Phoenix fut élue parmi les meilleurs endroits où vivre aux Etats-Unis. Avant le crash, les prix y étaient très élevés. Ils diminuèrent pour atteindre environ 33 % de ce qu'ils étaient. Grâce à ses activités économiques et à sa démographie, Phoenix est un très bon endroit pour investir : les valeurs des biens immobiliers y augmentent régulièrement et les rendements sont de 8 à 10 %. Les biens qui se vendaient pour 75 000 $ au moment du crash se vendent 90 000 $ au moment où j'écris ces lignes.

3. **Revenus locatifs**. Kansas City est une ville relativement petite (2 millions d'habitants), avec peu de chômage et qui a été récemment classée parmi les lieux les plus rentables en termes de revenus locatifs aux Etats-Unis, avec des loyers stables qui procurent un retour sur investissement d'environ 20 %. Cependant, l'augmentation en capital y est relativement faible (de l'ordre de 2 à 3 % par an).

4. **Augmentation du capital *et* revenus locatifs**. Atlanta et Georgia entrent dans cette catégorie. Elles bénéficient de conditions économiques parmi les plus performantes aux Etats-Unis. En avril 2011, le Magazine *Fortune* a placé Atlanta en tête de sa liste des meilleures villes pour les acheteurs. A l'époque à laquelle j'écris ce chapitre, les prix à Atlanta sont en moyenne de 55 000 $ avec des rendements de 11 à 16 %. C'est un bon départ pour ceux qui démarrent sur le marché immobilier aux Etats-Unis.

Préambule à la crise des subprimes : quelques mots sur la faillite de Lehmann Brothers

La saga de Lehmann Brothers est intéressante en soit et fournit des informations sur l'effondrement des prix de l'immobilier aux Etats-Unis.

Avant d'avoir déclaré sa banqueroute en 2008, Lehmann était une firme de services financiers globaux et se trouvait au quatrième rang des plus grandes banques d'investissement aux Etats-Unis. Elle faisait des affaires dans les domaines de l'investissement bancaire, du patrimoine, de la vente et du commerce des actions et obligations à revenus fixes (notamment les obligations du Trésor américain), de la recherche, des financements privés en fonds propres et de la banque privée.

Le 15 septembre 2008, suite à l'exode massif de la majorité de ses clients, des pertes drastiques dans ses actions et de la dévaluation de ses actifs par les agences de notation, Lehmann Brothers craque. Cette banqueroute fut une des plus énormes de l'histoire des Etats-Unis et a joué un rôle majeur dans le développement de la crise financière des années 2000.

Le jour suivant, Barclays annonçait son accord, sujet à une approbation de certaines règles, d'acheter les secteurs nord-américains de Lehmann Brothers dans l'investissement bancaire et les divisions commerciales, et les immeubles de ses quartiers généraux à New York. Une version révisée de cet accord fut approuvée par les autorités compétentes deux semaines plus tard. Une semaine après, Nomura Holdings annonça son intention d'acheter la franchise de Lehmann Brothers en Asie-Pacifique, y compris au Japon, à Hong Kong et en Australie, ainsi que le secteur des investissements bancaires et du patrimoine de Lehmann Brothers en Europe et au Moyen-Orient. L'accord prit effet le 13 octobre 2008.

La banqueroute de Lehmann Brothers fut la plus grande faillite d'une banque d'investissement depuis celle de Drexel Burnham Lambert – accusée de fraude – 18 ans auparavant. Immédiatement après cette banqueroute, un marché financier déjà en détresse fut en proie à une volatilité extrême.

Ce qui suivit fut ce que beaucoup ont appelé en anglais « l'orage parfait », soit une période de troubles et de turbulences, de dépression économique. Un programme de sauvetage de 700 milliards de dollars (le « Troubled Asset Relief Program ») fut préparé par Henry Paulson, secrétaire au Trésor, et voté par le Congrès. *(Pour les francophones, voir http://fr.wikipedia.org/wiki/Plan_Paulson)* Conçu pour sauver les marchés financiers, il ne convainc toutefois pas les investisseurs. Le CAC40 et le Dow Jones connaissent une chute historique le 6 octobre 2008. On se souvient de ce jour comme du « lundi noir ».

La chute de Lehmann Brothers eut aussi un fort effet sur les petits investisseurs privés, comme ceux qui détenaient des obligations, et les porteurs de ce qu'on appelait des mini-bonds. En Allemagne, des produits structurés, souvent basés sur un index, furent vendus principalement à des investisseurs privés, des personnes âgées, des retraités, des étudiants et des familles, par le bras allemand de Citigroup et la banque allemande Citibank qui était détenue par le Crédit Mutuel. La plupart de ces produits dérivés sont maintenant sans aucune valeur.

La crise des subprimes

D'après Wikipédia, le terme « subprimes » s'est fait connaitre en français à la suite de la crise des subprimes aux États-Unis, qui a déclenché la crise financière de 2007 à 2011. Il désigne des emprunts plus risqués pour le prêteur (et à meilleur rendement) que la catégorie *prime*, particulièrement pour désigner une certaine forme de crédit immobilier.

Pour les lecteurs francophones, voici une introduction à cette crise selon Wikipédia :

Un crédit *subprime* est un crédit accordé à des emprunteurs relativement peu sûrs et dont on exige, en compensation, un taux d'intérêt plus élevé ; pour le préteur, le risque est plus fort mais le rendement plus intéressant. Il y eut aussi des crédits subprimes « pourris », fait de montages sophistiqués avec des taux variables, et des produits financiers complexes permettant de maintenir des taux bas en début de prêt.

Pour les créanciers, les prêts *subprimes* étaient considérés comme individuellement risqués mais globalement sûrs et rentables. Cette perception reposait sur une hausse rapide et continue du prix de l'immobilier. Si un emprunteur ne pouvait payer, la revente du bien immobilier permettait au prêteur de récupérer son dû.

Toujours selon Wikipédia, les prêts *subprimes* se sont développés principalement aux États-Unis et en Angleterre. En 2006, ils représentaient aux États-Unis 23 % du total des prêts immobiliers souscrits. En France, le marché des subprimes s'est peu développé malgré les faveurs de quelques politiques. En 2007, près de 3 millions de foyers américains étaient en situation de défaut de paiement.

Ceux qui avaient souscrit à ces prêts immobiliers de nature toute particulière ne purent faire face à leurs remboursements et, par conséquence, de nombreux prêteurs et fonds spéculatifs firent faillite tandis que les acheteurs furent en proie à des saisies de leurs biens. Le marché global du crédit dans son ensemble fut gravement affecté et la quantité de liquidités diminua. Ce fut le début de la très grave crise des subprimes, dont nombreux sont à blâmer, comme vous allez le voir

Faisant suite à la bulle technologique et aux événements du 11 septembre, la Réserve Fédérale américaine stimula une économie chancelante en réduisant les taux d'intérêts à un niveau historiquement bas. Résultat, une bulle immobilière pri naissance. Quand les prêteurs offrirent des prêts immobiliers non traditionnels à bas taux, les gens dont les moyens étaient très limités empruntèrent. Ils ne devaien rembourser que les intérêts, les durées d'amortissement étaient longues e différentes options de paiement leur étaient offertes. Mais les taux d'intérêt remontèrent. Beaucoup d'emprunteurs de subprimes ne purent les rembourser e durent renégocier les montants de leurs mensualités. Mais ceux-ci étaient tro élevés. Les emprunteurs ne purent faire face à leurs dettes et les prêteurs s retrouvèrent avec des biens qui valaient moins que le montant de leur prêt e raison de l'affaissement du marché immobilier. Les défauts de paiement se firen de plus en plus nombreux, poussant à la faillite de nombreux prêteurs.

Pour tenter de compenser leurs pertes, les prêteurs se mirent à revendre le prêts sur des marchés secondaires. Les prêts furent « empaquetés » et vendus à de investisseurs sous forme de titres de créances hypothécaires, un peu comme de obligations, et d'autres titres du genre. Ces titres étaient adossés à des hypothèqu à haut risque et chutèrent. Des investisseurs en tous genres se retrouvèrent avec d biens qui perdirent rapidement leur valeur.

Dans le sillage de la crise, les banques centrales libérèrent des liquidités sur le marché, ce qui permit pour un temps aux prêteurs en difficulté et aux fonds spéculatifs de continuer leurs opérations et de faire face à leurs obligations.

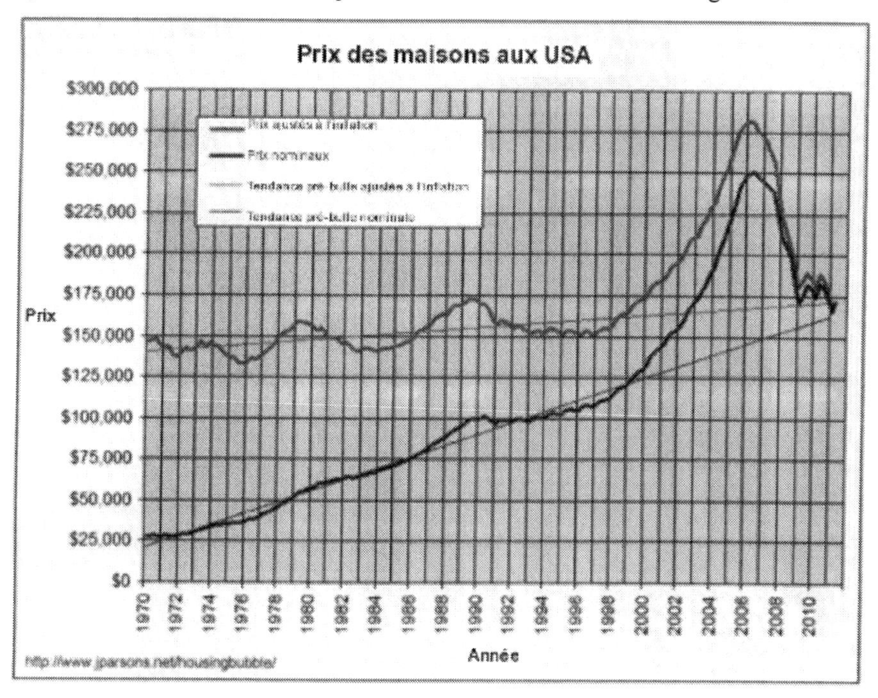

(Cf *http://www.education-financiere-pour-tous.com/images/prix-des-maisons-aux-usa.jpg pour voir le graphique en couleur, ndt)*

Le graphique ci-dessus montre la valeur moyenne d'un bien immobilier aux Etats-Unis sur une période de 40 ans, tout en tenant compte du fait que la dimension des maisons a changé au cours du temps. L'épaisse ligne rouge représente le prix réel des maisons. Pour ceux qui ne sont pas habitués aux termes économiques, « réel » veut dire que ce prix a été ajusté à l'inflation. L'épaisse ligne bleue représente les prix nominaux des logements. Les lignes fines représentent les tendances avant la bulle immobilière (1970-1999).

Un commentateur sur le site www.jparsons.net/housingbubble écrivit : « Quand j'ai remarqué pour la première fois la bulle immobilière au printemps 2001, je n'aurais jamais imaginé qu'elle durerait aussi longtemps et qu'elle atteindrait de telles proportions. L'activité immobilière atteint un sommet à l'été 2005, mais les prix des logements continuèrent à grimper une année de plus. Au printemps 2006, je ne pus croire que les prix de l'immobilier continuaient à monter alors que le nombre de biens augmentait aussi. Par conséquent, alors que beaucoup de gens niaient l'existence d'une bulle immobilière, j'ai élaboré ces graphiques sur l'immobilier pour avertir les gens qu'ils payaient trop cher pour des biens immobiliers. Maintenant, soit dix ans après que j'ai remarqué cette bulle et cinq ans après que j'ai créé ces graphiques, la bulle nationale américaine de l'immobilier est complètement dégonflée. Cependant, il y a encore beaucoup de bulles immobilières locales, spécialement dans beaucoup de régions urbaines du Nord-Est et de la Côte Ouest. Ce site est conçu pour informer les gens sur l'état du marché réel de l'immobilier, avec des graphiques ajustés à l'inflation et des graphiques qui montrent les prix réels actuels de l'immobilier en comparaison avec leurs normes historiques. »

Prix nominaux (= non ajustés) des logements comparés aux owner-equivalent rents (OER). *(Il s'agit du montant du loyer qui pourrait être payé pour remplacer une maison actuellement aux mains d'un propriétaire pour un loyer équivalent qui serait payé par un locataire. L'OER est un montant en dollars qui est publié par l'U.S. Bureau of Labor Statistics pour mesurer le changement d'un loyer implicite, qui est le montant qu'un propriétaire payerait pour louer ou gagnerait en louant sa maison dans un marché compétitif. (Source : investopedia. Ndt.)*

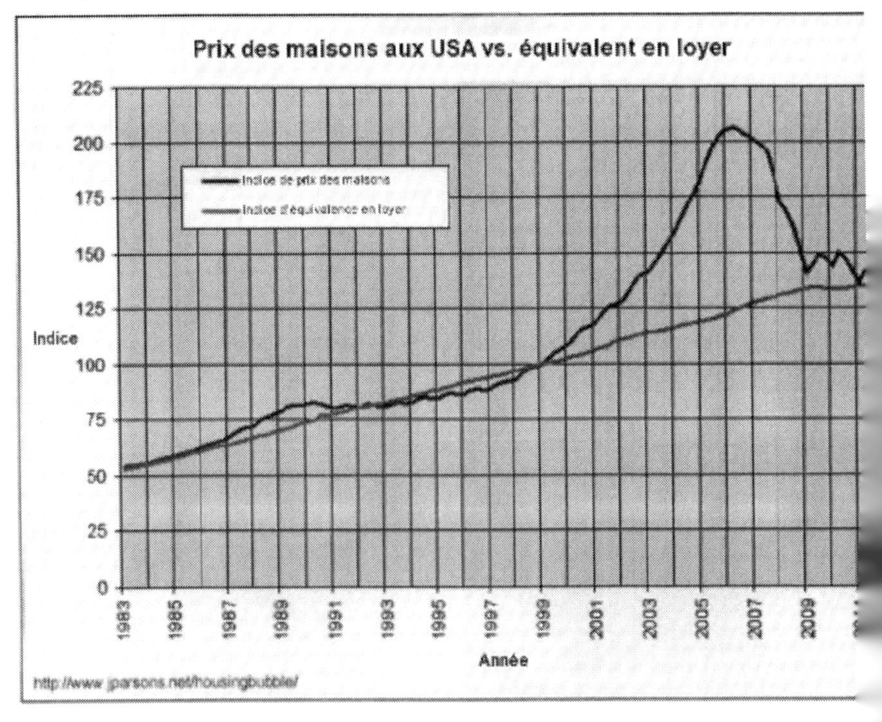

(Cf http://www.education-financiere-pour-tous.com/images/prix-des-maison aux-usa-vs-equivalent-en-loyer.jpg pour voir le graphique en couleur)

Ce graphique montre le changement dans les prix nominaux des biens immobiliers aux Etats-Unis en comparaison avec les changements de loyers nominaux depuis 1983. A long terme, les prix des maisons et les loyers devraient augmenter grosso modo au même taux.

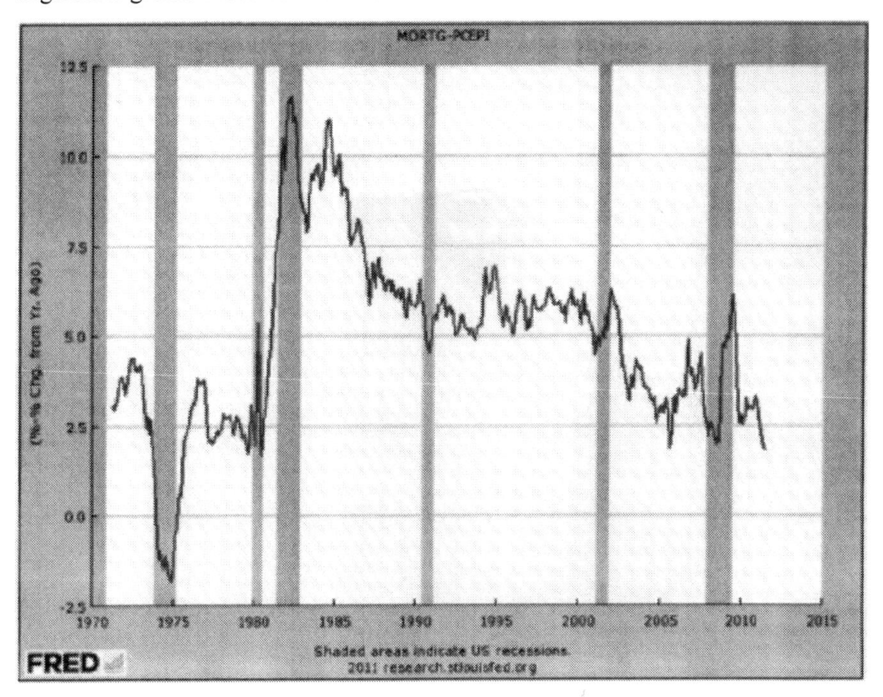

Ce graphique montre le coût réel ajusté à l'inflation d'un prêt immobilier conventionnel sur une durée de 30 ans.

Le grand pétrin

Eric Petroff de chez Wurts & Associates, une firme de consultants, propose l'analyse suivante de la crise des subprimes.

L'économie était en risque de grande dépression après la bulle internet au début des années 2000. Cette situation s'ajouta à l'attaque terroriste qui suivit le 11 septembre 2001. En réponse, les banques centrales, partout dans le monde, tentèrent de stimuler l'économie. Elles créèrent des liquidités, ce qui fit diminuer les taux d'intérêts. De leurs côtés, les investisseurs tentèrent de gagner davantage en prenant plus de risques. Les prêteurs prirent aussi de plus de risques et approuvèrent les prêts immobiliers subprimes pour des emprunteurs aux moyens économiques faibles. La demande des consommateurs fit gonfler la bulle immobilière qui atteignit son maximum à l'été 2005 et éclata en août 2006.

Résultat : il y eut d'innombrables saisies, des faillites de prêteurs et de fonds spéculatifs, la perspective du ralentissement économique, les dépenses des consommateurs et la peur de l'avenir.

Qui était donc à blâmer ? Examinons un à un les différents acteurs de ces événements clés.

Les prêteurs : grands coupables

Le plus grand blâme devrait être jeté sur les prêteurs pour avoir engendré ces problèmes. Ils prirent la responsabilité d'accorder des prêts immobiliers à des gens en situation précaire et qui, de toute évidence, pouvaient se trouver un jour dans l'incapacité de payer leurs mensualités. C'était couru d'avance.

Quand les banques centrales déversèrent des liquidités sur les marchés, cela eut pour effet non seulement de faire baisser les taux d'intérêts mais aussi les primes de risque, parce que des investisseurs cherchèrent des occasions d'augmenter leurs gains sur leurs investissements. Parallèlement, les prêteurs se retrouvèrent avec un plus ample capital à prêter et, comme les investisseurs, ils furent animés par une volonté accrue de prendre des risques supplémentaires pour augmenter les revenus de leurs investissements.

A la décharge des prêteurs, notons qu'il y eut une demande de plus en plus grande pour les prêts immobiliers et que les prix de l'immobilier augmentaient parce que les taux d'intérêt avaient substantiellement baissés. A cette époque, les prêteurs considérèrent probablement les prêts subprimes comme moins risqués qu'ils ne l'étaient réellement : les taux étaient bas, l'économie était encore saine et les gens effectuaient leurs paiements.

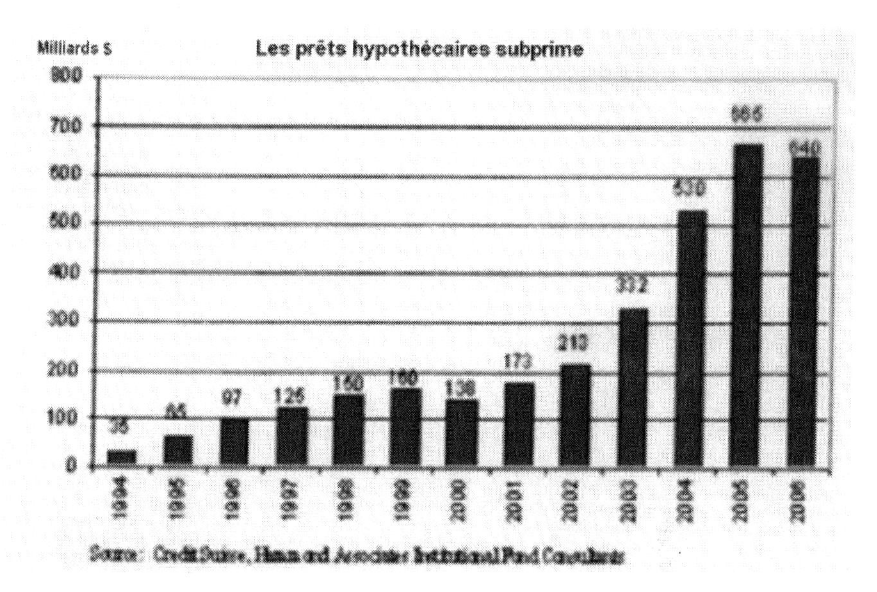

Les émissions de prêts subprimes augmentèrent de 173 milliards de dollars en 2001 à un niveau record de 665 milliards de dollars en 2005, ce qui représenta une augmentation d'environ 300%. Il y a une relation claire entre les liquidités mises sur le marché après le 11 septembre 2001 et les émissions de prêts subprimes. Les prêteurs voulaient clairement offrir aux emprunteurs les fonds nécessaires pour acheter une maison et pouvaient se le permettre.

Les complices du crime : les acheteurs des biens immobiliers

Puisque nous abordons le sujet des prêteurs, nous nous devons aussi de mentionner celui des acheteurs. Beaucoup jouèrent à un jeu très risqué en achetant des biens qu'ils ne pouvaient pas s'offrir. Ils purent faire ces achats grâce à des prêts non traditionnels (comme des 2/28 et des prêts dont seuls les intérêts devaient être remboursés) qui offraient des taux d'introduction bas et des coûts initiaux minimes et sans acompte. Ce qu'ils espéraient c'était que leur bien immobilier gagne en valeur. Cela leur aurait permis de renégocier leurs prêts à des taux plus bas et de prélever sur la valeur de leur bien pour l'utiliser pour d'autres dépenses. Cependant, le scenario de cette augmentation ne se produisit pas parce que la bulle immobilière éclata, ce qui fit baisser la valeur des biens immobiliers. Par conséquent, quand leurs prêts furent revus, beaucoup de propriétaires furent incapables de les renégocier à des taux plus bas parce que la valeur du bien avait baissé et qu'ils ne disposaient pas de patrimoine. Ils furent donc obligés d'accepter l'élévation des taux de leurs prêts, et beaucoup d'entre eux ne purent pas payer. Ils se retrouvèrent en défaut de paiement et leurs biens furent saisis. Ces saisies ne cessèrent d'augmenter de 2006 à 2007.

Avides d'attirer encore plus d'emprunteurs de subprimes, certains prêteurs ou courtiers ont peut-être donné l'impression que ces prêts étaient sans risque et qu'ils étaient bon marché. Cependant, après les avoir contractés souvent rapidement, beaucoup d'emprunteurs réalisèrent qu'ils ne pouvaient tout simplement pas se permettre de tels prêts. S'ils n'avaient pas fait un achat aussi impulsif et avaient pris des prêts moins risqués, les conséquences auraient pu être gérables.

Les prêteurs et les investisseurs qui avaient émis ou acheté des titres cautionnés par ces prêts en défaut de paiement en souffrirent. Les prêteurs perdirent de l'argent parce que les remboursements ne se faisaient pas et se retrouvèrent avec de plus en plus de biens qui valaient moins que le montant du prêt originel. Dans certains cas, les pertes menèrent à des faillites.

Les banques d'investissement ont fait empirer la situation

Les prêteurs utilisèrent de plus en plus de prêts secondaires qui leur permettaient d'augmenter le nombre de prêts subprimes qu'ils pouvaient accorder. Au lieu de s'en tenir aux prêts d'origine tels qu'inscrits dans leurs livres, les prêteurs se mirent à revendre ces prêts sur un marché secondaire, tentant ainsi de se refaire.

Cette pratique libéra encore plus de capital à prêter et créa donc des liquidités. Dès lors, il y eut un effet boule de neige. Une grande partie des demandes pour ces prêts provint notamment de la création d'actifs qui regroupaient les prêts dans des titres, comme les « collateralised debt obligation » (CDO). Les banques transformèrent des titres de crédits en titres financiers qui pouvaient être revendus sur le marché boursier. On appela cette pratique la « titrisation des créances ». *La consultation de Wikipédia nous permet ici d'apporter des précisions au lecteur francophone qui en aurait besoin :*

La **titrisation** est une technique financière qui consiste classiquement à transférer à des investisseurs des actifs financiers tels que des créances (par exemple des factures émises non soldées ou des prêts en cours) en transformant ces créances, par le passage à travers une société *ad hoc*, en titres financiers émis sur le marché boursier.

Une telle titrisation s'opère en regroupant un portefeuille (c'est-à-dire un lot) de créances de nature similaire (prêts immobiliers, prêts à la consommation, factures monothématique...) que l'on cède alors à une structure *ad hoc* (société, fonds ou *trust*) qui en finance le prix d'achat en plaçant des titres auprès d'investisseurs. Les titres (obligations, billets de trésorerie...) représentent chacun une fraction du portefeuille de créances titrisées et donnent le droit aux investisseurs de recevoir les paiements des créances (par exemple quand les factures sont payées, ou quand les prêts immobiliers versent des mensualités) sous forme d'intérêts et de remboursement du capital.

« La titrisation peut également viser à ne transférer aux investisseurs que le risque financier lié aux actifs concernés, auquel cas les actifs ne sont pas vendus mais le risque, ou une partie du risque, est transféré grâce à une titrisation synthétique.

Née aux États-Unis dans les années 1960, la titrisation a connu une expansion importante également en Europe à partir de 2000, tandis que les produits et les structures devenaient de plus en plus complexes. En France, la titrisation a été introduite par la loi du 23 décembre 1988. Sous l'impulsion de Pierre Bérégovoy, l'idée était de faciliter le développement du crédit immobilier en permettant aux banques de sortir les créances de leurs bilans et d'améliorer leur ratio « Cooke ». La crise des subprimes survenue en 2007 a provoqué un ralentissement du marché, tandis que les autorités de marché considèrent la question de savoir si la titrisation devrait être mieux encadrée. »

Ces titres, adossés donc sur des créances, furent regroupés dans des obligations : les CDOs. En fait, chaque CDO était composé de tranches de dettes à risques variables et contenait les crédits immobiliers accordés aux ménages modestes qui ne pouvaient les rembourser, à savoir les subprimes. Puis les banquiers ont créé des CDOs formés de CDOs et autres produits financiers qui au lieu d'être adossés à des crédits existants furent formés par des assurances contre des défauts de crédits : les CDS.

Les acheteurs ne pouvaient savoir à quel point ces titres étaient dangereux et faisaient confiance à la banque qui les leur revendait, ainsi qu'à la note qu'ils recevaient de la part des agences de notation. C'est selon ce procédé que les banques d'investissements purent acheter des prêts aux prêteurs : ils en faisaient des titres – les CDOs – et les revendaient aux investisseurs.

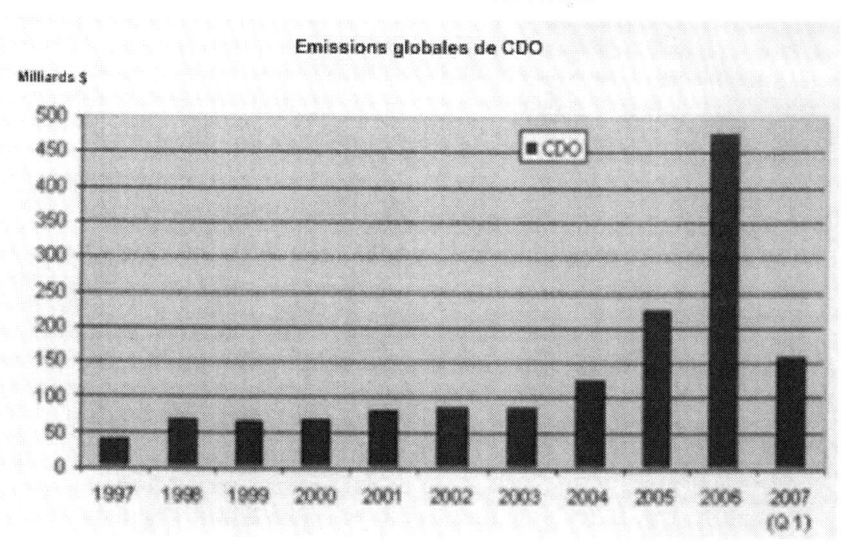

Le graphique ci-dessus montre l'incroyable augmentation des émissions globales de ces titres en 2006.

Les agences de notation : possible conflit d'intérêt

Les agences de notation furent l'objet de critiques acerbes, ainsi d'ailleurs que les émetteurs de CDOs et autres titres complexes adossés à des prêts incluant des subprimes. En effet, les notes attribuées à ces titres étaient très élevées, soit AAA, ce qui encourageait les investisseurs à les acheter. Or, selon certains, les agences de notation auraient dû prévoir que ces titres étaient risqués et ne pas leur donner une aussi bonne note. Si les notes avaient été plus adéquates, moins d'investisseurs auraient acheté ces titres, et les pertes auraient peut-être été moins graves.

Les critiques ont aussi fait état d'un conflit d'intérêts entre les agences de notation et les émetteurs de ces titres : ces agences reçoivent des commissions de la part de l'émetteur du titre, ce qui peut affecter leur capacité à donner une opinion impartiale sur les risques que présente ce titre. Ainsi, les agences de notation auraient été encouragées à très bien noter les titres pour continuer à recevoir des commissions pour leurs services ; dans le cas contraire, elles auraient couru le risque que le client s'adresse à une autre agence de notation ou que le titre ne soit pas noté du tout. Mais si un titre n'était pas noté, il ne se vendait pas…

Ce qu'il faut retenir, indépendamment de ce débat, c'est que les créateurs des titres ainsi que les agences de notations poussaient à la vente de ces titres.

L'essence sur le feu : le comportement des investisseurs

Les propriétaires de biens immobiliers doivent être blâmés pour leurs achats irresponsables, mais les investisseurs qui ont acheté des titres CDOs n'ont pas ag[i] de manière moins irresponsable. Les taux de ces titres étaient très bas et donc for[t] séduisants. C'est ce qui a conduit à une telle demande. Cependant, les investisseur[s] ont mal agi parce qu'ils auraient dû effectuer des vérifications de « due diligence » en relation avec leurs investissements et en tirer des anticipations appropriées. Il[s] ont eu le tort d'accepter la note AAA de la part des agences de notation comm[e] crédible, sans rien vérifier.

Le dernier coupable : les fonds spéculatifs

Un autre acteur de cette catastrophe financière fut l'industrie des fonds spéculatifs. Les manipulateurs des fonds spéculatifs poussèrent les intérêts vers le bas, ce qui accentua la volatilité du marché et causa donc des pertes aux investisseurs. Et certains gestionnaires de fortunes et d'investissements contribuèrent aussi à engendrer les problèmes. Par exemple, ils se servirent de stratégie de l'arbitrage crédit. Cette stratégie spéculative consistait à couvrir des titres avec des produits dérivés de crédits, les « Credit Default Swaps » do[nt] l'acronyme est CDS. Selon cette stratégie, les CDS sont présentés comme un sorte d'assurance contre les défauts de paiement. Par exemple, un établissement de crédit achète une créance à un autre prêteur, une créance risquée, qui pourrait bien ne pas être remboursée. Le créancier peut alors acheter un CDS : il passe un contrat avec son vendeur de CDS et le rémunère régulièrement en échange de la promesse, de la part de ce vendeur, que celui-ci paiera la créance à la place de celui à qui l'acheteur du CDS a accordé un prêt, en cas de non-paiement de la part du bénéficiaire du prêt. Le CDS étant un produit dérivé, il était associé à un produit sous-jacent qui dans ce cas était les subprimes. Ainsi, l'acheteur achetait des titres subprimes à crédit et les couvrait avec des CDS. C'était une prétendue « assurance ». Cette pratique fit monter la demande de CDOs. En effet, avec un tel levier, un acheteur pouvait acheter bien plus de CDOs que son capital ne le lui permettait, puisque grâce aux CDS il était en quelque sorte possible de les acheter à crédit. Evidemment, les intérêts des CDOs diminuèrent et, en raison du levier, la volatilité atteint son comble. C'est ce qui arriva quand les investisseurs prirent conscience de la piètre qualité des CDOs adossés à des subprimes.

En effet, les fonds spéculatifs utilisant une quantité significative de leviers, les pertes furent amplifiées et beaucoup d'institutions de fonds spéculatifs durent cesser leurs opérations parce qu'ils ne disposaient pas de suffisamment d'argent quand ils faisaient face à des appels de marge.

Des reproches à ne plus s'y retrouver

Dans l'ensemble, nombreux furent les facteurs et acteurs qui provoquèrent ce grand pétrin que fut la crise des subprimes. La cupidité et d'autres comportements humains jouèrent un rôle important en augmentant l'offre et la demande des investisseurs pour ce genre de prêts. Le moins que l'on puisse dire c'est que la sagesse n'a pas prévalu.

Le manque de sagesse est une des plaies des marchés financiers. Il suffit de repenser à la bulle internet qui suscita elle aussi un enthousiasme irrationnel de la part des investisseurs. Il semble que ce soit un phénomène incontournable : la plupart des investisseurs ont tendance à extrapoler, à penser que les conditions présentes seront celles de l'avenir, bon ou mauvais.

Comment vous préparer avec sagesse à un investir dans l'immobilier aux Etats-Unis ? Notre site, que nous actualisons constamment, devrait vous donner des idées sur la manière de diversifier vos investissements dans l'immobilier et de réaliser de forts et sûrs rendements, parfois de 10 à 20 %, grâce aux loyers. C'est beaucoup plus qu'en Australie et certains autres pays. […]

Si vous souhaitez investir, vous aurez besoin d'aide pour accomplir le processus en entier :

- Ouvrir un compte en banque aux Etats-Unis

- Créer votre compagnie à responsabilité limitée et votre Employer Identification Number (EIN)

- Trouver des inspecteurs de biens immobiliers pour réaliser votre due diligence

- Obtenir des offres pour les assurances de vos biens immobiliers. Nous pouvons tout organiser pour vous !

Pour accéder gratuitement à une vidéo sur l'immobilier aux Etats-Unis, rendez-vous sur :

www.21stcenturyusproperty.com

Mon équipe du 21st Century U.S. Property aide ceux de nos membres qui peuvent se le permettre à accéder au marché immobilier aux Etats-Unis en toute sécurité. Voici quelques réponses à des questions fréquemment posées (F.A.Q) :

Est-ce que des étrangers peuvent acheter un bien immobilier aux Etats-Unis ?

Oui, un étranger le peut.

Est-ce que je dois voyager aux Etats-Unis ?

Pas nécessairement. Nous pouvons vous assister tout au long du processus depuis le confort de votre maison. Toutes les inspections, les comptes et le travail administratif est effectué par nos partenaires aux Etats-Unis.

Il y a plusieurs manières d'acheter un bien immobilier et de déterminer la « meilleure » structure selon vos circonstances personnelles et vos objectifs.

Cependant, si vous souhaitez voyager pour visiter votre bien, nous pouvons vous organiser un tour privé. Merci de visiter nos pages sur les séminaires pour davantage d'information.

Est-ce que je peux obtenir des déductions fiscales ?

Oui en Australie *(et en France)* : si vous possédez un bien immobilier aux Etats-Unis, vos voyages pour les inspecter peuvent être déduits de vos impôts. Il y a beaucoup d'autres avantages et de possibilités de bénéficier d'avantages fiscaux quand on possède un investissement outremer.

N.B. : nous ne fournissons pas d'avis de nature financière, fiscale ou légale parce que nous n'avons pas l'autorisation de le faire. Mais nous pouvons vous procurer les détails de contacts de professionnels qui peuvent vous donner tous les avis dont vous pourriez avoir besoin.

Qu'arrive-t-il si je ne peux pas trouver un locataire ?

Résolu. Dans la plupart des cas, avant d'acheter votre bien aux Etats-Unis, les agences immobilières vous ont déjà trouvé un locataire. Les gestionnaires de biens à qui sont confiés vos investissements s'occupent de toutes ces questions. Et nous nous tenons à votre service pour n'importe laquelle de vos préoccupations une fois que vous avez acheté votre bien. C'est dans le meilleur intérêt de nos agents de veiller sur votre bien et de s'assurer qu'il est loué.

Comment est-ce que je reçois mon loyer ?

Nous vous ouvrons un compte dans une banque américaine. Cela assure que votre argent y est déposé toutes les semaines ou tous les mois tandis que vous élaborez l'histoire de votre crédit aux Etats-Unis. Vous recevrez une carte Visa et un accès internet à votre banque pour avoir un accès complet à votre argent et contrôler vos finances.

Devrais-je acheter les biens en mon nom propre ?

Usuellement ce n'est pas recommandé, parce que les Etats-Unis sont un pays très litigieux. Nos partenaires juridiques vous fourniront pour peu d'argent des structures correctes aux Etats-Unis et vous assisteront avec les comptes en banque, etc... Vous pourriez souhaiter investir en utilisant une compagnie à responsabilité limitée en raison de plusieurs avantages légaux et fiscaux. Nos services peuvent organiser tout cela pour vous, sans difficulté.

Comment sais-je que mon bien n'a pas de dette fiscale qui n'aurait pas été communiquée ?

C'est un point très important. Certains investisseurs ont découvert cela trop tard et ont perdu leurs biens. C'est pourquoi vous devez passer par des professionnels comme nos partenaires aux Etats-Unis qui font tous les contrôles requis avant d'acheter afin de s'assurer que cela n'arrive pas. Nous nous assurons que tous les biens figurant sur nos listes sont en règle avant de les publier pour la vente.

J'ai entendu dire que je ne peux pas emprunter d'argent aux banques américaines.

C'est vrai en général. Cela prend environ 2 ou 3 ans pour élaborer un dossier de crédit dans les banques américaines et pour obtenir qu'elles vous prêtent de l'argent. Cependant, vous avez quelques options pour les paiements. Après avoir parlé avec votre comptable, et si vous bénéficiez de la Superannuation, vous pourriez l'utiliser pour investir ou payer comptant.

Si vous n'avez pas l'argent pour acheter un bien, nous pouvons dans certains cas vous organiser un prêt de 50 % en utilisant nos contacts pour des fonds privés afin de vous aider. Cela signifie que vous pouvez avoir les moyens d'acheter deux fois plus de propriétés, tout cela en un seul service.

Ensuite, après deux ans, vous pouvez simplement rembourser votre prêt aux Etats-Unis, y compris les taux d'intérêts.

Comme savoir si mon bien va prendre de la valeur ?

Vous ne le pouvez pas et personne ne le peut. Cependant, les biens que nous sélectionnons pour nos investisseurs se trouvent dans les quartiers et périphéries les plus idéales des villes qui se développent le plus aux Etats-Unis. Nous avons acheté des biens immobiliers similaires dans les mêmes quartiers et villes que les biens offerts à nos investisseurs. Notre critère est de miser sur le long terme. Nous achetons dans les villes américaines qui grandissent le plus vite et qui ont un potentiel massif de hausse.

Comment est-ce que j'obtiens le titre de propriété ?

Lorsque tout le processus aura été achevé, vous recevrez un titre en bonne et due forme.

Le pire des scenarios : que se passe-t-il si l'économie américaine ne marque pas de reprise ?

Nous savons que quand vous achetez un bien aux Etats-Unis, même si l'économie de ce pays ne marque pas de reprise pendant 10 ans, le montant des loyers, soit 10 à 20 % du capital investi, vont dans un premier temps les rembourser si vous les avez achetés à crédit, puis vous procurer un revenu à vie.

Actuellement et au moment de l'écriture de ce chapitre, les saisies vont continuer à augmenter et les loyers aussi parce que les gens doivent bien vivre quelque part, donc on peut s'attendre à ce que le rendement provenant des loyers s'accentue.

Nous estimons que les prix vont atteindre environ 50 % de leurs valeurs originelles d'ici 3 à 5 ans, ce qui devrait procurer à nos investisseurs une petite voire une grande fortune, selon le nombre de biens immobiliers qu'ils auront acheté ; vous y gagnerez, même si nos prévisions ne peuvent pas être considérées comme une garantie.

Est-ce que d'autres compagnies offrent aussi des biens aux Etats-Unis ?

Oui, il y a d'autres compagnies qui trouvent des biens inconnus et qui vous les vendent, mais vous devez vous demander si ces biens sont :

1. Loués ?

2. Rénovés ?

3. S'ils rapportent de hauts revenus locatifs ?

4. S'ils ont été complètement inspectés ?

5. S'ils ont un problème fiscal non déclaré ?

Pourquoi les gens utilisent-ils notre service s'ils peuvent tout faire par eux-mêmes ?

La raison principale est que nous vous aidons à gagner du temps et de l'argent. Imaginez ce que cela coûterait à la plupart des investisseurs – en temps et argent – de voyager aux Etats-Unis et de passer des mois à fouiller, ville après ville, quartier après quartier, pour trouver de bonnes affaires comme celles que nous proposons. (...)

Nous vous évitons de faire des erreurs et, ainsi, nous vous permettons d'en épargner le coût. Vous pourriez acheter de mauvais biens immobiliers dans des régions non rentables et ne pas bénéficier de l'appui de gens fiables, expérimentés et professionnels dans le domaine de la gestion immobilière, pour veiller sur votre bien, son entretien et ses locataires. Nous vous procurons ces services, ce qui vous permet de gagner du temps et de l'argent.

De plus, payer un comptable et des commissions pour obtenir un avis adéquat concernant les structures coûte des milliers de dollars, tandis que nous vous offrons des raccourcis en vous donnant les informations et un accès à notre comptable indépendant ainsi qu'à nos partenaires juridiques qui s'assurent que nos clients vivent cette expérience sans stress.

Dans le cas de catastrophes naturelles, serai-je couvert ?

Oui, la plupart des compagnies d'assurances couvrent à 100 % les cas de catastrophes naturelles.

21. TRADER LES E-MINIS

Comment des investisseurs gagnent $500 à $1'000 par semaine en tradant les e-minis avec seulement $5'000 de capital de départ

Est-ce que cela vous plairait de prendre en mains votre avenir financier en négociant des E-minis ?

Seriez-vous séduits par l'idée de gagner 500 à 1 000 $ par nuit en faisant de l'e-trading sur le marché des E-minis, avec un investissement de, par exemple, 2 000 $? Si oui, ce chapitre pourrait bien être pour vous !

La négociation des E-minis est une forme d'investissement intéressante pour les gens qui souhaitent atteindre l'indépendance financière au 21ème siècle. Mais avant de vous lancer, nous vous recommandons d'assister à un séminaire de formation sur le trading des E-minis. Il y en a partout en Australie et en Nouvelle Zélande et dans d'autres parties du monde *(y compris francophones, ndt)*.

Une carrière de trader de E-minis

En avez-vous assez de votre travail ? Voulez-vous changer d'orientation professionnelle ?

Vous pourriez peut-être envisager de faire du trading des E-minis un travail, un vrai business. En effet, trader les E-minis offre de nombreux avantages par rapport à d'autres formes de travail indépendant.

Si vous voulez posséder et faire fonctionner une affaire bien à vous sans avoir à affronter tous les problèmes d'un business traditionnel, vous pourriez envisager de faire du trading de E-minis une profession à plein temps. Vous pourriez établir votre trading personnel de E-minis en achetant une franchise, ce qui ne serait pas très cher, et avoir de bonnes chances de réaliser des rendements appréciables sur vos investissements. Pas besoin d'avoir des employés, pas de loyer à payer (vous travaillez à la maison en utilisant votre ordinateur) ou de lieu où domicilier votre business. Vous pouvez ne travailler que 2 heures par jour et avoir des professionnels qui vous disent quand acheter et vendre, et vous pouvez le faire depuis n'importe où dans le monde. Coût de revient : environ 10 $ par jour de trading. Pas de débiteur. Pas de créancier. Vous ne travaillez plus 70 heures par semaine ni les weekends.

Pourquoi trader des E-minis ?

Les E-minis sont des produits adaptés à des traders actifs qui veulent trader électroniquement, exercer un contrôle maximum sur leurs investissements et réaliser le plus possible de profits potentiels.

Vous pouvez utiliser l'indice *futures* des E-minis (*futures est le mot qui les désignent, ndt*) pour :

- Faire du trading actif d'indices boursiers
- Spéculer avec votre portefeuille et vos autres investissements

• Gagner sur l'ensemble des marchés à un coût relativement faible

Que sont les E-minis ?

Si vous êtes un investisseur débutant, ne vous laissez pas effrayer par le vocabulaire utilisé dans ce chapitre pour expliquer ce que sont les E-minis. Vous vous y ferez. Ce n'est pas aussi compliqué qu'il n'y paraît au premier abord. « E-mini » est une abréviation d'Electronic Mini S&P 500.

Un E-mini est un contrat *future*, ou « à terme », que l'on trade par voie électronique sur le Chicago Mercantile Exchange (CME) et qui est basé sur l'indice S&P 500. A la différence des contrats à terme S&P normaux, qui ont une valeur par point de 250 $, le contrat E-mini vaut 50 $ par point.

Qu'est-ce que l'indice S&P 500 ?

Brièvement, l'indice S&P 500 est un indice boursier qui contient les titres des 500 plus grandes sociétés cotées sur le marché boursier américain. Cet indice figure parmi les plus représentatifs du marché boursier. Il est la propriété de Standard & Poors (*une grande société de notation financière, ndt*). Il est grandement utilisé comme référence. Il est consultable isolément, mais il fait aussi partie d'autres indices plus grands établis par la même compagnie, comme le S&P 1500 et l'indice S&P 1200 Global du marché boursier. *(Il existe aussi de tels indices pour l'Europe, comme le fameux CAC40 qui regroupe les 40 plus grandes sociétés françaises cotées en bourse, ndt.)*

Toutes les actions incluses dans l'indice S&P 500 sont émises par de grandes sociétés publiques dont les titres sont négociés sur les deux plus grands marchés boursiers des Etats-Unis : le New York Stock Exchange (NYSE) et le NASDAQ. Après l'indice du Dow Jones Industrial Average *(indice indiquant les valeurs industrielles ayant le plus de potentiel, ndt)*, le S&P 500 est l'indice le plus consulté pour les meilleures capitalisations aux Etats-Unis. Il est considéré comme un baromètre de l'économie américaine. C'est un des composants de l'ndice des principaux indicateurs des tendances boursières, l'« Index of Leading Indicators. »

Beaucoup de fonds indiciels et de fonds échangés en bourse suivent le évolutions de l'indice S&P 500 en conservant les mêmes actions que cet indic dans leur portefeuille, dans les mêmes proportions, afin de tenter d'égaler se performances (avant commissions et frais).

C'est une des raisons pour lesquelles l'action de telle ou telle compagni quand elle est ajoutée à la liste de l'indice S&P 500, voit ses prix grimper : e effet, les gestionnaires des fonds mutuels doivent en acheter pour fai correspondre la composition de leur portefeuille à l'indice S&P 500.

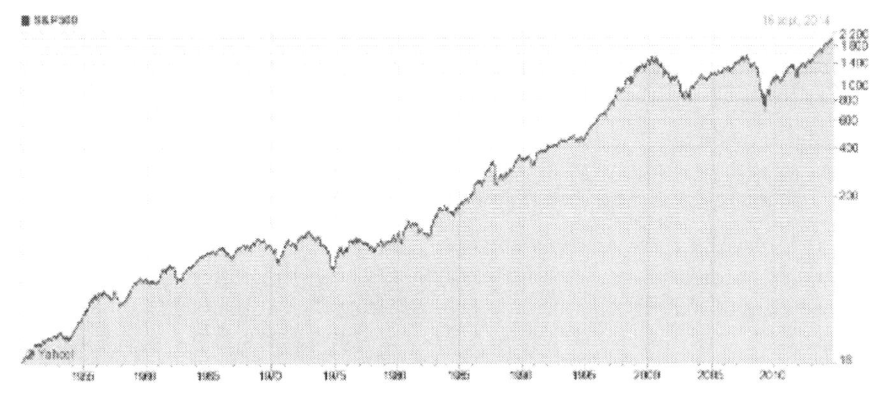

Graphique de l'indice S&P 500 depuis 1950

Dans les graphiques sur les performances des actions et des fonds mutuels, l'indice S&P 500 est souvent utilisé comme une base de comparaison. La charte va montrer l'indice S&P 500 en relation avec la performance d'actions ou de fonds définis.

Les composants de l'indice S&P 500 sont choisis par un comité ad hoc, un peu à l'instar de l'indice Dow 30. Il en va différemment pour d'autres indices, comme par exemple le Russell 1000 et d'autres, qui sont fondés sur des règles très strictes.

Quelques avantages du trading des E-minis

• Les E-minis sont un moyen rapide et efficace de trader l'index de référence qu'est le S&P 500 (et les titres des 500 grandes compagnies qui se trouvent dans son portefeuille de référence) en un seul contrat. Par conséquent, vous n'avez pas besoin de beaucoup d'argent pour commencer à négocier des E-minis.

• Les E-minis offrent de petits contrats bien adaptés aux besoins des individus et de certaines institutions.

• Les E-minis sont liquides, et les écarts entre prix acheteur et vendeur sont serrés

• Le trading des E-minis se fait électroniquement sur la plateforme CME Globex®, rapide, crédible, anonyme, utilisable dans le monde entier, 24 heures sur 24.

• Les E-minis se prêtent à toute une variété de stratégies qui permettent notamment de se protéger contre les éventuels revers au niveau des prix. Ils se retrouvent au sein d'autres contrats à termes, ce qui permet l'accès à un vaste marché. Ces caractéristiques contribuent à minimiser d'éventuelles pertes pour les petits investisseurs.

• Les E-minis se situent sur des marchés boursiers ouverts, francs et transparents.

• Le coût des transactions des E-minis est moins élevé que celui du trading des actions ou de fonds négociés en bourse (Exchange-Traded Funds, ETFs).

D'autres avantages offerts par le trading des E-minis

Exposition. Les investisseurs peuvent avoir une exposition sur le marché boursier américain via les principaux indices boursiers du monde. Même si il y a beaucoup d'indices, dont certains sont très populaires, l'indice S&P 500 est celui qui est le mieux surveillé. Il porte sur des produits à terme qui s'échangent sur des marchés liquides et actifs.

Coûts abordables. L'énorme attrait pour les contrats à terme standard du S&P 500 a fait grimper les prix de ces contrats au point qu'ils ne sont plus à la portée de toutes les bourses. Les E-minis S&P 500, eux, permettent de négocier cet indice à une fraction de son coût. Pour faire du trading de E-minis S&P 500, il faut une marge moins grande que pour les contrats S&P à terme standards.

Opportunités. Ces nouveaux contrats E-minis ouvrent à l'investisseur toutes sortes de belles opportunités, comme l'élargissement de l'exposition ou la protection de son portefeuille, en combinaison avec d'autres produits de l'index CME comme le S&P 500, le NASDAQ 100, le Russell 2000 et/ou le S&P 400 (actions à petite capitalisation). Ces opportunités permettent de profiter des tendances haussières et baissières du marché boursier.

Intégrité. Les clients et les membres du Chicago Mercantile Exchange (CME) sont protégés contre les défauts des contrats à terme et des contrats d'options par un système sophistiqué de surveillance et de gestion du risque. Le CME Clearing House est garant pour chacun de ses membres, assurant ainsi l'intégrité des transactions. Le système CME a prouvé son efficacité, même sous les conditions boursières les plus stressantes. Le CME est la plateforme boursière de l'indice, avec plus de 95 % des actions de toutes les actions et options négociées sur le plan domestique et à court terme. Les positions ouvertes dans le complexe de l'indice CME dépassent 93 milliards de dollars, ce qui en fait l'environnement de trading de produits indiciels le plus liquide *(disponibles au Canada, ndt)*.

Que sont exactement les Minis S&P *futures* (ou contrats à terme) ?

• Les Minis S&P 500 *futures* sont des contrats juridiques portant sur l'achat ou la vente, à une date ultérieure et convenue d'avance, de la valeur en argent comptant de l'indice S&P. *(Aussi bien l'acheteur que le vendeur devra s'acquitter de leurs paiements pour les actifs qu'ils auront négocié selon ces contrats, ndt)*

• Les contrats E-minis valent 50 fois leur prix d'achat lorsqu'ils arrivent à échéance.

• Par exemple, si le prix du E-mini S&P 500 est à 900'00, la valeur de ce contrat est de 45'000 $ (50 $ x 900'00) lorsqu'il arrive à échéance.

• Le montant minimal auquel peut s'échanger un E-mini s'appelle un « tick ».

• Le tick est évalué à 0,25 points de l'indice, ou à 12,50 $ par contrat. *(Le niveau du tick est différent pour les E-minis en euros, ndt.)*

• Donc, si un contrat à terme descend, par exemple, à son prix minimum (son « tick ») qui est de disons 1 300,00 à 1 300,25, une position d'achat sera créditée de 12,50$ et une position de vente à court terme sera débitée de 12,50 $.

• Toutes les positions *futures* (et toutes les options de vente) exigent que l'on fasse un dépôt de marge ou que l'on donne une caution.

• Les positions sont réévaluées quotidiennement sur le marché.

• Des dépôts supplémentaires dans votre compte de marge peuvent être requis au-delà du montant initial si vos positions évoluent en votre défaveur.

• Les E-minis S&P 500 sont en argent comptant, comme les contrats S&P 500 standards. Il n'y a pas de remise de titres individuels.

• Et même mieux, les établissements quotidiens de E-minis S&P 500 et leurs échéances trimestrielles seront fondés exactement sur le même prix que celui du S&P 500

• Ce même établissement quotidien permet aux E-minis de bénéficier des liquidités des *futures* S&P 500 standards.

• Comme pour les *futures* S&P 500 standards, qui sont établis lors de la Special Opening Quotation (SOQ), toutes les positions des E-minis S&P 500 sont fixées en montant cash lors de cette même session, qui a lieu le troisième vendredi du mois du troisième trimestre du contrat.

Comme les contrats E-minis sont à terme (= *futures*), ils offrent certaines qualités uniques et des caractéristiques additionnelles importantes :

1. Le capital requis pour trader est relativement faible en comparaison avec les exigences de marges pour le trading d'autres produits financiers (minimum 1 000 $)

2. Les rendements peuvent être substantiels

3. Vous avez la possibilité d'appliquer des stratégies profitables, quelle que soit la tendance du marché ou sa volatilité.

Vous pouvez trader les E-minis en tant que day trader *(trading quotidien, ndt)*, en observant l'évolution de son prix pour faire un profit au bon moment, mais vous pouvez aussi utiliser les E-minis comme des boucliers protecteurs de votre portefeuille ou pour obtenir une exposition particulière sur le marché. Par exemple, vous pouvez décider de vendre ces E-minis lorsque la tendance boursière est baissière et que vous ne souhaitez pas démanteler votre portefeuille en vendant une grande quantité d'actions. Ou bien vous pouvez les acheter si vous pensez que le marché s'oriente vers une tendance haussière et va atteindre une bulle dans un proche avenir, tandis que vous ne souhaitez pas acheter des actions additionnelles ou une action particulière à ce moment-là.

Voici encore d'autres avantages à trader les E-minis plutôt que d'autres produits boursiers :

• Les E-minis offrent volatilité et liquidité. Un marché a besoin des deux pour que se créent de bonnes occasions de trading.

• Il n'y a pas de trous (*gaps*) dans le marché des E-minis, et ce marché offre une protection contre le risque.

• Il n'y a pas de fabriquant de marchés de E-minis.

• Les commissions de courtage sont basses – environ 5,00 $ pour une transaction complète (achat/vente).

• Le marché des E-minis n'a besoin de progresser que d'un point pour que les traders réalisent un rendement de 5 %.

• Le marché des E-minis offre un excellent potentiel de profit, avec un levier de 70/1.

• Avec les E-minis, il est possible de faire un profit quotidien raisonnable de 5 à 10 %.

• Le marché des E-minis est très prévisible.

• Quand vous tradez des E-minis, il n'y a qu'un seul choix simple à faire. Pour gagner à long terme, il vous suffit de faire le bon choix plus d'une fois sur deux.

Description sommaire de l'indice S&P 500

L'indice S&P 500 représente environ 70 % du total de la capitalisation du marché domestique des actions. S&P repère les secteurs industriels importants dans le marché des titres américains, estime leur importance en termes de capitalisation boursière, et alloue ensuite un nombre représentatif d'actions au sein de chacune des sections du S&P 500.

Le S&P 500 est un indice boursier pondéré des capitalisations boursières. L'influence d'une compagnie sur la performance de l'indice est directement proportionnelle à sa valeur boursière. Les valeurs quotidiennes de l'indice publiées dans les medias n'incluent pas le revenu en dividende, à savoir qu'elles ne reflètent que les prix des actions sous-jacentes qui le composent.

Le S&P 500 est largement utilisé comme indicateur d'un marché plus large, parce qu'il inclut aussi bien les actions croissantes (qui ont connu une inflation puis une déflation lors de la bulle et de l'éclatement de la bulle internet) que des valeurs généralement moins volatiles. Il comprend aussi des actions qui se trouvent dans le NASDAQ et le NYSE. (...) (...)

Les investisseurs aiment la grande « tradabilité » des E-minis car, outre le fait qu'ils ont un écart très serré entre le prix d'achat et le prix de vente, ils sont :

• Très liquides avec un levier élevé

• Il n'y a pas de règle de prix de vente à découvert ; ils sont faciles à vendre

• Ils sont 100 % électroniques – pas de courtier ni de stand

• Leurs tailles conviennent à l'investisseur individuel

• Les mouvements de leurs échanges sont rapides, ce qui est excitant et stimulant

• Ils sont protégés par un solide système de sécurité

• Ils ne sont exposés ni aux scandales ni à la corruption

• Il suffit pour les trader de se référer à un seul indice au lieu de devoir examiner une douzaine d'actions

• Leur trading ne vous demande pas beaucoup de temps

Les composants de l'indice S&P 500 sont sélectionnés par un Comité ad hoc, un peu à l'instar du Dow 30, mais différemment des autres indices comme le Russell 1000, qui est fondé sur des règles très strictes.

L'indice ne comporte pas de compagnies non américaines. Cependant, il comprend d'anciennes sociétés américaines qui sont aujourd'hui implantées hors des Etats-Unis et qui avaient des racines ancestrales en Amérique. Ces sociétés furent en effet autorisées à rester dans le panier de l'indice S&P 500 après leur expatriation, ainsi que quelques sociétés qui n'avaient jamais été inscrites aux Etats-Unis. Cependant et par exemple, il convient de noter que, après la fusion de Daimler-Benz et de Chrysler, l'indice S&P n'a pas inclus la nouvelle compagnie dans son portefeuille.

Le Comité du S&P 500 sélectionne les compagnies qu'il va inclure dans le portefeuille de l'indice de façon à ce que ce dernier soit représentatif des diverses industries qui reflètent l'économie des Etats-Unis. De plus, les compagnies qui ne commercent pas publiquement (comme celles qui sont en mains privées ou mutuelles) et les titres peu liquides ne se trouvent pas dans cet indice.

Un exemple notable d'actions non liquides qui ne furent pas inclues dans l'indice fut celui des actions de la compagnie de Warren Buffet, Berkshire

Hathaway, qui, depuis avril 2006, avait une plus grande capitalisation boursière que 12 des membres du S&P 500, mais dont les actions notées A avaient une valeur supérieure à 100 000 $, ce qui les rendait très difficile à trader.

En revanche, l'indice Fortune 500 établit une liste de 500 compagnies aux Etats-Unis selon leur revenu brut, sans prendre en considération la liquidité de leurs actions ou le fait qu'elles font ou non l'objet de commerce. Cet indice ne fait pas d'ajustements de façon à être représentatif de tous les secteurs industriels américains et exclut les compagnies incorporées en dehors des Etats-Unis.

Autrefois, l'indice S&P 500 était pondéré sur la valeur boursière, à savoir que les mouvements des prix des compagnies dont la valorisation boursière totale *(cours de l'action multiplié par le nombre d'actions en circulation, ndt)* était la plus élevée exerçaient un plus grand effet sur l'indice que les compagnies dont la valorisation boursière était plus petite. Mais des changements ont été opérés. L'indice S&P 500 est désormais pondéré sur la fluctuation libre, ce qui signifie que seules les actions qui sont choisies par Standard & Poors sont disponibles et prises en compte pour le trading public (la fluctuation). Cette transition a été faite en 2 étapes, la première en mars 2005 et la seconde en septembre 2005.

Le trading de E-minis : de la nécessité de se former

Durant la dernière décennie, des milliers de traders dans le monde entier ont bénéficié du cours – très populaire et qui obtint des distinctions – que notre « Centre d'Education pour le 21ème Siècle » a donné sur le trading des E-minis. Ce cours offre à ces clients l'opportunité unique d'un programme de formation basé sur le web pour trader sur le marché des E-minis *futures*. Les étudiants y reçoivent un soutien grâce à une chambre virtuelle de trading en direct. (...) Les membres peuvent se connecter dans la chambre de trading en direct et regarder quand les traders professionnels indiquent les signaux d'achat et de vente. Les participants à ces cours peuvent observer le trading des E-minis tout au long du processus, de façon totalement transparente.

Trader les E-minis S&P 500 – un exemple

Disons que vous êtes un investisseur individuel qui voudrait investir en tendance haussière. Vous avez suivi tous les jours l'activité boursière dans les journaux financiers et en écoutant les nouvelles. Vous voulez vous engager dans le marché boursier et n'avez qu'environ 10 000 $ à investir.

Vous voyez tous les jours que le marché, tel que le reflète le S&P 500, bouge et vous voulez prendre part à cette activité. Vous avez négocié des actions auparavant mais vous avez cessé parce que vous trouvez qu'être un « share picker » – quelqu'un qui cherche à « cueillir » une action au bon moment – est très difficile et prend trop de temps.

Vous réalisez aussi que vous devez limiter votre investissement à une ou deux actions individuelles ; ou bien que vous pourriez acheter un fonds mutualisé. Cependant, une telle approche ne vous permet de tirer un parti éventuel de vos actions qu'au moment de la clôture. Vous ratez donc les occasions qui se présentent tout au long de la journée pour réaliser des profits. Pour parer à cet inconvénient, vous pouviez autrefois envisager de trader des *futures* S&P 500 standards pour profiter de perspectives haussières. Mais le minimum requis pour investir dans les *futures* SP standards dépassait ce que vous vous étiez fixé pour vos investissements en bourse. Or, voici l'occasion qui se présente à vous : le marché des E-minis vous permet de faire travailler l'argent que vous investissez en achetant des *futures* E-minis S&P 500. Désormais, vous pouvez profiter du meilleur des *futures* sur indices boursiers pour une fraction de son coût. En effet, les petits investisseurs peuvent négocier les E-minis pour quelques milliers de dollars et bénéficier de la possibilité de réaliser des gains de 500 à 1 000 $ par nuit.

Comment faire plus souvent le bon choix que le mauvais ?

La réponse : en vous formant au trading des E-minis

• Vous avez besoin d'une formation pour comprendre les signaux de base qui vous indiquent quand acheter et vendre. Nous enseignons aux gens comment comprendre ces signaux sur la base de graphiques.

• Nous formons les gens pour leur permettre de faire des transactions en utilisant un graphique en direct sur une base temps de une minute.

• Vous aurez besoin – c'est préférable – de pouvoir accéder à une chambre virtuelle de trading en direct. Nous en avons une où vous pouvez regarder vos transactions et écouter notre trader.

Les profits potentiels du trading des E-minis

- Les résultats sont publiés tous les jours
- Le marché des E-minis a une liquidité de 40 milliards de dollars par jour
- Pas de trous (*gaps*) = gestion du risque
- Les marchés ont besoin de volatilité pour trader les E-minis. La volatilité du marché est de 12 à 20 points par jour.
- A 1 point, le gain est de 5 % ; à 2 points, le gain est de 10 %
- Les investisseurs peuvent réaliser des rendements de 5 % à 10 % en 10 minutes
- Le marché est transparent à 100 %
- Il n'y a pas de fabricants de marchés – juste des écarts de points entre prix d'achat et de vente
- La commission est de seulement 5 $ pour un trade complet (achat et vente)

Pour trader les E-minis, on utilise 3 indicateurs de base

1. Le MACD (Moving Average Convergence Divergence = l'indicateur de convergence/divergence). Brièvement, cette technique prend en considération la différence entre les deux moyennes de mouvements exponentiels (EMA's) à différents moments. Ceci produit ce qui s'appelle généralement un « oscillateur » parce que la courbe qui en résulte oscille au-dessus et en-dessous de la ligne zéro. Ces mouvements sont indiqués sur une ligne continue. Parallèlement, une ligne en pointillés montre les résultats de la moyenne mobile exponentielle sur une durée de par exemple 9 jours. Cette ligne en pointillés accompagne un peu les premières séries de mouvement et les signaux pour acheter ou vendre apparaissent quand la ligne continue et la ligne en pointillés se croisent.

2. Les probabilités, soit les hypothèses aléatoires selon lesquelles les cours ou prix suivent une ligne relativement symétrique. (…)

3. Les trous et variations de prix. Les trous sont fréquents durant les périodes de volatilité.

Voir des exemples de graphiques ci-dessous qui permettent aux traders de fonder leurs décisions sur une bonne information.

Les graphiques ci-dessous sont qualifiés en anglais de « candle sticks », ce qui signifie qu'ils ont la forme d'un chandelier. Un graphique de prix en chandelier est un graphique qui montre les hausses, les baisses, les prix d'ouverture et de clôture d'un titre, tous les jours durant une certaine période. Un graphique en chandelier nous dépeint une image du titre en question.

Avant de regarder les graphiques ci-dessous, dites-vous que ce sont des exemples et que, pour bien les comprendre, il convient que vous preniez un cours tel que nous en donnons dans notre « Centre d'Education pour le 21ème Siècle ».

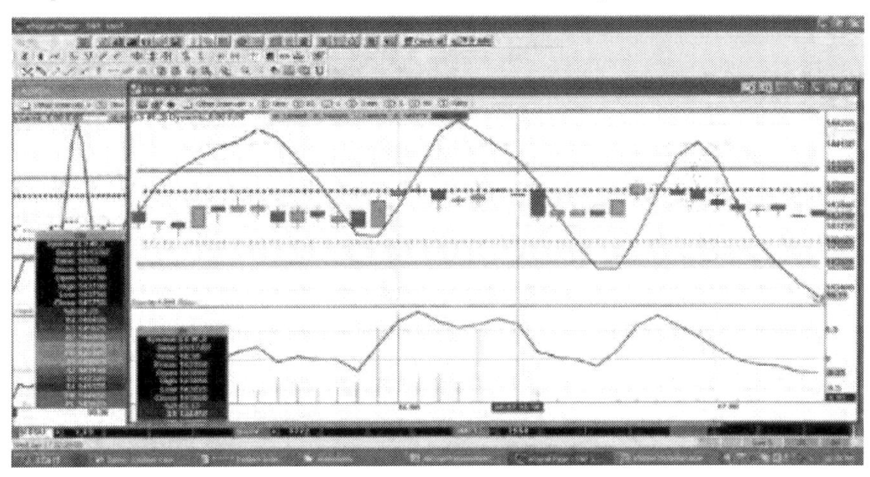

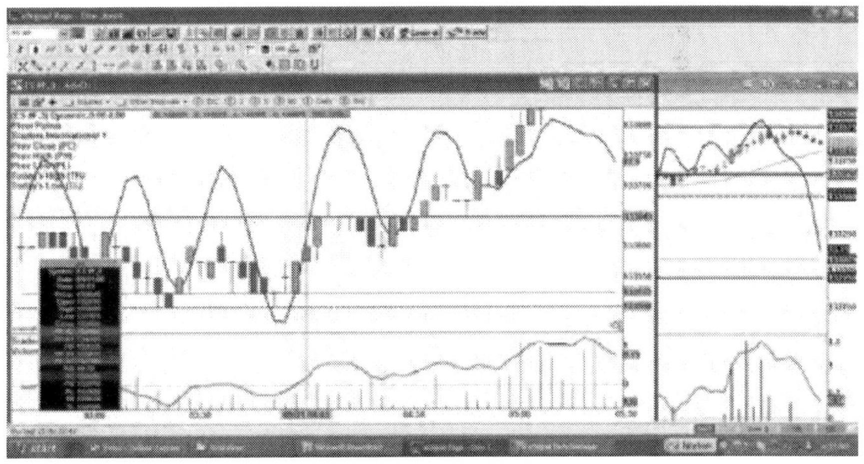

Conseil d'un trader de E-minis sur la manière de profiter de l'enseignement, de la compréhension et du trading des E-minis

• Les contrats E-minis sont une version plus petite que celle d'autres gros contrats indiciels.

• Les gros contrats indiciels comportent plus de risques.

• Un grand contrat S&P coûte, au moment où j'écris ces lignes, 350 000 $, et un mouvement d'un point représente 250 $ soit 7,5 %

• Un contrat coûte 1 000 $ et un mouvement d'un point représente 50 $ soit 7,5 %

• En raison de l'effet de levier élevé, si vous êtes acheteur et que l'indice monte d'un point, vous faites un bénéfice de 50 $ sur un contrat de 1 000 $, soit un rendement de 5 %. Si vous êtes vendeur et que l'indice descend d'un point, vous obtenez un rendement de 5 %

• Un contrat E-mini peut être négocié à intervalles courts – il peut monter ou descendre d'un point en une minute

• Le temps moyen d'un trade (*une transaction*) est de 10 à 15 minutes

• Les E-minis se négocient selon un procédé simple – le marché peut seulement monter ou descendre selon une probabilité de 50/50

• En vous formant et en vous entraînant, vous pouvez améliorer vos chances de succès

• Les commissions ne sont que de 5,00 $ par trade – 2,50 $ à l'achat et 2,50 $ à la vente

• Il n'y a pas de fabricant de marchés

• Le marché des E-minis a 40 milliards de dollars de liquidité par jour

• Le marché des E-minis n'a pas de trous (*gaps*)

• Il y a une fluctuation de 12 à 20 points par jour

• 2 points sur le marché des E-minis rapportent 10 % de revenu en quelques minutes

• En 9 ans, le marché des E-minis a connu une augmentation exponentielle de 0 à 400 milliards de dollars

• Le trading des E-minis est transparent – vous pouvez y assister en direct

• Nos trois signaux, T1, T2 et T3, apparaissent en moyenne 3 fois par session

• L'utilisation de ces 3 signaux (T1, T2 et T3) offre une probabilité de 85 % d'avoir un rendement de 5 %.

• Les traders expérimentés seront capables de reconnaître et de comprendre ces signaux qui apparaissent en moyenne 3 fois en 3 heures

• Les traders expérimentés reconnaissent et comprennent que cela prend environ 8 à 15 minutes pour qu'une ligne schématique de trading se forme

• Il y a des gens qui s'inquiètent parce qu'ils pensent qu'une fenêtre de trading d'une minute est insuffisante pour prendre une décision ; ce n'est pas le cas pour les traders expérimentés

• Le trading d'indice boursier a toujours été un moyen important pour les gestionnaires de préserver des fonds en utilisant des contrats *futures* comme instruments de protection. Les gestionnaires de fonds protègent ces derniers contre les risques en choisissant une position moyenne

• Un gestionnaire de fonds peut avoir une position de 400 000 $ sur le marché pour un coût de 30 000 $

• Les E-minis sont simples à trader

• Le trading de E-minis se fait en un seul lot

• Comment le marché note-t-il les E-minis ? Les E-minis sont considérés par une majorité comme le meilleur produit financier jamais lancé sur le marché

• Aucun autre produit financier n'est passé de zéro (quand les E-minis ont été introduits) à 40 milliards de chiffre d'affaires en 9 ans

• La gestion de grands fonds est en diminution

• Grâce aux E-minis, le trading sur indice n'est plus réservé aux grands traders

• Les montants quotidiens de trading de E-minis dépassent les 40 milliards de dollars.

Le marché des E-Minis a connu une expansion exponentielle les 9 premières années, passant de 0 à 400 milliards de dollars.

Le trading des E-Minis est transparent – vous pouvez observer les opérations en direct

Trader les E-minis : questions fréquemment posées

Quel est le montant maximum que je peux perdre sur une transaction ? Si vous utilisez un stop à 1,5 point sur toutes vos transactions, comme nous le recommandons, la somme la plus élevée que vous pouvez perdre par transaction est de 7,5 % de l'investissement que vous avez fait pour cette transaction – plus la commission de courtage.

De quel montant ai-je besoin pour commencer ? Nous recommandons que tous les traders commencent avec un minimum de 3 000 $ dans leur compte de trading.

(…)

Combien de temps cela prend-il de se former, et combien de temps me faudra-t-il avant de commencer à faire du trading avec de l'argent réel ? Cela va dépendre du temps dont vous avez besoin pour assimiler chaque étape de notre formation. Cependant, notre objectif est que tous nos étudiants puissent, idéalement, trader avec de l'argent réel au bout de 3 mois environ. (…)

(Il existe des possibilités de trader des E-minis en euros. Les traders francophones se trouvent surtout au Québec. Ndt)

Etude de cas

Comment Marcus fit un profit de 9 000 $ en une nuit avec un investissement de 4 000 $

Un matin, le marché ayant chuté pendant trois jours très tendus, un de nos amis, Marcus, décida de défier le marché, pensant qu'il allait reprendre.

Au lieu d'acheter l'indice via les ETFs qui suivent le S&P 500, Marcus décida de trader des *futures*, où il avait plus de marge et où il pouvait trader 24h/24, ce qui lui permettait d'acheter avant l'ouverture du marché. Son prix, tôt le matin, était de 1 041,50, soit 5 points en-dessous du prix d'ouverture de l'indice S&P 500.

Marcus acheta des contrats E-minis plutôt que des contrats S&P standards. Les E-minis valent un cinquième de la taille du contrat standard et demandent d'investir beaucoup moins d'argent – moins de marge.

Un seul contrat S&P standard, qui est évalué à 250 $ par point (ou à environ 260 000 $ à un prix de 1 041,50) requiert une marge d'environ 20 000 $. Un contrat E-mini, évalué à 50 $ par point, exige environ 4 000 $ – et cela si vous le conservez pendant la nuit. Si vous tradez de jour, comme le fit Marcus, vous pouvez acheter par exemple 49 contrats E-minis avec une marge de seulement 500 $ en utilisant le Global Futures Exchange.

Marcus acheta des contrats E-minis S&P avec une date spécifique et, parallèlement, fixa des stops protecteurs au cours de la journée sur les positions de ses E-minis pour limiter ses pertes, au cas où son analyse et ses prévisions auraient été erronées.

Le soir, en décembre, les E-minis S&P grimpèrent au-dessus de 1059.75 (soit 25 points au-dessus de la clôture de l'indice). Marcus put vendre ses contrats plus de 18 points au-dessus. Cela fit donc 18 x 50 $ par point x 10 contrats = 9 000 $.

Je ne vous donne *pas* l'exemple ci-dessus pour vous inciter à foncer et à commencer à faire aveuglément du trading de E-minis. C'est une simple illustration de la manière dont les E-minis sont négociés et de la raison pour laquelle ils sont devenus des instruments financiers si populaires.

Depuis son introduction par le Chicago Mercantile Exchange en 1997, l'index des produits E-minis inclut les E-minis S&P 500, les E-minis NASDAQ-100 et les E-minis Russell 2000. *(Cette liste n'est pas exhaustive. Ndt)*

Si on se fonde sur le volume des transactions, ces petits produits sont ceux dont la quantité augmente le plus vite dans l'histoire du Chicago Mercantile Exchange. (...)

Un trader utilise les E-minis (en préférant se concentrer sur le S&P et le NASDAQ-100 plutôt que sur le Russell 2000) aussi bien comme instrument de trading que comme moyen d'évaluation de l'orientation du marché.

Comme instrument de trading, l'expérience de Marcus montre à quel point le trading des E-minis peut être profitable. Comme instrument d'évaluation du marché, l'importance du volume de trading est un outil idéal pour apprendre comment les traders voient les plus larges indices.

Plus de 139 millions de contrats E-minis S&P 500 ont été négociés durant les dix premiers mois d'une de ces dernières années, tandis que seuls 17 millions de contrats S&P 500 standards l'ont été dans la même période. Du côté du NASDAQ, le ratio était de 56,9 millions pour les E-minis et 2,7 millions pour les contrats standards.

Etant donné le volume de trading 24h/24, les E-minis *futures* peuvent avoir un impact sur les mouvements des produits indiciels et même les anticiper. C'est pourquoi les gens qui investissent dans les actions ou les fonds et qui consultent l'indice S&P 500 ou le NASDAQ 100 pourraient avoir de bons résultats en suivant l'actualité des E-minis.

Résumé sur les E-minis

Les E-minis sont un moyen rapide et efficace de négocier l'indice S&P 500 (et les 500 produits financiers à large capitalisation des Etats-Unis) en un seul contrat.

Les E-minis fournissent un contrat de petite dimension adapté aux besoins des individus et aux clients d'institutions. Ils offrent une liquidité substantielle et des écarts entre prix d'achat et de vente étroits.

Les E-minis se négocient électroniquement sur la plateforme du Chicago Mercantile Exchange Globex®, qui offre la vitesse, la confiance, l'anonymat et la possibilité de négocier 24h/24, partout dans le monde, et d'appliquer toutes sortes de stratégies comme le hedging – une protection contre les mouvements de revers des prix –, la répartition avec d'autres contrats à terme sur indices boursiers… Ils permettent aussi une large exposition au marché.

Le marché des E-minis est un domaine qui offre de la transparence et des coûts potentiellement moins élevés que ceux de portefeuilles d'actions ou d'ETFs.

Ce marché fournit un verdict final chaque jour de trading, au moment de la clôture. Pour vous, ce verdict ne sera pas bon si vous entrez dans la bataille sans préparation. La compétence et le succès sur les marchés s'acquièrent en travaillant dur, en se formant avec patience et en gérant ses émotions avec discipline.

Le trading quotidien (*day trading*) des E-minis demande une combinaison de discipline, de prudence, d'agressivité, de courage et la volonté d'assumer ses petites pertes et de se reprendre rapidement.

22. LES INVESTISSEMENTS FONCIERS

Investir dans le foncier consiste à acheter une terre vierge avec l'intention de la conserver jusqu'au moment où il sera profitable de la revendre pour un prix plus élevé que celui que l'on a payé. Investir dans le foncier est populaire parce que la terre est un bien tangible, contrairement aux actions et obligations.

Investir dans le foncier est des plus profitables, mais peu de gens se lancent. Cette occasion existe depuis longtemps mais n'était qu'à la portée des investisseurs institutionnels et des promoteurs de grands projets de développement immobilier. C'est pourtant un bon investissement qui permet de constituer un bon capital.

Dans ce chapitre, je vais vous faire part d'une stratégie unique en son genre et que, pour ma part, je trouve très attirante. Cette stratégie s'appelle le *Land Banking (la constitution d'un capital foncier en français, ndt)*. C'est une stratégie utilisée par certains parmi les plus fortunés d'Australie qui leur rapporte des millions de dollars – si ce n'est plus.

Les stratégies relatives aux investissements fonciers ont le potentiel d'engendrer des profits très élevés, avec des plus-values très significatives et de rares cas de pertes. [...]

Le concept est simple : les promoteurs achètent de grands terrains non constructibles près de grandes métropoles ou de grandes villes régionales. A un moment donné, ces terrains sont convertis en terrains constructibles et divisés en blocs résidentiels. Ce procédé, qui consiste à ajouter de la valeur à ce qui était à l'origine un simple terrain vague ou agricole en le convertissant en terrain propre à la construction, peut rapporter énormément.

Savez-vous que les grands promoteurs immobiliers font des profits constants grâce à leurs investissements fonciers ?

Au fur et à mesure que l'économie se remet progressivement des effets de la crise financière globale (GFC), beaucoup de promoteurs immobiliers font d'énormes affaires. Ils y parviennent grâce à leurs connaissances et à leur expérience. Ils savent réduire les risques. L'investissement foncier est un moyen très sophistiqué de détenir du terrain et de le garder sous contrôle, jusqu'au moment où cette approche permet de gagner beaucoup d'argent. Il s'agit d'acheter de la terre « en gros » et d'y ajouter de la valeur tout en gardant la main sur son prix à la revente.

En général, les parcelles de terrains les mieux adaptées à cette stratégie sont celles qui se trouvent dans les régions où les villes se développent rapidement. L'objectif initial est d'acheter un terrain non développé dont la valeur va augmenter parce qu'il se trouve dans une zone qui se prête à l'agrandissement urbain.

L'objectif d'un tel investissement est d'identifier ces parcelles avant les entrepreneurs et d'attendre que leur valeur arrive à maturité. C'est ainsi que tant d'entrepreneurs immobiliers ont réussi à devenir si fortunés. Vous comprenez maintenant ? C'est ainsi qu'ils font des affaires : avec les investissements fonciers et la construction !

Le prix d'une maison assortie d'un terrain située dans un quartier moyen de Melbourne est d'environ 450 000 $. Ceci comprend en général une maison dont le coût de construction est d'environ 200 000 $ et une marge de 10 % de bénéfice qui va au constructeur. Le terrain, quant à lui, qui provient d'un terrain rural devenu constructible et dans lequel le promoteur immobilier a investi 60 000 $, vaut 250 000 $. Ainsi, le promoteur concerné a réalisé un profit de 190 000 $ grâce à son procédé consistant à investir dans le foncier.

Les grands promoteurs immobiliers achètent de grandes parcelles de terrains agricoles et y ajoutent de la valeur en les convertissant en terrains constructibles et en les divisant en lotissements nouveaux.

Toutes les principales villes d'Australie grandissent et, par conséquent, la demande pour de nouveaux lotissements est constante. Il n'est pas rare que la valeur d'une parcelle de terre prenne 10 fois la valeur de son prix initial quand son statut est converti de terrain agricole à terrain résidentiel.

Les investisseurs doués ont la capacité à reconnaître et identifier les terrains adaptés à une telle conversion et à une division ultérieure. Ils sécurisent leurs investissements dans le terrain en travaillant par contrats d'options, ce qui sécurise leurs terres, et deviennent millionnaires du jour au lendemain.

Voici un exemple : à Sydney, l'ancien circuit de course automobile d'Oran Park, quand il fut vendu au gouvernement des Nouvelles Galles du Sud pour un nouveau lotissement, rendit son propriétaire milliardaire sans qu'il ait à ajouter de la valeur à ce terrain et sans qu'il ait eu besoin d'y construire ne serait-ce qu'un seul bâtiment. Dans ce cas particulier, la valeur ajoutée provint de la conversion de ce terrain en terrain constructible par ce gouvernement. Situé à quelques 8 kilomètres au Nord Est de Camden, Oran Park fut l'une des premières zones rendues constructibles dans le South West Growth Centre. Le statut de ce terrain de 1 119 hectares fut converti en décembre 2007 après 16 mois de planification – un temps record pour une conversion de cette envergure. Le développement d'Oran Park commença en décembre 2008.

Bendigo, au centre de l'état de Victoria, nous offre un autre bon exemple : un heureux fermier vit le terrain de sa ferme converti en zone constructible par les autorités locales afin d'en faire une zone résidentielle. L'homme devint instantanément millionnaire, en un seul coup de plume – une signature des autorités –, sans avoir rien à faire ! Il avait dès lors deux choix : vendre sa terre et encaisser ses profits tels qu'inscrits dans les documents, ou, c'était une autre alternative, s'associer avec un promoteur immobilier et se donner une chance de gagner encore trois fois plus d'argent.

Quand l'ancien éleveur de Charleville, Arthur Earle, vint sur la Côte d'Or, dans le Queensland, en 1964, il acheta environ 1200 hectares de terres situés entre Nerang et Mudgeeraba, et les laissa dormir. Ce terrain, qui était une piste, devint une route très fréquentée et, quand elle fut connectée avec certains points de l'ancienne ligne de chemin de fer, elle devint partie intégrante du réseau du Pacific Highway.

Tandis que les promoteurs étaient en train de faire lentement des travaux de dragage et de redessiner les terres le long du fleuve Nerang, ils créèrent aussi, pour de futurs logements, des canaux destinés à alimenter des jardins donnant sur des plans d'eau, ce qui était très recherché.

Quand le promoteur de Singapour, Robin Loh, visita la Côte d'Or durant des vacances familiales, il ne put croire à sa chance quand Arthur Earle lui montra ce magnifique terrain. A cette époque, le marché local de l'immobilier était en pleine effervescence et la région ouest de Broadbeach, où se trouvait ce terrain, était un des sites de grande dimension les moins développés, proche de la plage, de zones commerciales et de complexes routiers très importants.

Ce que M. Loh vit attira son attention. Il fut déconcerté de voir qu'une si grande parcelle de terre, si bien située – où pendant de nombreuses années des troupeaux pouvaient paître –, n'était pas encore développée et était à vendre. Il se demanda pourquoi.

Après avoir reçu les assurances nécessaires de la part des autorités locales que rien ne clochait avec cette terre et que rien n'empêchait de la garder pour un projet de développement ultérieur, M. Earle et M. Loh achetèrent ce site de 1658 hectares pour $11,2 millions de dollars, en décembre 1980, à des liquidateurs de la compagnie *Cambridge Credit.* Ce lieu est aujourd'hui connu sous le nom de Robina, un très bel endroit sur la Côte d'Or.

En 1981, une première série de logements y furent mis sur le marché. Les propriétés voisines (des fermes) furent achetées et le site agrandi à plus de 1850 hectares. Le centre de la ville de Robina fut ouvert en 1996 et Robina devint une des plus grandes communautés résidentielles réalisées par un propriétaire privé.

Le prix d'origine d'une parcelle de « un quart d'acre » *(environ 450 m^2, ndt)* en investissement foncier sur le site créé par Arthur Earle arriva à environ 1 $ – oui, un dollar ! [...] Fin 2011, 8 000 m^2 (0,80 ha) de Robina, avec approbation pour le développement et plans de construction, était offert pour 1,8 millions de dollars.

Les bons côtés des réserves foncières

En Australie, nous connaissons une pénurie de logement assortie d'une augmentation des loyers, tandis que les nouveaux acheteurs de logements neufs font face à des prix prohibitifs.

En effet, au cours de son histoire récente, l'Australie a produit un surplus de logements. Mais pendant les années qui ont suivi, il est devenu de plus en plus difficile pour les promoteurs d'obtenir des fonds, et par conséquent, les logements se sont mis à faire défaut. Les rendements provenant des loyers ont augmenté de manière significative et, au moment où j'écris ces lignes, les taux d'intérêts ont connu une série de baisses, ce qui a créé de bonnes occasions pour les investisseurs.

Une des raisons majeures pour lesquelles il y a autant de pression sur l'industrie immobilière est que la population ne cesse de s'accroître, notamment en raison des immigrants à la recherche d'argent. Durant les 50 prochaines années, nos principales grandes villes, comme Sydney, s'attendent à une augmentation de la population de plus de 2,4 millions de personnes. Melbourne et Brisbane vont aussi s'agrandir de façon significative.

D'ici la fin de la décennie actuelle, les experts prédisent un manque de 500 000 logements en Australie, répartis dans différentes régions, demande à laquelle l'Australie ne peut faire face. Telles sont certaines des raisons qui font que le marché de l'immobilier en Australie est si résistant.

En plus de ces facteurs, il faut prendre en compte l'augmentation constante des coûts de construction qui s'ajoute aux difficultés des promoteurs, déjà confrontés à la difficulté d'emprunter. Ils souffrent aussi de longs délais avant d'obtenir la conversion de leurs terrains ruraux en zones constructibles. Pour les promoteurs qui souhaitent développer des projets à l'intérieur des villes, l'obtention de financements est très difficile et, le plus souvent, les exigences en termes de garanties pour les prêts sont extrêmement strictes ; spécialement dans certaines régions.

Savez-vous que le plus grand risque à investir dans l'immobilier c'est souvent vous-même ? La chose la plus importante à faire en investissant c'est de commencer. Vous devez être dans le jeu et jouer le jeu. Comme pour beaucoup de choses dans la vie, il est probablement inévitable que vous fassiez des erreurs. Mais ce qui compte c'est que vous vous y mettiez et que vous jouiez le jeu.

Il y a trois types de gens concernant l'investissement foncier : ceux qui jouent le jeu, ceux qui le regardent, et ceux qui se demandent : « Mais qu'est-ce qui s'est passé ? »

Quand les valeurs des biens immobiliers dégringolèrent, comme ce fut le cas après la crise financière globale, de bonnes occasions s'offrirent aux investisseurs les plus astucieux. En effet, en conséquence directe de cette crise, les prix de l'immobilier sur la Côte d'Or ont baissé de jusqu'à 40 %, tandis qu'à Melbourne, souvent considérée comme le lieu où l'immobilier était bon marché, les propriétés des anciens quartiers les plus chics, comme Brighton, South Yarra et Toorak, baissèrent de jusqu'à 25 %.

Quand les fondements restent intacts, que les consommateurs se laissent envahir par un sentiment négatif et que le marché s'effondre, les investisseurs intelligents arrivent et peuvent faire de très bonnes affaires.

Les terrains prennent plus de valeur que les bâtiments

Par exemple, à Melbourne, en 2001, le prix moyen d'une parcelle était d'environ 71 000 $. Dix ans plus tard, en 2011, le prix moyen était de 210 000 $, soit une augmentation de 300 %.

A Melbourne, entre 1973 et 2006 – soit 33 ans –, la valeur des terres vacantes se multiplia par 19,4. Les blocs de terre vacants s'apprécient plus rapidement que les biens immobiliers et que les ensembles de terrains – le prix de la terre augmente tandis que les biens se déprécient.

Il est intéressant de remarquer que la dimension des parcelles de terrain diminue. Le bloc traditionnel de 450 mètres carrés (un quart d'acre) avec une pelouse devant et derrière est maintenant obsolète. Pour les nouveaux projets, les terrains sont maintenant d'environ deux tiers de cette dimension voire même moins. Les styles de vie ont changé et les gens ne veulent plus avoir la responsabilité de gérer des jardins. Ils sont heureux de les vendre pour plus d'espace de vie et de parking.

La dimension actuelle d'un terrain pour une maison urbaine de taille moyenne est de 130 m^2, ce que les conseils régionaux auraient eu de la difficulté à imaginer il y a à peine 5 ans.

La valeur et le potentiel des terrains varient selon les régions. (...) Les promoteurs contrôlent les prix en libérant de nouveaux lotissements par étapes successives. Les promoteurs créent une augmentation de capital dans les nouvelles zones d'habitats en mettant petit-à-petit sur le marché, en réaction aux forces du marché et en relation avec l'équation de l'offre et de la demande, créant ainsi plus d'assurance pour les investisseurs de faire des profits. Ainsi, lors de chaque étape, le prix d'achat sera plus élevé que lors de l'étape précédente – pour un projet immobilier.

Exemple : dans un projet immobilier d'un quartier de Melbourne, les prix ont été contrôlés par le promoteur pendant 15 ans. Les derniers blocs furent vendus pour 280 000 $, alors que leur prix d'achat était de 37 000 $ au commencement du projet.

Chaque nouvelle banlieue est créée à partir d'un terrain vierge, de la même manière que ci-dessus. Un promoteur achète le terrain puis obtient sa conversion en terrain constructible, recueille les permis nécessaires, divise le terrain pour créer des lots, et crée une nouvelle banlieue. C'est la stratégie utilisée par les plus grands promoteurs.

Actuellement, le coût de la création d'un nouveau bloc de terrain à construire commence à environ 60 000 $. De simples calculs mathématiques montrent que ce bloc se vend pour 200 000 $ après son développement, ce qui fait un profit de 140 000 $, moins les frais de vente et les commissions. Si un entrepreneur en bâtiment ou un promoteur construisent une maison de 200 000 $ sur ce bloc, le profit du constructeur et du promoteur sera d'environ 20 000 $. C'est pourquoi les promoteurs ont un modèle de business qui consiste à diviser les terres puis à ajouter des maisons à bas profits, afin d'engendrer des profits exceptionnels avec leurs investissements fonciers. Avec cette stratégie, les promoteurs décuplent leur capital.

Beaucoup de gens pensent que les prix de la terre fluctuent selon l'offre et la demande. C'est une erreur. Si les promoteurs font face à une chute de demande pour leurs futures nouvelles propriétés, ils vont alors attendre patiemment et passivement que les conditions du marché s'améliorent, contrôlant ainsi le prix de la terre et protégeant leur investissement. Les promoteurs détestent faire baisser le prix de leurs terrains, afin de protéger leur investissement en général substantiel – dans de nombreux cas des centaines de millions de dollars.

Beaucoup d'investisseurs seront très surpris d'apprendre qu'à Victoria, par exemple, en 2001, une parcelle de terrain moyenne se vendait pour 71 000 $. Dix ans plus tard, en 2011, cette même parcelle se vendait 211 000 $; une augmentation de 300 % en 10 ans. Dans le même laps de temps, le prix d'une maison ne fit que doubler.

Souvenez-vous que le terrain prend de la valeur tandis que les maisons se déprécient en raison des coûts d'entretien.

Quelques règles pour investir dans le foncier

Les investisseurs fonciers expérimentés suivent en général quelques règle quand ils cherchent une nouvelle occasion. Ce sont les suivantes :

• Eviter les villes qui sont en relation avec les mines comme principal industrie.

• Eviter les villes qui sont relatives à l'industrie du tourisme.

• Rechercher quelques éléments importants pour l'augmentation de valeur : u taux d'accroissement de la population important, un accroissement du capital d'a moins 10 à 11 % durant les 10 dernières années.

• Chercher des régions avec des industries diversifiées. Les villes et les régio qui sont dépendantes d'une seule industrie sont vulnérables si tout d'un coup cet industrie devait connaître un revers majeur, comme ce fut le cas de Broken Hi qui vivait de l'industrie minière et qui est devenue une ville touristique après av perdu beaucoup de sa richesse.

Et voici ce à quoi il faut prêter attention quand on achète une propriété :

‣ **Performance** – est-ce que la propriété rapporte plus en banlieue, dans te ou telle rue, sur le marché à moyen terme et/ou sur le marché à long terme ?

- Est-ce qu'il sera possible de rembourser cette propriété en 12 mois et d'utiliser une partie du patrimoine pour financer la prochaine propriété ?
- Est-ce que la propriété me permettra d'augmenter rapidement mon capital ?
- Est-ce que j'envisage personnellement de vivre dans cette propriété ?

Est-ce que cela convient à la formule d'accès rapide à la propriété ?

- Augmentation maximum du capital ?
- Dans le meilleur laps de temps possible ?
- Avec le moins de risques possible ?
- Et le moins de travail possible ?

Quelques questions fondamentales pour les investisseurs potentiels

- Est-ce que cette stratégie a un sens pour moi ?
- Est-ce que cette stratégie me convient ?
- Si j'avais commencé cette stratégie il y a 10 ans, où en serais-je aujourd'hui ?
- Est-ce que je me sens à l'aise avec l'accumulation des dettes et le jeu de la finance ?

Je voudrais vous rappeler qu'une éducation classique va vous permettre de vivre, tandis que le développement personnel va vous faire gagner une fortune et qu'il convient donc de choisir des millionnaires pour vous guider dans votre développement personnel.

La plupart des gens qui enseignent les qualifications académiques se contentent de gagner peut-être 30 000 à 40 000 € par an et ne sont pas des gens très aisés.

Mes étudiants ne sont pas fixés sur l'éducation en tant que telle mais sont totalement tournés vers les résultats réels.

« Qui donne un poisson à un homme le nourrit pour une journée. Qui lui apprend à pêcher le nourrit jusqu'à la fin de ses jours. » Cet adage convient bien au propos qui précède : il s'agit d'apprendre comment, fondamentalement, investir dans la terre pour, ensuite, en tirer un parti financier pour la vie.

Beaucoup de gens ont été conditionnés par leurs parents au fait que les dettes sont mauvaises. Ils ont appris des choses comme : « Si vous n'avez pas de dettes, vous contrôlez votre vie. Ne soyez pas riche. Soyez tel que vous êtes. » En revanche, les gens fortunés font une distinction importante entre les bonnes et les mauvaises dettes. Ils savent qu'une bonne dette – dont on ne rembourse en général que les intérêts et qui est déductible sur le plan fiscal – peut être utilisée pour acheter des biens immobiliers et accumuler de l'argent.

Les contrats à option

Comment acquérir une parcelle et la faire fructifier quasiment sans débourser un seul centime

En utilisant les options pour acheter des parcelles de terrain, les investisseurs peuvent contrôler le terrain avec une dépense minimale. Certaines personnes décrivent les contrats d'option comme un instrument utilisé par les gens hyper fortunés pour contrôler des actifs pendant une période donnée. Pendant ce temps, un investisseur peut faire des changements concernant cet actif et même vendre cet actif.

Un contrat d'option est un contrat légal qui donne à un investisseur le droit, mais pas l'obligation, d'acheter (option dite « d'achat ») ou de vendre (option dite « de vente ») un terrain ou une propriété à un prix convenu (le prix dit « d'exercice ») et à une échéance donnée. C'est un document qui vous donne le droit d'acheter, de vendre ou de ne rien faire si vous en décidez ainsi.

Le vendeur de l'option est 100 % engagé juridiquement par ce contrat. Vous contrôlez ainsi et sans risque un actif pendant une période donnée, et vous avez la possibilité de mettre fin au contrat à la date d'échéance, sans recours.

C'est ce que font les gens fortunés – ils contrôlent le bien et prennent le risque inhérent à la transaction.

Si vous voulez en savoir plus sur cette stratégie d'investissement foncier unique en son genre et apprendre de manière approfondie comment de petits investisseurs – qui ont démarré avec 35 000 $ de retraite – ont pu y accéder, visitez simplement : www.landbanking.com.au. J'y offre gratuitement un cours à domicile d'une valeur de 997 $.

23. OPTIONS D'ACHATS DE BIENS IMMOBILIERS

Comment gagner des millions sans utiliser votre propre argent

Comment « vendre » un bien immobilier si on ne « l'achète » pas d'abord ?

On peut devenir agent immobilier et toucher des commissions sur les ventes, mais c'est un travail à plein temps qui ne débouche pas sur la réalisation d'un empire immobilier, sauf si on peut se permettre d'acheter beaucoup d'immeubles avec son argent. Pour construire un empire immobilier, la seule façon peu coûteuse de s'y prendre consiste à poser des options d'achat sur des biens fonciers ou immobiliers. *(Les termes peuvent différer selon les lieux et les états, mais les principes restent les mêmes. Ndt.)*

Qu'est-ce qu'une option d'achat de bien immobilier ?

Une option d'achat est un droit accordé par un vendeur à un acheteur de louer ou d'acheter un bien à un prix fixé d'avance, durant une période déterminée et jusqu'à son échéance. Le détenteur de l'option – l'acheteur – a le droit d'exercer – ou non – cette dernière d'ici le délai fixé. S'il ne l'exerce pas, il ne sera pas considéré comme étant dans son tort. S'il l'exerce, le vendeur ou celui qui a accordé l'option sera tenu d'en remplir toutes les exigences, telles qu'énoncées dans le contrat initial.

Une option immobilière est donc un contrat par lequel un choix est donné par un vendeur potentiel à un acquéreur potentiel d'acheter, à un prix convenu à l'avance et au terme d'une échéance également convenue à l'avance, un bien donné, foncier ou immobilier. Si celui qui a posé l'option d'achat décide d'acheter le bien aux conditions fixées à l'avance, le vendeur est absolument obligé de s'en tenir au prix initialement convenu entre les deux parties. L'affaire ne peut être réalisée qu'aux conditions de l'acheteur que le vendeur a acceptées d'avance.

Ainsi, une option d'achat immobilière donne au détenteur de cette option une sorte de « contrôle » sur le bien faisant l'objet du contrat, sans pour autant l'obliger à l'acheter à échéance du contrat. L'option d'achat immobilier donne un droit *exclusif* à l'acheteur, durant une période convenue d'avance, d'acheter ou de ne pas acheter un bien immobilier ou foncier.

Un droit *exclusif* signifie que *personne d'autre* que le détenteur de l'option d'achat ne peut acheter voire vendre le bien faisant l'objet de l'option d'achat pendant toute la durée du contrat. Pendant cette période, dans presque tous les cas, le propriétaire (à savoir celui qui a accepté l'option) continue à payer tous les coûts inhérents à ce bien : les taxes, les évaluations, l'entretien, etc.

N'est-ce pas fantastique de pouvoir ainsi garder la main sur un empire immobilier, le « contrôler » sans avoir obligatoirement à l'acheter ? De laisser le propriétaire payer les coûts inhérents et décider, le moment venu, soit de « vendre » ce bien, soit de vendre l'option elle-même, avec un bénéfice ?

Si, pendant que vous détenez votre droit exclusif, le vendeur décide de céder son bien à quelqu'un d'autre, vous pouvez exercer des droits significatifs : si le vendeur vend son bien plus cher que le prix convenu lors de l'option, vous pouvez réclamer cet argent, y compris les sommes dépassant le prix d'achat dont vous aviez convenu initialement. Si, au contraire, le propriétaire vend son bien à un prix inférieur au montant convenu, vous pouvez exiger que le vendeur vous paye la différence.

« Exclusif » veut dire « exclusif » selon la loi

Quand vous détenez une option d'achat sur un bien donné, vous avez le droit de contrôle sur la vente de ce bien jusqu'à ce que votre option arrive à son terme. Personne ne peut disposer de ce bien sans se conformer en premier lieu aux conditions de votre option d'achat. Vous possédez le droit exclusif d'acheter ce bien, ou de ne pas l'acheter, ou de le vendre à quelqu'un d'autre, ou de vendre votre option à autrui.

Quand vous posez une option, vous n'achetez pas un bien immobilier ; vous achetez le droit exclusif d'acquérir (ou de ne pas acquérir) ce bien et aussi celui de le vendre.

Pour tirer le meilleur avantage des options d'achat sur des biens immobiliers, il est recommandé de choisir des biens de haute qualité (ou au moins très acceptables et présentables.) En effet, si vous vous intéressez à des biens en « détresse », 9 fois sur 10, votre affaire sera bonne pour la poubelle.

Exemple d'option d'achat rentable

Est-ce que vous vous êtes déjà demandé comment un terrain de banlieue a été acquis pour y construire un nouveau centre commercial ?

Voici un cas typique : le promoteur d'un futur centre commercial pose une option d'achat d'une durée de 12 mois sur des biens immobiliers se trouvant dans un périmètre qui l'intéresse. Le montant qu'il propose aux propriétaires dépasse de 20% la valeur de ces biens.

Le délai fixé pour l'option donne à ce promoteur le temps d'obtenir les autorisations nécessaires pour mettre en chantier son plan de centre commercial et pour programmer l'aspect financier de façon à ce que, à échéance du contrat d'option, il puisse payer au vendeur le prix convenu pour son bien. Quant au vendeur, il se prépare à se séparer de son bien avec un bon bénéfice par rapport à sa valeur antérieure.

Mark Rolton

Mark Rolton est un brillant promoteur immobilier dont tout le monde à quelque chose à apprendre. Il fait un large usage des options immobilières pour gagner des fortunes. Il a beaucoup fait profiter de son expérience les étudiants de notre « Centre d'Education pour le 21ème Siècle ». Comment en est-il arrivé à l'achat de biens immobiliers par le biais d'options ? Son histoire est intéressante. Il était gestionnaire de projet, raconte-t-il, et fut escroqué de 200 000 $ par une personne à qui il avait confié son affaire. Et même pire, il dut s'acquitter d'une taxe de 235 000 $. Il en fut très affecté et fut contraint de se mettre à laver des vitres pour 400 $ par semaine afin de survivre.

Une occasion de s'en sortir se présenta d'elle-même : il apprit qu'une de ses relations professionnelles cherchait désespérément à vendre six parcelles de terrain (bien qu'il fût riche en actifs, la banque était sur le point de les saisir.) Il ne fallut pas longtemps à Rolton pour flairer une bonne affaire. Il passa un rapide coup de fil à son avocat pour lui demander comment il pourrait tirer parti de ce terrain, posa une option d'achat sur ces parcelles et réalisa un très bon bénéfice. Suite à ce premier succès dans le domaine foncier, Rolton développa cette activité et réalisa un profit de plus de 1 million de dollars en 40 jours.

Avoir le contrôle d'un terrain ou d'un bien immobilier peut s'avérer bien plus intéressant que de posséder ces derniers. Voici notamment pourquoi :

Quand on pose une option d'achat sur un bien immobilier, le vendeur qui l'a acceptée est obligé de nous vendre ce bien au prix convenu au moment du contrat.

Pendant la durée de l'option et jusqu'à son échéance, nous pouvons faire gagner le bien concerné en valeur avec les autorisations des autorités concernées. Nous pouvons par exemple convertir un terrain non constructible en terrain constructible, ou construire un immeuble sur un terrain prévu pour des villas, etc. Les possibilités d'ajouter de la valeur sont multiples. Grâce à ces valeurs ajoutées, nous pourrons revendre le bien que nous détenons sans pour autant l'avoir encore payé, pour un prix beaucoup plus élevé que son prix d'achat.

Nous contrôlons tous les aspects du bien concerné. Et si le marché va à l'encontre de notre intérêt, il est toujours possible de se retirer car il ne s'agit que d'une option.

Par la suite, si vous décidez de procéder vous-même à un projet de développement fondé sur ce bien, vous pourrez utiliser la plus-value de ce bien comme patrimoine. Par exemple, si la valeur du bien sur lequel vous avez posé une option passait de 1 million à 1,5 millions de dollars (plus-value que vous auriez réalisée en valorisant votre bien), vous auriez 500 000 $ de patrimoine à offrir en garantie à la banque pour obtenir un prêt pour votre futur projet de développement.

Selon Rolton, il y a deux approches de base concernant les options. La première est une option à délai court : vous concluez une option à court terme et la revendez – sans prendre le temps d'améliorer le bien sur lequel vous l'avez posée – pour un meilleur prix que le prix d'achat. La seconde approche, dont le potentiel est le plus intéressant, est de poser une option à délai plus long afin d'avoir le temps d'obtenir les autorisations nécessaires pour créer un nouvel aménagement sur la base du bien initial. Par exemple, bâtir sur un terrain vague une agglomération ou un complexe industriel. Il va vous falloir du temps parce qu'une telle opération implique de faire appel à des services professionnels multiples et d'effectuer plusieurs transactions différentes.

Les cinq critères d'options idéales selon Mark Rolton

1. Comparer argent gagné/temps passé

Il est toujours possible de regagner de l'argent quand on en a perdu. Mais le temps perdu ne nous sera jamais rendu. Cette notion est importante concernant les options.

En effet, comme mentionné plus haut, on peut prendre une option à délai court et tenter de vendre rapidement le bien concerné à un meilleur prix et sans changement de statut de ce bien ou d'amélioration quelconque. Cela peut se faire en quelques semaines.

On peut opter pour une option de longue durée. Dans ce cas on peut prendre le temps de faire gagner le bien que l'on contrôle en valeur. Par exemple, transformer un bien résidentiel en locaux professionnels. Etc. (…)

Le temps à disposition est un facteur clé pour la réalisation de tels projets.

2. Gagner ensemble plutôt que gagner chacun pour soi

Comment satisfaire aussi bien les besoins des vendeurs que des acheteurs ?

Les meilleures affaires sont celles où toutes les parties concernées trouvent leu compte, tout autant que vous-même. Il faut y travailler.

En effet, de nos jours, le marché exige davantage que des relations gagnan gagnant. Il faut que tout le monde, toutes les parties gagnent à faire un transaction, parce que la dynamique des affaires a changé avec le temps. Elle e devenue plus honnête et intègre.

Ainsi, lorsque vous vous trouvez à la table des négociations, gardez une visic à long terme. Il faut que vos offres prennent en compte les besoins des acheteurs y prêter attention avec le plus grand sérieux.

En effet, selon des exemples donnés par Rolton, il faut éviter les confli d'intérêts et, au contraire, aller dans le sens des désirs du vendeur, notamme quand celui-ci semble réticent à accepter votre projet de développement p exemple. Cherchez à savoir pourquoi, à connaître les motivations profondes q l'animent.

Rolton raconte qu'un propriétaire qu'il avait approché avait refusé plusie offres jusqu'à ce qu'il ait été compris : cet homme avait une femme infirme qui pouvait emprunter des escaliers. Tout projet concernant son bien était lié à son besoin de remédier à cette situation plutôt qu'à réaliser des bénéfices fabuleux. Rolton, faisant preuve de compréhension et d'empathie – ce que j'appelle aussi l'honnêteté et l'intégrité, qui sont des facteurs fondamentaux de succès – proposa de bâtir une nouvelle maison pour le vendeur, facile à entretenir et adaptée aux difficultés de son épouse. Ainsi, tout le monde avait à gagner à cette affaire. C'était une situation de gagnants ensemble plutôt que chacun pour soi.

La fortune sourit non seulement aux audacieux, comme dit l'adage, mais aussi aux gens qui font de bonnes actions.

Les autorités régionales accordèrent l'autorisation de faire passer un chemin de fer non loin du lieu concerné, ce qui permit au promoteur d'obtenir l'autorisation d'augmenter le nombre d'étages de la future propriété de 3 à 6 et rapporta à Rolton près de 2 millions de dollars.

3. Les nombres, c'est le savoir

Le savoir, c'est le pouvoir. Faites vos calculs. Développez vos relations avec les ingénieurs responsables des plans d'aménagements urbains, les entrepreneurs civils, les constructeurs, les promoteurs immobiliers…

Peut-être que vous ne voudrez pas développer vous-même un projet immobilier ou que vous aurez besoin de connaître le coût final de votre projet afin de pouvoir le vendre au mieux. Quand on présente un projet d'aménagement, il faut savoir comment et s'informer de tous les frais que cela implique. Il faut comprendre ce processus de bout en bout et en maîtriser tous les coûts.

4. Devenez le champion des *Joint-Venture* (*ou partenariats, ndt*)

Faites des partenariats ou périssez. Au lieu de vous dire, rongé par l'avarice, que vous allez de ce fait devoir partager vos bénéfices, abandonnez une part de vos profits à vos partenaires, parce que partager un projet c'est aussi répartir les risques qui lui sont inhérents.

5. Formez des équipes

Formez des équipes et assurez-vous que les compétences de ses membres se complètent.

Avec une équipe bien composée, vous prendrez des décisions plus rapides et intelligentes. Vous pourrez utiliser les qualités propres à chaque partenaire pour réduire les coûts professionnels. Plus élevées seront les capacités des membres de votre équipe, plus grandes seront les chances d'obtenir les autorisations nécessaires pour la réalisation de votre projet de développement.

A combien s'élève le dépôt exigé pour poser une option d'achat ?

Rolton estime que la plupart des vendeurs demandent des dépôts bien trop élevés et généralement injustifiés. Il donne l'exemple d'un terrain d'une valeur de 2 millions de dollars qui, assorti d'un projet de développement, pourrait valoir 2,9 millions de dollars. Le vendeur réclamait un dépôt de 300 000 $ pour accorder une option d'achat. Rolton lui fit remarquer que le coût de sa candidature pour un projet d'aménagement serait d'environ 150 000 $, que lui (Rolton) devrait payer. Or, cet argent, exigé lors du dépôt des candidatures, est en fait l'équivalent d'une garantie, et le projet est au nom du vendeur. Si Rolton devait décider à un moment donné de mettre fin à son option, le projet de développement reviendrait au vendeur, puisque la candidature pour le projet de développement était au nom de ce vendeur. Donc, 300 000 $, c'était trop.

Rolton insiste sur la nécessité de disposer d'options de longue durée. Plutôt que 24 mois par exemple, il conseille 30 mois, ce qui donne plus de temps à l'acheteur/promoteur d'obtenir toutes les autorisations nécessaires au projet d'aménagement et/ou de développement pour ajouter de la valeur au bien en question.

Utiliser l'argent des autres

Au lieu d'utiliser son propre argent, dit Rolton, on peut faire appel à celui d'autrui pour financer des options et des projets. Dans cette optique, Rolton raconte qu'il offre par exemple des primes spéciales à des firmes impliquées dans ses projets d'aménagement pour le cas où elles accepteraient de repousser les délais de son paiement à une date ultérieure, à la fin de tout le processus de candidature. Selon Rolton, il y a aussi de nombreuses personnes ou entités sur le marché qui paieront à notre place si on leur offre une prime sur les coûts au moment du règlement final.

Rolton conseille de tout consigner au fil d'une négociation. En effet, ce dont vous avez convenu pendant la négociation va forcément être transmis à un juriste pour l'élaboration du contrat. Il est donc essentiel que le contenu de vos accords verbaux y figure correctement au moment où le contrat sera scellé.

Il existe des offres sur des sites web qui permettent d'obtenir des information sur des terrains, biens et options.

Les options peuvent parfois permettre de gagner de l'argent rapidement comme par magie.

Ce fut le cas de deux jeunes clients du « Centre d'Education pour le 21ème Siècle » qui ont assisté au séminaire sur les options immobilières et foncières. En mois, ces deux jeunes gens ont réalisé un bénéfice d'environ 1,5 millions de dollars sur une affaire immobilière sans débourser un seul centime de leur poche.

Dans un autre cas, un client de nos séminaires, qui posa une option pour la première fois de sa vie, reçut une offre de 1,6 millions de dollars pour une propriété et fit 775 000 $ de bénéfice en trois semaines en n'utilisant que 1000 $ de sa poche. Nous surnommerons ce client « Colin ».

Comment est-il parvenu à un tel succès ? Il a effectué une recherche très approfondie avant d'approcher son vendeur potentiel, à savoir le propriétaire du terrain qu'il convoitait. Il apprit en douce que cette personne était déjà en négociation avec une autre partie, dont l'intention était d'utiliser cet emplacement pour y bâtir des résidences subdivisées. Colin se renseigna donc, avant d'approcher ce propriétaire, sur les prix fonciers dans la région considérée et sur le meilleur usage qui pouvait en être fait. Il découvrit ainsi qu'à cet endroit, à savoir le sud-est du Queensland, il y avait une demande importante de maisons de repos, de retraite et d'hôpitaux. C'est sur un projet de cet ordre que Colin fit donc reposer son offre et posa son option d'achat.

Colin s'est aussi intéressé aux besoins individuels des parties concernées. Le vendeur, âgé, était fatigué de vivre seul et d'entretenir sa grande propriété qu'il souhaitait vendre au meilleur prix. Quant à l'acheteur final, il avait désespérément besoin de terrain pour ses bâtiments hospitaliers et ses maisons pour personnes âgées. Evidemment, le vendeur de cette propriété fut très heureux d'obtenir un meilleur prix que celui qui lui avait été offert lors d'une première offre et la vendit rapidement. C'était une situation dans laquelle tout le monde était gagnant.

Des millions à Rockie

Dans le Queensland, au moment de la publication de ce livre *(en Australie, ndt)*, il y avait un boom dans l'industrie du nickel, du cadmium et du charbon, ce qui évidemment créa des occasions de créer des infrastructures indispensables.

A Rockhampton, des entrepreneurs posèrent une option pour 100 hectares proches d'une mine d'importance majeure, pour 3,3 millions de dollars (soit 3,30 $ par mètre carré). Un fermier, propriétaire du terrain, fut fort heureux de s'en aller, tout émerveillé par les bénéfices qu'il allait faire. Quelques semaines plus tard, ces mêmes entrepreneurs furent approchés par une grande organisation de Melbourne qui possédait un terrain adjacent à la terre du fermier et qui était très désireuse d'acheter cette terre aux détenteurs de l'option. Son offre était de 45 $ par mètre carré, ce qui équivalait à 45 millions de dollars. En acceptant, les entrepreneurs concernés allaient se retrouver avec un profit potentiel de 41,7 millions de dollars ! Mais plutôt que de vendre la totalité des 100 hectares de terre au groupe de Melbourne, les entrepreneurs lui cédèrent une plus petite portion de cet emplacement, qui correspondait à leurs besoins, pour 55 $ par mètre carré, soit un total de 15 millions de dollars, ce qui fut accepté. En quelques petites semaines, après avoir payé l'heureux fermier, les entrepreneurs avaient réalisé un profit d'environ 12 millions de dollars et contrôlaient encore une grande partie du terrain de 100 hectares sur lequel ils détenaient une option.

Elever le niveau d'un barrage

Dans un autre cas, en Australie, le gouvernement proposa d'élever le niveau d'un barrage de manière importante. Cela exigeait en conséquence le zonage de terres adjacentes. Le zonage en cours n'autorisait pas plus de 28 à 35 parcelles résidentielles sur ce terrain.

Suite au nouveau zonage, le gouvernement voulut 140 parcelles de terre sur cet emplacement. John avait posé une option d'achat sur ce terrain sur la base des 28 à 35 parcelles quand il entendit parler pour la première fois de l'élévation du niveau du barrage. Avant réception de la candidature pour le projet de développement, les autorités concernées invitèrent John à les rencontrer afin de lui communiquer leurs intentions dont elles pensaient qu'elles lui poseraient un problème : ces autorités avaient désormais besoin de 210 blocs résidentiels sur ces lieux. Pour employer les mots de John, le gouvernement « casqua pour arriver à ses fins ».

Quelques conseils de Mark Rolton pour les affaires immobilières

• Bon à savoir : quand il y a une demande de logements résidentiels, une demande pour des centres commerciaux et industriels va forcément suivre.

• Tendances et schémas : suivre les marchés résidentiels, parce que d'autres marchés, en toute logique, vont se présenter. Sans logement, pas de commerce ni d'industrie.

• (…)

• Consultez les cartes des rues, suivez les tendances, informez-vous sur les densités de logements dans ces rues et quartiers.

• (…)

• Pensez hors norme. Si, dans une zone urbaine, les constructions se limitent à 3 étages par exemple (un rez-de-chaussée et deux étages), peut-être pourriez-vous augmenter vos bénéfices en mettant les rez-de-chaussée à disposition de commerces de détail et en offrant des locaux pour des bureaux au premier étage ? Les logements résidentiels se trouveraient au deuxième étage.

• (…)

• Intéressez-vous au vieillissement de la population et donc aux besoins de personnes âgées.

• Posez des questions aux agents immobiliers qui travaillent dans les secteur qui vous intéressent. Demandez-leur quelles ont été leurs récentes affaires et s elles ont été bonnes. Vérifiez leur crédibilité et leurs résultats. Prêtez attention aux tendances de leurs marchés et à ce qu'ils veulent faire.

• Recherchez des occasions qui correspondent à ce que ces agents vous disent.

• Les responsables régionaux d'aménagement du territoire et le gouvernement s'intéressent aux demandes d'autorisations qui leur rapportent le plus. Ils font beaucoup plus d'argent avec les candidatures pour les projets de constructions et de développement de grands ouvrages qu'avec les candidatures pour des projets plus simples.

Négocier des options

Quand vous travaillez avec des options, il est impératif que vous compreniez que le temps est votre principal allié. Les meilleures options comportent toujours un bon facteur temps. Votre savoir-faire de négociateur d'affaire va vous inciter à persuader en douceur tel ou tel propriétaire, avec qui vous souhaitez passer un contrat d'option sur un bien immobilier ou foncier, de vous donner le temps nécessaire pour aboutir à vos résultats.

Avec un bon délai, il est possible d'obtenir les autorisations exigées pour un projet de développement sur un site donné. Il est impératif de s'assurer que vous disposez d'un minimum de 24 mois *(du moins en Australie, ndt)* pour l'approbation d'un projet de développement. Cela prend au minimum 4 à 18 mois pour le projet entier.

Comme négociateur, vous pouvez amener le vendeur à comprendre que les conditions que vous lui offrez sont aussi les meilleures pour lui. Par exemple : « Madame (ou Monsieur) (vous vous adressez au vendeur), vous pourriez ne pas souhaiter déménager et vous reloger trop vite. Si tel est le cas, je suis prêt à poser une option d'achat sur votre propriété à condition que je puisse tenir mes délais. Ils seraient de 24 mois. Cela vous conviendrait-il ? » La plupart des vendeurs seront ravis de disposer d'un peu plus de temps avant d'avoir à déménager.

Il faut bien comprendre que les affaires sont les affaires. Ce qui veut dire que, quelle que soit votre amabilité, votre gentillesse, vous êtes dans le rôle d'un homme *(ou d'une femme, ndt)* d'affaire, d'un*(e)* négociateur*(rice)*. Le marché étant ce qu'il est, parfois, vous n'obtiendrez pas tout ce que vous voudrez.

En votre position de négociateur, il faudra faire preuve de souplesse, avoir l'esprit ouvert et favoriser en toutes circonstances la création d'occasions supplémentaires en pensant avec créativité et en considérant les situations sous différents angles. Vous pourriez suggérer au vendeur : « Avez-vous une autre idée ou un moyen de faire fonctionner cette affaire ? » Il est bon de toujours revenir vers ce facteur fondamental : les besoins du vendeur.

Le marché n'est jamais statique. Par conséquent, les bonnes occasions sont toujours plus nombreuses dans un marché en baisse que dans un marché en hausse. Ceux qui ont le mieux réussi dans l'immobilier ont souvent gagné plus d'argent dans un marché baissier que dans un marché haussier.

Le principe de l'entonnoir et de la baratte

Au sens propre, le barattage est la séparation de la crème des particules de babeurre à partir desquelles se formera le beurre. Nous allons utiliser des analogies. Ndt

Quand on travaille avec les options, il faut être spécifique. Il est impératif d'avoir une ligne nette, un style défini de bien ou de marché, afin de démarrer avec des objectifs très clairs. Il convient de faire un plan et de fixer les buts et objectifs que l'on se propose de réaliser dans les prochains 3, 6 ou 12 mois avec la méthode des options d'achats de biens immobiliers.

La segmentation du marché est critique et il est important de comprendre pourquoi elle existe, quelles sont ses dynamiques et quelles sont les forces qui amènent tel ou tel segment à un point donné dans le temps. Il peut s'agir par exemple de taux d'intérêts qui baissent dans le marché résidentiel, facteur qui va probablement stimuler le marché industriel. Car, à l'évidence, quand le marché résidentiel commence à monter, le marché commercial aussi. Ces tendances sont faciles à dégager et à comprendre. La consultation des agents immobiliers peut être utile pour faire une telle analyse, ainsi que les magazines et journaux sur les investissements immobiliers.

La formule du barattage vous permet de passer des affaires dans un entonnoir pour les introduire dans votre baratte, et de les battre par une série de procédés pour en dégager le meilleur et faire votre beurre. Il faudra voir immédiatement si les affaires que vous fourrez dans votre entonnoir sont viables ou pas.

Le diagramme ci-après montre les filtres nécessaires pour vérifier la qualité des affaires et être certains qu'elles vont combler nos attentes.

J'ai opté pour une description simple. Mais au fur et à mesure que vous développerez votre expérience dans le domaine, vous ajouterez des filtres à cette méthode que j'appelle « de barattage », et vous en affinerez les produits.

La réussite dans le domaine des options immobilières et foncières est déterminée par le nombre d'options exécutées. Par conséquent, il est évident que plus grand est le volume d'affaires potentielles filtré dans la baratte, plus grandes sont vos chances de succès. De même, on peut dire que votre succès va dépendre du nombre d'affaires que vous allez décider de faire passer dans votre entonnoir.

Une formule conduisant à la réussite consiste à commencer à fourrer un minimum de 30 affaires par semaine dans l'entonnoir et la baratte, en ayant pour objectif de négocier et de conclure un contrat pour une affaire par mois. De cette façon, votre succès sera garanti. Evidemment, toutes les affaires ne vont pas aboutir à un succès, même si elles ont fait l'objet d'un contrat. Mais si le volume des affaires battu dans la baratte est important, il en sortira des affaires réussies. C'est mathématique.

Grâce à la baratte, examinez les emplacements à la loupe et filtrez

- **Identifiez le type de projet de développement** : industriel, maison de retraite, villas (de densité moyenne), espace professionnel ou commercial.
- Choisissez une ville ou localité spécifique afin d'y incorporer environ 5 nouveaux aménagements.
- Consultez les cartes des rues et routes et les informations sur les solutions relatives aux questions immobilières, parlez aux équipes et aux agents qui sont dans la branche. Consultez le plan de la ville que vous avez prise pour cible afin d'y déceler les secteurs et emplacements intéressants.
- **Familiarisez-vous avec la région** et les recherches de solutions immobilières qui peuvent y être utiles ; cherchez les emplacements adéquats.
- **Emparez-vous de parcelles clés** en vous fondant sur leur dimension, leur forme, leur prix, les antennes et l'infrastructure, etc.
- **Faites vos calculs** concernant le lieu que vous envisagez d'acquérir. Scrutez les prix de ventes offerts par les différents vendeurs et les prix au mètre carré, les coûts des agents, de la construction ou de l'aménagement du site considéré.
- **Vérifiez** si le site est en pente, s'il se prête à l'irrigation. Analysez la zone, ses servitudes et limites en tous genres, les questions relatives à d'éventuelles restrictions la concernant. Consultez le plan de la ville et les autorités municipales ou régionales en matière d'aménagement.

Options – Le principe de l'entonnoir et de la baratte pour les affaires potentielles

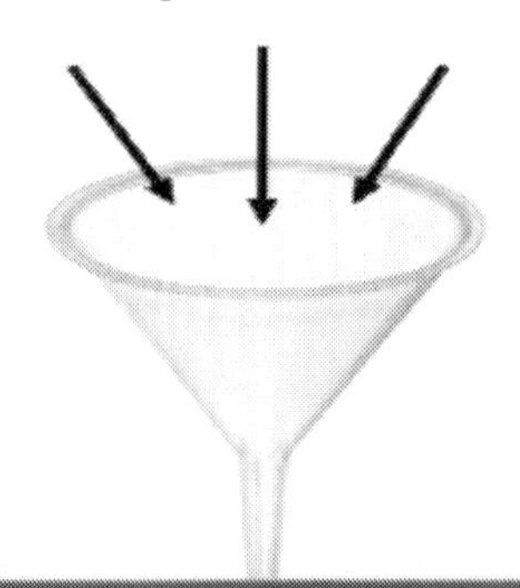

Filtres
Irrigation, routes principales, sous-sol minier, zonage

Faisabilité
Calculs – Combien ça coûte ? Est-ce que cela vaut le coup ?

Contacter le propriétaire
Quels sont vos besoins, que recherchez-vous ?

Prenez un rendez-vous

Négociez les termes du contrat
Faites-vous une idée de l'affaire. Vous convient-elle ?

Principaux points de l'accord

Contrat final (chez un avocat)

Quand la baratte produit du beurre, c'est-à-dire quand elle montre qu'une affaire est réalisable :

- Trouvez les propriétaires et leurs coordonnées de contact.
- Téléphonez-leur, envoyez-leur un mot ou frappez à leur porte pour obtenir un entretien. Entrer en relation prend quelques jours et le rendez-vous environ une semaine.
- Fixez la date du rendez-vous et, lors de la rencontre, déterminez le prix ou l'ordre de prix, trouvez et comprenez les motifs de la vente, estimez les délais et conditions de votre client, expliquez-lui comment les options fonctionnent et ce que vous pouvez faire pour lui.
- Selon la situation, révisez l'offre et les principaux points du protocole d'accord, expliquez les termes, passez au contrat final, c'est-à-dire à l'option d'achat.
- Si la situation dépend de facteurs extérieurs, prenez un second rendez-vous pour une négociation ultérieure, de nouveaux prix et de nouvelles conditions. Revoyez et signez à nouveau le protocole d'accord.
- Le contrat prend effet dès réception du protocole d'accord, ce qui prend environ une semaine.

Les cycles dans le marché de l'immobilier

Tout ce qui est relatif à la finance est cyclique. Tous les marchés suivent des tendances : la bourse, les fonds gérés, l'immobilier... Tout ce qui est lié à l'argent passe par des cycles et suit des schémas. Parce que nous sommes des êtres humains, nous éprouvons des émotions de nature à influencer les cycles des marchés. Ce sont nos émotions, sur le plan collectif, qui vont orienter les marchés.

Le marché résidentiel est l'étalon de mesure des autres marchés. C'est bien connu, ce sont les dépenses des consommateurs qui stimulent l'économie. Mais il se peut que l'effet des dépenses des consommateurs mette un peu de temps à se faire sentir sur le marché.

Il n'est pas courant pour le marché résidentiel de grimper d'environ 30 % sans que les marchés professionnel, industriel et commercial ne suivent.

Quand on doit décider quel marché viser en premier lieu, il faut d'abord faire le point sur vous-même et votre caractère : êtes-vous fait pour l'immobilier ? Avez-vous de l'expérience dans les marchés résidentiel, commercial, professionnel ou industriel ? Avez-vous déjà fait des affaires immobilières et avez-vous eu, le cas échéant, du succès ?

Quand vous aurez fait ce point, il sera celui de votre départ vers les options d'achats immobiliers. Vous pouvez par exemple commencer dans le résidentiel et vous spécialiser progressivement dans d'autres domaines.

Les options dans le résidentiel font face à une rude concurrence parce que c'est un domaine bien connu et relativement simple. Il sera donc difficile de négocier une bonne affaire. Dans d'autres domaines comme l'industriel, le commercial et le professionnel, la compétition est moins acharnée. Mais les investisseurs novices n'ont généralement pas assez de jugeote pour entrer dans de tels marchés et n'en connaissent pas les aspects techniques ; ils ne vont donc pas se tourner vers eux, ce qui va, si vous êtes prêt à vous former, vous offrir de bonnes occasions de vous enrichir.

Les medias nous informent très bien sur les tendances des marchés. Il fut un temps en Australie où les écoles privées et les jardins d'enfants étaient très demandés. Puis, cette demande ayant été comblée, elle a diminué, et de nouveaux secteurs de développement ont vu le jour : industriel, commerces spécialisés et maisons de retraites, ces dernières ayant constitué un marché fort dynamique. Tout dépend du pays où vous vous trouvez. […]

Intéressez-vous aussi au marché des locaux professionnels. Dans certains pays, comme le mien, ils sont rares à trouver et donc utiles à développer. […]

Ce sont des exemples. Recherchez des besoins et marchés émergents.

Les clés légales

Quand on a posé auprès d'un même propriétaire une option d'achat pour un emplacement donné, on peut attendre plus tard pour lui acheter encore du terrain adjacent. C'est un moyen d'échelonner ses paiements et donc un moyen fantastique de minimiser notre exposition au risque. Par exemple, vous pouvez poser une option de 24 mois sur une parcelle donnée et obtenir le droit de poser une option de 12 mois sur un terrain avoisinant à la fin de cette première option Ainsi, vous aurez établi un contrat échelonné et vous disposerez de 12 mois entre le premier et le second contrat pour vous organiser. Si vous procédez ainsi, vou pouvez vendre un emplacement et utiliser le second à une date ultérieure. Un stratégie courante consiste à vendre le premier terrain et acheter le second pour l conserver jusqu'au moment adéquat pour en faire quelque chose de rentable.

Les accords ou contrats échelonnés constituent des leviers appréciables. I minimisent vos risques et réduisent le capital dont vous avez besoin pour mener bien vos projets. Vous pouvez par exemple réussir quelques bonnes affaires e faisant des ventes anticipées. C'est un peu comme faire de la « mise en scène immobilière.

Certains promoteurs ne sont pas prêts à développer 100 résidences à la fois. I vont étaler la durée de leur projet et en bâtir 25 d'un coup pour réduire leurs fra et protéger leur trésorerie. Quand les terres sont grandes, elles font souvent l'objet d'options aux délais échelonnés. De cette façon, les promoteurs sont plus à l'aise avec les autorités responsables de l'aménagement des emplacements considérés : elles préfèrent souvent approuver des projets moins grands, petit à petit, plutôt que d'énormes projets en une seule fois.

En effet, ces autorités vont devoir envisager et analyser – si autant de terrain devait être rapidement disponible – ce que sera le résultat final, son impact économique et social sur la région et sur d'autres secteurs de l'économie locale, notamment des affaires qui viennent de se lancer avec des coûts d'acquisition peu élevés. Bref, examiner la question sous tous ses aspects, qui seront complexes et impliqueront beaucoup d'acteurs. C'est pourquoi ces entités auront tendance à se montrer réticentes à l'approbation de grands développements en une seule fois.

Il faut être conscient que, le plus souvent, les autorités responsables de l'aménagement du territoire ont avantage à examiner les projets et les options progressivement, parce que cela leur donne le temps d'en analyser toutes les implications futures et la manière dont elles vont affecter les autres secteurs éventuels.

Une formule conduisant à la réussite consiste à commencer à verser un minimum de 30 affaires par semaine dans l'entonnoir et la baratte en ayant pour objectif de négocier et de conclure un contrat pour une affaire par mois. De cette façon, votre succès sera garanti.

Evidemment, toutes les affaires ne vont pas aboutir à un succès, même si elles ont fait l'objet d'un contrat. Mais si le volume des affaires battu dans la baratte est important, il en sortira des affaires réussies. C'est mathématique.

Les options combinées

Combiner les options est une bonne approche. Les combinaisons nous donnent toute la souplesse requise pour engendrer un rendement plus élevé en améliorant un bien donné.

Voici, sous forme de schéma, un exemple typique de combinaison. Cela dit, il y a des arrangements de toutes sortes.

Exemple de combinaison d'un projet d'aménagement

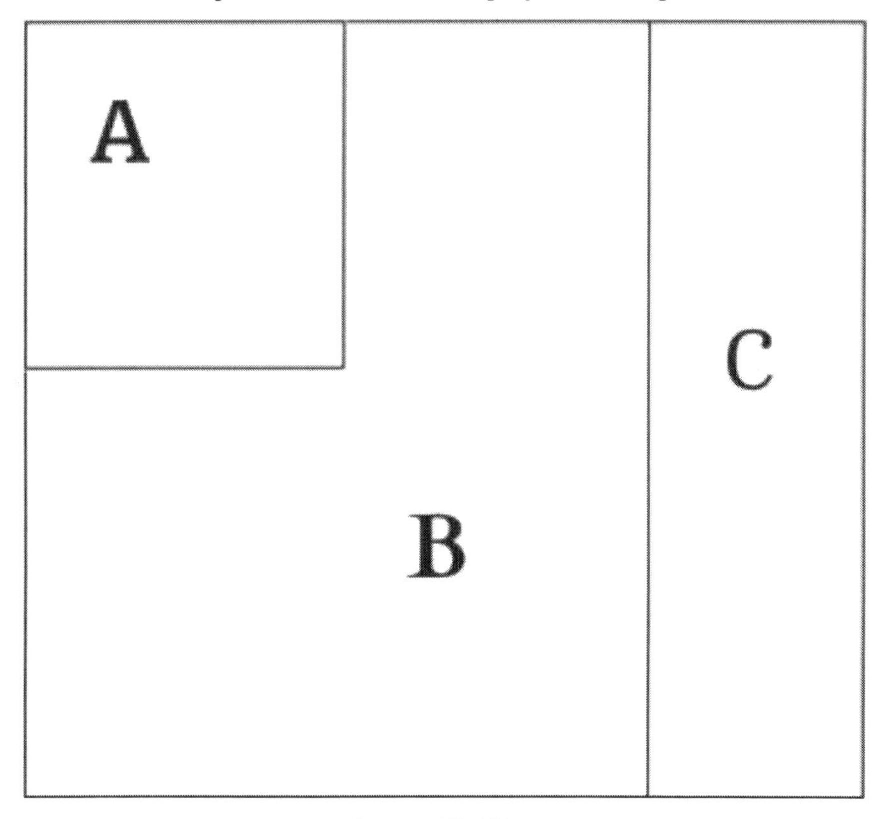

6 hectares/60 000 m²

Zone résidentielle – 600 m² de blocs résidentiels

Le shcéma ci-dessus décrit un projet de développement de zone résidentielle classique (600 m² par parcelle). Avec un prix au détail de 150 000 $ par parcelle, cet emplacement pourrait être évalué à environ 3 292 000 $ maximum. (Prix basé sur 80 parcelles à 41 150 $ chacune – prix brut, sans les frais d'autorisation de développement.)

41 150 $ x 80 = 3 292 000 $

En utilisant une approche créative sous la forme de « combinaison », nous pouvons prévoir que la zone A sera un Centre commercial urbain pouvant accueillir une boulangerie, un marchand de journaux, un supermarché éventuellement un centre médical, [...], une brasserie-restaurant, etc., avec environ 2 000 m² comme terrain commercial à un taux d'approximativement 450 $/m².

Sous-total = 900 000 $

La seconde aire sera attribuée à des services pour les personnes âgées en raison de sa proximité avec le nouveau centre commercial et ses installations. 15 000 m² sont requis pour ce type de projet et vont rapporter 120 $/m² (frais d'autorisation et d'approbation du développement non compris).

Sous-total = 1 800 000 $

Ce qui reste, à savoir 43 000 m², se prête selon notre estimation à la construction de logements étant donné que les autorités régionales responsables de l'aménagement seront enclines à maintenir un équilibre entre la densité des constructions et le maintien de l'intégrité du plan de la ville et de ses alentours.

43 000 m² à 750 m² par lot = 57 blocs

(750 m² par lot inclut la possibilité de construire des rues et des parcs)

57 lots à 41 150 $ par lot = **sous-total de 2 345 000 $**

TOTAL = 5 045 000 $

L'exemple ci-dessus est un schéma courant de la manière dont de nombreux promoteurs approchent l'immobilier.

Comme vous pouvez le constater, cet emplacement est de 6 hectares, soit 60 000 m², en zone résidentielle A. Selon nos calculs, si le terrain, par parcelle, devait être vendu au détail pour 150 000 $, le maximum à payer serait de 41 150 $ brut par parcelle (sans les frais relatifs à l'approbation du projet de développement). Ainsi, avec cette méthode, le profit que vous pourriez espérer accomplir pour cet endroit serait de 3 292 000 $. Après quoi les promoteurs négocieraient leur marge nette de profit. Cette approche ne serait pas très intelligente en raison des coûts et des risques au moment de vendre ces terrains à leurs utilisateurs finaux. Mais si on examine les choses autrement et que l'on met en marche notre créativité, on se rend compte que l'on peut ajouter de la valeur à long terme en étalant les projets et en les présentant progressivement aux autorités concernées, en prenant en compte leurs désirs en matière d'aménagement urbain. Comme mentionné plus haut, nous pouvons nous offrir de payer initialement davantage puisque nous savons désormais comment rentabiliser un bien et lui ajouter de la valeur.

Autre exemple : si nous avons un terrain de, disons, 2 000 m², et que le plan de la ville prévoit qu'il est prévu pour un statut résidentiel, il va falloir que vous vous familiarisiez intimement avec les lieux. Si vous pensez que vous disposez des éléments qui vous donneront les meilleures chances de faire accepter votre projet de développement, vous pouvez rentabiliser cet endroit. Si la limite de la hauteur des bâtiments est fixée à 4 étages, vous pourrez proposer que le rez-de-chaussée soit mis à disposition de commerçants et que les second et troisième étages soient des locaux professionnels. Le dernier étage serait réservé aux logements, ce qui maintiendrait votre projet dans la ligne « zone résidentielle », comme le souhaiteraient dans ce cas les autorités urbaines. De cette façon, vous aurez ajouté beaucoup de potentiel à votre projet tout en proposant aux autorités un arrangement harmonieux. Ainsi, quand on réalise des combinaisons, il est important de faire appel au savoir et à la perception d'un planificateur urbain qualifié.

Effectuer des recherches et prendre en compte les résultats est très important et permettra de comprendre le degré de flexibilité d'un développement urbain en accord avec les autorités. Ces recherches nous mettrons en position de proposer des solutions pratiques aux autorités concernées. En effet, de nos jours, il semble que les autorités soient friandes de projets réalisables et pratiques, et leur en offrir vous donnera les meilleures chances d'obtenir leur approbation.

Dans bien des cas, les plans d'aménagement urbains sont rédigés de telle manière qu'ils sont ouverts aux suggestions. Mais la solution est en général de la responsabilité du promoteur candidat pour l'approbation. Il est donc clair que vous allez devoir présenter des projets solides contenant des solutions intéressantes pour les autorités si vous souhaitez promouvoir des changements ou tout au moins tenter d'augmenter la densité et la rentabilité du bien sur lequel se fondera votre candidature.

En général, il sera important de maintenir l'intégrité du statut de l'emplacement urbain en question – par exemple un statut résidentiel. L'intégrité du plan de la ville compte avant tout, et on ne pourra faire que de petits changements, par exemple en combinant les espaces commerciaux, les locaux professionnels et les logements. C'est ce qui nous offrira les plus grandes chances de succès.

24. LE PRINCIPE DES SEAUX DE BÉBÉS

Bien que, maintenant, quand je me repose, je m'enrichis sans rien avoir à faire, au début j'ai dû faire preuve de beaucoup de discipline. Et, quand j'avais des doutes, j'ai due vraiment m'accrocher.

Je vais à nouveau vous enseigner des stratégies. Vous allez devoir en choisir une sur laquelle vous concentrer afin de la maîtriser. Ensuite, et sur cette base, vous pourrez passer à une autre stratégie, et ainsi de suite.

N'essayez pas de faire un petit peu de tout. Moi non plus je n'utilise pas toutes les stratégies. Je me concentre sur deux d'entre elles, comme par exemple la location d'actions et la vente d'assurances, mais je ne le fais pas par obligation. Pour ce qui est de l'immobilier, je pratique habituellement une ou deux stratégies. Donc, vous aussi vous devriez choisir des stratégies à mettre en œuvre et, au fur et à mesure que vos investissements vont vous rapporter davantage, vous aller les réorienter. Vous pouvez passer d'une stratégie à une autre. Cela dépendra de vos objectifs du moment. J'appelle cela le « principe des petits seaux *(ou seaux de bébés, ndt)* ».

Ce principe a pour objectif de faire du facteur de risque un ami et peut vous apporter la garantie que vous allez profiter des risques sans craindre de perdre.

Pour y parvenir, vous allez devoir répartir le contenu disponible dans votre grand seau pour l'investir dans de plus petits seaux. J'aime l'expression « le principe des seaux de bébés » parce qu'elle permet d'expliquer les choses avec simplicité.

Prenez votre grand seau

Vous avez maintenant quatre petits seaux à remplir. Par lequel allez-vous commencer ? Commençons avec le premier...

- Le premier sera le « seau de la sécurité et de l'argent comptant »
- Le second sera le « seau de l'enrichissement »
- Le troisième sera le « seau du momentum »
- Le quatrième sera celui de « la belle vie »

Répartissez votre patrimoine en 4 petits seaux

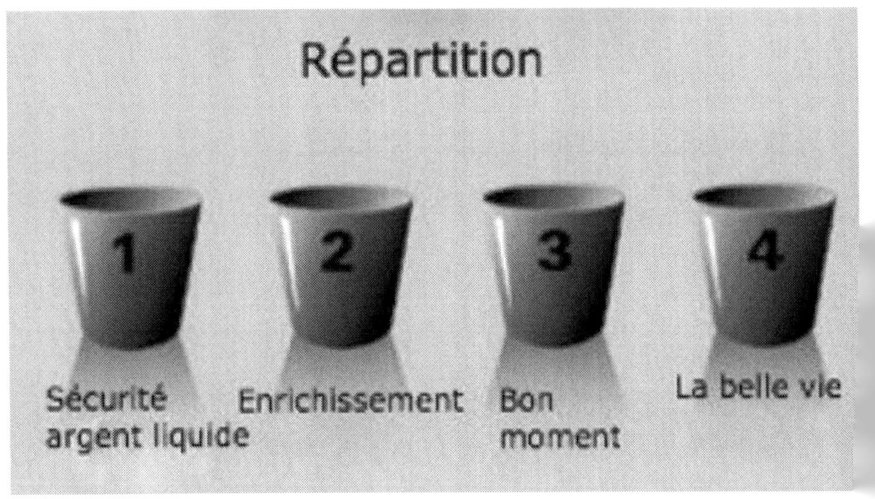

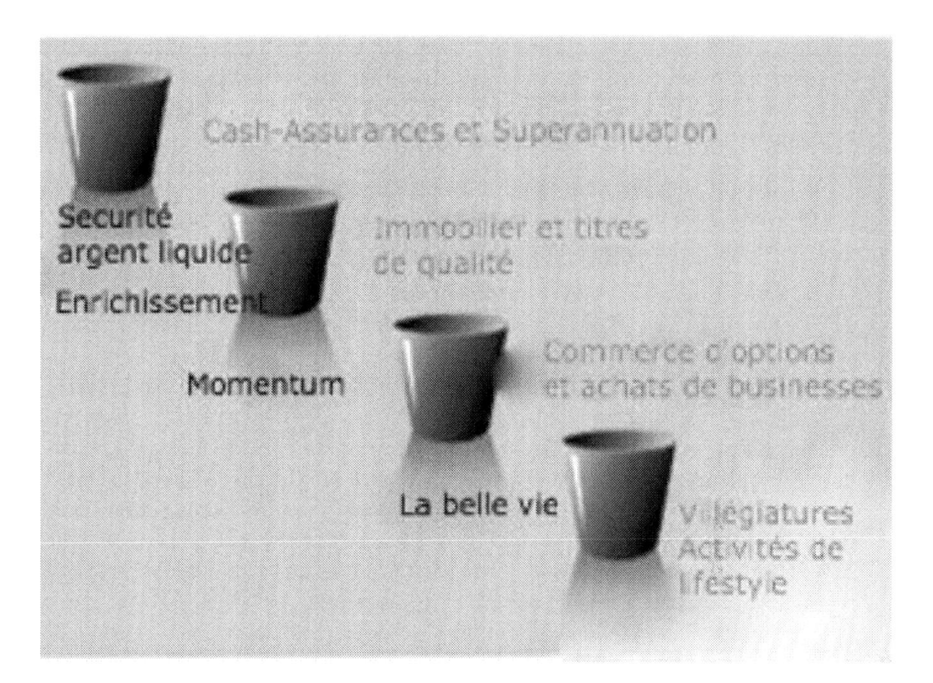

Essayez de bien comprendre le principe que je vais vous décrire parce qu'il va vous permettre de tracer la voie la plus rapide pour faire fortune, cette rapidité étant déterminée par celle à laquelle vous atteindrez un niveau auquel vous pourrez vous permettre de perdre de l'argent. C'est pourquoi les investisseurs de haut niveau peuvent gagner une fortune absolue : parce qu'ils ont plein d'argent de côté qu'ils peuvent se permettre de perdre. Quand vous atteignez ce niveau, investir est si simple.

Vous me direz : « D'accord, c'est valable pour les investisseurs de haut niveau. Mais si vous démarrez de là ou vous êtes, pouvez-vous vous permettre de perdre quelques sous ? » La réponse est oui, mais uniquement si vous appliquez la stratégie des seaux de bébés. L'intention n'est pas de perdre, bien sûr, mais d'être en position de *pouvoir* perdre, bien que ceci ait peu de chances de se produire, comme vous allez le comprendre.

Qu'allez-vous mettre dans **le premier seau, celui de la sécurité** ? Des investissements à haut risque ou à bas risque ? De toute évidence, à faible risque. Votre épargne par exemple, la gestion de votre argent liquide. Vous pouvez y ajouter une bonne assurance. Dans ce domaine, il est préférable de vous adresser à un bon courtier en assurances qu'à un agent d'assurance, parce que ce dernier va tenter de vous vendre ses produits, tandis que le courtier cherchera le produit qui vous conviendra le mieux. Je vous suggère une assurance perte de revenu, invalidité et santé si vous empruntez de l'argent et investissez activement. Ces contrats diminueront vos risques au cas où vous vous retrouveriez au chômage ou que vous tombiez malade au cours de votre processus d'enrichissement. Choisir un courtier plutôt qu'un agent sera très important – je le souligne –, notamment si vous investissez, à un moment donné, dans l'immobilier.

Le second seau va contenir les investissements destinés à vous enrichir. Les biens résidentiels et locatifs et les entreprises de qualité sont des investissements que vous mettrez dans ce seau.

Le troisième seau, celui du momentum, va contenir par exemple des activités de location d'actions, de commerce, les activités d'entreprises traditionnelles, etc. C'est un seau d'investissements à haut risque. Je m'explique : pourquoi tant de gens se cassent la figure ? Parce qu'ils en ont assez de travailler pour un patron et décident donc de monter leur propre affaire. Mais, trop souvent, ils donnent leur maison ou appartement en garantie pour emprunter afin de mettre en route leur nouveau business. C'est ce que font 96% d'entre eux, et c'est l'investissement qui comporte le risque le plus élevé parce qu'il peut conduire à tout perdre. Donc, si vous empruntez en donnant votre logement en garantie, suivez la règle d'or qui suit : n'empruntez pas pour monter une affaire tant que ne vous pouvez pas vous permettre de perdre l'argent que vous y investirez. Les gens qui ont connu la faillite auraient bien voulu avoir compris cette règle plusieurs années auparavant et le disent bien souvent.

Le quatrième seau – celui de la belle vie. Vous allez y mettre des investissements liés à votre belle vie. Qu'est-ce qu'un investissement de belle vie ? Si vous êtes fortuné et que vous voulez vous offrir une ferme, allez-vous l'acheter pour son rendement ou pour le plaisir ? Et un chalet à la montagne, dans une belle station de ski ? Dans la plupart des cas, ceux qui s'offrent ce genre de biens le font pour embellir leur vie plus que pour le rendement de leur investissement.

Je vous donne un exemple qui me concerne : un restaurant. Nous envisagions d'acheter un restaurant dans un endroit où j'adore me rendre et où je vais régulièrement. Je pensais qu'avec la somme que nous dépensions pour le petit déjeuner, le déjeuner et le dîner, nous en serions probablement déjà devenus les propriétaires, en fin de compte. Si nous l'achetions, ce ne serait donc pas pour gagner de l'argent mais pour la joie d'en être les propriétaires. Nous l'aurions acheté pour la belle vie. C'est toute la différence avec d'autres investissements que l'on trouve dans les trois premiers seaux.

Un tas de gens commettent l'erreur de ne faire aucun investissement ou de ne pas avoir d'activité de momentum. Ils veulent jouir sans attendre de la belle vie et se précipitent immédiatement sur un investissement pour mener la belle vie, juste pour le plaisir : un chalet à la montagne, une ferme, des biens qu'ils ne peuvent réellement s'offrir, plutôt que de commencer par élaborer leurs investissements de façon à pouvoir, un jour, acheter par exemple une maison au bord de la mer ou un chalet à la montagne, ou encore une maison sur une île de rêve ou tout autre lieu de villégiature, avec leurs bénéfices.

Cela dit, avec un brin d'intelligence, vous pouvez transformer des investissements de « belle vie » en investissements rentables.

En ce qui nous concerne, nous avons acheté deux propriétés principalement pour mener la belle vie. L'une est une magnifique maison d'hiver en Nouvelle-Zélande où nous nous rendons trois ou quatre fois par an et que nous prêtons à nos familles et amis. Le reste du temps, nous la louons pour les vacances. Cette propriété est donc très rentable parce que nous percevons des loyers très élevés quand nous la mettons en location. Donc cet investissement destiné à embellir notre vie nous offre non seulement un très beau cadre de vacances mais nous rapporte également de manière appréciable. Pourtant, c'est rare qu'une maison de vacances rapporte en Australie. Il y en a trop, elles sont souvent vides et ne gagnent que très peu de valeur. Idem pour les fermes. Quand les prix des propriétés rurales augmentent, les fermes sont de vraies vaches à lait (pardonnez-moi l'expression) ; surtout quand le bétail est bon marché. Mais c'est avant tout un investissement de belle vie, de plaisir, pour le bonheur de posséder une ferme, d'échapper aux milieux urbains, de jouir d'un style de vie rural sain et heureux.

Alors pourquoi utiliser les seaux de bébé ? Pour éviter, bien évidemment, que les gens se précipitent sur les investissements de type « momentum », qui sont les plus risqués, avant d'avoir assuré leurs arrières. Il faut apprendre à répartir ses investissements selon leur degré de risque.

Nos choix sont influencés par notre caractère profond, que je vais appeler notre « profil psychologique ». Comme nous l'avons déjà vu, ce sont des émotions, à savoir la peur et l'appât du gain, qui guident la plupart des investisseurs.

La peur freine. Ceux qui ont peur mettent leur argent sous leur oreiller ou le laissent à la banque qui, elle, s'en fiche parce qu'elle gagne beaucoup d'argent à partir de rien. Et, naturellement, si nous cédons à la peur, rien ne se produira.

Le contraire de la peur c'est l'appât du gain, l'avidité. Certaines personnes ne craignent rien. Elles veulent s'enrichir rapidement et, en conséquence, elles se précipitent sur des investissements qu'elles ne peuvent pas réellement se permettre, en particulier dans le seau du « momentum », et mettent tous leurs œufs dans le même panier. Elles finissent par perdre de l'argent et se retrouvent dans une situation difficile. Résultat pour ces gens ? Ils ne s'enrichissent pas aussi rapidement qu'ils le souhaitent. Ils sont le plus souvent fauchés parce qu'ils ont manqué d'intelligence financière.

Mais pour devenir financièrement intelligents, il faut aussi devenir émotionnellement intelligent. Cela consiste notamment à se détacher du résultat, à ne se laisser guider ni par la peur ni par l'appât du gain.

En effet, pour jouir de calme intérieur et récolter des bénéfices, il va falloir vous détacher de l'argent en tant que tel. Mon mentor millionnaire me disait toujours que la vie est trop courte pour se laisser stresser par l'argent. Il disait : « Sois indifférent par rapport à l'argent et débrouilles-toi pour être en position de ne pas trop t'en soucier. » En cas de crise, ne paniquez pas. Une crise, c'est aussi plein de bonnes occasions. Pourtant, quand le marché chute, la plupart des gens paniquent. Ce n'est pas productif. Nous avons appris au cours de ce livre comment gagner de l'argent et comment nous protéger quand le marché baisse afin de tirer parti des crises.

Les gens véritablement fortunés sont indifférents à l'argent. Pour eux, l'argent n'est qu'une idée à laquelle ils ne s'accrochent pas émotionnellement.

Je vais vous raconter une histoire pour illustrer ce propos :

Une fois, j'ai perdu mon portefeuille, qui contenait mille dollars. J'ai failli m'énerver. Puis je me suis dit que la vie était trop courte pour cela. Pourquoi rester contrarié des jours et des semaines voire des mois et des décennies – comme ce serait le cas pour certaines personnes qui se seraient trouvées dans le même cas – pour une histoire si bête ? Je pense que la vie est trop courte pour s'angoisser pour ce genre de problème. C'est bien ennuyeux de perdre son argent ainsi. Mais cela n'est pas vraiment important. Tout dépend de la manière avec laquelle on prend les choses. Je me suis dit que si j'avais perdu 1 000 $, cela signifiait forcément que quelqu'un d'autre avait plus besoin de cet argent que moi. Je l'ai donc considéré comme un don à l'univers, et j'ai cessé de m'en soucier.

Cet événement est relativement récent par rapport au moment où j'ai écrit ce livre. Mais si cela m'était arrivé des années auparavant, la perte de ces 1 000$ aurait été une vraie catastrophe à mes yeux. J'en aurais fait une dépression. Cela dit, à cette époque, c'est-à-dire avant que je fasse fortune, je n'aurais pas eu 1 000 $ dans mon portefeuille.

Donc, ce qui compte c'est de ne pas trop se préoccuper de l'argent, de ne pas s'y attacher émotionnellement. Il est fondamental, pour maîtriser le stress, de contrôler nos émotions. Et la stratégie des seaux de bébé nous y aide psychologiquement, parce qu'elle nous apprend à répartir les risques. On dit en termes techniques « répartir ses investissements ».

Je ne parle pas seulement de les diversifier. La plupart des conseillers financiers vont vous suggérer de diversifier, ce qui signifie qu'ils ne savent pas vraiment ce qui va marcher et que, donc, ils répartissent les investissements dans différents paniers en espérant que quelque chose va fonctionner. C'est en fait ce que « diversifier ses investissements » signifie pour les fameux 96 % qui échouent – soit la majorité des investisseurs. Mais nous allons faire preuve de plus d'intelligence financière qu'eux. Nous allons allouer notre argent à des seaux de bébé, selon leurs définitions et leurs niveaux de risques et de rendements, afin de conserver notre tranquillité d'esprit et nous sentir plus en sécurité.

Exemple : supposons que vous n'avez que 100 000 S à investir. Vous pouvez tout utiliser et faire un dépôt de 100 000 S dans un momentum, ou vous pouvez répartir cet argent en différents investissements. A mon avis, vous devriez mettre un grand pourcentage de cette somme dans le seau de sécurité, parce qu'au début c'est une nécessité. Il s'agit de vous construire le matelas sur lequel vous pourrez retomber quand vous sauterez. Il s'agit de bien gérer votre argent. Cela peut aller lentement au début, mais vous vous y ferez. C'est comme quand on fait une boule de neige. Quand elle commence à rouler le long de la pente, elle est toute petite et lente, il faut la pousser un peu. Mais progressivement, en roulant, elle prend du volume et descend plus rapidement. Au stade du momentum, il va falloir lui donner un coup de pouce. Mais quand elle aura atteint sa masse critique, elle va accélérer sa descente et vous ne pourrez plus l'arrêter. Alors s'enrichir deviendra beaucoup plus facile.

Disons que sur vos 100 000 S vous avez investi 15 000 S dans votre seau de momentum à haut risque et grand rendement, et que vous avez placé le reste dans le seau de sécurité. Vous vous enrichissez. Mais que va-t-il se passer si vous perdez vos 15 000 S ? Serez-vous complètement fini ? La réponse est non. Selon cet exemple, vous pourriez perdre potentiellement ces 15 000 S, parce que, grâce au matelas de sécurité que vous aurez constitué, vous pourrez vous permettre de perdre un peu de cet argent que vous aurez placé à plus haut risque pour de meilleurs rendements.

Comment répartir vos risques – selon quels pourcentages – dans les petits seaux ?

Je vais vous montrer cela en détail plus loin. Mais avant de prendre vos décisions, il va falloir vous connaître vous-même, savoir quel est votre profil de risque, si vous êtes agressif, conservateur ou peureux.

Si vous venez de débuter dans les investissements, vous serez sans doute conservateur, voire peureux. Au fil de votre apprentissage, vous allez commencer à devenir plus agressif. Mais pas forcément. Il faudra juste que vous soyez honnête avec vous-même et que vous vous fassiez une idée claire de ce que vous êtes : un investisseur conservateur ou un investisseur plus agressif. Ce sont ces traits de caractère qui vont déterminer les pourcentages d'investissements que vous allez mettre dans chaque seau.

Ne prenez pas ce qui suit pour des conseils. Je vous fournis simplement un guide que vous pouvez adapter à celui ou celle que vous êtes, à votre profil psychologique. Discutez avec des financiers ; déterminez avec leur aide votre profil de risque afin de décider les pourcentages exacts que vous allez allouer à chaque seau.

Consultez le tableau ci-dessous : si vous êtes agressif, regardez la colonne « agressif » et choisissez votre classe d'âge.

Classe d'âge	AGRESSIF	CONSERVATEUR
En dessous de 45 ans		
Sécurité	20%	30%
Enrichissement	45%	55%
Momentum	35%	15%
De 45 à 55 ans		
Sécurité	25%	30%
Enrichissement	50%	60%
Momentum	25%	10%
Plus de 55 ans		
Sécurité	30%	40%
Enrichissement	55%	55%
Momentum	15%	5%

Choisissez votre classe d'âge et regardez les pourcentages correspondant (J'insiste : il s'agit d'un guide et non pas de conseils. Chaque individu est différe et investit en conséquence.)

Disons que vous avez moins de 45 ans et que vous êtes plutôt agressif. Vo envisagerez alors de placer 20 % dans la sécurité, 45 % dans l'enrichissement et % dans le momentum.

Si vous êtes conservateur, vous verrez que vous n'allez pas mettre plus de 15 dans le seau du momentum. Et plus vous vieillirez, moins vous allez mettre dans momentum, parce que vous aurez une moins longue perspective devant vous, qui va influer sur vos résultats.

En revanche, si vous êtes jeune et conservateur, vous pouvez y mettre 35%. si vous êtes jeune et agressif, encore plus. Cela dépend de chacun. Il va do falloir déterminer soigneusement votre profil psychologique.

Un tas d'excités se précipitent d'emblée sur le commerce des options. Il n'y rien de mal à cela en soi si cette activité vous convient, mais pourrez-vous vo permettre d'emprunter pour une telle affaire ? Ma réponse est non parce que vous n'êtes pas en position de perdre l'argent que vous aurez emprunté si vous n'avez pas de matelas de sécurité. A moins que vous ayez une réserve tel un patrimoine. Dans ce cas vous pourrez emprunter, parce que cet emprunt ne serait qu'une façon de transférer de l'argent que vous possédez dans un autre investissement. Vous pourrez vous en tirer avec des bénéfices et prendre des distances. Mais surtout ne vous précipitez pas sur un prêt personnel pour trader sur le marché des options en appliquant les stratégies de mon beau-frère Simon (cf chapitre 16). Par contre, vous pourriez louer des actions, ce qui serait à placer dans le seau de l'enrichissement. Cela sécurisera davantage la plupart des gens qui vont être prêts à y consacrer une grande partie de leur portefeuille. Il est toujours plus confortable d'assurer ses positions que d'acheter des options, activité plus risquée que Simon avait choisie.

Quand il a commencé le trading d'options, Simon s'est permis une approche agressive parce qu'il avait de l'argent de côté et qu'il pouvait donc prendre le risque de perdre. Il ne tradait pas sur la base d'un emprunt. Bien sûr, il n'avait pas l'intention de perdre. Mais il avait accepté l'idée que cela pouvait arriver ; il était prêt psychologiquement, émotionnellement détaché de son argent.

Les gens qui s'accrochent à leur argent ne font que peu de profits avec le trading d'options parce qu'ils ne travaillent pas en accord avec leur caractère profond, leur profil psychologique. Ceux qui ont suivi les cours de Simon à notre « Centre d'Education pour le 21ème Siècle » et ont suivi nos séminaires d'apprentissage de l'intelligence émotionnelle ont dépassé de loin les gens qui se sont lancés directement dans le trading des options sans prendre le temps de se forger l'état d'esprit adéquat. C'est pourquoi, parfois, on va vous raconter des histoires épouvantables sur le trading des options. Les gens qui les tradent sans avoir acquis le bon état d'esprit ne suivent pas les règles et se laissent guider par l'avidité et perdent en conséquence.

En fait, les gens qui ont acquis une intelligence émotionnelle comprennent en profondeur la stratégie des seaux de bébé, tandis que d'autres tombent dans le piège de leur ego et ne cherchent qu'à gagner de l'argent rapidement. Ces derniers ont tendance à ne pas suivre les règles, à ne pas écouter et, par conséquent, leur apprentissage de l'investissement est semé d'obstacles et plus difficile.

C'est pour vous éviter de tomber dans de tels pièges, pour vous aider à minimiser vos risques et à vous protéger contre vous-même, que je vous enseigne ces stratégies. Vos traits de caractère, votre psychologie, affectent tout. Vous maniez de l'argent ; il est donc nécessaire d'être financièrement intelligent. Jouez fin avec votre argent. Ne soyez ni trop peureux ni trop avide. Restez en équilibre, intelligent et détaché, de façon à ce que vous puissiez prendre plaisir à ce jeu.

Il n'est plus difficile pour moi de m'enrichir. Quand je me repose, je continue passivement à m'enrichir. Mais au début, il a fallu que je me discipline, que je m'accroche à ce que j'entreprenais, même si j'avais des doutes.

Quelques conseils de Bill Gates

D'après ce qu'on raconte, Bill Gates, lors d'un discours prononcé dans une école secondaire, fit la constatation que l'éducation fondée sur les bons sentiments et le « politiquement correct » avait engendrée une génération de jeunes coupée des réalités et prédisposée à l'échec dans la vraie vie. Il aurait émis les remarques suivantes :

Règle n°1 : La vie n'est pas juste – vous devez vous y habituer !

Règle n°2 : Le monde se fiche de votre amour-propre. Il attend de vous que vous accomplissiez quelque chose avant que vous ayez des raisons de vous en féliciter.

Règle n°3 : Vous ne gagnerez pas 60 000 $ par an dès la fin de votre parcours scolaire. Vous ne serez pas vice-président avec un téléphone portable et une voiture de fonction tant que vous n'aurez pas mérité ces privilèges.

Règle n°4 : Si vous pensez que votre professeur est pénible, attendez d'avoir un patron.

Règle n°5 : Travailler à faire griller des hamburgers n'est pas humiliant. Vos grands-parents avaient un mot différent pour ce genre de job : c'était une bonne occasion.

Règle n°6 : Si vous vous mettez en difficulté, ce n'est pas de la faute de vos parents. Donc ne leur reprochez pas leurs erreurs mais au contraire apprenez d'elles.

Règle n°7 : Avant votre naissance, vos parents n'étaient pas aussi ennuyeux qu'aujourd'hui. Ils sont devenus ainsi à force de devoir payer vos factures, laver vos habits et vous écouter leur rabâcher que vous pensez que vous êtes cool et génial. Alors avant de sauver les forêts tropicales des parasites de la génération de vos parents, faites le ménage dans votre propre armoire.

Règle n°8 : Votre école s'est peut-être débarrassée du modèle « gagnant perdant », mais pas la vie. Certaines écoles ont aboli les notes et tests de passage et vous donneront tout le temps dont vous aurez besoin pour trouver vos propres réponses. Cette situation n'existe pas dans la vraie vie.

Règle n°9 : La vie n'est pas divisée en semestres. Vous n'avez pas de vacances d'été et très peu d'employeurs vont vous aider à vous découvrir. Il va falloir faire vous-même.

Règle n°10 : La télévision n'est pas la vie réelle. Dans la vraie vie, il faut quitter les terrasses de café et aller travailler.

Règle n°11 : Soyez aimable avec les ringards. Il y a bien des chances qu'un jour vous finissiez par travailler pour l'un d'entre eux.

En conclusion, souvenez-vous que s'enrichir n'est qu'un jeu que vous pouvez apprendre et aimer. Qui sait, peut-être que la vie n'a pas à être un combat mais une belle balade dans une vallée ensoleillée ?

Cela a été un honneur pour moi de faire ce voyage avec vous tout au long de ce livre et je souhaite sincèrement vous rencontrer un jour si nos chemins devaient se croiser.

J'ai tenté de vous apporter beaucoup, parce qu'à mon avis il faut donner plus que ce qui est attendu de nous et cela nous revient au centuple.

Je serais ravi de recevoir le récit de vos réussites, vos réactions et vos commentaires. Sentez-vous libres de m'envoyer un message *(en anglais de préférence, ndt)* à Jamie@21stca.com.au

Je ne peux pas vous promettre de vous répondre personnellement en raison du grand nombre de messages que je reçois, mais on ne sait jamais, parce que je réponds personnellement à un grand nombre d'entre eux.

Veillez à entreprendre des actions intelligentes à partir de ce que vous aurez appris dans ce livre, parce que je l'ai conçu afin que vous ne trouviez pas de fausses excuses.

Maintenant que vous savez comment faire, je vous encourage à continuer à développer votre formation au « Centre d'Education pour le 21ème Siècle », parce que vous venez de contempler lors de cette lecture un monde nouveau et enthousiasmant que vous pouvez créer pour vous-même.

Si je devais tout résumer en un mot, ce serait « courage ». C'est le courage qui m'a permis de changer ma vie et de transformer mes rêves en réalité. Il en a fallu beaucoup et donc je vous souhaite plein de courage, parce que vous en aurez besoin. Mais souvenez-vous que cela en vaut la peine. C'est à vous de prendre la décision de mener la vie de vos rêves ou au contraire de sombrer dans une vie de regrets. Comme dit la chanson : « Il suffit de passer le pont » pour prendre le chemin de la réussite et la célébrer.

REMERCIEMENTS

Aucune chose créée, pas même un livre ou un concept comme celui du « Centre d'Education pour le 21ème Siècle », ne peut voir le jour sans le concours de nombreuses personnes.

Je voudrais tout d'abord remercier les sœurs Stokes, Sheena et Cherie, pour avoir fait émerger le projet de terre alors qu'il y gisait depuis des années. Merci aussi Anna, mon assistante personnelle, pour les innombrables heures qu'elle a consacrées, sans les compter, à la dactylographie, aux corrections, et à m'aider à écrire. Merci à Yasoda pour la part qu'il a prise à l'achèvement du projet et à Jana et Kim pour le temps infini requis par l'édition.

Un grand merci aussi à toute l'équipe du « Centre d'Education pour le 21ème Siècle », passé et présent : Warren Stokes, directeur général ; Brett Gartner, coach en chef ; Linda Barraud, responsable de notre logistique ; Brock Hamilton, IT ; et notre équipe de coaches dirigés par Derek Adams. Merci à Lea Tidy-Russ, chef du service clientèle ; à notre équipe extérieure de spécialistes et professionnels ; à notre équipe de diffusion et d'expansion en Australie et en Nouvelle Zélande. Merci aux promoteurs des débuts, Jon et Connie Giann, et à tous les employés et collaborateurs présents et passés.

Je voudrais aussi remercier grandement mes collaborateurs plus récents et actuels, y compris les directeurs et directrices du « Centre d'Education pour le 21ème Siècle ». Merci à Lou Harty, Julie Spencer, Joanna Decco, Leonie Prendeville, Kartik Gupta, Helen Janbazian, Danielle Alcide, Nick Cheok et Konrad Bobilak, qui se sont dévoués à leur mission de créer un « Centre d'Education pour le 21ème Siècle » qui enseigne ce que l'on n'apprend pas à l'école.

Merci aussi à mes partenaires en affaires et à tous ceux qui, sous une forme ou une autre, se sont impliqués dans le groupe du « Centre d'Education pour le 21ème Siècle ».

Un grand merci aussi à tous les diplômés du « Centre d'Education pour le 21ème Siècle » pour avoir contribué par leur présence à réaliser le rêve de la création d'un système d'éducation adapté au 21ème siècle. Les récits de vos réussites prouvent que ce que nous avons conçu pouvait devenir réalité et qu'entreprendre selon nos voies a valu la peine. Continuez !

Un grand merci à ceux de mes mentors et maîtres dont je ne puis citer le nom pour des raisons privées. Et un grand merci à ceux que je mentionne, comme Anthony Robbins, qui m'a rapidement mis sur le chemin du développement personnel ; Jay Abrahams, qui m'a fait profiter de ses brillantes compétences en marketing ; Michael Gerber, qui m'a fait partager ses concepts en affaires ; Robert Kiyosaki, qui a rendu simple pour moi la compréhension d'un sujet bien complexe. Merci à Stuart Wilde pour sa manière pleine d'humour de considérer l'argent et la réussite ; à Sir Richard Branson pour être un modèle inspirant de succès en affaires ; à Robert Kirby pour sa passion et son engagement à aider les gens à guérir émotionnellement ; et à tous les enseignants dont les livres, les séminaires, les cassettes et autres supports ont joué un si grand rôle en me guidant vers ma réussite et vers la capacité à aider les autres à réussir à leur tour.

Mes plus chaleureux remerciements vont à ma famille. En particulier mes parents : mon père pour son extrême générosité et son honnêteté intellectuelle ; ma mère pour son soutien sans faille, son amour et pour avoir pris soin de moi lors des hauts et des bas que j'ai traversé. Merci à mes frères et sœurs pour avoir toujours été là, à veiller sur mon honnêteté. Merci pour tout.

Jamie McIntyre

Témoignages de succès

Découvrez comment des gens ordinaires font de leurs rêves une réalité grâce à une éducation adaptée au 21ème siècle

TÉMOIGNAGES DE SUCCÈS

« Nous avons pu quitter notre emploi »

Cela fait un an et demi que nous avons acheté votre cours et c'est le meilleur investissement que nous ayons jamais fait (JAMAIS). Nous avons assisté au séminaire de 4 jours « Education pour la vie » en novembre 2008 et, depuis lors, notre vie a totalement changé. Il y a tellement d'opportunités qui se sont ouvertes à nous dont nous ignorions l'existence.

Un de nos plus grands objectifs était de quitter notre J.O.B. (« Just On Broke » - « Juste En Faillite », ndt). À 28 ans et seulement un an et demi après l'achat de votre cours, nous avons [...] quitté notre emploi ! WAHOU !! Je n'hésiterais pas à recommander à quiconque l'achat de votre cours - c'est le meilleur investissement que nous avons fait ! Je voulais envoyer cette lettre pour dire MERCI !! Si vous n'aviez pas voulu aider les autres cela n'aurait pas été possible. Vous êtes une personne incroyable pour consacrer votre temps à aider les autres à atteindre leurs objectifs et faire en sorte que l'impossible devienne possible. Les mots ne peuvent décrire la gratitude et l'appréciation que nous ressentons tous deux pour ce que vous nous avez donné. Merci !!

Dennis et Juliette Kahrilas

« J'ai quitté mon emploi de couvreur et doublé mon revenu »

Quand nous avons découvert l'éducation du 21ème siècle, nous étions prêts à embarquer ! Je n'avais pas d'argent avec lequel travailler alors j'ai acheté le cours avec ma carte de crédit (ndt : carte qui permet d'acheter à crédit, à ne pas confondre avec la « carte de débit » aussi appelée « carte bleue » que nous possédons quasiment tous mais que nous appelons par abus de language « carte de crédit ») et j'ai travaillé dessus régulièrement au cours des huit semaines qui ont suivi.

J'ai tiré sur ma carte de crédit de quoi commencer à trader les options. Nous avons pris les derniers 15 000 $ sur le crédit de la maison que nous venions de construire - ma première opération sur les options de vente (vente d'assurance) équivalait à la moitié de mon revenu mensuel ! Et j'ai retiré les 10 000 $ de mon portefeuille d'actions « Super » (de la « Super » compagnie n°1 en Australie) qui n'avait rapporté que 100 $ l'année dernière ! Quand j'ai placé mon premier mois d'achat d'options (loué mes actions), j'ai touché l'équivalent d'un mois entier de revenu ! Je venais de quitter mon emploi de couvreur et mon revenu avait doublé ! (Et le cours était payé).

Maintenant ma partenaire s'est lancée et étudie le cours. Son 1er objectif est de ne plus dépendre de sa pension d'invalidité d'ici la fin de l'année ! (Avec le double de revenu bien sûr !)

Bronwyn Mosman

« De presque endetté à gagner 39 600 $ en un seul mois »

Je suis passé de presque endetté il y a 12 mois, à gagner 39 600 $ en un seul mois, en utilisant une seule des stratégies que j'ai appris lors du séminaire de 3 jours à Fidji avec Jamie McIntyre. Je me suis embarqué dans l'éducation du 21ème siècle et me suis engagé à participer au séminaire en direct de Fidji avec Jamie McIntyre et 10 conférenciers. A ce moment-là je n'avais pas les fonds pour y aller, mais au lieu de trouver des excuses comme « Je ne peux pas me l'offrir », je me suis demandé « Comment puis-je me l'offrir ? » Avance rapide à 12 mois plus tard et ma vie a complètement changé. Je gagne maintenant plus de 10 000 $ de nombreuses semaines (39 600 $ c'était juste le mois dernier) sur un investissement de 100 000 $.

J'ai maintenant inspiré une centaine de personnes et aidé une famille nombreuse, des amis et des diplômés à quitter leur emploi en moins de 12 mois, et beaucoup d'autres sont sur la bonne voie. Mon enthousiasme à aider les autres à atteindre un tel succès si rapidement m'a récemment conduit à être choisi par l'équipe de l'éducation du 21ème siècle pour apprendre aux autres ce qu'il faut pour atteindre le succès avec ces stratégies !

Bill Stacy

« J'ai doublé mon revenu en 2 semaines ! »

J'ai rejoint l'éducation du 21ème siècle en Juin 2007 et ai participé au séminaire de 4 jours « Education pour la vie » à Queenstown plus tard ce mois. Dans les 2 semaines qui ont suivi le séminaire, et en mettant en pratique certaines des affirmations et stratégies de Jamie, j'ai doublé mon revenu et vais terminer l'année en ayant quadruplé mes revenus de l'année précédente !

Cela m'a permis pour la première fois depuis toujours d'économiser de l'argent (30 000 $ gérés par un trust) et de rembourser un tiers de mon (non négligeable) hypothèque, que je vais annuler dans les 2 prochaines années. Je ne peux pas remercier Jamie suffisamment pour l'inspiration et les conseils pratiques.

Peter Waaka

« J'ai aidé mon père à générer 30 000 $ en un seul mois »

En 2 ans nous nous sommes non seulement créé un revenu d'investissement pour nous-mêmes mais nous avons pu aider mon père un ancien routier, à utiliser une partie de son patrimoine pour générer un revenu régulier et générer 30 000 $ en un seul mois, lui permettant d'enfin prendre sa retraite.

Sheena et Cherie Stroke

« De nettoyer les toilettes créer un portefeuille de 50 000 $ »

J'étais un étudiant à temps ple qui nettoyait des toilettes po financer ses études universitaires. En participant au séminaire, je me suis fait assez d'argent pour quitter mon emploi à temps partiel. J'ai migré d'Afrique du Sud, et en utilisant les stratégies enseignées dans l'éducation du 21ème siècle, j'ai pu créer un portefeuille de 50 000 $.

Je génère 5 % de rendement par mois, ce qui équivaut à près de 2 500 $ par mois, sans avoir besoin de travailler. De l'argent pendant que vous dormez. Un rêve devenu réalité.

Gary Lake

« J'ai gagné plus de 300 000 $ à la bourse »

J'apprécierais que vous puissiez passer à Jamie mes plus sincères remerciements pour la mise en place de l'éducation du 21ème siècle. Je l'ai rejoint il y a 23 semaines. Suivant les conseils de Jamie, j'ai obtenu un crédit sur la valeur de ma maison et j'ai commencé à trader sur le marché boursier des Blue Chips (ndt : actions de sociétés cotées considérées comme de très grande qualité). Avant cela j'avais déjà négocié sur le marché avec très peu de succès. Comme on dit, 95 % des traders perdent de l'argent et 5 % gagnent de l'argent.

Bref, après avoir passé un certain temps à regarder les DVD, lire les livres de Jamie et assister à un séminaire de 4 jours à Melbourne, je suis heureux de dire que j'ai gagné 300 000 $ sur le marché boursier. Je viens juste de m'acheter une Mercedes ainsi qu'une Astra coupé cabriolet pour ma femme. C'est la première fois de ma vie que j'ai l'impression que personne ne peut arrêter de progresser si on suit les conseils de l'éducation du 21ème siècle et qu'on AGIT. Jamie a raison de dire que les gens ont besoin d'une éducation, et je suis heureux de m'être réveillé à la fin de l'année dernière.

P.S. : J'aurais 70 ans le mois prochain alors vous n'êtes jamais trop vieux pour apprendre !!

David Ross

« Maintenant je tire du marché 40 000 $ par semaine »

Il y a 10 ans j'ai suivi l'éducation du 21ème siècle avec seulement 3 000 $ et j'ai commencé à trader et transformer cela en 20 000 $ en 2 mois et transformé ces 20 000 $ en 50 000 $ le mois suivant. Maintenant je tire du marché chaque semaine, en utilisant ces 50 000 $ de la banque, en moyenne 40 000 $!

Je tiens à remercier Jamie d'avoir réveillé l'entrepreneur qui dormait en moi avant que je suive ce cours.

Vern Taikato

« J'ai mis de côté 65 % de mon revenu en un mois »

J'ai assisté à votre dernier séminaire de 4 jours. Je suis celle que vous avez fait monter sur scène et a qui vous avez demandé « Qu'est-ce que l'argent ? Qu'est-ce que l'argent ? Qu'est-ce que l'argent ? ». J'ai noté que mon objectif était d'économiser 500 $ le mois suivant, ce qui représente environ 65 % de mes revenus et je l'ai déjà fait !

J'ai quelques amis qui en ont mis de côté des milliers et les laissent juste reposer à la banque. J'ai hâte de me mettre à travailler ! Merci pour tout ce que vous m'avez appris, je suis tellement excitée quant à mon avenir.

Christina Peach

« De 500 $ par semaine à 3 700 $ par semaine »

J'ai reçu l'une de vos bourses pour les jeunes pour l'éducation du 21ème siècle il y a environ 2 semaines et je voulais juste dire un grand merci et vous dire exactement les résultats que j'ai obtenu : votre idée d'avoir un environnement « parfait » pour travailler m'a conduit à négocier un loyer de 12 mois au 21ème étage de la Rialto Towers avec une vue imprenable sur la ville - et je suis sûr que je suis la seule personne de 18 ans à avoir un bureau ici !

Aussi je me suis servi de votre concept « Douleur vs. Plaisir » pour changer ma situation et surmonter la procrastination et en faire plus. Maintenant je suis passé d'un revenu d'une source d'une moyenne de 500 $ par semaine à 3 700 $ cette semaine car je me suis dirigé et focalisé sur l'obtention de plus d'acheteurs et de clients plutôt que de rester dans ma zone de confort, et j'ai déjà prévu plusieurs semaines pleines de clients.

Non seulement cela mais j'ai commencé à voir ma jeunesse comme un avantage plutôt qu'un inconvénient que je devrais cacher aux yeux de mes acheteurs et clients potentiels, ce qui a développé ma confiance pour aller chercher de gros contrats.

Mais une chose qui je pense est la plus profonde que j'ai retenu de votre cours c'est la nécessité de redonner à la société. En 2011 je lancerai ma propre association à but non lucratif pour lever des fonds pour plus de matériel et de fournitures médicales dans les pays du tiers monde.

Donc je voudrais juste dire un énorme merci !

Mark McDonald

« De droguée et endettée à mariée avec des investissements »

Merci ! A 26 ans j'ai changé en 4 ans ma vie de droguée, endettée et perdue dans le monde. Je suis maintenant mariée, avec des investissements et des voyages, et surtout ma personne est l'une de celles dont je peux être fier. J'aime le défi que cela représente de grandir. Merci d'avoir apporté et inspiré ces changements ! - Grand conférencier ! Que Dieu vous bénisse !

Laura Jones

« Le seul conférencier en Australie qui peut parler de créer de la richesse dans l'immobilier, le marché boursier, l'entreprise et l'entreprise sur Internet.

Beaucoup peuvent se spécialiser dans une discipline mais seul un vrai maître de la

finance peut créer de la richesse dans un grand nombre de disciplines. »

Wealth Creator Magazine

« J'ai pour la première fois de ma vie un compte épargne qui est effectivement créditeur ! »

J'ai appris la valeur de l'argent et on m'a appris qu'il y a mieux dans la vie que de travailler dur pour votre argent - « faire en sorte qu'il travaille pour vous ». J'ai commencé avec rien et je peux maintenant dire que je suis sur la bonne voie pour être financièrement en sécurité. J'ai pour la première fois de ma vie un compte épargne qui est effectivement créditeur. Je viens juste d'acheter ma première propriété avec seulement 2 000 $, et de cela je vais recevoir un rendement minimum de 50 000 dollars dans les 12 mois. Le prêt immobilier sera également payé en mettant en place une simple stratégie de location. J'ai trouvé un moyen de minimiser mes impôts.

Heidi Strong

« 500 000 dollars du marché boursier en 10 mois »

Après avoir assisté au séminaire de 4 jour « Education pour la vie », je me suis fixé pour objectif de gagner 500 000 dollars sur le marché boursier en une année fiscale. Eh bien j'ai atteint mon objectif et je l'ai fait en 10 mois - pas 12 ! Avant de suivre ce séminaire je n'avais pas idée que je pourrais atteindre ce genre de succès !

Kerrie Sheenan

« J'ai doublé la valeur de ma propriété »

Un de mes amis m'a donné le livre de Jamie et je n'ai pas pu le lâcher. Il m'a donné l'espoir que peut-être un jour je pourrais me libérer de mes soucis du quotidien. Donc, je me suis inscris au cours et j'ai commencé il y a environ 4 mois.

Jusqu'à présent j'ai juste rénové notre modeste maison qui a été évaluée à 140 000 $. J'ai investi 100 000 $ dans les rénovations et maintenant sa valeur est de 300 000 $.

Je dispose d'un bon capital avec ça, et maintenant je l'utilise pour garantir une autre propriété que je suis en train d'acheter [...] et qui me fait une bonne dette et des crédits d'impôts. Je suis vraiment excité par ce nouveau montage car je sais que cela va prendre 60 à 70 000 $ de capital. Même si je ne suis encore qu'au début du cours, cela me motive à être plus agressif et plus malin dans mes investissements.

Stephen Schlink

« 475 000 $ de bénéfice en seulement 4 ans ! »

Ma femme et moi étions à la recherche d'un investissement immobilier mais nous avions juste besoin d'un peu de confiance. Nous avons terminé le cours et avons trouvé une propriété à 500 000 $, d'une valeur de 540 000 $, qui avait une maison, 3 chambres doubles au rez-de-chaussée et un grand hangar que nous avons entièrement loué. Le revenu couvre presque toutes les dépenses.

Je me disais que si la propriété doublait en 10 ans ce serait une pension de retraite de 50 000 $ par an. Même si vous ne deviez pas dépasser 5 000 $ par année vous les prendriez. 4 ans plus tard nous l'avons vendu pour 975 000 $ - soit près du double en 4 ans.

Carl et Stephanie Lucas

« J'ai libéré 200 000 $ de capitaux »

Depuis que j'applique le cours j'ai trouvé un investissement immobilier résidentiel avec 15 000 $ de rabais et un financement à 100 %. J'ai également renégocié le prêt de mon partenaire et libéré 200 000 $ de capitaux à utiliser dans la stratégie de location d'actions.

Lorraine Christian

« 24 000 $ créés de toutes pièces en 3 mois »

Lorsque nous avons terminé le séminaire nous avons commencé à chercher un investissement immobilier à Brisbane. Après avoir regardé pendant quelques mois, nous avons acheté une maison à moins de 5 km de la CDB pour 281 000 $. Pour augmenter nos loyers, nous avons rénové la salle de bain (pour seulement 2 000 dollars), ce qui a augmenté notre loyer de plus de 10 %. Trois mois plus tard, la propriété a été réévaluée à 305 000 $, soit près de 24 000 $ de profits créés de toutes pièces !

Après avoir construit une relation avec notre agent immobilier, elle nous a offert deux maisons sur un terrain divisible pour 450 000 $. Six mois plus tard, la propriété a été réévaluée à 500 000 $ et est louée pour 600 $ par semaine.

Jock et Amy Mitchell

« J'ai acquis une propriété 40 000 $ au-dessous du prix du marché ! »

A 21 ans, j'ai acheté mon premier investissement immobilier pratiquement sans argent et créé 40 000 $ à partir de rien. Après avoir terminé le cours, j'ai décidé d'utiliser la stratégie de l'investissement immobilier « sans argent ».

Utilisant le service de recherche de propriété, j'ai pu acquérir un bien immobilier 40 000 $ au-dessous de la valeur du marché pour un apport de moins de 3 000 $.

Brett Moyle

« Fantastique ! »

Merci pour la mise en place d'un événement aussi extraordinaire et le partage d'informations si précieuses. Je viens d'acquérir une maison aux États-Unis pour seulement 56 000 $. Je suis tellement excité. En Australie, cela aurait été au moins 300 000 $.

Craig

« Il n'y a rien de comparable ! »

J'ai fait des recherches d'achat de propriétés aux Etats-Unis pendant plus de 24 mois. J'ai assisté aux cours d'autres personnes, entendu ce que d'autres personnes avaient à dire, ce qu'elles pouvaient faire et tout le reste, et il n'y a rien au monde qui me fera recommander une seule de ces personnes par rapport à ce cours, car celui-ci est absolument génial - à tous points de vue.

Steve

« Incroyable ! »

Sans hésitation le meilleur séminaire sur l'immobilier auquel je n'ai jamais assisté. Vous les gars vous en donnez plus - incroyable. Nous avons utilisé vos informations pour acheter une propriété aux États-Unis d'une valeur d'un peu plus de 50 000 $ avec un retour sur investissement de 17 % ! Maintenant c'est un bon investissement, et vous l'avez rendu si facile pour nous.

John et Sue

« 25 000 $ en 47 jours ! »

Hey Dave, voici mes résultats depuis que j'ai commencé : j'ai atteint 25 000 $ en 47 jours, et pour ça je ne peux te remercier suffisamment ! J'avais l'habitude de travailler 12 heures par jour pour 750 $ par semaine. Je trade maintenant à temps plein et la vie n'a jamais été meilleure. Jamais de ma vie je n'ai été aussi enthousiaste à l'idée de commencer le lendemain. Au lieu de toujours attendre la fin du travail j'attends maintenant le début du travail ! J'ai du mal à attendre l'année prochaine car de la façon dont vont les choses, tout est possible. Merci encore Dave !

Mark Taranto

« Dans mon deuxième mois j'ai gagné 7 500 $ »

Dans mon premier mois de trading j'ai gagné 1 500 $, et dans mon deuxième mois j'ai gagné 7 500 $.

Flow Ryan

« J'adore gagner de l'argent avec les E-minis pendant que je dors ! »

Mon logiciel d'auto-trading des E-minis a fait 550 $ cette nuit ! C'est plus de 100 $ au-dessus de ce que j'ai fait la nuit d'avant. J'adore gagner de l'argent avec les E-minis pendant que je dors ! J'ai dépensé plus de 200 000 $ dans des cours ces 10 dernières années, et je peux dire en toute confiance que c'est l'une des meilleures stratégies que j'ai jamais rencontré. Non seulement mon argent dispose d'un fort rendement, mais même mon trading est mis en valeur pour quelqu'un qui connaît les marchés et fait régulièrement des trades rentables comme David Loughnan. Continuez votre beau travail !

Matt C.

« J'utilise la stratégie de location d'actions pour générer des milliers de dollars par mois »

J'ai rejoint l'éducation du 21ème siècle il y a environ 18 mois et j'ai été très impressionné par le contenu. Rien qu'en changeant la façon dont vous pensez vous pouvez changer votre vie. A cette époque de ma vie je faisais face à un licenciement et franchement je cherchais le changement [...].

Le cours, volume 1, disque 4, concernant le « réservoir d'argent » et le « triangle de la richesse » fut un véritable coup de pied aux fesses [...].

Après avoir examiné le triangle de la richesse, j'ai constaté qu'il y avait un déséquilibre, donc une action était nécessaire...

Étape 1 : Les actions - Je suis fier de dire que j'utilise la stratégie de location d'actions pour générer des milliers de dollars par mois, ce qui a presque remplacé mon revenu de quand j'avais un travail ! Maintenant que j'apprends les stratégies avancées, cette semaine j'ai fait en moyenne 1 % de rendement par jour, ce qui prouve que cela fonctionne !

Comme vous le dites Jamie, nous devrions enseigner à nos enfants, alors en tant que parent j'enseigne à mes enfants, Jayden, 7 ans, et Bryce, 5 ans, ils apprennent tous les deux activement la stratégie de location d'actions et gagnent quelques centaines de dollars par mois !

P.S. : Jayden a reçu son bulletin de l'école aujourd'hui et a reçu un A en maths ! Hmm.

Clarkos Performance

« 15 000 $ en 2 nuits de trading »

Salut Dave, encore d'excellents résultats cette semaine. Je dois aller au tribunal aujourd'hui et gagner environ 5 000 $ (y compris pour mes efforts dans la préparation de nombreuses heures à l'avance !). n'est rien par rapport aux 15 00 que je viens de gagner ces dernières nuits de trading ! seulement je n'avais pas à rem mes obligations en tant qu'avoc Je ferais ça dès que possible ! Je prendrais plus de travail après mois-ci. J'apprends beaucoup et mieux en mieux à mettre en pl mes propres trades (mais continu vous suivre à 100 %). J'attends voir si le succès dans le trad continue !

Steven Lo

« Plus que ce que je gagnais un mois avec mon travail à tem plein »

Je veux juste dire merci pour semaine fantastique. En suivant trades, j'ai gagné 2 000 $ jusc présent, ce qui est plus que ce qu gagnais en un mois avec mon tra à temps plein !

J'attends de voir ce que le re du mois va donner ! Merci !

Chris Rob

« 10 000 à 17 000 $ en 4 mois

J'ai commencé à investir avec 000 $ et au cours des quatre derni mois j'ai tradé à ma façon a succès pour avoir actuellement 000 $ sur mon compte de tradi J'ai deux enfants et je vis à Gosfor

Thierry Comarm

« 1 500 $ et c'est mon prem mois en direct ! »

Super mois camarade. Je suis 500 $ et c'est mon premier mois direct. Je suis allé jusqu'à 3 contrats lundi. J'ai gagné 300 $ aujourd'hui - je gagne seulement 550 $ par semaine en travaillant pour Woolworths à temps plein. Je n'ai pas envie d'aller travailler demain ! C'est le programme qui me rendra ainsi que beaucoup d'autres financièrement libre ! Bien à vous dans la réussite.

Neal BL Fisher

« La 4ème semaine j'ai gagné 4 500 $ »

Je m'en sors très bien en utilisant les stratégies de David avec les E-minis sur ma plateforme de day trading Halifax : la 1ère semaine j'ai gagné 300 $, la 2ème semaine j'ai gagné 700 $, la 3ème semaine j'ai gagné 1 400 $, la 4ème semaine j'ai gagné 4 500 $, la 5ème semaine j'ai ramassé 2 500 $ et la 6ème semaine j'ai gagné 3 100 $. Donc je m'en sors très bien avec les E-minis et Halifax !

Tim Whithouse

« 8 625 $ pour une semaine de travail de 2 jours »

Les résultats de la salle des marchés de la semaine dernière sont de 3 025 $, ce qui fut juste pour lundi et mardi. J'aime le fait de ne même pas avoir tradé vendredi mais d'avoir encore gagné 2 400 dollars. Le total pour la semaine était de 8 625 $, donc un excellent résultat pour une semaine de travail de deux jours.

J'ai pensé que je devrais vous donner un peu d'infos sur moi.

La dernière entreprise que je possédais avait un chiffre d'affaires de l'ordre de 700 000 $ par an, avec un coût de fonctionnement de l'ordre de 380 000 $ par an, et je n'ai pas touché de salaire les deux premières années. Je gagnais beaucoup d'argent après ça, mais c'était toujours des soucis - les stocks qui n'arrivent pas, le personnel qui ne se présente pas au travail et tous les autres problèmes qu'il y a à posséder votre propre entreprise. Je travaillais 60 à 70 heures par semaine.

Si je peux conserver ce genre de résultats pendant 42 semaines par an, je devrais tourner autour de 362 000 $ par an. Je sais qu'il y aura des semaines avec et des semaines sans, mais je vais augmenter le nombre de mes contrats, ce qui va commencer dès les prochaines semaines.

Les coûts de fonctionnement avec le trading des E-minis sont de 4 000 $ par an, et je travaille environ 10 à 30 heures par semaine, donc les deux ne sont pas vraiment comparables. J'ai maintenant autant de temps pour mes enfants et moi-même que je le veux, donc c'est génial.

Merci beaucoup pour tout le travail de dur labeur que vous, les gars, mettez dans la salle des marchés pour nous tous, les membres, c'est génial ! [...]

Michael Stevens

« Vous avez vraiment rendu l'apprentissage simple »

Merci pour la chance incroyable que vous m'avez offert. J'ai toujours été intéressée par le jeu du trading, mais après avoir lu beaucoup d'informations au fil des années et fait un peu de recherches sérieuses, je ne savais même pas par où commencer quand le moment est venu de commencer à trader sur le marché des actions. Tout portait à croire que c'était une occasion fantastique de gagner de grosses sommes d'argent en investissant dans le marché, mais qui ne venaient qu'avec le temps et un risque extrêmement élevé, ce qui m'a toujours conduit à l'inaction.

Vous avez vraiment rendu l'apprentissage simple avec votre simulation de trading afin que je puisse apprendre à devenir un trader professionnel à l'aise avec le temps mais peu de risque. J'apprécie vraiment de pouvoir finalement me « faire la main » à travers chaque trade que vous faites, en plus d'être en mesure de discuter en direct en cours de séance et d'avoir les réponses à toutes mes questions, ici et maintenant.

Bien sûr, le point culminant c'est de regarder mon compte grandir avec votre système de gestion de l'argent et de savoir que chaque jour me rapproche de mes objectifs financiers et de style de vie. En fin de compte, j'apprécie vraiment de faire partie d'une industrie dynamique qui ne cesse de m'intéresser intensément jour après jour... que pourriez-vous demander de plus d'une carrière ! Continuez votre beau travail parce que vous changez le futur des gens...

Amy Moch

« Vous avez changé nos vies e nous avez permis de poursuivr nos rêves »

Cher Dave, depuis que j'a commencé à trader en février d cette année j'ai gagné plus de 4 00 $. J'ai même manqué un trad gagnant un vendredi et il aura ajouté 1 000 $! Je suis un novice e trading mais je me sens déjà comm si je commençais à reconnaître de modèles, quel type de trade et quan entrer sur le marché. Il est importa de noter que j'ai commencé ave quelques pertes, puis quelqu victoires pour revenir à moi, pu quelques victoires et per occasionnelles. Je n'ai aucun dou sur le fait que, si je vous écoute, su prêt à étudier et réviser l graphiques, de nouveaux succès so inévitables. En conséquence, je su passé à un travail à temps partiel je cherche à développer mon tradin

Vous avez changé nos vies nous avez permis de poursuivre n rêves ! Merci Dave.

Duncan et Lorr

« J'avais l'habitude travailler 18 heures par jour, ma plus maintenant. »

J'ai commencé la locati d'actions récemment, je suis sur point de commencer le Forex [... Autant vous le dire, j'avais l'habitu de travailler dix-huit heures par jo mais plus maintenant. Merci à tou Tout cela a été fait en deux mois.

Phil Brow

« J'en suis à 7 333 $ après courtage ! »

J'ai commencé le trading en direct au début de ce mois et j'en suis à 7 333 $ après courtage... Nous ne sommes qu'à la mi-mars... cela fait 26 % de retour sur investissement en 16 jours ! Je suis sans voix. Merci beaucoup pour tout, votre mentorat, votre éducation et votre orientation ! Ce truc est en train de transformer la vie des gens. Merci encore, Dave, et je vous verrais aux 2 prochaines Journées (séminaire sur 2 jours, ndt) !

Alex Shelton

POUR ALLER ENCORE PLUS LOIN DANS VOTRE EDUCATION FINANCIERE, RENDEZ-VOUS SUR

Ouvrage réalisé par Divergent Editions.

Achevé d'imprimer en septembre 2016 par

Lulu Enterprises, Inc., Raleigh, N.C.

pour le compte de

Divergent Editions, 5 ter rue de Verdun, 54800 Jeandelize.

Dépôt légal : septembre 2016

Imprimé en France
FROC021251060720
24450FR00022B/356

9 791091 662246